国家出版基金项目
NATIONAL PUBLICATION FOUNDATION

"十三五"国家重点图书出版规划项目

中国兵学通史

近代卷

黄朴民　主编

李元鹏　著

CTS｜岳麓书社

·长沙·

图书在版编目（CIP）数据

中国兵学通史.近代卷/李元鹏著;黄朴民主编.—长沙:岳麓书社,
2022.1（2023.4 重印）

ISBN 978-7-5538-1577-0

Ⅰ.①中…　Ⅱ.①李…②黄…　Ⅲ.①军事思想史—中国—近代

Ⅳ.①E092.2

中国版本图书馆 CIP 数据核字（2021）第 225627 号

ZHONGGUO BINGXUE TONGSHI · JINDAI JUAN

中国兵学通史·近代卷

主　　编:黄朴民

作　　者:李元鹏

项目统筹:李业鹏

责任编辑:许　静

责任校对:舒　舍

书籍设计:萧睿子

岳麓书社出版发行

地址:湖南省长沙市爱民路47号

邮编:410006

版次:2023 年 4 月第 1 版

印次:2023 年 4 月第 2 次印刷

开本:640mm×960mm　1/16

印张:28.5

字数:409 千字

书号:ISBN 978-7-5538-1577-0

定价:170.00 元

承印:长沙超峰印刷有限公司

如有印装质量问题,请与本社印务部联系

电话:0731-88884129

《中国兵学通史》编委会

总　序

一、军事历史与兵学思想的地位和价值

孔子说"有文事者必有武备，有武事者必有文备"（《史记·孔子世家》），这充分揭示了一个基本事实，即军事始终是社会生活中的重要组成部分，与之相适应，就是军事历史与兵学思想理应成为历史学研究的主要对象之一。强化军事历史与兵学思想研究，对于推动整个历史研究，深化人们对历史现象的全面认识和历史发展规律的深刻把握，实具有不可替代的意义。

必须重视对军事历史与兵学思想的研究，这是由军事在社会生活与历史演进中具有决定性意义这一性质所决定的。就中国范围而言，军事往往是历史演进的最直观表现形态。国家的分裂与统一，新旧王朝的交替，政治势力之间的斗争倾轧，下层民众的反抗起义，中华民族内部的融汇，等等，绝大多数都是通过战争这个途径来实现的。战争是社会生活的焦点，是历史演进的外在表现形式。

更为重要的是，在中国历史上，军事渗透于社会生活的各个领域、各个层面，成为历史嬗变的指针。具体地说，最先进的生产力往往发源于军事领域，军事技术的进步在科技上呈现引导性的意义。换言之，最先进的工艺技术首先应用于军事方面，最优良的资源优先配置于军事领域，最突出的科技效率首先反映于军事实践。这种情况早在先秦时期便已出现，所谓"美金以铸剑戟，试诸狗马；恶金以铸锄夷斤劚，试诸壤土"（《国语·齐

语》），"来天下之良工"（《管子·小问》），"聚天下之精材，论百工之锐器"（《管子·七法》），等等，都表明军事技术发展程度乃是整个社会生产力最高发展水平的一个标尺。秦汉以降，军事技术的这种标尺地位仍没有丝毫改变，战船制作水平的提高，筑城工艺技术的进步，火药、火器的使用，钢铁先进武器装备的铸造，等等，都是该历史时期先进生产力的集中体现，都毫无例外地起着带动其他生产领域工艺技术水平提高的重要作用。

军事在历史演进中的中心地位同样也体现在政治领域。"国之大事，在祀与戎"（《左传·成公十三年》），这是一条被经常引用的史料，可谓耳熟能详。对一个国家来说，有两件核心的大事：第一是祭祀，借沟通天人之形式，表明政权的合法性和神圣性；第二就是战争，保卫自己的国家，开疆拓土，在激烈而残酷的竞争中生存下去。我们认为，这八个字是了解中国古代历史真相及其特色的一把钥匙，因为它简明扼要地道出了古代社会生活的两个根本要义。以祭祀为中心的巫觋系统与以作战为主体的政事系统，各司其职，相辅相成。这与世界上绝大多数民族和国家政治起源的情况相类似，从氏族社会晚期的军事民主制时代开始，权力机构的运作，是按两个系统的分工负责来具体实施的，这在西谚中被形象地概括为：将上帝的交给上帝，将恺撒的交给恺撒。当然，随着中国历史的演进，"祀"渐渐地更多成为仪式上的象征，而"戎"，即以军事为中心的政务，则打破平衡，成为国家事务的最大主体，在国家政治生活中逐步走向相对中心的位置，所谓"兵者，国之大事，死生之地，存亡之道，不可不察也"（《孙子兵法·计篇》），反映的就是这个客观现实。

这种情况可谓贯穿于整个中国古代的历史。历史上中央集权的强化，各种制度建设的完善和重大改革举措的推行，往往以军事为主体内容。所谓的中央集权，首先是对军权的集中，这从先秦时期的虎符发兵制到宋太祖"杯酒释兵权"，到朱元璋以五军都督府代替大都督府，清代设置军机处等制度和行政措施可以看得十分清楚。国家法律制度与规章，也往往是在军队中首先推行，然后逐渐向社会推广。如军功爵制滥觞于春秋时期赵简子的铁地誓师辞："克敌者，上大夫受县，下大夫受郡，士田十万，庶人工商遂，人臣隶圉免。"（《左传·哀公二年》）战国时期普遍流行的"什伍连坐法"、秦国的"二十等爵制"等，后来逐渐由单纯的军中制度演变为控制与管理整个社会的奖惩制度。从这个意义上说，军队是国家制度建设的先行者，军事在国家政治发展中起着引导作用。至于中国历史上的重大改革，也几乎无一例外以军事为改革的主要内容，如商鞅变法中"尚首功"的措施、大力推进的"耕战"政策，汉武帝"非常之事"中发展骑兵的战略方针，王安石变法中"保甲法""将兵法"等强兵措施，张居正改革中强军与整饬边防的举措，均是具体的例证。而战国时期赵武灵王的"胡服骑射"，则更是完全以军事为中心带动社会政治全面改革与创新的运动。

在思想文化领域，军事同样占有重要地位。先秦时期，儒学其实并未享有后世那种崇高地位。当时，社会上真正崇拜的是赳赳武夫，所以《诗经·兔罝》中说"赳赳武夫，公侯干城"，赳赳武夫是国家的栋梁。现在国学中讲的经史子集图书分类法是隋唐以后出现的，在《汉书·艺文志》中，图书分为"六略"："六艺""诸子""诗赋""兵书""术数""方技"。其中，"兵书"是独立的一类，与"六艺""诸子"等是并驾齐驱的。

就世界范围而言，军事历史与军事思想作为历史学的重要组成部分也是毋庸置疑的。西方早期的历史著作，如希罗多德的《历史》、修昔底德的《伯罗奔尼撒战争史》、恺撒的《高卢战记》、色诺芬的《长征记》、韦格蒂乌斯的《兵法简述》，大都是军事史著作，其中多有相关战争艺术的记载。这一传统长期得以延续，使得在当今欧美国家的历史学界，军事史仍然是人们研究的热点问题之一。有关战争、战略、军队编制、作战技术、武器装备、军事地理、军事人物、军事思想等各个方面的研究都比较成熟，并取得了丰硕的成果，杰弗里·帕克主编的《剑桥战争史》就是这方面的代表之一。与此相对应，军事历史以及军事理论的研究在历史学界甚至整个学术界都拥有较高的地位，产生了较大的影响。

总之，无论东方还是西方，军事历史与军事思想文化都是历史文化中的重要内容，不懂军事就无法全面地了解古今中外的历史。数千年的中西文明史，在某种意义上是一部军事活动史，一部军事思想文化发展史，抽掉了军事内容，就谈不上有完整意义的世界历史。

在整个军事史的研究体系中，军事思想史也即"兵学史"的研究占有核心的地位，具有指导性的意义。英国历史学家柯林武德指出："一切历史都是思想史。"① 其言信然！我们认为，思想史是历史学研究的主要内容与主体对象，思想史的考察，是历史研究的主要方法。林德宏教授曾专门讨论了思想史在历史学研究中的关键作用：历史研究的顺序，是从直观的历史文物开始，展开对历史活动（以历史事件为中心）的认识，再进入对历史思想的探讨（叩问思想背景，寻觅思想动机，从事思想反思）。很显然，我们只有进入思想史这个层次，才可能对人类历史有完整而本质的理解与把握。②

总之，各个领域深层次的历史都是思想史，思想史研究是历史学研究的最终归宿。这一点，在军事史研究中也没有例外，兵学思想的研究，是整个军事史研究的主干与重心。换言之，在中国源远流长的军事史中，兵学思想无疑是其灵魂与核心之所在，它在很大程度上规范了整个军事的面貌，是丰富多姿、异彩纷呈的军事文化现象的精神浓缩和哲学升华，是具体军事问题的高度

---

① ［英］柯林武德著，何兆武、张文杰、陈新译：《历史的观念》（增补版），北京大学出版社，2010年，第212页。

② 参见林德宏：《思想史与思想家》，《杰出人物与中国思想史》，江苏教育出版社，2000年。

抽象，也是军事发展规律的普遍揭示。所以，兵学思想研究理应成为军事史研究的重点，也应该成为整个学术思想文化发展史认知中的重要一维。

二、中国历代兵学的内涵与主题

军事思想，用比较规范与传统的概念来表述，就是兵学。所谓中国古代兵学，指的是中国历史上探讨战争基本问题，阐述战争指导原则与一般方法，总结国防与军队建设普遍规律及其主要手段的思想学说。它萌芽于夏商周时期，在春秋战国时期形成独立的学术理论体系，充实提高于秦汉三国两晋南北朝至隋唐五代时期，丰富发展于两宋以迄明清时期，直至晚清让位于近代军事学。

先秦时期是中国军事思想发展的第一个高峰，其间分为四个阶段。第一个阶段是萌芽、初步发展期，包括甲骨文、金文、古代典籍如《尚书》《诗经》《周易》中的军事思想，代表作是古本《司马法》。它们体现了"军礼"的基本精神，提倡"以礼为固，以仁为胜"（《司马法·天子之义》），主张"九伐之法"（《周礼·夏官》），"不鼓不成列"（《左传·僖公二十二年》），"不杀黄口，不获二毛"（《淮南子·氾论训》），提倡"逐奔不过百步，纵绥不过三舍"（《司马法·仁本》），"战不逐奔，诛不填服"（《春秋穀梁传·隐公五年》），强调"军旅以舒为主，舒则民力足。虽交兵致刃，徒不趋，车不驰"（《司马法·天子之义》），贵"偏战"而贱"诈战"，"结日定地，各居一面，鸣鼓而战，不相诈"（《春秋公羊传注疏·桓公十年》何休注），出兵打仗还有很多其他的限制，"不加丧，不因凶"（《司马法·仁本》）等，凡此种种，不一而足。

第二个阶段是春秋后期，以《孙子兵法》为标志。春秋后期，战争发生重大改变。第一，战争性质由争霸变为兼并，战争更加残酷，如孟子讲的"争地以战，杀人盈野；争城以战，杀人盈城"（《孟子·离娄上》）。第二，军队成分发生改变，原来当兵的都是受过良好礼乐教育的贵族，此时是普通老百姓。第三，战争区域扩大了，由原来的黄河中下游大平原，扩大到南方的丘陵、沼泽、湖泊地区。第四，更重要的是武器装备变了，原来是原始社会就开始用的弓箭，此时有了弩机，准确率提高，射程加大。武器装备变化带来了整个作战样式、军队编制体制、军事理念和理论的变革。战争的变化带来军事的革命性变化。西周至春秋前期，军队行进比较缓慢，如《尚书·牧誓》所言："不愆于六步、七步，乃止齐焉""不愆于四伐、五伐、六伐、七伐，乃止齐焉"。而春秋后期成书的《孙子兵法》则强调"兵之情主速，乘人之不及，由不虞之道，攻其所不戒也"（《孙子兵法·九地篇》），兵贵神速。原来讲礼貌和规则，"不以阻隘""不鼓不成列"（《左传·僖公二十二年》），现在则"兵以诈立，以利动，以分合为变"（《孙子兵法·军争篇》），军队打仗靠诡诈、欺骗而取胜。毫无疑问，《孙子兵法》的诞生，是中国兵学文化史上的一次具有根本意义的变革与飞跃。后人评曰："孙武之书十三篇，众家之说备矣。奇正、虚实、强弱、众寡、饥饱、劳逸、彼己、主客之情状，与夫山泽、水陆之阵，战守、攻围之法，无不尽也。微妙深密，千变万化而不可穷。用兵，从之者胜，违之者败，虽有智巧，必取则焉。可谓善之善者矣。"（戴溪《将鉴论断·孙武》）可谓恰如其分，洵非虚言！

第三个阶段是春秋后期到战国后期，是《孙子兵法》的延续、演变阶段。当时的兵书浩如烟海，有代表性的包括《尉缭子》《吴子》《孙膑兵法》及今本《司马法》，这些兵书立足于战国时期"争地以战，杀人盈野；争城以战，杀人盈城"（《孟子·离娄上》）的现实，沿着《孙子兵法》所开辟的道路前进，对自上古至战国的军事历史进行梳理与总结，对军事活动的一般规律加以揭示，大大深化了人们有关军队建设与治理要领的认识，从而使对战争指导原则与作战指挥艺术的理解与运用进入了崭新的阶段。

第四个阶段是总结、综合阶段，出现了《六韬》。《六韬》托名姜太公，但实际上至少是战国后期成书的，甚至有可能是秦汉时期的著作。它篇幅很大，有六十篇，内容庞杂，不光讲军事问题，还有先秦诸子的政治理念。《六韬》包括"兵权谋""兵形势""兵阴阳""兵技巧"，体现了综合性，这与当时整个社会的思想趋于综合是相一致的。

从秦汉一直到隋唐五代是中国军事思想发展的过渡期，这个时期的兵书不多，但是大量的战争实践丰富了军事理论。比如之前是东西线作战，没有南北问题，不会出现"南船北马"的考虑。此外，军事思想更多地体现在对策上，如韩信的《汉中对》，诸葛亮的《隆中对》，羊祜的《平吴疏》，以及杜预和王濬的平吴思想，西汉张良与东汉邓禹、来歙等人的献计献策，高颎与贺若弼为隋文帝提出的军事建议等。这些对策是真正的精华，军事学的实用性大大提高了。除军事家外，政治家、思想家也普遍在关注军事问题。比如晁错的《言兵事疏》，王符《潜夫论》中的《边议》《劝将》《救边》《实边》诸篇，都是论兵的名篇佳作。

这一时期军事思想的发展有两个主要标志，一是兵学主题的转换，一是战略向战役、战斗层次的转换。兵学主题的转换在《黄石公三略》中有鲜明的体现。首先，《黄石公三略》是大一统兵学，这一主题与先秦兵学不一样。先秦兵学讲的是夺天下、取天下的问题，而《黄石公三略》讲的是安天下、治天下的问题。秦汉时期虽然也有战争，但总体上和平发展是主流，所以这时的兵学更多是为了维护安全，而不是讲攻城略地的问题。其次，这一时期的兵学主题由作战变为治军，所以《黄石公三略》很少涉及作战指挥的具体内容，都是强调如何治理军队，尤其是如何处理好君主和将帅的关系问题，这既可以说是兵学，也可以说是政治学。三国两晋南北朝到隋唐五代时期有丰富的战争实践，所以到《唐太宗李卫公问对》，就把原来《孙子兵法》中很抽象的东西，用真实的战例来印证，把孙子的原则具体化、细节化了，"分别奇正，指画攻守，变易主客，于兵家微意时有所得"（《四库全书总目·兵家类》）。所以，秦汉至隋唐五代的中国军事思想虽然是比较平稳地发展，但还是有其鲜明的特色。

宋元时期是中国军事思想发展的第三个大的阶段。元代军事思想主要体现在蒙古骑兵的军事实践中，具有鲜明的北方民族特色，但形诸文字的兵学论著很少。而宋代兵学则形成了中国传统兵学的一个高峰。宋代比较优待知识分子，但是，宋代实际上又处于"积弱"的状态，没有强大的军事实力，于是，在一定程度上只能靠军事谋略来加以必要的弥补。宋代的军事理论繁荣集中体现在以下几个方面。首先，宋代武学兴起，系统并规范地培养专业的军事人才，并使这一制度成为定制。其次，宋代颁定"武经七书"，成为武学的官方教科书。中国自古治国安邦文武并用，文是指儒家经典"十三经"或"四书五经"，武就是"武经七书"。更重要的是，宋代兵书分门别类，更加专业化。《孙子兵法》包括治军、作战、战略、军事观念等，是综合性的兵书。而宋代兵书有专门研究军事制度的，如《历代兵制》；有讨论守城问题的，如《守城录》；有大型的兵学类书，如曾公亮等人编撰的《武经总要》；有具体讨论各种战法战术的，如《百战奇法》；有对军事历史人物、事件进行评论的，如《何博士备论》等。宋代虽然兵书著述繁富，但在"崇文抑武"治国方略以及文人论兵思潮之下，兵学儒学化倾向严重，创新性不足，在总结火器初兴条件下新的战术战法、指导战争实践方面未能发挥应有作用，兵学在文献繁荣的表象之下已经蕴含着衰落的危机。

明清时期，中国军事思想发展进入守成阶段。这是中国古代兵学的终点，也是迈向新生的起点，有其显著特色。

就明代而言，当时的兵书数量众多，如《阵纪》《兵垒》《投笔肤谈》等。有些兵书在兵学文化上也不乏建树，表现为重视具体的军队战术要领总结，如戚继光的《纪效新书》和《练兵实纪》。又如，明代出现倭寇，遇到海防这一新问题，于是出现了海防兵书，如郑若曾的《筹海图编》。明代还引进了西洋火器，如佛郎机、红衣大炮等，火器的广泛运用催生了孙承宗的《车营叩答合编》。孙承宗关于新型战法的讨论，显然受到了传统兵学的深刻影响，即便是讨论车战的奇正，也未能在总体上跳出传统范式。但他也试图结合装备发展情况对车战的战法进行探讨，以求更好地发挥火器的威力，这一点显得难能可贵，传统兵学就此迎来转型良机。但令人遗憾的是，封建王朝的更替随即打断了这一转型进程。

清代兵书亦不少，但对兵学贡献最大的却不是兵书，而是有军事实践的曾国藩、胡林翼、左宗棠等人，他们提出了相对完整的治军和练兵思想，如"训有二，训打仗之法，训作人之道"①，"练有二端，一曰练技艺，二曰练阵法"②，在作战方法上创造了水陆相依、围城打援等经过实战检验的有效战法。但从根本上讲，曾国藩等人对兵学的主要贡献仍是在传统兵学框架之内，并未对兵学产生结构性的改变，而仅做了传统兵学思维的实践性转化等工作。所以总体上看，兵学在西方军事理论被引入到中国之前并无体系上的重大突破，亦未扭转步步沦落的局面。总之，明清军事思想有其一定的创新内容，但从根本上讲，并没有重大的突破，乃是中国古代兵学的终点。

19世纪60年代以后，西方军事理论被大规模介绍到中国，传统兵学中的原生缺陷逐步被补足，中国军事学发生重大变革，传统的兵学逐步让位于近代军事学。如以军事教育取代传统的选将，装备保障与建设也逐步形成理论，兵学的内涵发生了较大变化。同时，伴随西方军事理论一同被引入的科学主义精神，推动

---

① 《曾国藩全集·批牍》，岳麓书社，1994年，第246页。
② 《曾国藩全集·诗文》，岳麓书社，1986年，第438页。

了兵学逐步从以经验主义为基础向以科学主义为基础的转变。其中，跳出传统兵学以"范畴"为核心与载体的术语体系，借鉴和应用西方近代军事学，使军事术语得以规范地使用，可谓是兵学趋向专业化和科学化的重要特征之一。这个进程使得传统兵学逐渐开始转型，并最终以军事学的面貌出现在历史舞台之上。但是，如果从深层次考察，这种转型还是保留有传统兵学的明显烙印，带有中国文化的鲜明特征。如，被人们视为按近代军事学体系编撰而就的《训练操法详晰图说》一书，依然不乏"训必师古，练必因时""自古节制之师，存乎训练。训以固其心，练以精其技……权其轻重，训为最要"之类的言辞，与王守仁、戚继光、曾国藩、胡林翼等人的主张一脉相承，无本质上的区别。

综上所述，中国历代兵学的发展脉络清晰，逻辑结构完整，思想内容丰富，表现形式多样，在各个时代都有所丰富和发展，但其核心的内容与基本的原则没有本质上的变化。茅元仪说"后《孙子》者，不能遗《孙子》"（《武备志·兵诀评》），意谓后世的兵书不能绕开《孙子兵法》另起炉灶。作为中国古代兵学的最高成就，《孙子兵法》是难以超越的。茅元仪所说的，正是这个道理。

我们认为，中国古代兵学主要包括历史上丰富的军事实践活动所反映的战争观念、治军原则、战略原理、作战指导等内容，其主要文字载体是以《孙子兵法》为代表的卷帙浩繁、内容丰富、种类众多、哲理深刻的兵书。其他文献典籍中的论兵之作也是其重要的文字载体，这包括《尚书》《周易》《诗经》《周礼》等儒家经典中的有关军事内容，《墨子》《孟子》《老子》《管子》《吕氏春秋》《淮南子》等所载先秦两汉诸子的论兵文辞，正史、政书等典籍中的言兵之作，唐、宋、元、明、清诸多文集中的有关军事论述，它们和专门的兵书著作共同构筑起中国古代兵学思想这座巍峨瑰丽的文化殿堂。

毫无疑问，中国古代兵学的主要载体是卷帙浩繁的兵书典籍。民国时期陆达节编有《历代兵书目录》，著录兵书 1304 部，6831 卷。据许保林《中国兵书知见录》《中国兵书通览》的统计，乃为 3380 部，23503 卷（959 部不知卷数，未计在内）。而按刘申宁《中国兵书总目》的说法，则更多达 4221 种。《汉书·艺文志·兵书略》曾对西汉以前的兵学流派做过系统的区分，将先秦两汉兵学划分为兵权谋家、兵形势家、兵阴阳家和兵技巧家四个大类。在四大类中，兵权谋家是最主要的一派，其基本特征是："权谋者，以正守国，以奇用兵，先计而后战，兼形势，包阴阳，用技巧者也。"显而易见，这是一个兼容各派之长的综合性学派，其关注的重点是战略问题。中国古代最重要的兵书，如《孙子兵法》《吴子》《六韬》《孙膑兵法》大都归入这一派。兵形势家也是比较重要的兵学流派，其特征是"雷动风举，后发而先至，离合背乡，变化无常，以轻疾制敌者也"，主要探讨军事行动的运动性与战术运用的灵活性、变化性。兵阴阳家，其特征是"顺时而发，推刑德，随斗击，因五胜，假鬼神而为助者也"，即注意天时、地理与战争胜负关系的研究。兵技巧家，其基本特征是"习手足，便器械，积机关，以立攻守之胜者也"，这表明该派所注重的是武器装备和作战技术、军事训练等。秦汉以降，中国兵学思想生生不息，代有发展，但其基本内容与学术特色基本没有逾越上述四大类的范围。

中国古代兵学内容丰富，博大精深，大体而言，它的基本内容是：在战争观上主张文事武备并重，提倡慎战善战，强调义兵必胜，有备无患，坚持以战止战，即以正义战争制止和消灭非正义战争，追求和平，反对穷兵黩武。从这样的战争观念出发，反映在国防建设上，古代兵家普遍主张奖励耕战，富国强兵，居安思危，文武并用。在治军思想方面，兵家提倡"令文齐武"，礼法互补。为此，历代兵家多主张以治为胜，制必先定，兵权贵一，教戒素行，器艺并重，赏罚分明，恩威兼施，励士练锐，精兵良器，将帅贤明，智勇双全，上下同欲，三军齐心。在后勤保障上，提倡积财聚力，足食强兵，取用于国，因粮于敌。在兵役思想上，坚持兵民结合，因势改制等。战略思想和作战指导理论是中国古代兵学思想的主体和精华，它的核心精神是先计后战，全胜为上，灵活用兵，因敌制胜。一些有关的命题或范畴，诸如知彼知己、因势定策、尽敌为上、伐谋伐交、兵不厌诈、出奇制胜、避实击虚、各个击破、造势任势、示形动敌、专我分敌、出其不意、攻其无备、善择战机、兵贵神速、先机制敌、后发制人、巧用地形、攻守皆宜等，都是围绕着"致人而不致于人"，即夺取战争主动权这一根本宗旨提出和展开的。

　　总之，以兵书为主要载体的中国古代兵学，内容丰富，哲理深刻，体大思精，可谓璀璨夺目，异彩纷呈，乃是中国传统文化的重要组成部分，无愧为一笔弥足珍贵的优秀文化遗产。

三、中国历代兵学研究中遭遇的"瓶颈"

　　与儒家、道家、释家乃至于墨家、法家等诸子学术的研究相比，有关兵学的研究，显然处于相对滞后的状态。成果为数不多姑且不论，在有限的研究成果中，质量上乘、体系严整、见解独到之作亦属凤毛麟角，更多的是词条的扩大与组合，可又缺少词条的科学与准确，犹如什锦拼盘，看不出兵学发展的脉络与规律，见不到兵学典籍所蕴含的时代特征与文化精神。这主要表现为：第一，兵学历史的研究被边缘化，长期不能进入历史学研究的主流，即陈寅恪先生所说的"预流"。与政治史、经济史、思想史、文化史、社会史等学科相比，军事史完全是一个敲边鼓的角色，研究成果数量单薄，质量恐怕也不尽如人意。第二，在有限的研究领域中，军事史不同分支的研究状况也不一样，发展很不平衡。相对而言，兵制的研究稍为成熟，如蓝永蔚《春秋时期的步兵》、谷霁光《府兵制度考释》、雷海宗《中国文化与中国的兵》等，均是学术价值重大、学术影响深远的著述。然而对于战争、军事技术、作战方式、兵要地理、兵学理论的研究，却显得远远不够。第三，战争史作为军事史的主体，研究思路与方法严重缺乏创意。研究者对许多战争的考察与评析，仅仅局限于宏观勾勒的层面，满足于战略的抽象概括，只讲到进步或落后这一性质层面的东西，很少能进入战术的解析层次，未能围绕战法这个核心展开研究。因此，得出的结论往往不够深入，不同的战争分析到最后，看上去似乎都大同小异。第四，学术研究的视野与角度不够开阔，对问题的认识与理解不够全面与辩证。如在充分肯定传统国家安全观为和平防御的同时，对历史上曾经大量存在的穷兵黩武现象缺乏足够的关注，仅看到"苟能制侵陵，岂在多杀伤"的一面，而忽略中国传统军事文化中还存在着"边庭流血成海水，武皇开边意未已"的另一种事实。

当然，兵学历史的研究不尽如人意的主要原因，还是在于兵学学科的自身性质。所谓"巧妇难为无米之炊"，就是这个道理。

在《汉书·艺文志》中，"兵书"虽然自成一类，但兵家并没有被列入"诸子"的范围，兵学著作没有被当作理论意识形态的著述来看待，它的性质实际上与"术数""方技"相近。换言之，《汉书·艺文志》"六略"，前三"略"，"六艺""诸子""诗赋"属于同一性质，可归入"道"的层面；而后三"略"，"兵书""术数""方技"又是一个性质近似的大类，属于"术"的层面。"道"的层面，为"形而上"；"术"的层面，为"形而下"。"形而下"者，用今天的话来说，是讲求功能性的。它不尚抽象，不为玄虚，讲求实用，讲求效益，于思想而言，相对苍白，于学术而言，相对单薄。除了极个别的兵书，如《孙子兵法》之类外，绝大部分的兵学著作，都鲜有理论含量，缺乏思想的深度，因此，在学术思想的总结上，似乎很少有值得关注的兴奋点存在，而为人们所忽略。

这一点，不但古代如此，当今几乎也一样。目前流行的各种哲学史、思想史著作较少设立讨论兵学思想的专门章节，个别的著作即便设置，也往往篇幅有限，具体阐释未能充分展开，令人稍感遗憾。由此可见，中国兵学思想的研究，从学科性质上考察就有相当的难度，而要从工具技术性的学科中发掘"形而上"的抽象性质的思想与理论，则多少会令人感到失望。

此外，与儒家因应道家、释家的挑战，不断更新其机理，不断升华其形态的情况大不相同的是，兵学长期以来所面对的战争形态基本相似，战争的技术手段没有发生本质性的飞跃，大致是冷兵器时代的作战样式占主导。宋元以后尤其是明清时代出现火器，作战样式初步进入冷热兵器并用时期，但即便是在明清时代，冷兵器作战仍然占据着战场上的中心位置。这样的物质条件与军事背景，在很大程度上制约了兵学思想的更新与升华。即使有所变化与发展，也仅仅体现在战术手段的层面，如明代火器的使用，使战车重新受到关注，于是就产生了诸如《车营叩答合编》之类的兵书；同样是因为火器登上历史舞台，战争进入冷热兵器并用时期，就有了顺应这种变化而出现的《火攻挈要》等兵书和相应的冷热兵器并用的作战指导原则。但是需要指出的是，这种局部的、个别的、枝节性的发展变化，并没有实现兵学思想的本质性改变、革命性跨越。从这个意义上说，茅元仪《武备志·兵诀评》所称的"前《孙子》者，《孙子》不遗；后《孙子》者，不能遗《孙子》"，的确是准确地揭示了《孙子兵法》作为兵学最高经典的不可超越性，但同时也隐晦地说明了兵学思想的相对凝固性、守成性、内敛性。

没有研究对象的改变，就无法激发出更新的需求，而没有更新的需求，思想形态、学术体系就难以注入新的生机，就会处于自我封闭、不求进取的窘态。在这种情况下，我们今天要从学科发展的视野来考察兵学理论的递嬗，显然会遇到极大的障碍，而要总结、揭示这种演进的基本规律与主要特征，更是困难重重，充满挑战了。例如，某些大型军事类辞书，在各断代军事思想的词条中，也常常是横向地不断重复诸如战争观上区分了"义战"

与"非义战"的性质，作战指导上强调了"避实击虚""因敌制胜"之类的表述。先秦词条这么讲，秦汉词条这么讲，到了明清的词条，还是这么讲，千篇一律，缺乏发展性和创新性。应该说，这一局面的形成，不是偶然的，而是其研究对象本身停滞不前、自我封闭所导致的。

如果说，以上的归纳总结是兵学思想发展存在的明显的"先天不足"的制约，那么我们还应该更清醒地注意到，这种归纳与总结，还有一个"后天失调"的重大缺陷。

从先秦时期"赳赳武夫，公侯干城"，到汉武帝时代，朝廷"彬彬多文学之士"，汉元帝"柔仁好儒""纯任德教"，中国古代社会的风尚悄然发生了某种变化，阳刚之气似乎有所消退，军人的地位逐渐降低，普通士兵更成了一群可以随时"驱而往，驱而来"的"群羊"（参见《孙子兵法·九地篇》），社会风气一改而成为"好铁不打钉，好男不当兵"。五代以降，兵士脸上刺字的现象时有发生，明代"军户"身份世袭，社会地位低下，就是这方面的例证。这样的群体，在文化知识的学习与掌握上自然属于"弱势群体"，他们文化程度不高，知识积贮贫乏，阅读能力有限，学习动力缺乏。如果兵书的理论性、抽象性太强，那么就会不适合他们阅读与领悟。所以，大部分的兵书只能走浅显、通俗的道路，以实用、普及为鹄的。由此可知，兵学受众群体的文化素质和精神需求上的特殊性，在很大程度上制约了兵学思想的精致化、哲理化提升。

这一点，从后世经典的注疏水平即可看出，与儒家、道家乃至法家经典相比，兵书注疏滞后、浅薄，实不可以道里计。兵家的著述在注疏方面，绝对无法出现诸如郑玄之于《诗经》、何休之于《公羊传》、杜预之于《左传》、王弼之于《老子》、郭象之于《庄子》这样具有高度学术性，注入了创新性思维与开拓性理论的著作，有的往往是像施子美《施氏七书讲义》、刘寅《武经七书直解》、朱墉《武经七书汇解》这样的通俗型注疏，仅仅立足于文字的疏通，章句的串讲而已。即便偶尔有曹操、杜牧、梅尧臣、张预等人注《孙子》聊备一格，但是他们的学术贡献与价值，依旧无法与郑玄、王弼等人的成就相媲美。而这种整体性的滞后与粗疏，自然严重影响到兵学思想的变革与升华，使兵学思想的呈现形态失去了值得人们激发热情、全力投入研究的兴奋点与推动力，往往只能在缺乏高度的平台之上做机械性的重复，这显然会导致兵学思想整体研究的严重滞后。

兵学思想史研究的"后天失调"，还表现在这一领域的研究者长期以来在专业素质构成上一直存在着种种局限，并不能很好地适应兵学思想发展史研究的特殊要求。从本质上讲，军事史是历史与军事两大学科彼此渗透、有机结合而形成的交叉学科。这一属性，决定了兵学思想史其实也是军事史与思想史的综合与贯通，这一学术特性，对研究者提出了特殊的要求，即他们最好能具备历史与军事两方面的专业素养。但是由于种种原因，这样的复合型队伍自古至今似乎并未能真正建立起来。熟谙军事者，历史知识、哲学思辨往往相对单薄，这不免导致其研究难以上升到理论思维的高度；而通习历史者，又往往缺乏军旅活动的实践经验，这当然会造成其所研究的结论多属门外谈兵，不着边际。如《礼书通故》一类典籍中有关"偏"的考据，就近乎盲人摸象，花费大量精力考证一"偏"的战车数量，提出莫衷一是的"九乘说""十八乘说""二十七乘说""八十一乘说"等说法，除了徒增纷扰之外，实在看不出能真正解决什么问题。

正是因为兵学思想史的研究，让军事学界、历史学界两大界别的人士都不无困惑、深感棘手，所以一般的人都不愿意身陷这个泥淖。宋代著名兵学思想家、经典兵书《何博士备论》的作者何去非，尽管兵学造诣精深，又身为武学教授（后称武学博士），但自上任之日起就不安心本职工作，曾转求苏轼上书朝廷，请求"换文资"，即希望把他由武官改为文官。何去非的选择，就是这方面非常有代表性的例子。这种研究队伍的凋零没落、薪火难传，恰恰证明了兵学思想发展史研究确实存在着难以摆脱的困境，直至今天仍是亟待突破的"瓶颈"。

除上述困难之外，兵学研究所面临的挑战还包括以下两个因素：一是军事史研究范围与内涵的界定不够清晰。目前的学术界，经常把军事制度的研究混入政治制度研究之中（如商鞅变法中的军功爵制、王安石变法中的保甲法等等），把军事技术的研究归入科技史的研究范畴，把军事法规的研究并入法制史的研究架构，结果是有意无意地放弃了很多本应该是军事史研究的问题，只把目光对准兵役制度、军事谋略，导致内容过于空泛。这也制约了军事史研究的发展。二是受制于文献载体有关军事史内容记载上的固有不足。古代文献中有关军事史战术层面的内容十分单薄，这与西方军事史著作有很大差异。西方的军事史著作对战术层面的内容记载相当详尽，如在记述汉尼拔指挥的著名的坎尼之战时，曾详细描绘了双方怎样排兵布阵，步兵、骑兵如何配置，谁为主攻、谁作牵制，战斗的具体经过又是怎样。反之，我们的史书记述，则侧重于战争酝酿阶段的纵横捭阖、逐谋斗智，而真正描述战争过程的往往就简单的几个字，"大破之""大败之"，一笔带过。我们既不知道是怎么胜的，也不知道是怎么败的，这就为我们从战术层面深化兵学历史的研究带来了重重障碍。

四、我们如何实现兵学研究的"突破"

危机也意味着转机，困境也意味着坦途。我们认为，中国兵学历史的研究固然存在着种种问题，但是，在大家的共同努力下，它的发展和繁荣也并非没有希望。换言之，使它走出困境的转机同样是可以争取和把握的，关键是我们如何寻找到赢得转机的途径与方法。

其一，寻求转机与实现突破，要求我们对兵学历史的研究予以主观上的更大重视，应该明确形成这样的一个基本共识：一个民族、一个国家、一支军队如果不尊重自己的悠久军事文化传统，不善于从以往的军事历史中借鉴得失，获得启迪，那么就难以拥有与理解完整的历史，就没有资格侈谈什么军事理论创新，也不能建立真正有价值的战略学、战术学、军制学，遑论在世界大变局中确立自己的地位，施展自己的影响。一句话，不珍惜传统，肯定不会有光明的未来；漠视历史，迟早会受到历史的惩罚。基于这样的共识，中国兵学历史的研究必将获得动力，因为研究者的责任感与成就之间实际上存在着共生的关系。更重要的是，我们应该通过对中国兵学发展历史的考察与总结，从中积极地汲取经验。众所周知，以史为鉴，可以知兴替。中国历代战争的战略决策、战略指导与作战指挥，以及建军、治军、用将、训练、治边等方面的经验教训，至今仍有给人以启迪和借鉴之处。兵学历史的研究，固然是学术性的探索与诠释，但是，研究者也应始终立足于当代，注重历史与现实的贯通，致力于从丰厚的历史文化资源中寻求有益的启示。我们认为：一部兵学发展史，其实就是一部军事变革史，更是一部军队发展、国防建设的启示录。我们虽然不能从历史博物馆里取出古人的"剑"同未来的敌人作战，但我们可以熔化古人的"剑"铸造新的"武器"。

其二，寻求转机与实现突破，要求我们在思维模式、研究范围、研究方法等方面进行扎实的工作，开辟新的道路，提升新的境界。这包括：对兵学历史学科的内涵和外延要有一个科学而清楚的界定，确立起兵学历史研究的主体性，树立问题意识、自觉意识，使兵学历史研究的独立性得以完全体现；对兵学历史研究人员专业素质提出更高的要求，彻底改变长期以来军事与历史"两张皮"，懂历史的不太熟悉军事，谙军事的在历史学基本训练方面偏弱的情况；尽量调整兵学历史研究领域内各个分支研究不平衡的局面，在继续加强兵制史、兵书著作研究的同时，积极开展以往相对薄弱的军事技术、作战方式、阵法战术、兵要地理等分支学科的研究，使整个兵学历史的研究能够得到均衡协调的发展，各个分支方向既独立推进，又互为补充、互为促进。其中，尤为重要的是调整与改善兵学史研究的基本范式，必须积极尝试研究角度的重新选择，转换习以为常的研究范式，改变陈陈相因的研究逻辑。具体地说，就是实现研究重心的转移，从以研究军事人物思想、兵书典籍理论为主导，变为以研究战法与思想共生互动为宗旨。这个共生互动的关系，可以用一个相对稳定的逻辑结构来描述，即武器装备的改进与发展，引发作战方式、战略战术的变革，同时也促成了军队编制体制的调整和变化，而这些变化，最终又推动了兵学理论的创新、军事思想的升华。而兵学思想的发展，同样要反作用于作战指导领域，使得战法的确立与变革能够在理论的指导下，更趋合理，更趋成熟，以适应军事斗争的需要，为达成一定的战略目标创造积极有利的条件。

在围绕"武器装备—作战方式—兵学理论"这一主线与结构展开叙述的同时，尤其要注意对兵学思想发展史上阶段性特点的概括与揭示。区分不同时期兵学思想的鲜明特征，探索产生这些特征背后的深层次政治、经济、社会、文化原因，观察和说明该时期兵学思想较之于前，传承了什么，又增益了什么，对于其后兵学思想的发展起到了哪些作用，产生了何种影响。换言之，我们今天对历代兵学思想的研究，其成功与否，就是看能不能跳出通常的兵学思想总结上的时代性格模糊、阶段性特点笼统的局限，而真正把握了兵学思想与文化的历史演进趋势和个性风貌。

其三，寻求转机与实现突破，要求我们在从事兵学历史研究过程中，在充分运用历史方法的同时，尽可能借助于军事的范畴、概念与方法，注重从军事的角度考察问题、解决问题。应该说，这正是兵学历史研究讲求科学性、学术性的必然要求。面对军事制度上的疑难问题，我们完全可以参考现代军制的原理与方法来协助解决，例如，释读先秦军队编制体制中"偏"的问题就是如此。我们知道"偏"是先秦时期车战的战车编组形式，但是一偏到底有几乘战车，文献记载说法各异，有"九乘说""十八乘说""二十七乘说""八十一乘说"种种，可谓各有道理，莫衷一是。另外，像先秦军队既有"军、师、旅、卒、两、伍"六级编制，又有"三十人乘制""七十五人乘制"，彼此关系又是怎样？如果花大力气去求证，结果很难如愿，但我们若了解现代军队编制特点的话，那么也许能掌握解决问题的钥匙，即理解军队编制上平时管理和战时配属是两种方式，一支军队可以有平时隶属体制、战时合成编制、临时战斗编组等多种编制。先秦军队就平时隶属体制而言，可以有六级；就战时合成编制而言，即为"乘"；就临时战斗编组而言，又可以有"九乘""二十七乘"等不同的大小"偏"形式。这就是一个参照现代军队编制以深化军事史研究的重要例子。

再如，我们以往研究"韩信破赵"时部署的背水阵，一般只关注到军心士气问题，即韩信之所以部署背水阵，乃是为了激发士兵的战斗意志，置之死地而后生。这几乎是两千多年来人们的一致看法，韩信自己也是如此表白的。但是，我们如要从军事学的角度来分析，那么背水阵其实包含着十分丰富的战术作战要领。首先是变换主客。韩信设置背水阵的主要目的在于引诱赵军前来攻击，如此，本来是处于攻击地位的韩信军队反而变成了防御一方，而在军队作战中，防御和进攻所需的兵力相差是很大的，这叫作"客倍主人半"（《孙膑兵法·客主人分》）。韩信通过背水阵的设置，改变了双方的攻守地位，弥补了自己兵力的不足，在一次进攻性战役中，打了一场漂亮的防守作战，最终取得了胜利。这个主客变置的关键因素，再加上布列圆阵、兵分奇正、置之死地而后生等战术要领，背水阵达到了预期的目标。这个例子可谓极其生动而有力地证明了兵学历史研究离不开军事学要素与方法。总之，兵学历史研究过程中许多学术上的疑难问题，若能借助军事学的原理与方法，解决起来并非不可能。如用现代军事中的"战略预备队"概念诠释《握奇经》中"四为正，四为奇，余奇为握奇"的"余奇"含义，就能使人豁然开朗。又如，拿方阵战术的基本要领来观照"勇者不得独进，怯者不得独退""不愆于六步、七步，乃止齐焉"等兵学指导原则的意义之所在，同样也是恰到好处。

其四，寻求转机与实现突破，我们还需要拓宽视野，以世界军事发展进程为参照，来考察中国兵学历史的演进规律、文化内涵与时代精神。英国军事学家富勒在其代表作《装甲战》一书中曾经这么说过："世界上没有绝对新的东西。我曾说过，学员只要研究一下历史，就可看出，战争的许多阶段将再次采用基本相同的作战形式。只需进行一些研究和思考，就会认识到，过去所采用的所有战略和战术，自觉或不自觉地都是根据军事原则制定的。……无论军队是由徒步步兵、骑兵，还是由机械化步兵组成，节约兵力、集中、突然性、安全、进攻、机动和协调等原则总是适用的。总之，摩托化和机械化只是改变了战争的条件，即改变了将军使用的工具，而不是他的军事原则，这一点是显而易见的。"这是从时间的角度说明军事学基本原则的永恒性、稳定性。其实，从空间的视角考察，这种同一性、常态化又何尝不是如此！中西方军事著作在语言体例、逻辑概念梳理、形象描述等方面固然存在着很大的差异，是两类军事文明的产物。但是，《淮南子·氾论训》言："百川异源而皆归于海，百家殊业而皆务于治。"万变不离其宗，中西方军事学的核心问题，如重视将帅、灵活多变、集中兵力、以攻为主、重视精神因素及士气的振奋等，完全可以说是旨趣一致、异曲同工的，这种一致与相似，远远胜过所谓的"差异"与"对立"。我们应该充分看到中西方军事学的这种同一性，从而更好地认识中西方军事思想文化中那些超越时空的价值，并从中获得有益的启迪。这一点，乃是我们在研究中国兵学历史时，必须予以充分留意与高度关注的。换言之，我们今天的兵学研究，既要立足本土，同时又要面向世界，从世界军事文明递嬗的视域把握中国兵学的精髓，揭示中国兵学的特色，认知中国兵学的价值。

总之，兵学历史的研究只要真正回归历史、回归军事，那么就可以超越过去僵化的模式与平庸的论调，把握住新的发展契机。

鉴于以上基本认识，我们这个兵学历史研究的小团队，不揣谫陋，砥砺而行，和衷共济，经过数年的积极努力，撰写了这套300 余万言、7 卷本的《中国兵学通史》，就中国兵学历史发展的时代背景、基本内涵、演变轨迹、主要特征、表现形式、重要地位与文化影响等加以全景式的回顾、梳理与总结。在此基础上，我们重点考察与揭示中国历史上的代表性兵学著作、诸子论兵之作、重大战争中所反映的兵学基本原则、四部典籍所蕴含的兵学思想要义及其对中国兵学文化发展的卓越贡献，并对影响与制约中国历史上兵学发展的基本要素，如武器技术装备、军队体制编制、作战样式与战法、军种兵种构成与变化、军事训练与军事法规等，进行必要而细致的考察与剖析。总之，我们的初衷，是要梳理中国古代兵学产生、发展及演变的历史轨迹，总结中国古代兵学的主要成就，揭示中国古代兵学的基本特征，阐释中国古代兵学的文化价值。

受水平所限，本书难免存在着一些值得商榷与改进之处，衷心欢迎诸位专家和广大读者不吝批评指正，以匡不逮，无任感谢。

是为序。

黄朴民

2021 年 10 月 26 日于中国人民大学国学院

目　录

绪　论

近代中国所面对的是"数千年来未有之变局"，对传统兵学而言同样如此。兵学昌明是中国文化的一大特征，然而有兵法护身的晚清军队在与列强的作战中，却鲜有胜绩，原本被认为行之有效的兵学原则也在战争中屡屡失效，原因何在？这些不能不引发近代思想界对于传统兵学的质疑，所以兵学在近代的发展，主要是对其自身价值的重新估定，对其观念和原则的重新认识，以及对其体系重新建构的过程。

一、近代兵学发展的基本脉络

（一）鸦片战争后对传统兵学的警醒与反思

鸦片战争无疑是中国近代史上的重要历史事件，它绘制了近代中国历史长卷的底色。战后，起初人们将战败原因主要归咎于将领的怯战和指挥的笨拙，之后的认识则逐渐趋于冷静，一些较有远见的官员和学者开始分别从不同的角度和层面对战败原因进行剖析，逐渐将探察的视野聚焦于武器装备和海防建设上。

具有开拓精神的近代科学家，如丁拱辰、龚振麟、丁守存等人在战争期间即着手研究西方造炮之法，试图从制造原理上搞清楚清军火器与西洋火器的差距，由此产生了《演炮图说》《铸炮铁模图说》《西洋自来火铳制法》等著作。比较具有国际视野并在鸦片战争中亲自指挥过初期作战的林则徐，对于中西方火器的差距体会更深，他在战后总结道："彼之大炮远及十里内外，若我炮不能及彼，彼炮先已及我，是器不良也。彼之放炮，如内地之放排枪，连声不断，我放一炮后，须辗转移时，再放一炮，是技不熟也。"① 在此判断的基础上，林则徐提出了制敌八字要言，即"器良、技熟、胆壮、心齐"，将提升武器装备水平摆在了突出位置。对于战争期间制定的"以守为战"的策略，即不与敌水战，而专于陆守，林则徐在战后也进行了深刻反省，认为"剿夷而不谋船、炮、水军，是自取败也"②，因此提出，将建造船炮、发展海军视作卫固海疆久远之谋。作为林则徐思想继承者的魏源，对于海防的认识并未超越林则徐，他所提出的"守外洋不如守海口，守海口不如守内河"③，实际上与林则徐提出的"以守为战"并无本质差别。魏源最大的贡献，在于从观念和思想层面上提出了具有划时代意义的"师夷之长技以制夷"，成为后来晚清开启军事改革，推进军事近代化的一种基本思维方式。

尽管鸦片战争后的这些探索在理路上仍然是尝试性的，系统性和深度都不够，但方向是明确的，即中国要摆脱军事上的困局，武器装备和海防建设必须要有突破，而要突破，必须放下虚妄的自尊，沉下心来向西方学习。令人遗憾的是，这些有价值的思想火花在颠顿的政治环境和颓废的社会气氛下没能被导向深入，很快就在不断的消损中归于沉寂。

（二）太平天国农民战争前后对传统兵学价值的再认识

真正对近代兵学发展产生重大影响的是持续 14 年的太平天国农民运动。其主要影响即如左宗棠所言："始以勇丁助兵，继且以勇丁代兵；始以将弁领兵，继且以文臣代将。"④ 在太平军的冲击下，清朝经制兵八旗和绿营趋于没落，动摇了清廷的统治基础。为保住王

---

① 《林则徐全集》第七册，海峡文艺出版社，2002 年，第 306 页。
② 《林则徐全集》第七册，第 306 页。
③ 《魏源全集》第四册，岳麓书社，2011 年，第 9 页。
④ 《左宗棠全集》第三册，岳麓书社，2009 年，第 110 页。

权，清廷不得不赋予督抚更大的自主性，由督抚主导下建立的勇营制部队——湘军由此登上历史舞台。在湘军建立过程中，督抚在制度安排、人员选择、武器配备上具有较大的自主性和灵活性，因此勇营的招募制度和编制体制，与八旗、绿营有明显差别。湘军不仅统系更为严密，同时在充分吸收传统兵学成就，特别是戚继光练兵思想的基础上，结合自身特点和武器装备水平，探索出了一套简单有效的训练方法和作战方法。

这一时期，对于兵学的发展产生更大影响的是文人统兵的出现。文人往往善于总结和思辨，但易脱离实际，如左宗棠对言兵者的评价："近时言练兵者，多系套话。"① 然而文人统兵，避免了文人谈兵的种种弊端。在经历了战场上生与死的磨炼后，这些统兵的文臣或士子对于战争的认识远比无战场经历的文人深刻得多，也切实得多。如左宗棠所说，"理可凭虚而悟，事必亲历而知，非练习之深，不敢深信也"②。在这一过程中，形成了一种文武之间的互动关系，扭转了长久以来文武两途的截然对立，实现了理论与实践在战场上的碰撞，使文人得以在战争实践中重新认识兵学的原则与规律，并对传统兵学的范畴进行剖析，对兵学中的基本原则进行验证，推动了兵学在近代的发展。曾国藩、胡林翼和左宗棠为这一时期的代表人物。

曾国藩曾说："前缄所称大处着眼，小处下手，阁下推广其义，引朱子所谓真正大英雄须从临深履薄做出，暨浩然之气，盖敛然于规矩准绳、不敢走作之中。……推之齐家、治身、读书之道，何一不然。"③ 此言虽未提及兵事，但认真考察曾国藩的兵学思想来源，很容易就能看出兵学与儒学之间的关联性。湘军的很多将领都受过长期的儒学训练，"修身""穷理"已经成为他们的一种思维自觉，会很自然地将儒学的价值观和方法论运用于分析兵学问题。比如左

---

① 《左宗棠全集》第十一册，第 211 页。
② 《左宗棠全集》第十册，第 130 页。
③ 《曾国藩全集·书信二》，岳麓书社，1991 年，第 1179 页。

宗棠讲，"孝弟忠信礼义廉耻不可不随时讲究，心中明白，自然作事不差"①，带有鲜明的儒学特色。左宗棠更说，"能克己者，必能克敌"②，将儒学中看重的个人修为与操守上升到了决定战争成败的高度。湘军统领不仅以儒学治军，还以儒学指导作战。罗泽南原是理学名家，"持论平实稳惬，作事有条理"，"及其将兵，胆略俱壮，随机立应，竟为宿将所不及"③。当被问及制胜之道时，罗泽南的回答是："无他，熟读《大学》'知止而后有定，定而后能静，静而后能安，安而后能虑，虑而后能得'数语，尽之矣。"④

除儒学特色外，曾国藩、胡林翼、左宗棠等人在治军、选将、作战等领域也提出了不少超越前人的深刻见解。比如：在训练上，既强调技能，又突出"训"，即思想教育的重要性，"训作人，则全要肫诚如父母教子，有殷殷望其成立之意，庶人人易于感动"⑤。在选将上，强调将领要"勤、恕、廉、明"，要有忠义血性。在作战上，提出"打仗不慌不忙，先求稳当，次求变化"⑥；战略贵先，作战贵后；水陆相依等原则。对传统兵学范畴的认识也有所突破，如对奇正，认为，"总以并力为主，稳打为主，此是奇兵也。奇兵而出之以稳，尤奇之奇也"⑦。可以看出，这些思想虽仍是在传统兵学框架内的丰富或补充，但亦有所突破和创新。

（三）洋务运动中西方军事理论的引入与兵学体系的重构

尽管曾国藩、胡林翼、左宗棠等人对传统兵学进行了实践化的充实，但对其原生缺陷却无力进行根本性的调整。尽管传统兵学在镇压太平天国和捻军运动中被证明行之有效，但在应对装备有坚船

① 《左宗棠全集》第十四册，第446页。
② 《左宗棠全集》第十册，第125页。
③ 《左宗棠全集》第十册，第107页。
④ 钱基博、李肖聃：《近百年湖南学风·湘学略》，岳麓书社，1985年，第17页。
⑤ 《曾国藩全集·批牍》，岳麓书社，1994年，第246页。
⑥ 《曾国藩全集·家书一》，岳麓书社，1985年，第365页。
⑦ 《胡林翼集》第二册，岳麓书社，1999年，第443页。

利炮的西方列强时仍捉襟见肘，传统兵学中存在的诸多问题也在近代中国与西方的竞逐中逐渐暴露出来。如：历代关于选将的思想虽很多，但都无外乎孙子讲的"智、信、仁、勇、严"五字。曾国藩、胡林翼虽提出了要用陶熔造就之法对将领进行培养和锻炼，但亦缺乏严密、完善的培养机制，所以常有"有兵无将"的感叹。关于训练，历代兵书中最有价值的是戚继光的《纪效新书》和《练兵实纪》，除此以外的其他训练思想，虽有价值但无实际的指导意义，因此胡林翼才会说，"千古兵书，以《左传》为第一，此外则《资治通鉴》胡身之所注，亦大有所得，余人皆呓语梦话耳"①。淮军大规模引入了西式火器，却找不到能够对火器使用与训练进行指导的兵书。李鸿章曾说："中国制炮之书，以汤若望《则克录》及近人丁拱辰《演炮图说》为最详，皆不无浮光掠影、附会臆度之谈，而世皆奉为秘本，无怪乎求之愈近失之愈远也。"②

为弥补传统兵学的诸多不足，19 世纪 70 年代，随着洋务练兵活动的展开，翻译外国军事著作被提上议事日程，并逐步演绎成一场引进学习西方军事理论的热潮。初期以翻译介绍军事技术书籍为主，如《制火药法》《克虏伯炮弹造法》《步队毛瑟枪说》等，后期选译范围逐步扩大，除继续关注军事技术外，也开始翻译军事训练、作战理论等方面的著作，如《行军臆说》《临阵管见》《水师操练》《轮船布阵》《防海新论》《陆操新义》等，甚至还有介绍当时强国军事制度的著作，如《列国陆军制》《德国军制述要》等。

这些译著对传统兵学的发展产生了显著影响，主要有三：一是受西方海军和海战理论影响，中国近代海防思想得以建立。李鸿章的海口重点设防论尽管算不上高明，但也是在普鲁士军事家希里哈的《防海新论》的影响下产生的。通过两次海防大讨论，海口重点设防的思想逐步被多数人接受，在后续的海防建设中得以实施，并最终形成了水面舰艇、要口、驻口防军三位一体的总体海防格局。

---

① 《胡林翼集》第二册，第 178 页。
② 《李鸿章全集》第二十九册，安徽教育出版社，2008 年，第 312—313 页。

二是陆战战术逐步摆脱了传统的"鸳鸯阵""三才阵"等冷兵器阵法，转而提倡灵活机动、发扬火力，强调步骑炮兵协同配合的战术。三是"选将以学堂为根基"[①]的观念逐步得以确立，并陆续建成了天津武备学堂、江南陆师学堂等一大批近代军事学堂，对于改变晚清武将知识结构，提升武将整体素养，起到了一定的积极作用。

受西方军事译著的影响，清末还出现了几部结构和内容上均与传统兵书不同的新型兵书。聂士成主持编写的《淮军武毅各军课程》，明显吸收了西方军事理论中的训练方法，成为中国传统兵学转型的标志之一。徐建寅在吸收当时西方军事理论最新成果的基础上，结合中国国情，编写了《兵学新书》。该书用较多篇幅讲述了各种先进的技术问题，如后装枪炮的构造与使用等，在战术训练上区分了进攻与防御、林地与要隘等不同类型的作战形式，这些都是传统兵书所没有的。这两部书对改革清军作战训练方法和改造中国传统兵学体系均有重要意义。

二、主要兵学著述

近代兵学思想的呈现方式趋于多样化，除一般意义上的兵书外，还有大量的训练操典、军事教材和有关招募、训练和管理的章程或规定，以及散见于有关军事人物文集中的零星兵学思想。具体而言，可分为以下几部分：

（一）兵书

近代一般意义上的兵书可分为两类：一类是通论性的著述。如壁昌的《兵武闻见录》，分为择帅、选将、肃伍、整械、修守、安抚、行军及善后8篇。尽管该书所论较为粗略，且较少涉及战略层面的问题，但比较贴近实际，具有一定的可操作性。陈澹然的《权

---

① 《李鸿章全集》第八册，第515页。

制》，是作者有感于清末中法甲申之战、中日甲午之战中清军败绩而作，包括《军地述》《军势述》《军情述》《军材述》《军政述》《军谋述》《军本述》7篇。尽管该书写成于1898年，但从其结构和语言风格来看，仍可归入传统兵书一类。

甲午战争后，出现了一批吸收了西方军事理论的新型兵书，如前文提到的《淮军武毅各军课程》《兵学新书》。此外，清末编练新军后，官方颁定了一系列系统化的军事教材。如由袁世凯主持编定的《训练操法详晰图说》、刘坤一主持的《江南陆师学堂课程》、张之洞主持的《自强军西法类编》等，这些教材从内容到形式已与传统意义上的兵书有很大区别，都大篇幅地介绍枪械构造和原理，对队列训练、技术训练、战术动作等，都有极为细致的介绍。书中也有大量以功名富贵相激励和忠君爱国的训词，以及以封建家长制维系新军内部关系的"道必师古，法必因时"①的治军思想。

另一类是专论性的兵学著述。这些论述或单独成册，或单独成篇，编入著者文集当中。报纸和期刊出现后，其中讨论兵学问题的文章也有不少。按照论述内容大体可分为以下几类：

一是海防类。魏源《海国图志》中的《筹海篇》，比较全面地阐述了"以守为战"的海防观。徐稚荪的《洋防说略》，除讨论海防外，也讨论了江防与陆战的关系。郑观应的《易言》中有《论船政》《论水师》《论火器》《论练兵》等篇，对于海军与海战有较深刻的认识。还有姚锡光的《筹海军刍议》，对海军重建的重要性及建设的重点有全面而深入的阐发。此外，在晚清几部《经世文编》中均设有兵政卷，其中讨论海防问题的文章也有很多。

二是武器类。为改变清军器械窳劣的落后状况，近代科学家们努力探索新式火器的原理和制造方法，如：鸦片战争后，丁拱辰的《演炮图说》，内容涉及火药的配方、火炮的铸造、炮台的构筑，西洋炮台、岸炮以及运炮器械的制造与使用等；龚振麟则改进了铸炮

①　《训练总说》，《训练操法详晰图说》第一册，文海出版社，1966年，第1页。

技术，并将铸炮经验汇纂为《铸炮铁模图说》；丁守存写成《西洋自来火铳制法》《详覆用地雷法》《造药法》等著作；19 世纪 60 年代黄达权译、王韬整理的《火器略说》（后改名为《操胜要览》），介绍了洋枪洋炮的制造方法；数学家李善兰编写的《火器真诀》，第一次把系统的弹道学原理引入了中国。

三是训练操典类。湘军时期有刘连捷的《临阵心法》和王鑫的《练勇刍言》，都带有明显的传统兵书特色，除了强调技能训练外，还包含练胆和练心的内容；刘长佑的《畿辅练兵营规》涉及直隶练军的装备、训练、阵法、营规等，内容颇为丰富。淮军时期有周盛传编写的《操枪程式》，主要介绍枪支的使用与养护之法；丁日昌编译的《枪炮操法图说》，主要介绍基本的队列训练；潘鼎新编写的《洋枪队大操图说》，则主要讲阵法训练。新军时期有袁世凯主持编写的《新建陆军兵略录存》，是编练新建陆军过程中的文件汇编，其中有《临战要则》《发枪要则》《操法择要》等篇，比较具有实用价值。练兵处成立后，陆续颁定了《炮兵暂行操法》《马兵暂行操法》《步兵暂行操法》《辎重兵暂行操法》《工程兵暂行操法》，使兵种训练有了可资参考的依据。

四是团练类。如朱孙诒的《团练事宜》、许乃钊的《乡守辑要》、李棻的《乡兵管见》等。团练仅是低限度的武装力量，组织松散，因此，此类兵书的兵学价值多不高。

除以上四类外，还有蔡标的《地营图说》，专讲地营建法；李汝魁的《精神谈》，专讲军人的荣誉感与爱国心；刘连城的《将略要论》，专论为将之道；丁日昌编订的《百将图传》，主要介绍古代名将简要事迹；等等。

（二）散见于奏折、书信等载体中的兵学论述

兵书是兵学思想的主要载体，但近代有所不同，除上述兵书能够部分地反映兵学发展脉络外，尚有大量以奏折、书信、日记等形式留存于晚清重要人物的文集当中的零星兵学论述。尽管这些军事论述是散见的，但有相当一部分是经受过战争洗礼后的经验总结，因此兵学价值很大。如李鸿章与丁日昌的信件中有较多关于海防的

讨论，其中一些思想成为后来北洋海军及海防建设的主要思想来源。《海防要览》是近代有关海防的一部重要兵书，内容其实就是丁日昌、李鸿章在第一次海防大讨论时，对总理衙门提出的练兵、简器、造船、筹饷、用人、持久等六项举措的复议奏稿。李鸿章关于海防的主要思想，主要集中在《筹议海防折》《议购铁甲舰折》以及其上书总理各国事务衙门的信件当中。因此，研究近代兵学，若将这些鲜活的思想略过不计，是不可能真实地反映近代兵学全貌的。

表面上看，这些信件中所保留的兵学思想缺乏关联性，但因涉及内容相当广泛，又具有实际上的一致性和系统性。蔡锷编订的《曾胡治兵语录》，将曾国藩、胡林翼的言论分为将材、用人、尚志、诚实、勇毅、严明、公明、仁爱、勤劳、和辑、兵机、战守等 12 章，从这一分类大体可以看出，曾国藩、胡林翼兵学思想的内在一致性。

总体而言，这些零星的兵学论述呈现出与一般兵书不同的特点：一是不简单重复旧说，尽管这些思想仍在传统兵学框架下，但对一些旧的错误认识却有所校正或纠偏，且有比较多的创见。如曾国藩说，"（兵事）总以质实二字为主"①，左宗棠则说，"兵事均须从质实处着想，不必弄巧"②，这与传统兵学一般强调的用诈出奇、以巧博大的基本精神是相对立的。二是这些思想皆来源于实践，所论不再纠缠于一些概念或范畴的抽象理解，而是着眼于如何化解现实矛盾和解决实际问题，不作空泛之论，因此指导性更强。如左宗棠用兵极重后路安全，与此相关的论述也很多，讲解也颇为透彻，比如"盖用兵以顾饷源为先，布阵以防后路为急，理固不易也"③。无实战经历的文人不可能有这样的认识。三是这些思考始终是发展着的，是有生气有活力的。可以说，如果没有这些新的认识和反思，不可能使传统兵学中的不足充分显露出来，西方军事理论亦不可能

① 《曾国藩全集·书信二》，第 1641 页。
② 《左宗棠全集》第十册，第 500 页。
③ 《左宗棠全集》第四册，第 104 页。

顺利被引入。

（三）有关制度规定

晚清的大量相关章程与规定，虽缺少一般兵书的思辨性，却是思想的行动化，能比较充分地反映出支撑这些制度背后的思想，因此，其研究价值不亚于兵书。比如《北洋海军章程》，被视作北洋海军建成的标志之一，是除北洋舰队这一有形成果之外，清廷多年海军建设的重要制度成果。通过章程，"既能强烈地感到西方军事制度的移植，又能清楚地看到中国传统军制的继续沿用"①。还如《大清光绪新法令》军政篇，收入了练兵处及陆军部期间清朝关于军事教育、营制饷章、校阅、奖惩、兵役等方面的重要法令和规定。再如保留于《东方杂志》中的《新定陆军军械章程》《经理修械章程》《经理检查章程》《正副军需官及各营军需长领饷章程》《军需长职守章程》等，这些是了解近代军队装备管理保障的重要文献。

（四）传统兵书的研究整理与辑录

近代还有大量传统兵学典籍辑录和再整理本，对于传统兵学经典的重新整理和发掘极具学术价值。如胡林翼召集幕僚汪士铎、张裕钊等人撰辑的《读史兵略》，采撷《左传》《通鉴》的兵事部分，评价战略得失；汪宗沂辑《汪氏兵学三书》，亦含《太公兵法逸文》《武侯八阵兵法辑略》《卫公兵法辑本》三种；李廷樟重刊清初《武经三子集注》，后改称《武经团镜》，以为办团练者提供指导。此外，近代孙子学也有几部比较重要的著作，如顾福棠的《孙子集解》是近代第一部以新思路研究《孙子兵法》的专著，黄巩的《孙子集注》有一些关于东西方兵学结合的思考。②

---

① 张一文：《〈北洋海军章程〉及其军事学术价值》，《军事历史研究》1999年第4期。

② 见皮明勇：《中国近代军事改革》，解放军出版社，2008年，第200—201页。

三、近代兵学的主要特点

兵学在近代，肩负纾困与自救的双重任务。如果不能与社会现实相适应，不能有效地在解决现实危机中有所建树，兵学将被扫进历史的垃圾桶。兵学在近代的改造主要有两种方式：一是援实入兵，如同曾国藩、胡林翼、左宗棠所为，去除传统兵学中的浮泛、虚饰之气，将更具实际指导意义的思想充实到兵学体系中；一是援西入兵，即吸收西方军事理论中有价值的成分，补充传统兵学体系中的不足与缺陷。在兵学发展史上，近代兵学的发展变化最为剧烈，其特点也最为显著，主要有：

（一）文人论兵的式微

当国难当头、内外交困之时，文人也想通过自己的积极行动，促使战争局面朝有利的方向发展，这是文人言兵原始的出发点。近代无实战经验的文人的兵学著作或论述，数量不少，但内容多较空洞，或论为将之道，或论人心决定胜负，也有谈及海防和练兵的，但亦多不着边际，为纸上谈兵之论，严重脱离社会和战场实际。所以，尽管近代文人论兵者大有人在，但所论的军事学价值越来越小，对于决策产生的影响也越来越弱。盛军统领周盛传在批评举人廖连城所上的海防策图时所说的一段话，颇能看出文人在讨论军事问题时是如何隔膜的。他说："该举人当海疆多事之秋，讲求时务，自属有心之士，但必须于海道广狭、器械利钝、经费盈绌考证精确，立言乃有折衷。若徒袭载籍陈言，妄相称说，乌能见诸行事。"①

在战争的大背景下，需要的是解决具体问题的具体办法，而非大而无当的空泛指导。左宗棠批评一名地方官调拨客军的言论时说："不思派拨客军极非易事，无论机宜方略一一须有成算，即径由之道

---

① 《周武壮公遗书》卷一，页十三，文海出版社，1969 年。

路、运解之子药军粮均须预为筹策，乃保万全，殊不易易也。该守于所属道里山川形势、贼踪出没之所，及采办军粮、雇用车驮一切办法，漫无区画，徒知上禀请兵，不知平日于地方情形、临时于军务情形亦曾留心否？"① 无实战经历的文人往往主观地认为战略运筹与实战有较少的相关度，但实际情况却恰恰相反。因此说，坐而论道是文人论兵最致命的弱点。

（二）兵学逐步趋向专业化

湘军时期，文人统兵的现象颇为普遍，一方面说明文人参与兵事的热情很高，但另一方面也说明，军事领域的专业化程度很低，领兵打仗不需要经过特别的训练即可参与。随着装备日益复杂，没有专业化的知识，根本无法进行有效的日常管理和指挥。丁日昌在解释水师提督李朝斌、彭楚汉为什么不能出任海军统领时说，"该提督等平日所习之长龙、舢板，与外海之兵轮船绝不相蒙，外海波涛汹涌，旦夕万状，飞轮、硼炮变化无穷，非自幼衽席其间，熟谙其法，断未有不改常度者"②。而要培养合格的领导者，必须依靠专业化的军事学堂，"将才非累年培养不能有成，故现用之将才虽经选拣，而待用之将才亦宜预储，必学堂精延教习，庶赴练船学习者有基；必练船勤加操演，庶出洋学习者有其基"③。

李鸿章在《水师学堂请奖折》中列举了学堂的主要课程："欲其于泰西书志能知寻绎，于是授以英国语言、翻译文法；欲其于凡诸算学洞见源流，于是授以几何、代数、平弧、三角、八线；欲其于轮机炮火备诸理法，于是授以级数、重学；欲其于大洋驾舟测日候星、积算晷刻以知方向道里，于是授以天文推步、地舆测量，其于驾驶诸学庶乎明体达用矣。"④ 近代兵学的专业区分日趋明显，可以说不具备专业知识，很难提出有针对性、可行性的建议。

---

① 《左宗棠全集》第十四册，第 59 页。
② 《丁日昌集》（上），上海古籍出版社，2010 年，第 184 页。
③ 《丁日昌集》（上），第 184 页。
④ 《李鸿章全集》第十册，第 649 页。

（三）兵学阐释方式由虚向实

中国传统兵学呈现出高度概括、高度抽象、文字凝练且意涵极丰的特点。这种阐述方式利于启发思维，但从指导实践的角度看，抽象的兵学思想要实现其指导实践的价值，必须经过几重改造，才能具有清晰和明确的指向性。《中西兵略指掌》的编者陈龙昌就直言不讳地指出："中国谈兵家无虑百数，惟《孙子》十三篇、戚氏《纪效新书》，至今通行，称为切实。但孙子论多玄空微妙，非上智不能领取。戚书出自前明，虽曾文正公尝为推许，其所可采者，要不过操练遗意。此外欲求所谓折衷戎行，会通今昔守御之要，而机宜悉当者，殆不多见。"①

近代是中国兵学发展史上的特殊时期，与前代无实战经历的文人撰述兵书不同，有过战场经验的人更倾向于从质实的角度理解战争，不做过分形而上的分析或想象。如曾国藩在《兵》篇中详细区分了不同情况下何为正兵、何为奇兵，"中间排队迎敌为正兵，左右两旁抄出为奇兵；屯宿重兵坚扎老营与贼相持者为正兵，分出游兵飘忽无常伺隙狙击者为奇兵……"② 相比曾国藩、胡林翼，左宗棠的兵学认识现实指导性更强。比如，关于军心士气，曾、胡都说过这样的话，"夫兵，阴事也，以收敛固啬为主；战，勇气也，以节宣提唱为要"③，但左宗棠更多的是将士气高低与军饷保障得力与否挂接起来，"进兵必先固后路，务令却顾无虞，然后一意前驱，饷道常通，军情益奋"④，即粮饷无忧，军心自然稳固。

越到晚清后期，泛论式的著述越少。徐建寅在阐述其撰述动机时指出："泰西各国讲求兵学，久有成法，愈新而器械愈利，兵学愈精。……中国士子，素未讲求此学。古来兵书，半多空谈，不切实

① 陈龙昌：《中西兵略指掌》卷二十，页二十、页二十一，清光绪二十八年（1902）秦中官书石印本。
② 《曾国藩全集·诗文》，岳麓书社，1987年，第385页。
③ 《胡林翼集》第二册，第566页。
④ 《左宗棠全集》第十一册，第100页。

用。戚氏《纪效新书》，虽稍述实事，而语焉不详，难以取法。"①
又说，"世俗迂儒，一误再误，讳讲兵学，是以二千年来无人以兵学
沏为成书者。即有古兵书，亦皆模糊影响，罔切实用"②。这样的说
法虽失之偏颇，但基本反映了近代兵学家不迷恋往古，开创新学之
风，并主张对现实有"补救之方"的兵学著述倾向。

　　兵学归根结底是要用于指导战争，面向战场的。离开了这个根
本点，兵学的意义就是失位的，若兵学仅有学术上的意义，而失却
其指导军事现实的意义，兵学的发展就不可能是昂扬向上的，而只
能是步步沦落。兵学的发展只有回归战争这片土壤，才能在新的历
史条件下生根发芽。

---

① 徐建寅：《兵学新书》，凡例页一，清光绪二十四年（1898）本。
② 《兵学新书》，后序页三。

第一章　近代兵学的社会基础和思想土壤

兵学的发展是战争实践与思辨不断互动的结果。战争为兵学的萌生与发展提供了活的素材，思辨则使战争实践中闪现的经验得以抽象和升华，逐步形成带有规律性、具有普遍指导意义的兵学思想或兵学原则。所以兵学是思辨的产物，也是时代的产物，受特定时代的社会、政治、经济、文化等因素的影响。也可以说，社会现实是兵学得以存续和发展的营养基，决定了兵学的基本形态和发展走向。

第一节　社会基础

如果没有外来力量的强力介入，传统兵学在近代很可能会继续沿着既有的轨道缓步而行，维持原有的逻辑体系而不会发生根本性的改变。然而现实是，近代社会面对的是中国历史上前所未有的复杂国际国内环境，军事领域也经历了历史上最为剧烈的变化，从以冷兵器装备为主到全部装备火器，从单一兵种到多兵种协同作战，从文武分途到文人统兵的常态化，从好人不当兵的旧观念到倡导全民尚武，等等，都是在近代不长的历史时期内发生的。这些变化决定了近代兵学不可能是前代的简单延续，不可能如明代那样出现大量文人论兵的现象。严酷的现实要求兵学必须是面向现实的，要能在面对强敌时给出有效的指导。同时，兵学的发展又必须是开放的。西方的坚船利炮对传统兵学体系的内在合理性造成了冲击，兵学要能在与西方军事理论的竞逐中发现自身的价值和不足，并吸收外部理论的有益成分，弥补自身的原生缺陷，从而推动近代兵学向军事学的转变。可以说，近代兵学呈现出的一些独特的发展轨迹是特定社会环境下的特有产物。要想搞清楚近代兵学的发展逻辑，首先要理清兵学在近代得以存续和发展的社会土壤。

一、列强环伺，内乱不已

近代与前代最大的不同在于所面对的敌人已发生了根本的变化，这是兵学在近代的发展理路与前代不同的根本原因。中国古代所面对的主要威胁是北方的游牧民族，他们普遍战斗力较强，短期内相较中原在军事上会处于优势地位，但长期来看，中原在制度、文化、经济上的优势会最终扭转对少数民族的军事劣势。然而到了近代，这种局面发生了根本性的变化。中国所面对的敌人不仅有北方的俄罗斯，还有实力更强、从海上而来的英、法、美等列强，以及近在肘腋的日本。这些国家不仅在经济和军事实力上，而且在制度和文化方面相较中国都有压倒性的优势。诚如丁日昌所言，"汉唐以来，边患在陆，今则东有日本，北有俄罗斯，西南有欧美诸部环而窥伺，水陆交迫，实为古今第一变局"①。李鸿章也以"数千年来未有之变局"形容晚清所处的这个时代，他在《筹议海防折》中写道，"今则东南海疆万余里，各国通商传教来往自如，麇集京师及各省腹地，阳托和好之名，阴怀吞噬之计，一国生事，诸国构煽，实为数千年来未有之变局"②。

从 1840 年开始，晚清社会就始终处于西方坚船利炮的威胁之下。为追求贸易最大化，英国以鸦片贸易为借口发动了鸦片战争，这是一个落伍的封建帝国与一个新兴的资本主义国家之间的战争。清军实际上是以陈旧的武器装备、落后的训练、僵化的战术以及中古的战争观念，来应对已经全面近代化的敌人。战争以清军的惨败

---

① 《丁日昌集》（上），第 185 页。
② 《李鸿章全集》第六册，第 159 页。

而告终。以此为起点，清朝原有的封闭自足的社会逐渐被打破，被迫融入国际体系当中，逐渐沦为列强争抢的蛋糕。咸丰六年（1856），英、法以"亚罗号"事件为借口，发动了第二次鸦片战争，兵锋直指京畿，咸丰帝慌忙出逃热河，留下其弟奕䜣与英法签订了《北京条约》而屈辱收场。光绪九年（1883），法国侵略越南，企图将越南作为入侵中国、争霸远东的基地。清军在陆上进行了有效的抗击，但战争的最终结果仍以不平等的《中法新约》收场。然而，屡次的屈辱并未换来海内晏然。当时的形势是"环伺而起者，不止一法国，相逼而处者，不止一越南，此不特边疆之患，抑亦大局之忧也"①。

除西方列强外，中国还要应付近在肘腋的日本。早在同治三年（1864），李鸿章对日本可能构成的威胁就发出过警告，他说："夫今之日本，即明之倭寇也，距西国远而距中国近，我有以自立，则将附丽于我，窥伺西人之短长；我无以自强，则将效尤于彼，分西人之利薮。"② 此后李鸿章大力改善淮军武器装备，修造近畿炮台，创练海军，这些举措均体现出他防范日本的意图。他说："今之所以谋创水师不遗余力者，大半为制驭日本起见。"③ 同治十三年（1874）出兵台湾，光绪六年（1880）强占琉球，这两次试探性的举动轻易得手，让日本窥探到了清政府的外强中干，同时也加剧了日本侵略野心的膨胀。晚清政府在处理这些问题上的不断退让，并没有换来日本的歇手，而是"我愈退，则彼愈进；我益让，则彼益骄。养痈贻患，以至今日"④。最终清军在甲午战争中被日军击败，苦营十数年的海军毁于一旦，被迫签订的《马关条约》将中国推入了半殖民地半封建社会，中国至此陷入被列强瓜分的绝境。

---

① 《清光绪朝中法交涉史料》卷二，页十七，文海出版社，1967 年。
② 《李鸿章全集》第二十九册，第 313 页。
③ 《李鸿章全集》第九册，第 261 页。
④ 《中国近代史资料丛刊·中日战争》第二册，上海人民出版社，1957 年，第 624 页。

在列强环伺的同时，晚清时期的中国，农民反抗运动也此起彼伏，有持续 14 年之久、横扫大半个中国的太平天国农民运动，还有捻军农民起义、陕甘回民起义等。这些反抗运动的主体，虽不具备如列强那样的坚船利炮，但运动持续时间长，波及地域广，对清朝社会和文化的破坏力更强。尽管这些反抗运动最终均被镇压了下去，但清朝的统治基础也在一次次反抗运动中摇摇欲坠。

内忧外患的社会现实，使一些固有观念随着危机的加深而发生动摇或被摧毁，一些新的观念则在危机中一点点酝酿，并最终演化成为政治、军事和社会改革，推动晚清社会朝着有利于摆脱危机的方向发展。同时，大量的战争实践，促进了兵学理论与实践的融合，使兵学逐步摆脱了被历代文人涂抹而形成的书斋痕迹。

二、由战迫改，修修补补

19 世纪 50 年代，先有太平天国蹂躏东南诸省，后有英法联军以修约之名直入京畿，晚清政权岌岌可危。无论从维护国家安全或是维持清朝统治的角度看，清廷都被逼上了绝路。在这样内忧外患的多事之秋，如果再不思进取，不积极地在思维上、政策上以及行动上作出调整和改变，结局是不言而喻的。咸丰十一年（1861），就在中外签约、英法联军撤出北京、清廷喘息甫定之际，恭亲王奕䜣批准成立总理衙门，作为指导与洋务改革有关活动的总机关，这成为晚清开启近代化改革一个标志性的事件。奕䜣还提出，"探源之策，在于自强，自强之术，必先练兵"①，后又进一步明确，"自强以练兵为要，练兵又以制器为先"②，将武器装备视作自强运动的突破口。尽管这只是一个宣言性质的口号，内容相对单薄，但从国家层面上给予武器装备发展以足够的重视，意义仍然是非凡的。它刺破了清廷内部大量思想保守官员对于学习西方的攻讦之盾，使制器、练兵、自强成为多数地方督抚和具有实干精神官员的共识，为后续

---

① 《筹办夷务始末（咸丰朝）》第八册，中华书局，1979 年，第 2700 页。
② 《筹办夷务始末（同治朝）》第三册，中华书局，2008 年，第 1081 页。

军事改革在多领域的开展开辟了道路。可以说，正是在这一认识的指引下，清政府逐步放弃了"无事则嗤外国之利器为奇技淫巧，以为不必学；有事则惊外国之利器为变怪神奇，以为不能学"① 的空谈而走向务实，坚定地要将西方的"坚船利炮"学为己用。

实际上，在此之前，处于东南战争前沿的湘军已开始少量引进西式大炮以抗衡率先使用西式装备的太平军。由于当时经制八旗和绿营腐败不堪，无力与太平军抗衡，清廷不得不借助地方武装的力量，使以团练为基干发展起来的勇营部队逐渐成长为抵御太平军的主力。勇营部队由地方督抚自行招募、军饷亦由督抚自行筹措，因此管理和控制之权亦操在地方督抚手中。这样一种新的军事格局，使地方督抚在军事行动上有了比以往更大的自主权。从装备上看，地方督抚能够在原有僵化的装备采购体制之外，自行引进一些西式装备，使清军装备的升级在这种权力的夹缝中一点点变成现实。

从 19 世纪 60 年代开始，淮军通过军火商购得大量洋枪洋炮装备部队，原有鸟枪、土炮遂被逐步淘汰。除淮军之外，京师八旗也在同治元年（1862）设立神机营，引入西方较为先进的武器装备，并按照西式方法训练。此后，各省练军及驻防八旗也开始引入西式装备。这一时期，一些思想较为大胆和超前的官员还提出了自行建造西式武器装备的设想。左宗棠即认为，"借不如雇，雇不如买，买不如自造"②。李鸿章也认为："中国欲自强，则莫如学习外国利器，欲学习外国利器，则莫如觅制器之器，师其法而不必尽用其人。"③在这种思想氛围推动下，从清廷到地方，对于借助西方的先进技术，自行建造西式武器装备重要性的认识日益深入。于是创建自己的近代军事工业，摆脱对西式武器装备的依赖成为这一时期的共识。从近代第一家近代兵工企业——福州船政局开始，到辛亥革命之前，共兴办了 40 余家近代兵工企业。这些兵工厂，虽然在规模上各有大

---

① 《李鸿章全集》第二十九册，第 313 页。
② 《左宗棠全集》第十册，第 652 页。
③ 《李鸿章全集》第二十九册，第 313 页。

小，品种和产量上各有多少，但它们制造的产品，都是新式枪炮弹药、蒸汽舰船及相关的部件、配件，一定程度上保障了清军武器装备的自给。

相比武器装备领域的改革，军事制度上的推进速度明显滞后。两次鸦片战争期间，清朝陆军只有步兵和骑兵。曾国藩组建的湘军拥有陆师、水师和少量骑兵部队，后期引进了一定数量的西式大炮，但并未组建独立炮队，大炮配属在步兵中，作为攻坚利器。淮军则组建了独立炮兵营，到同治三年（1864）共建成6个炮兵营，使炮兵成为独立于步兵之外的新兵种。湘军、淮军设有长夫，但仅负责挖壕、运送弹药等相对简单的工作。甲午战争后，清廷内部很快形成了完全仿效西法练兵的讨论热潮，这推动了清末更为彻底且辐射面最广的一次军事变革的产生。这次改革不仅关注武器装备的更新，而且更加重视军事制度层面的改革。改革的结果是，清朝陆军第一次在编制上趋向近代化，实行近代陆军镇（师）、协（旅）、标（团）、营、队（连）、排、棚（班）的编制制度，拥有步、骑、炮、工、辎重等兵种，突破了湘淮军时期的单一营制，而成为建制完整、兵种较齐全的合成军队。这次军事改革所采用的军事训练与军事教育双管齐下、相互结合、相促相长的办法，促进了学堂教育正规化和军事训练科学化的发展。与以往的改革相比，这次改革还形成了全国统一的训练领导机构，使改革不再限于一省或几省，而是全国统一行动，并形成了编练方式由重点地区向全国辐射的模式。

由于武器装备的革新，清军在训练和战术上发生了根本变化，同时也推动了作战方式的改变。过去采用的基本上都是以冷兵器为主的作战方式，阵法和战术都与冷兵器作战相适应。但面对西方列强的坚船利炮，传统的作战方式根本无法与之对抗，由此引发了一系列显著的变化。如在中法战争中，不仅步炮协同作战比较普遍，而且出现了水陆协同的抗登陆作战。阵地防御战的水平也有所提高，如镇南关大捷中，不仅注意正面纵深防御，而且注意翼侧防御和侧后抄袭。新军编练时，兵种概念已深入人心，对于各兵种的作战任务有了更明确的规定：以步兵为攻防作战的主体；骑兵用于侦察警戒；炮兵用于轰击预有设防之敌，掩护步兵进攻或退守；工兵负责修道路、造桥梁、架电线，保障部队的行动。

总体上看，与19世纪中叶毛奇等人领导的普鲁士军事改革和19世纪下半叶日本在明治维新运动中所进行的军事改革相比，近代中国军事改革具有明显的被动性。一般意义上的改革，是一个有目标、有计划、有步骤的推进过程，环环相扣，紧密衔接。在一个清晰目标指引下，先有理论准备，再有制度建设，然后具体实施。但近代中国军事改革却呈现出另外一种形态，改革首先是从军事近代化最直观的表征——装备的革新开始的，新式武器大规模地用于装备部队，带动了兵工企业、军事训练和军事教育的改革，但在制度层面上却始终坚持旧式勇营体制。清军在甲午战争中的失败，制度落后是重要原因。甲午战败后，清廷在反思中逐步认识到制度改革的重要性，因而将此后军事改革的重心放在了制度调整上，先是仿照德国陆军编练新式陆军，后随着改革的深入，又开始着手军队领导指挥体制的改革。这些改革虽然明显较甲午战前深入，但改革的总体进程不畅，且很多改革仅是对旧制度的翻新，形式大于内容，旧制度的消极影响仍然存在，改革并不彻底。

三、基础动摇，权威弱化

清朝是一个少数民族建立的王朝。满洲人虽凭借比较强的军事力量迅速入主中原，但由于无法在思想和文化上确立优势地位，甚至无法保持满族文化的独立性，因此在取得政权后，为维护家国天下的长期安全、稳定，必须在制度层面上有所设计，以便确立满族在国家政权中的长期优势地位。

清朝在雍正时期设立军机处。在以后的相当长的时期内，军机处是皇帝直接督责的最高决策机构，凡国家层面上的重大问题皆通过该机构由皇帝亲自裁定，防止权力偏移。清朝沿用明代总督、巡抚制，但将简任改为常任，成为地方最高级别的行政长官。随着清代督抚制度的确立，中央集权体制形成了"大小相制""内外相维"，"既有纵向节制制约，又有横向制衡的分层交叉权力关系，皇帝处于这个架构的中心和顶端，而督抚则处于这个架构的中间层次"①。内以中央六部综理最高行政之权，此为"部臣守经"；外则将治理地方之权分寄于督抚，此为"疆吏达权"②。这样，既将督抚置于"统率文武军民为一方保障"的重要地位，又使督抚的权力受到中央的控驭。在军事上形成内重外轻的格局，"八旗兵由皇帝直接指挥，集中控制于京师及全国各战略要点，具有国家和地区主力机动兵团的性质，而绿营兵则由各省军、政长官指挥，分散驻防于全国各城镇，有地方镇戍部队的性质"③，由此形成了八旗集中驻防和绿营分汛各地的局面。

太平天国农民运动爆发后，在太平军的冲击下，清朝经制兵八旗和绿营趋于没落，动摇了清廷的统治基础。为保住王权，清廷不得不赋予督抚更大的自主权，"统一的财政权和军事权是清朝中央集权统治的基础。财政权和军事权的下放，是督抚权力扩展的契机"④。咸同军兴以后的地方督抚在士兵招募和筹饷上有更大自主性，使督抚获得比以往更多的权力，而相应地，清廷中央的权力则在这种关系转变中不断被销蚀。

尽管晚清在不同时期都有名义上的最高军事改革机构存在，但这些机构的统筹、规划、领导作用始终不强。无论是洋务运动时期的军机处、总理各国事务衙门，或是甲午期间的督办军务处，再到后来的练兵处都存在这一问题，由于这些机构的机构组成和人员素质均有问题，对于改革的方向、重点认识不足，缺乏统揽全局的能力，使得近代军事改革的推动不是自上而下，而是下层推动，上层观望然后被动响应，最终导致各地改革进展差异极大。第二次鸦片战争后提出了"自强求富"的总方针，但这仅仅是一个模糊的改革

① 见刘伟：《近代中国的社会转型与制度变迁》，湖北人民出版社，2010年，第80—81页。
② 朱寿朋：《光绪朝东华录》第二册，中华书局，1958年，总第1296页。
③ 《中国军事史·兵制》，解放军出版社，1987年，第428页。
④ 刘伟：《晚清督抚政治：中央与地方关系研究》，湖北教育出版社，2003年，第108页。

目标，对于如何进行改革，如何使改革突破器物层面而逐步向纵深推进，始终缺乏比较深入的理论阐发。没有全局的改革思路，就不可能在改革路径选择上有所创造，终致各省督抚对改革的认识程度不一，各省各行其是，改革成效上各省也千差万别。在诸如兵役制度等必须全国统一协调的制度层面上的改革，迟至晚清覆亡之前才有所动作，原因也在于缺乏统一领导。

四、经费支绌，有心无力

"军事之利钝，恒视饷事之盈绌为转移。"① 两次鸦片战争已经证明，传统的小农经济无法支撑工业化时代的战争。清廷亦曾在开源和节流上寻找办法，但均不成功。

19世纪60年代，以"自强""求富"为目标的洋务运动兴起。初期的改革主要集中在军事领域，引入西式武器装备，仿照西法训练军队，同时兴办仿西式的军事工业，试图解决武器装备自给的问题。但随着运动的推进，人们逐渐认识到，"凡一切薪水、教练之资，加给口粮之额，购船、造船、修船及军械、枪炮、火药、驾驶工食，日用煤斤诸项，为数浩繁，非有大宗巨款不能开办，非有不竭饷源无由持久"②。在经历了初期的艰难与困顿后，"夫欲自强必先裕饷，欲浚饷源莫如振兴商务"③，这样的认识逐步得到广泛接受。19世纪80年代后，洋务改革的重心逐步转向民事工业，兴办冶铁厂、制纱厂等，民事工业有所发展，但由于清朝在政治上受到列强的挤压，经济上海关和对外贸易被列强控制，在这种前提下，中国不可能发展出具有独立经营的经济实体，而最终只能沦为列强的大量洋货倾销地和大量原料供给地。

财政盈余有赖经济发展，而发展是要以稳定的社会政治环境为前提的。据专家统计，1875—1895年，"每年就约支付与战争有关

---

① 《曾国荃全集》第二册，岳麓书社，2006年，第244页。
② 《李鸿章全集》第六册，第169页。
③ 《李鸿章全集》第九册，第260页。

的费用在三千六七百万两，几占每年财政收入的一半左右"①。整个晚清时期，清朝始终未能走出"战败—赔款—停顿—恢复—再战败"这种恶性循环，这是一个无法解开的死结，所以"洋务派的所谓的'先富而后能强'只能是一种幻想"②。

既然开源这条路走不通，那就必须节流，在合理使用有限的财政收入上下功夫，可惜在这方面清朝政府亦未交出合格的答卷。鸦片战争后，晚清政府不仅要面对政权巩固的问题，还要解决如何摆脱落后挨打的问题，当两个问题分时出现时，尚好解决，而当两个问题同时出现或交织在一起时，清廷则往往出于自身安全的需要，优先考虑固权而非发展。当八旗已变成国家的赘疣时，清朝从固权的角度考虑仍坚决保留。而绿营由于分散驻防制度使其在清朝军事体制中永远扮演恭顺、俯首帖耳的角色，不会出现兵为将有的局面，而且绿营也是牵制湘、淮军勇营，平衡内外权力的重要力量。由于清廷在旧式军队上裁汰迟缓，新式军队又急速扩张，军费开支的重复与浪费对国家财政造成巨大损耗。"各省绿营兵数六十余万，岁饷约二千万两。……然自剿办发、捻、回各逆，专倚勇营，迨内地肃清，各省复不能不酌留防勇以资弹压，而绿营则竟无可调用，其兵糈则姑循守旧章，是多一倍饷额也。"③ 绿营存在的最大问题不仅在于无战斗力，更在于他们抢占了宝贵的军饷，而使一些更为急迫的改革无法顺利推进。"经费支绌"几乎是当时所有官员上奏中出现频度最高的词汇，与此相呼应的还有厘金、协饷、截留等颇具时代特色的新创词，这些都是在经费得不到可靠保障情况下的变通措施。拆东墙补西墙，成为晚清时期一种常态。

经费短缺直接影响装备的更新，"近来饷项支绌，所需换领洋枪，一时尚难购到也"④，诸如此类的说法在晚清督抚的上奏和通信中比比皆是。有时因装备无法及时更新，为节省开销，一些部队不

---

① 梁义群：《近代中国的财政与军事》，国防大学出版社，2005 年，第 92 页。
② 《近代中国的财政与军事》，第 90 页。
③ 《李鸿章全集》第九册，第 261 页。
④ 《李鸿章全集》第三十二册，第 33 页。

得不以旧式武器训练新式操法，如李鸿章在指导淮军训练时就说，"操演宜用前膛，临敌莫便于后膛也"①。这种训练与实战的脱节，必然会在战场上得到血的教训。李鸿章多次不无遗憾地感叹："臣练军简器十余年于兹，徒以经费太绌，不能尽行其志。"②

　　经费短缺对于海防和海军建设也产生了重大影响。海岸炮台因经费短缺无法按照既定方案进行建造，而只能有多少钱办多少事，"至修筑炮台，购买船械等项，本因经费支绌，未及多办，不过择要略事经营"③。海军建设是晚清军事建设成就最辉煌的部分，但也是留有遗憾最多的地方。从最初丁日昌等提出三洋水师之议，到决定重点发展南北两洋海军，再到优先发展北洋海军，南洋海军发展被搁置，建设规模不断缩减均与经费支绌有直接关系。即便北洋海军最终成军，但从光绪十四年（1888）一直到甲午战争爆发，再未添置一艘战舰，却也是事实。而日本则正是利用北洋海军发展的这段停滞期，加紧升级改造，使其整体实力在甲午战前超过了北洋海军。日本海军新旧快船21艘，"中有九艘自光绪十五年后分年购造"④。面对这样的现实，李鸿章只能无奈叹息："即日本蕞尔小邦，犹能节省经费，岁添巨舰。中国自十四年北洋海军开办以后，迄今未添一船，仅能就现有大小二十余艘勤加训练，窃虑后难为继。"⑤

　　经费短缺还影响到了国防发展战略。海塞防之争中，李鸿章因"财用极绌"而反对用兵西北，并提出移疆防费用为海防之饷。这是一种饮鸩止渴的办法，当然与其个人战略重心的判断有关，但更深层的原因仍要从经济条件、经费难筹的客观现实中寻找。左宗棠尽管提出了海塞防并重的主张，但在实践上要在南北两个方向都给予相同的重视，特别是经费使用上一视同仁，则根本无实现的可能，

①　《李鸿章全集》第三十一册，第49页。
②　《李鸿章全集》第十册，第331页。
③　《李鸿章全集》第八册，第30页。
④　《李鸿章全集》第十五册，第406页。
⑤　《李鸿章全集》第十五册，第335页。

所以，"海塞并重"这样的说法仅具有理论上的意义。

晚清军事实践上的进步，始终走走停停，几乎没有一项改革可以做到一以贯之，其中原因当然与清廷决策能力不足，各种错综复杂的关系掣肘等因素有关，但也不得不承认，"经费支绌"是导致这一局面的重要因素。正如恩格斯所言："没有任何东西比军队的编成、编制、装备、战略和战术更加依赖于经济条件了……因而，正是暴力比其他一切都更加依赖于现有的生产条件。"[1]

第二节　思想土壤

在晚清巨变的时代，传统思维推动社会发展的力量仍在，但日渐虚弱也是事实。这一时期，中西之间不仅有军事上的交锋，更有思想与文化上的碰撞与融合。当国家安全面临威胁，传统思维无法给出有效应答时，突破旧观念的束缚，从西方的思想体系中吸收新的思维方法，成为推动社会前进的新动力。可以说，晚清时期全部思想问题的实质就是固守传统还是突破传统，对西方的思维方法是吸收还是排斥。每一次思想的交锋，都会部分地突破旧思维的桎梏，并在对新方法的吸收与融合中使社会机体获得新的动力，继续向前推进。总体上看，尽管转变迟缓，但晚清时期的社会思想是逐步走向开放，逐步由虚向实，由经验走向科学的。

一、从朴学到理学经世

乾嘉时期是中国学术史上的辉煌期，梁启超曾说，"乾嘉间考证学，可以说是：清代三百年文化的结晶体，合全国人的力量所构成"[2]。朴学的兴起，有学术发展内在理路演进的推动，是用"尊德

---

[1]　《马克思恩格斯军事文集》卷一，战士出版社，1981年，第38—39页。

[2]　梁启超：《中国近三百年学术史》，商务印书馆，2011年，第28页。

性"的精神来从事"道问学"①，也有外缘性的因素，如清朝统治威立而政举，文网严密，导致"士大夫讳言本朝事。于是学者群趋于考据一途，为纯学术的研究"②。清初乾嘉学派开创的实证主义的风气，造就了空前的学术繁荣。其"实事求是"的基本方法，不仅对版本学、目录学、音韵学的发展有绝大的贡献，同时也造就了一种学术风尚，对清代中期社会、文化和思想都产生了重大影响。

然而物极必反，清朝中期以后，朴学作为一种方法逐渐走向极端，学者往往偏离学问的意旨，而热衷于饾饤琐碎，困守书斋，严重脱离社会现实。汉学家们"毕世治经，无一言几于道，无一念及于用"③。乾隆后期，社会底层的不满不断积聚，无情地揭开了"太平盛世"的假象，将各种社会矛盾暴露出来。嘉庆、道光时期隐形的社会力量蠢蠢欲动，社会风气日趋腐化与堕落，正如陈旭麓先生所言，"嘉庆和道光君临天下的几十年间，一面是士林风气由饾饤琐碎转为忧患时势，一面是民间愁苦在积累中化为躁动"④。

对于考据之学的质疑主要集中在考据的无主题化或无中心化，是为考据而考据，"汉学诸人，言言有据，字字有考，只向纸上与古人争训诂形声，传注驳杂，援据群籍，证佐数百千条，反之身己心行，推之民人家国，了无益处，徒使人狂惑失守，不得所用"⑤。考据只是问道的门径，而非学问的终极目标，"门径苟误，跬步皆歧，安能升堂入室乎"⑥？鸦片战争前，魏源对考据之学"专务记丑，屏斥躬行"⑦给予了尖锐批评，"使其口心性，躬礼义，动言万物一体，而民瘼之不求，吏治之不习，国计边防之不问；一旦与人家国，

① 见余英时：《中国思想传统的现代诠释》，江苏人民出版社，1995年，第226页。

② 《魏源与晚清学风》，齐思和：《中国史探研》，中华书局，1981年，第314页。

③ 方东树：《汉学商兑》，凤凰出版社，2016年，第10页。

④ 《近代中国社会的新陈代谢》，中国人民大学出版社，2015年，第64页。

⑤ 《汉学商兑》，第61页。

⑥ 阮元：《揅经室集》，中华书局，1993年，第37页。

⑦ 《魏源全集》第十三册，第118页。

上不足制国用，外不足靖疆圉，下不足苏民困，举平日胞与民物之空谈，至此无一事可效诸民物，天下亦安用此无用之王道哉"①?

随着清军在鸦片战争中的惨败，盛极一时的考据之学终于跌落神坛，渐为方兴未艾的经世致用之学所取代。所谓经世之学，即经世济用之学。与坐而论道的理学家和考据家不同，经世派不仅研究形而上学之道，而且重视研究与社会和人的发展密切相关的学问。该派兴起时有两个重要领袖人物，一位是贺长龄，他曾于道光七年（1827）与魏源一道主编《皇朝经世文编》，该书收录清代名臣奏议或文章两千余篇，内容包括吏政、户政、礼政、兵政等时政、经济问题，被视作学术风气转变的一个标志。另一位是陶澍，他的作用在人才的汲引，萧一山先生曾说，"不有陶澍之提倡，则湖南人才不能蔚起，是国藩之所成就，亦赖陶澍为之喤引耳"②。实际上，不只曾国藩，胡林翼、左宗棠均与陶澍关系密切。

陶、贺作为"湘系经世派"的领袖，信奉理学但不崇尚清谈，始终关注社会现实问题，并能将理学与经世之学有机结合起来，形成了一套经世济用的实学思维。这样的思维，在当时的历史条件下最切合实际，最有可能解决社会问题。受陶、贺影响颇深的左宗棠在讲解义理与经世的关系时说，"先以义理正其心，继以经济廓其志"③，即以义理作为自己的思想基础，然后在此基础上扩充和发挥经邦治国的才干，这是对理学经世宗旨最简洁而又最准确的概括。

这一时期，还出现了湖南籍理学名家唐鉴，他是纯正的理学家，在方法上服膺桐城派。桐城派古文家主张明道需从文章入手，"学问之事，有三端焉。曰义理也，考证也，文章也。是三者，苟善用之，则皆足以相济；苟不善用之，则或至于相害"④。唐鉴完全继承了这一认识，他说："为学只有三门：曰义理，曰考核，曰文章。考核之

---

① 《魏源全集》第十三册，第33页。
② 萧一山：《清代通史》第六册，商务印书馆，2019年，第2206页。
③ 《左宗棠全集》第十五册，第387页。
④ 姚鼐：《惜抱轩全集·文集》，中国书店，1991年，第46页。

学，多求粗而遗精，管窥而蠡测。文章之学，非精于义理者不能至。经济之学，即在义理内。"① 他反对空谈义理，看重义理的经世意义，认为，"动谈义理而于事情有所不通，此不过村学究耳，难与言体用"②，主张"儒者当识天下事，不当妄论天下。事事皆儒者所宜讲求，但不得其曲折，而辄持其是非则妄耳"③。他反对静坐书斋，倡导积极融入社会现实，"随事留心，即是阅历，即是学识，即是经济"④。唐鉴的学术视野并不开阔，但其克己极严，见解较新颖，对青年士子颇有吸引力，故在其周围团聚了不少青年才俊，其中就包括曾国藩。

曾国藩很推崇唐鉴的思想，曾师从唐鉴"讲求为学之方"，"唐公专以义理之学相勖，公遂以朱子之书为日课，始肆力于宋学矣"⑤。在孜孜以求高深义理的同时，曾国藩还与"蒙古倭仁公、六安吴公廷栋，昆明何公桂珍，窦公垿、仁和邵公懿辰及陈公源兖等，往复讨论，以实学相砥砺"⑥。这样，在唐鉴周围形成的理学小团体中，曾国藩对于理学的认识得以升华，他把汉学宗旨概括为"实事求是"，把宋学宗旨概括为"即物穷理"，认为二者有内在联系，他说，"近世乾嘉之间，诸儒务为浩博。惠定宇、戴东原之流钩研诂训，本河间献王实事求是之旨，薄宋贤为空疏。夫所谓事者，非物乎？是者，非理乎？实事求是，非即朱子所称即物穷理者乎？名目自高，诋毁日月，亦变而蔽者也"⑦。"实事求是"和"即物穷理"都体现了传统儒学"力行"和"致用"的务实精神，具有实质上的相通性。

湘军早期名将罗泽南在加入湘军之前已是理学名家。他与唐鉴

① 《曾国藩全集·日记一》，岳麓书社，1987 年，第 92 页。
② 《四砭斋省身日课》卷五，页三十一，道光刻本。
③ 《四砭斋省身日课》卷四，页三十七。
④ 《四砭斋省身日课》卷四，页三十九。
⑤ 黎庶昌：《曾国藩年谱》，岳麓书社，2017 年，第 9 页。
⑥ 《曾国藩年谱》，第 9 页。
⑦ 《曾国藩全集·诗文》，第 166 页。

一样，反对将义理教条化，而强调用躬行实践充实和验证程朱理学，"所著不仅言理之作，凡天文、舆地、律历、兵法，及盐、河、漕诸务，无不探其原委"①。他说："吾人为学，固当于身心下工夫，而于世务之繁琐、民情之隐微，亦必留心穷究。准古酌今，求个至是处。庶穷而一家一乡，处之无不得其宜；达而天下国家，治之无不得其要。此方是真实经济、有用学问。使徒自说性、说天，而不向事物上穷求，虽于本原上有所见，终不能有济于实用也。"②

正是良好的理学修养与强烈的经世意愿的紧密结合，才共同造就了学问与事功并重的湘军军官群体。他们不仅以理学所推重的克己、坚韧、有恒等品质要求自身，而且自觉运用理学的思维指导治军。如曾国藩强调要以礼治军，"带勇之法：用恩莫如仁，用威莫如礼"③；甚至用理学的思维方法指导治军与作战，如李续宜治兵，"只实做程、朱主敬存诚工夫，终日静默，不妄言，不妄动，抱定孔子临事而惧、好谋而成二语作主脑，其临阵则全是以静待动，谋定后发，虑胜后战"④。

二、从"师夷长技"到"道器兼备"

"师夷之长技以制夷"是鸦片战争后，学者在对战败反思过程中产生的最具现实指导意义、影响最为深远的思想认识。魏源在林则徐提出的"师夷之长技以制敌"的基础上，对这一思想进行了更为全面的阐发。魏源对"夷"的概念进行了界定，他说，"夷"并非"夷狄"，"非谓本国而外，凡有教化之国，皆谓之夷狄"，认为要"制夷"，首先必须要"知夷情""悉夷形"，"筹夷事必知夷情，知夷情必知夷形"，这是向西方学习的基本前提。⑤ 在魏源看来，夷之

---

① 欧阳兆熊等：《水窗春呓》，中华书局，1984 年，第 14 页。
② 《罗泽南集》，岳麓书社，2010 年，第 95 页。
③ 《曾国藩全集·日记一》，第 391 页。
④ 方宗诚：《柏堂师友言行记》卷二，页十八，文海出版社，1966 年。
⑤ 《魏源全集》第四册，第 32 页。

长技，包括"一、战舰，二、火器，三、养兵、练兵之法"①。师夷长技的目的，在于使这些长技为我所用，"为购洋炮洋艘、练水战火战之用，尽收外夷之羽翼为中国之羽翼，尽转外夷之长技为中国之长技"②。要放下天朝上国的心理优越感，以平等或谦逊的态度来看待西方，而不应再简单地将西方列强视作"残虐性情之民，未知王化者"的"夷狄"，这实际上已突破了传统的夷夏观念，以新的眼光看待西方。"师夷之长技以制夷"这一极具突破性的认识，是后来晚清开启军事改革，推动军事近代化过程中的一种基本思维方法，"实倡日后洋务运动之先声"③。

　　然而，也有相当多的人无法接受这样超越时代的见解，而仍然死抱着"夷夏大防""内中国外夷狄"的旧观念不放，无视列强军事、科技实力远胜中国的现实，将魏源所说的西方长技视作奇技淫巧、雕虫小技，而将西方列强视作低劣的"夷狄"，认为其"礼乐教化，远逊中华"。这些人将"师夷长技"等同于"用夷变夏"，由此推导出的结果必然是，"正气为之不伸，邪气因而弥炽，数年以后，不尽驱中国之众咸归于夷不止"④。此类昏聩之论，并非个别现象，如王韬所言，"盖以西法为可行者，不过二三人，以西法为不可行不必行者，几于盈庭皆是"⑤。

　　第二次鸦片战争失败后，清朝内外交困，严峻的现实迫使国家必须寻求切实的改变。在清廷内外开明官员的共同推动下，以"师夷"为基本特征的晚清自强运动逐步展开，"师夷之长技以制夷"的思想得以冲破顽固思想的围堵和阻挠，成为多数务实官员看待和解决实际问题的基本思维方法。自强运动的领袖都不同程度地受这

---

① 《魏源全集》第四册，第 35 页。
② 《魏源全集》第三册，第 628 页。
③ 熊月之：《西学东渐与晚清社会》，上海人民出版社，1994 年，第 263 页。
④ 《中国近代史资料丛刊·洋务运动》第二册，上海人民出版社，1961 年，第 31 页。
⑤ 王韬：《弢园文录外编》，中华书局，1959 年，第 34 页。

一思想的影响，如曾国藩即曾说，"师夷智以造炮制船，尤可期永远之利"①。李鸿章也说，"查西洋诸国，以火器为长技，欲求制驭之方，必须尽其所长，方足夺其所恃"②。

然而，"夷夏大防"的陈旧观念并未被根除，而是在不断出现的"道器之辨"中仍然占据道德高地。一些顽固的官员坚持认为，"立国之道当以礼义人心为本，未有专恃术数而能起衰振弱者。天文算学只为末议，即不讲习，于国家大计亦无所损，并非谓欲求自强必须讲明算法也"③。尽管不再以"用夷变夏"相恐吓，但仍有很多人贩卖恐慌，认为学习西方长技将导致传统伦教纲常解体："立国贵善用所长，制敌要先知所畏。洋人之所长在机器，中国之所贵在人心……今以重洋人机器之故，不能不以是为学问、为人才，无论教必不力、学必不精，窃恐天下皆将谓国家以礼义廉耻为无用，以洋学为难能，而人心因之解体，其从而习之者必皆无耻之人，洋器虽精，谁与国家共缓急哉？"④ 无论是以自尊或疑惧作为盾牌，顽固守旧者的目的都是一样的，都是要以维护传统伦教纲常为辞，排斥一切外来思想，阻挠任何形式的改革推行。

面对列强的威胁，仍有人将道德制胜论抬出来，坚持认为，"国之存亡在德不在强"⑤，"仁义之师必胜"。张佩纶在中法战争时曾说，"倭、法残人之宗，夷人之祀，虐用其民。我以仁义之道，行壮直之师，兴灭继绝，其理亦可以一战"⑥。这种观念横亘心中，使他们坚信中国人的最大优势在道德礼义，这是西方坚船利炮所难以比拟的，因而不承认当时西强中弱的现实。直到甲午战争前，这种观念始终在封建士大夫头脑中占据重要地位。浸淫于传统文化的文人，已很难跳出固化思维的藩篱，他们不能以客观的眼光看待自己，更

---

① 《曾国藩全集·奏稿二》，岳麓书社，1987年，第1272页。
② 《李鸿章全集》第一册，第630页。
③ 《中国近代史资料丛刊·洋务运动》第二册，第38页。
④ 《中国近代史资料丛刊·洋务运动》第一册，第121页。
⑤ 《中国近代史资料丛刊·洋务运动》第六册，第166页。
⑥ 张佩纶：《涧于集·奏议》卷二，页十一，文海出版社，1967年。

不能以客观的眼光看待世界。尽管"陈义甚高，持论甚正"，却于事无补，解决不了任何实际问题。李鸿章对这些虚妄之论进行过无情的批判。他说："西洋各国兵饷足、器械精，专以富强取胜，而中国虚弱至此，士大夫习为章句帖括，辄嚣嚣然以经术自鸣，攻讦相尚，于尊主庇民一切实政漠不深究，误訾理财之道为朘利，妄拟治兵之人皆怙势，颠倒是非，混淆名实，论事则务从苛刻，任事则竞趋巧伪，一有警变，张皇失措，俗儒之流弊，人才之败坏因之，此最可忧。"① 曾纪泽对此类文人的评价可谓一语中的，他说，"吾华清流士大夫，高论唐、虞、商、周糟粕之遗，而忽肘腋腹心之患，究其弊不独无益，实足贻误事机"②。

与道本器末相对的，则是道器兼备的新观念。郑观应即说："当今之世，非行西法则无以强兵富国。……诚使孔子生于今日，其于西国舟车、枪炮、机器之制，亦必有所取焉。器则取诸西国，道则备自当躬。盖万世而不变者，孔子之道也。"③ 此处郑观应所讲的"器"，并不仅指西方的技术装备，而是技术背后的理论，"西人之所骛格致诸门，如一切汽学、光学、化学、数学、重学、天学、地学、电学，而皆不能无所依据，器者是也"④。薛福成在光绪二年（1876）代李鸿章答彭孝廉的信中说，"尝谓自有天地以来，所以弥纶于不敝者，道与器二者而已。……中国所尚者道为重，而西方所精者器为多"。在这里，薛福成仍然以传统文化为坐标，以"道""器"表示中西文化的不同特点，不同内涵。他指出："欲求驭外之术，惟有力图自治，修明前圣制度，勿使有名无实；而于外人所长，亦勿设藩篱以自隘。斯乃道器兼备，不难合四海为一家。盖中国人民之众，物产之丰，才力聪明礼义纲常之盛，甲于地球诸国，既为

---

① 《李鸿章全集》第二册，第115页。
② 《曾纪泽集》，岳麓书社，2008年，第161页。
③ 《郑观应集》（上），上海人民出版社，1982年，第167页。
④ 《郑观应集》（上），第243页。

天地精灵所聚，则诸国之络绎而来合者，亦理之固然。"① 尽管坚持认为中国文化优于西方，但他提出了"道器兼备"的主张，将中学与西学在同一杆秤上加以衡量，显然要比道本器末的主张进步很多。他强调说，"道"与"器"一旦偏重，所学非所用，所用非所学，社会发展势必成为病态。他在批评陋儒的观念时说："中国所尚者，道为重；而西人所精者，器为多。然道之中未尝无器，器之至者，亦通乎道。设令炎帝、轩辕复生乎今世，其不能不从事于舟车、枪炮、机器者，自然之势也。今之议者，动引古圣，啜糟粕而去精华，务空谈而忘实践，失之弥远。"② 随着认识的深入，人们逐步意识到西技实际上导源于西学，而西学才是指导西方在与中国竞逐中占据优势的根本所在。此后的西学在观念中的地位逐步上升，最终成为与中学对等的另一套学问体系。

可以看出，这些新的认识不再有扬道抑器的评判，取而代之的是道器对等的新观念，不再将西方长技限定于器物的层面，而是将长技推到"学"的地位，此时的长技已不再被看作奇技淫巧，而是必须通过经年累月的学习方能有所领悟的学问。李鸿章曾言："不知洋人视火器为身心性命之学者，已数百年，一旦豁然贯通，参阴阳而配造化，实有指挥如意、从心所欲之快。其演习之弁兵，使由而不必使知。其创制之员匠，则举国尊崇之，则不以曲艺相待。……能造一器为国家利用者，以为显官，世食其业，世袭其职，故有祖父习是器而不能通，子孙尚世习之，必求其通而后止。上求鱼臣干谷，苟荣利之所在，岂有不竭力研求，穷日夜之力，以期至于精通而后止乎。"③

三、从中体西用到兼中西之长

"中体西用"是"中学为体，西学为用"的简化表述，一般认

① 《薛福成选集》，上海人民出版社，1987 年，第 103—104 页。
② 《薛福成选集》，第 103 页。
③ 《李鸿章全集》第二十九册，第 313 页。

为由张之洞为其定名，因"张之洞最乐道之，而举国以为至言"①。实际上，类似的认识早已有之。如冯桂芬在《采西学议》中提出："以中国之伦常名教为原本，辅以诸国富强之术，不更善之善者哉？"② 这里所说的富强之术即西方科学技术和自然科学，即西学，是治国之辅助手段，而中国之伦常名教则为中学，是治国之基本。其他著名思想家也有类似表述，如郑观应称"中学其本也，西学其末也。主以中学，辅以西学"③。"中体西用"是在传统思维框架下，将"师夷长技"思想导向深入，调和中学与西学主体地位的一种解决办法，是一种相对模糊的、有弹性的、可扩展的思维结构，而不是非此即彼。何者为体，何者为用，也不是一成不变的，而是见仁见智，言人人殊。张之洞对他所理解的中学与西学有过界定，"四书、五经、中国史事、政书、地图为旧学，西政、西艺、西史为新学。旧学为体，新学为用"④。然则多数人对于体、用的内涵没有严格的限定，会随认识的不断深入，赋予体、用以新的内容，给出新的解释。正如陈旭麓先生所言："就其本来意义而言，'中体'应是对于'西用'的限制，但'西用'既借'中体'为入门之阶，便会按照自身的要求而发生影响，人们虽想把它限制在既定的范围内，实际却很难如愿。当这种矛盾日益明显之后，更开明的人们就会在事实的刺激下因势利导，走出更远的一步。"⑤

在不断的交融中，中体与西用的界限实际上是越来越模糊的。左宗棠在讲到自强之策时，提出"兼中西之长"。他说："大约艺事以制造、语言、文字三者为要。能通中西语言、文字，则能兼中西之长，旁推交通，自成日新盛业。"⑥ 对中学与西学的关系，他认

---

① 梁启超：《清代学术概论》，上海古籍出版社，2005 年，第 82 页。
② 《中国近代史资料丛刊·戊戌变法》第一册，上海人民出版社，1957 年，第 28 页。
③ 《郑观应集》，第 276 页。
④ 《张之洞全集》第十二册，武汉出版社，2008 年，第 176 页。
⑤ 《近代中国社会的新陈代谢》，第 118 页。
⑥ 《左宗棠全集》第十四册，第 594 页。

为："彼此同以大海为利，彼有所挟，我独无之。譬犹渡河，人操舟而我结筏；譬犹使马，人跨骏而我骑驴，可乎？均是人也，聪明睿知，相近者性，而所习不能无殊。中国之睿知运于虚，外国之聪明寄于实；中国以义理为本，艺事为末；外国以艺事为重，义理为轻。彼此各是其是，两不相喻，姑置弗论可耳；谓执艺事者舍其精，讲义理者必遗其粗，不可也。谓我之长不如外国，借外国导其先，可也；谓我之长不如外国，让外国擅其能，不可也。"① 但他同时也认为，"艺事虽所兼长，究不能离道而言艺，本末轻重之分固有如此"②。可以看出，左宗棠似更倾向于将中学与西学视作两种对等的学问关系，更强调学问间的互补，尽管仍突出道的主体地位，但中主西次的差等观念似乎已不再强烈。提倡中体西用最力的张之洞，在《劝学篇》中也清晰地表达了要突破这种界限的诉求，"使诸名将生今之世，必早已习其器，晓其法。参以中国之情势，即非仿行，亦必暗合，即出新意，亦同宗旨……若近日武臣怠惰粗疏，一切废弛，而借口于汉家自有制度，亦多见其无效忠死国之诚而已矣"③。

　　学者不一定直接参与社会实践，却可用手中的笔，打破旧思维模式的桎梏，转变人们看待问题的角度，甚或建立一种新的思维框架，助力社会朝着更积极的方向演进。

---

① 《左宗棠全集》第三册，第55页。
② 《左宗棠全集》第十四册，第594页。
③ 《张之洞全集》第十二册，第187页。

第二章　湘军主导时期的兵学（上）

晚清时期对兵学发展产生重大影响的是持续了 14 年的太平天国农民运动。在太平军的冲击下，清朝经制兵八旗和绿营趋于没落，动摇了清廷的统治基础。为应对太平军的冲击，咸丰二年（1852），清廷不得不重提兴办团练一事，迭降谕旨，令各省督抚晓谕绅民，实行团练，自卫乡间，以绥靖地方。清廷希望借助团练，来达到"以本处之民守本处之地，以本地之资供本地之用，有且守且耕之利，无增兵增饷之烦"的目的，进而使"贼无可掳掠，无从裹胁，不战自溃"。① 十一月，正在家丁母忧的礼部侍郎曾国藩接到在籍办理团练的圣旨，于是于十二月二十一日到达长沙，并于次日上《敬陈团练查匪大概规模折》，在此折中曾国藩提出了编练新军的主张。他说："省城兵力单薄，询悉湖南各标兵丁多半调赴大营，本省行伍空虚，势难再调；附近各省又无可抽调之处，不足以资守御。因于省城立一大团，认真操练，就各县曾经训练之乡民，择其壮健而朴实者招募来省，练一人收一人之益，练一月有一月之效。……今欲改弦更张，总宜以练兵为务。臣拟现在训练章程，宜参仿前明戚继光，近人傅鼐成法，但求其精，不求其多；但求有济，不求速效。"② 大约在此时，曾国藩已初步定下了撇开绿营、另立新军的决心，只是未奉明谕，措辞较为谨慎。在明确订立新军的标准后，曾国藩即以当时进驻长沙的由罗泽南、王鑫等人统带的湘乡练勇为基础，以戚继光的束伍之法为理论依据，并斟酌取舍、补充新的思想

---

① 《皇朝道咸同光奏议》卷五十五，页一，文海出版社，1972 年。
② 《曾国藩全集·奏稿一》，岳麓书社，1987 年，第 40—41 页。

内容，创立了一种不同于经制兵，亦不同于一般乡勇的全新军事组织——湘军。

湘军勇营制度是中国传统治军理念的集大成者。由于湘军采取了新的部队招募方式，使其统系更为严密。在充分吸收传统兵学有益成分的基础上，结合湘军的自身特点和武器装备水平，并结合战争实践，探索出了一套有效的治军、训练和作战方法，丰富和发展了传统兵学。

这一时期兵学思想的代表人物是曾国藩、胡林翼和左宗棠，三人的兵学认识标示了近代传统兵学发展的新高度。三人的兵学思想来源于对传统兵书的学习和吸收，如《孙子兵法》《纪效新书》《练兵实纪》等书中语句在三人奏折和书信中均被多次提到，比如"如以为然，则请在彼深沟高垒，为坚不可拔之计。先为不可胜，然后伺间抵隙，以待敌之可胜"①，"贼常为主，而我常为客，故贼暇而我忙，贼逸而我劳，贼设伏设险以待我，而我辄中其计。兵法曰：'谋定而后战'，又曰：'善用兵者，致人而不致于人'"②。胡林翼则称："凡战，以静制动，以主待客，以整御散，以逸待劳为妙"③，"用兵之道，全军为上策，得土地次之"④，等等。可以看出，三人对传统兵学思想不仅非常熟悉，而且有过深入的研究和思考。此外，长期的军事实践也是促成其兵学思想成形的主要因素。兵书是兵学思想的载体，但却是剥离了思想产生的战场土壤后相对抽象的原则或规条。要认识和理解这些思想，需要将这个干枯的原则放回到战场土壤中，使其重新丰满起来。三人均强调，从书中得来的军事认识要在战斗中验证或修正，否则就是纸上谈兵，是为空谈。如咸丰三年（1853），左宗棠在给女婿陶少云的信中说："今年平通城、广济土匪，剿此股贼匪，颇有阅历。然其实亦只与平昔所论相合，尚

---

① 《曾国藩全集·家书一》，第338页。
② 《左宗棠全集》第十册，第74页。
③ 《胡林翼集》第二册，第437页。
④ 《胡林翼集》第二册，第585页。

有见到而未能行者。"①

三人久历戎行，阅历丰富，对于军事的本质理解深刻，对于兵书并不盲从，能将纸上之言与目中所见相互印证，所论句句都有实践为依，句句均非凿空之论，这也正是曾国藩、胡林翼、左宗棠兵学思想的价值所在。三人信件往来频繁，对于兵学有大体相近的认识。三人虽未创作出体系化的兵书，但从零散的兵学言论中仍能看出三人思想的内在统一性和系统性。

第一节　治军思想

治军思想是湘军兵学思想中内容较为丰富的一个部分，曾、胡、左除吸收历代治军思想精华，特别是戚继光关于治军方面的论述之外，还根据湘军实际，形成了一些新的认识和办法，并在湘军后期发展中又有所改进。曾、胡、左对治军领域的相关问题都有论及，但似又有所分别，各有侧重，如曾国藩更强调建章立制，胡林翼则更强调上下亲和，左宗棠则似更强调纪律的重要。但从总体上看，三人对治军的理解并无本质差异，相似的表述很多，仅在具体处置办法上稍有变化，亦互有补充。

一、礼义治军

曾、胡、左是文人统兵的典范，所以治军带有一定的儒学特色。长期的儒学训练，使他们很自然地将儒家的基本观念引入军事领域，作为引导外在行为的内在轨范。如曾国藩推崇的以礼治军，李续宜的主敬存诚工夫，左宗棠则以读书之法类比兵事，他说，"在家读书、作诗文、习字是平时治军要紧工夫，而接仗不过如入场就试

---

① 《左宗棠全集》第十册，第86页。

耳"①。

　　湘军注重以儒家伦理思想为核心的思想教育和军纪训练，重视向士兵灌输尽忠思想、道德意识、勇武和绝对服从的精神。曾国藩在创练湘军前，曾任礼部侍郎，对于礼学有过较为深入的研究。曾国藩不但把礼看作修身、为学的基本规范，认为"人无不出于学，学无不衷于礼"②，而且当作"修齐治平"的根本，他说，"古之君子之所以尽其心、养其性者，不可得而见，其修身、齐家、治国、平天下，则一秉乎礼。自内焉者言之，舍礼无所谓道德；自外焉者言之，舍礼无所谓政事"③。曾国藩治军特别注意以儒家的"仁义""忠信"思想去陶冶造就军心，明显是继承和发扬了戚继光的治军精神。戚氏认为，练兵必须从军礼入手，"孔子论治，亦只曰'正名'。名正，分定；分定，则上下相安，臂指相使，莫敢有违。军中名分须从军礼为始"④。曾国藩继承了戚继光的这一思想，并赋予了新的内容。他将"礼"视为传统社会道德和政事的核心，认为离开了"礼"就违背了社会所有人共同遵守的尊卑观念，从而导致"纲纪紊乱"。在军队这个特别强调等级观念的群体中，曾国藩也试图发挥"礼"对于个人的约束功能，他说，"礼者，即所谓无众寡，无小大，无欺慢，泰而不骄也"⑤，强调的是带勇之人的个人修为，只有个人修为做到了，才能"正其衣冠，尊其瞻视，俨然人望而畏之，威而不猛也；持之以敬，临之以庄，无形无声之际，常有凛然难犯之象"，如此"则人知威矣"⑥。他要求带勇之人"以仁存心，以礼存心"⑦，这样就可以使弁勇不加恩而知恩，不加威而知威，使湘军将士恪守"君臣父子，上下尊卑"，强化军旅之中的等级关系，从而

---

① 《左宗棠全集》第十二册，第34—35页。
② 《曾国藩全集·诗文》，第338页。
③ 《曾国藩全集·诗文》，第358页。
④ 戚继光：《练兵实纪》，中华书局，2001年，第187页。
⑤ 《曾国藩全集·日记一》，第391页。
⑥ 《曾国藩全集·日记一》，第391页。
⑦ 《曾国藩全集·日记一》，第391页。

获得"辨等明威"之情。同时，曾国藩还强调要以推己及人的"忠恕"思想，达到"欲立立人，欲达达人"，也就是"待弁勇如待子弟，常有望其成立，望其发达之心"。① 还说："将领之管兵勇，如父兄之管子弟。父兄严者，其子弟整肃，其家必兴；溺爱者，其子弟骄纵，其家必败。"② 他编写了《水师得胜歌》《陆军得胜歌》，让官兵学唱，也是要使士兵自觉遵守营规、营法，达到知"礼"的目的。

为了使勇丁更好地接受"礼""仁"的说教，曾国藩还提出"独仗'忠信'二字为行军之本"③ 这一比较通俗的治军主张。强调要使军队成为国家的柱石，对士兵而言，"第一教之忠君，忠君必先敬畏官长，义也。第二教之爱民，爱民必先保护闾阎，仁也"④。如果士兵不尊重长官，下级不服从上级，就是不忠的表现。至于"信"，则是处理同级关系的准则，"信以施于同列"⑤。他希望同级将领之间互相信赖，遵守信用，同舟共济，团结对敌。曾国藩还把"忠信"等价为一个"诚"字，指出"诚便是忠信"⑥，强调"驭将之道，最贵推诚，不贵权术"⑦。他要求书生出身与行伍出身的将领之间推心置腹，以诚相待，使军队内部形成诚朴求实、忠诚无私的风气。

胡林翼也强调用"忠义""仁爱"等儒家思想教育部队，以激发将士的"志气"，特别强调要"爱人以德""待人以诚"，通过这些来协调将帅之间的关系。他不赞成治军使用权术，他说："以权术凌人，可驭不肖之将，而亦仅可取快于一时。其本性忠良之人，则

---

① 《曾国藩全集·日记一》，第 391 页。
② 《曾国藩全集·批牍》，第 146 页。
③ 《曾国藩全集·诗文》，第 233 页。
④ 《曾国藩全集·批牍》，第 235 页。
⑤ 《曾国藩全集·日记二》，岳麓书社，1988 年，第 1011 页。
⑥ 《曾国藩全集·诗文》，第 362 页。
⑦ 《曾国藩全集·书信四》，岳麓书社，1992 年，第 2999 页。

并不烦督责而自奋也。"① 左宗棠同样主张以"孝悌忠义"的思想教育官兵，他认为将领对部下要"诚信不欺"，即使"悍兵骄将"亦应"处之以礼"。左宗棠治军亦不喜用权术，他在总结自己治军经验时说："臣之驭军，别无才能权智，所恃者诚信不欺，丝毫不苟，不敢以一时爱憎稍作威福，致失人心。行之既久，湖湘子弟习而安之，虽欠饷积多，尚无异说。"②

他们的这套做法，实际上就是把血亲伦理观念同尊卑等级制度融合起来，将军法、军规与家法、家规结为一体，用父子、兄弟、师生、朋友等亲友关系，调剂上下尊卑关系，以减少内部冲突与摩擦，增强向心聚合力，使兵勇乐于尊敬长官、服从长官，自觉维护长官。他们能够做到这一点，"固与湖南的理学传统分不开，亦属治军理论与实践上的一大创举，实开近代军中思想政治工作之先河"③。

二、制度约束

思想上的训导与感化只是治军的一面，虽然能够使上下间的认识趋于统一，拉近上下之间的关系，减少隔阂，但要使部队成为一个整体，最终成为"呼吸相顾，痛痒相关，赴火同行，蹈汤同往。胜则举杯酒以让功，败则出死力以相救"④ 的部队，还必须要有可靠的招募制度作为保证，同时要有信赏明罚的奖惩制度，以及严格细致的纪律规范。曾、胡、左在这些方面做了十分有益的探索，形成了很多有价值的认识。

（一）招募之法

太平天国起事后，清廷曾认为，"官兵弗如乡团，乡团弗如广

---

① 《胡林翼集》第一册，第 435 页。
② 《左宗棠全集》第六册，第 317 页。
③ 朱东安：《曾国藩集团与晚清政局》，华文出版社，2003 年，第 220 页。
④ 《曾国藩全集·书信一》，岳麓书社，1990 年，第 196 页。

勇"①，因而大批招募粤勇。然而粤勇"饥则回营觅食，禁之不可；饱则持械出斗，阻之亦不能"②，绝无约束可言，所以屡有抗命、制造事端、骚扰百姓的事情发生。曾国藩将粤勇难以管束归结为来源混杂，军纪不严，有鉴于此，他对湘军兵勇的招募，要求格外严格，同时注重加强个人对部队的影响力。为从源头杜绝绿营积弊，保证湘军兵源的可靠，曾国藩在湘军初创之时就定下"不杂一兵，不滥收一弁"③ 的原则。

湘军在招募上大体遵循以下几个基本原则：

一是招募仅限于湘乡一地，无论陆师水师，均不参用外县人员。曾国藩认为，"盖同县之人，易于合心"④。在这一点上，胡林翼的认识与曾国藩相同，他认为，"一方一县之人同在一营为宜，取其性情孚而言语通，则心力易齐也"⑤，他将此种招募办法归结为三利，"耳目习而地形之险要熟，利一也。性情朴而自保身家之念切，利二也。在官兵役，视国帑为应得之物，受恩而不知感；小民勤苦，得微利而感激出于至诚；武弁文吏，身列仕途，恩极则滥，即自以为应得之物；而士民之稍异庸流者，望顶戴官职如登天，驾驭而用之，破格以优之，其力自倍，利三也"⑥。曾、胡坚持只在一地招勇，大体避免了因气类不合可能出现的各种问题。

初期湘军招募的确只集中在湘乡一地，后来随着招勇规模不断扩大，湘乡地方兵源日益枯竭，"湘人应调者多，好手渐少，恐未能召集如额"⑦，不得不将招募地域逐步扩大到整个湖南。左宗棠对于募勇同乡的认识不似曾国藩那样刻板，他始终认为，能够固结营伍

---

① 《清政府镇压太平天国档案史料》第一册，社会科学文献出版社，1992 年，第 209 页。
② 《清政府镇压太平天国档案史料》第三册，第 27 页。
③ 《曾国藩全集·书信一》，第 364 页。
④ 《曾国藩全集·书信一》，第 409 页。
⑤ 《胡林翼集》第二册，第 167 页。
⑥ 《胡林翼集》第二册，第 46—47 页。
⑦ 《左宗棠全集》第十册，第 369 页。

的不仅在同乡之谊，还在于主将的能力与人格魅力，不应简单归结为地域差异。他说："杨忠武（杨遇春）所部多精兵，他人之疲乏者一入其营，不久即成精锐。即如塔三兄（塔齐布）之抚标，寻常除谩骂以外无一长，而此次湘潭之捷，因主将偶尔不见，即相与痛哭寻觅，入群贼中，若无人者，亦可想其心之固结矣。"① 所以左宗棠部楚勇，其来源除湘乡外，还有宁乡、桂东、浏阳等处。

二是勇丁要来历清楚。来历不清则无从稽考，给日后搜查逃兵和遣散带来很大潜在风险。勇丁来历清楚则不存在这些问题，左宗棠曾说："勇丁均系土著生长之人，有家室妻子之恋，故在营则什长、百长、营官、将领得而治之，散遣归籍，则知县、团总、户长得而察之。遇有私逃，则营官、将领禀知本省，得按籍捕之。"② 为避免游勇或流民混入，湘军在招募时"须取具保结，造具府县、里居、父母、兄弟、妻子名姓、箕斗清册。各结附册，以便清查"③。且要求不可一次招募过多，应分批渐次招募，防止"骤多者心性未孚，长短不知，将不识兵、兵不识将，与乌合无殊耳"④。

（二）严选兵

士兵是部队的细胞，决定着部队风气的良窳，曾、胡、左在选什么样的人当兵的问题上，基本上未超出戚继光对选兵的看法。戚继光认为，"第一，切忌不可用城市游滑之人……第一可用只是乡野老实之人"⑤。胡林翼对此的评价是，"戚南塘（继光）选兵，不用城市而用乡农，用意最精。愚见以为召远方之惰民以充练，不如即本境之农民以自守"⑥。他还说，"朴实耐劳苦，胆量可信耳"⑦，所

---

① 《左宗棠全集》第十册，第95页。
② 《左宗棠全集》第九册，第544页。
③ 《曾国藩全集·诗文》，第463页。
④ 《左宗棠全集》第十册，第258页。
⑤ 戚继光：《纪效新书》，中华书局，1996年，第23页。
⑥ 《胡林翼集》第二册，第63页。
⑦ 《胡林翼集》第二册，第128页。

以"军营宜多用朴实少心窍之人，则风气易于淳正"①。左宗棠选兵亦以朴实为首要标准，他给出的解释更为透彻，"战阵之事与搏斗异。两军相持，旗帜骇目，金鼓震耳，胆怯则心易动，心动则耳目手足举失其常也。质实耐苦之人，军令易于服习，性情易于调驯，令进则进，令退则退。陟山渡水，不知其劳，历夏经冬，不知其瘁，故众可得而用"②。曾国藩对选兵的要求是"技艺娴熟、年轻力壮、朴实而有农夫土气者为上；其油头滑面，有市井气者，有衙门气者，概不收用"③。在具体招募中，为规避隐患，还有意将某些特定职业排除在外，如书办差役，手艺之人，或者从前为勇、已染习气之人等，而将农夫、猎夫则作为优先考虑的对象。《临阵心法》对于募勇的身心条件则有更为明确的规定："总要择其形体粗大、年纪自二十岁起至三十岁止，并在乡村耕种田土，挑担下力，向来受过辛苦者，一招入伍行营，则可肩挑行李，远走耐劳，不畏辛苦，乐于打仗，平日勤于操练，奉公守法。且此等人心地朴实，易于约束，肯听号令。"④

（三）合理编制

湘军初建时，陆师每营定额为 360 人，约于咸丰三年（1853）年底改为 505 人，其后略有增革，至咸丰十年（1860）曾国藩在皖南祁门时，参照左宗棠、胡林翼、李续宾、王鑫所定营制，对湘军营制又作了核定，以后再无变更。基本形式为，营为基本作战单位，营下设哨，哨下设队。一营除亲兵哨以外，分设前后左右四哨，每哨共八队，一队为抬枪队，二队为刀矛队，三队为小枪队，四队为刀矛队，五队为抬枪队，六队为刀矛队，七队为小枪队，八队为刀矛队。如此，"各哨皆有抬枪、鸟枪、刀矛相护，乃合长短兼用之法。又如一营深入贼中，贼众三面抄袭，则各哨分三面抵御，各有

---

① 《曾国藩全集·书信二》，第 1455 页。
② 《江忠源集·王鑫集》，岳麓书社，2013 年，第 54 页。
③ 《曾国藩全集·诗文》，第 463 页。
④ 《国家清史编纂委员会文献丛刊·湘军》第二册，社会科学文献出版社，2013 年，第 292 页。

枪炮刀矛，较为得力"①。

从武器装备的发展水平来看，湘军与八旗、绿营相比并无大的突破，但由于曾国藩采用了更为合理的冷热兵器、长短兵器的配备方式，不仅发挥了冷热兵器的优长，同时又避免了各自的缺陷和不足。与绿营兵相比，湘军的战斗力更强，其根源都来自曾国藩对编制体制的创新。正如罗尔纲先生所言："这种编制，在今日看来，自是陈迹，但在当时却是一种因时制宜的善法。"②

湘军初起时营数尚少，统领所统三营或五营不等，因此采取大帅、统领、营官、哨官四级体制，统领与营官之间不设级。后随着湘军的发展，统领管辖营数渐多，有的统领下辖十营之多，给指挥带来不便，"若仅止营官而不堪统帅，则如满屋散钱，不归串，必无用处"③。胡林翼、曾国藩曾考虑在统领与营官之间再设立一级，名为总管、分统或小统领，"所辖或三四营，或六七营。每一总管另设总帮一员，仿营务处之实而避其名，其黜陟调遣大政仍归统领。如此，则纲目张举，事理专一，而大权亦不致旁掣"④。这样，分统在得到统领授权后可领兵作战，可以分担统领的军务，利于指挥，但分统无人事任免之权，不至于侵夺统领的权威。如鲍超所统霆军就以宋国永和娄云庆各带数营，曾国藩对此评价是"俾得各显手段，各建功业，庶无久居人下之怨"⑤。

值得一提的是，湘军专设长夫，使战勇和役勇分开，战勇专司训练、作战，而长夫专司杂役，不仅减少了士兵扰民的机会，亦使战勇不必为杂役所扰，训练更为集中。李鸿章在淮军中也仿照湘军设有长夫之制，所以对曾国藩创制此项制度的用意理解很深，评价也极高，他认为，"长夫之制有关兵事强弱"，"其得力在于勇额足

---

①　《胡林翼集》第二册，第 947 页。

②　罗尔纲：《湘军新志》，商务印书馆，1939 年，第 101 页。

③　《胡林翼集》第二册，第 282 页。

④　《致官使相言立小统领》，葛士濬：《皇朝经世文续编》卷七十，页三，文海出版社，1972 年。

⑤　《曾国藩全集·书信四》，第 2722 页。

而拨队捷。勇额足则力厚，常以一营分扎两垒，故战守足恃；拨队捷则赴机迅速，不致贼退而兵始来，皆原于额设长夫分执粗重之役，不使勇力过劳也"。① 民国时期军事理论家蒋百里也对湘军长夫之制有过具体的解释和评价。蒋氏认为，曾国藩在当时采用这种编制，其用意是很深刻的，认为曾国藩提出"行军以不扰民为本"的口号，是"从消极的办法而完成他积极作用的总动员法"。既然营中有这么多的后勤工作要做，在作战的时候，一般就不允许再去拉夫，否则就要按军法严处，"行而索夫，军有司诛之"。"这一百八十人的夫子，不仅完成了他军事上攻击的任务，同时还保护着国家总动员的基础。"②

（四）兵为将有

绿营战斗力低下，有人员自身的问题，如"官气太重，心窍太多，离朴散淳，真意荡然"③，但更主要的问题在军事制度。曾、胡认为绿营最大的问题在统兵权与指挥权的分离，"调兵之初，此营一百，彼营五十。征兵一千，而已抽选数营或十数营之多，其卒与卒已不相习矣。而统领之将，又非平日本营之官"④，由此导致"军兴调发，而将帅莫知营制"⑤，"卒与卒不习，将与将不和；彼营败走，此营不救；此营欲行，彼营愿止。离心离德，断不足以灭剧贼而成大功"⑥。所以湘军建设之初，为避免绿营因权力分散而产生指挥上的问题，采取了事权归一的原则。简单地讲，就是统领要有进退人员、综管饷项之权。

湘军营制规定，"一营之权，全付营官，统领不为遥制。一军之权，全付统领，大帅不为遥制。统领或欲招兵买马，储粮制械，黜

---

① 《李鸿章全集》第十二册，第 263 页。
② 《蒋百里（方震）先生文集》，文海出版社，1972 年，第 260 页。
③ 《曾国藩全集·书信二》，第 1456 页。
④ 《曾国藩全集·书信一》，第 192 页。
⑤ 王闿运等：《湘军史料四种》，岳麓书社，2008 年，第 162 页。
⑥ 《曾国藩全集·书信一》，第 328 页。

陟将弁，防剿进止，大帅有求必应，从不掣肘"①，"故一营之中，指臂相联，弁勇视营、哨，营、哨官视统领，统领视大帅，皆如子弟之事其父兄焉"②，如此就形成了上下相维，层层节制的体系。这样做的好处，"勇丁感营官挑选之恩，皆若受其私惠，平日既有恩谊相孚，临阵自能患难相顾"③，实际上是将抽象的对国家的感情，转化为容易理解又易于把控的对于将领与同僚的私谊，这在特别强调万众一心的军队中格外重要。

　　除要在制度层面上赋予统领足够权力之外，还必须建立上下级之间牢固的关系，因此在招募环节上就要建立统将与士兵的联系，"治兵在'提纲领'三字而已。择营官、择哨官，又择十长，则万无不胜之理"④。"帅欲立军，拣统领一人，檄募若干营。统领自拣营官，营官拣哨官，以次而下，帅不为制。……或帅欲更易统领，则并其全军撤之，而令新统领自拣营官如前制；或即其地募其人，分别汰留，遂成新军，不相沿袭也。"⑤ 即营官由统领挑选，哨弁由营官挑选，什长由哨弁挑选，勇丁由什长挑选。什长以上的各级军官皆有专权，皆负专责；而自士兵以至军官，俱只听命于其直管上级，心无旁骛，职有所专。如此则能层层把关，层层负责。曾国藩以树之根叶类比此种方法，"譬之木焉，统领如根，由根而生干、生枝、生叶，皆一气所贯通"⑥。

　　这一统兵原则是湘军统帅的共识。胡林翼认为，"凡勇，须自招募者乃可战，非如兵之可以派官统带者也"⑦，又说，"勇丁非自募自带，则约束难严"⑧。左宗棠也说，"凡为统将者，必亲募人数多

---

①　《曾国藩全集·奏稿十》，岳麓书社，1993 年，第 6323 页。
②　《湘军史料四种》，第 674 页。
③　《曾国藩全集·奏稿十》，第 6323 页。
④　《胡林翼集》第二册，第 166 页。
⑤　《湘军史料四种》，第 574 页。
⑥　《曾国藩全集·奏稿十》，第 6323 页。
⑦　《胡林翼集》第二册，第 482 页。
⑧　《胡林翼集》第一册，第 723 页。

于增附人数，然后运掉易而呼应灵。若选募者一人而统领者一人，或本部少而增附者多，则骤难浃洽，动形阻连，不可不虑也"①，又说，"欲兵勇得力，必先将管带之营哨各官逐一挑选，务得其才。不必定用本标副、参、游、千、把、外额办事管饷，办文册不准仍用营书队目，惟责令营官选哨官、哨官选十长、十长选兵丁，方期选募训练一气呵成"②。在湘军制度里，"统兵必须亲自招募，不可假手于他人"③，便成了一条不成文的法规，亦成为湘军最重要的特征。咸丰七年（1857），左宗棠曾对湘军这一制度有过总结："近时湖南勇夫出境从征者，水陆不下十数万之多，皆先择将而后募勇。有将领而后有营官，有营官而后有百长，有百长而后有什长，有什长而后有散勇。其长夫又由各散勇自募，而后营官点验归棚。盖均取其相习有素，能知其性情才力之短长；相距匪遥，能知其住址亲属之确实。故在营则恪守营规，临阵则懔遵号令。较之随营召募游手无赖之徒以充勇夫者，稍为可恃。"④

由此衍生出新的问题，一旦勇丁无法使用，需裁撤时应如何处置。湘军的一般做法是将旧勇裁撤，同时以新营官募旧勇为新勇，仍采取层层把关，层层负责的原则。"凡勇，总要撤后另挑，乃服管束，不可就现在营伍而易将，旧营伍而易新将，犹束散枝而为薪，不能枝枝叶叶，相对相当，生气勃勃也。撤后即日招募，则耳目精神归于一人，如活草活树，枝叶自然相生也。"⑤ 如此，则既避免了好手流失，同时又建立了新的隶属关系，"俾已撤者可应新营之募，新招者仍系惯战之兵"⑥。同治六年（1867），霆军统领鲍超在与捻军作战中，因身体原因而坚决请辞。鲍超平日带兵"威严有余，恩

---

① 《左宗棠全集》第十册，第 360 页。

② 《左宗棠全集》第十四册，第 119 页。

③ 《湘军新志》，第 138 页。

④ 《左宗棠全集》第九册，第 542 页。

⑤ 《胡林翼集》第二册，第 768 页。

⑥ 《曾国藩全集·奏稿九》，岳麓书社，1991 年，第 5687 页。

信不足，本不甚孚于部曲"①，所以霆军军纪较差，发生过数次闹饷哗变。为妥善处理霆军问题，避免因统领人选变动发生不必要的撤遣哗变，同时又能尽可能保留这支战斗力颇强的作战力量，曾国藩在对霆军的处置问题上颇费了一番心思。霆军的统领以下设有两个分统，即宋国永和娄云庆，作为鲍超的两个副手。两人在霆军中的资望仅弱于鲍超一人，但因"各将领共事已久，势分本相等夷"，曾国藩担心霆军对娄、宋两人各有拥戴，以某人"代统全军固难，其人分统各支亦非长策"②，最终定下先将霆营遣撤，再令娄云庆即日招募旧勇，挑选营哨，另成一军。经过这种看似繁琐的转换，"虽然新营所募的弁勇，还是取自旧营已撤的人，而弁勇都曾经统将亲手自挑，一转移之间，便大大的不同了。故从湘军此制，则上下相维，将卒亲睦，其将存，其军完，其将死，其军散，虽降卒改编还可以驱使。倘违此制，未有不败的，虽劲旅也不可用"③。

三、管理上宽严相济

治军的最终目的是"节制精明"，命令得以通贯，不致中途梗阻，有令不行，有禁不止，所以左宗棠才会说，"用兵最贵节制精明，临阵胜负只争一刻工夫。……得失虽在一日，而本领长短却在平时。果于'节制'二字实有几分可恃，临阵复出以小心，则事无不济"④。平时能做到节制精明，则战时才能指挥裕如。治军一方面强调制度与纪律的严肃性，同时又要讲求方式方法，要有灵活性，要有人情味。

（一）威克厥爱

曾国藩将训与练分开理解，练指军事训练，训则主要为思想教育，依靠言语训导，使士兵树立为国尽忠、甘愿赴死的精神。他说："训有二，训打仗之法，训作人之道。训打仗，则专尚严明，须令临

---

① 《曾国藩全集·奏稿八》，岳麓书社，1990 年，第 4771 页。
② 《曾国藩全集·奏稿九》，第 5686 页。
③ 《湘军新志》，第 140—141 页。
④ 《左宗棠全集》第十三册，第 33—34 页。

阵之际，兵勇畏主将之法令，甚于畏贼之炮子；训作人，则全要肫诚如父母教子，有殷殷望其成立之意，庶人人易于感动。"① 湘军初建时，曾国藩每逢初三、初八操演之日，"集诸勇而教之，反复开说至千百语"，"每次与诸弁兵讲说，至一时数刻之久，虽不敢云说法点顽石之头，亦诚欲以苦口滴杜鹃之血"②。曾国藩崇尚以儒术治湘军，不用严刑峻法，他曾说，"吾辈带兵勇，如父兄带子弟一般。无银钱，无保举，尚是小事，切不可使他因扰民而坏品行，因嫖赌洋烟而坏身体。个个学好，人人成材，则兵勇感恩，兵勇之父母妻子亦感恩矣"③。曾国藩通过禁嫖赌、戒游惰，达到严肃军纪，维持或提高战斗力的目的；通过慎语言、敬尊长，把营官、哨官与弁勇的关系变成父兄与子弟的关系，并利用传统社会的伦理观念，保证了组织上的层层节制。在曾国藩制订的《陆军得胜歌》里有这样的话："第四规矩要肃静，有礼有法有号令。哨官管兵莫太宽，营官也要严哨官。出营归营要告假，朔日望日要请安。若有公事穿衣服，大家出来站个班。"④ 按照湘军规矩，每逢初一、十五，各级长官要向上级请安，士兵要向长官请安，遇有公事，要穿公服。这些都是知礼守法、敬官尊长的养成训练。

　　当然，训导作为一种道德约束力量，对于个人修养高的人有效，对于多数行伍出身的人则约束力较弱，要使所有士兵都能令行禁止，在宣扬礼法之外，还必须有切实的手段，保证命令上下通贯，而严明军纪则是实现这些的重要手段，也是衡定战斗力强弱的重要标准。"军事以号令为重，令进则进，令止则止，统领以之钤束营官，营官以之钤束哨官、什长，哨官、什长以之钤束兵勇，违者得以军法治之。所谓军法者，明其与寻常法律不同耳。自统领以至营、哨，节

---

① 《曾国藩全集·批牍》，第 246 页。
② 《曾国藩全集·书信一》，第 208 页。
③ 《曾国藩全集·批牍》，第 198 页。
④ 《曾国藩全集·诗文》，第 428 页。

节相制，然后驱之出入生死之地而不摇。"①

　　左宗棠的治军主张中，所坚持的一项原则是"整齐队伍，严明纪律"②，他一再强调"驭军之道，纪律为先"③。楚军一经建成，即详定营规，"无日不以此申儆各营，亦无日不以此为程课"④，他向部队编发《行军要诀》一卷，分列细目"循士情""遵号令""定尊礼""励忠勇""遵节制""申军纪"等五十余篇，在西北用兵时又颁发《行军必禁》，据称"营规严肃异常"⑤。平日治军中左宗棠反复告诫部下将领要恪守军纪，在给部将王德榜的信中说："军律难整易坏，断宜随时加意约束。务恳严饬营、哨各官自相稽察，不可稍事徇隐。"⑥ 致函高连升说："军律却须切实讲求，不可因闻谤而生忿，请饬诸营、哨加意整理为要。"⑦ 楚军以军容严整闻名，未发生过严重哗变，均与约束严格有直接关系。左宗棠曾说："近来兵事稍稍顺利，其得力亦颇在此。"⑧ 又说："军兴以来，兵勇能恪守纪律、杀贼立功者所在多有。其间贤愚不一，违令犯罪者亦无营无之。为将领者只要随时察禁，不存庇徇之见，有犯必惩便好，原不因营勇有犯，苛加责备也。"⑨

　　曾、左在与部将信件中均多次提到"威克厥爱"，即治军宁可失之严，勿失之于宽。左宗棠说："军兴以来，未尝诛一失律之偏裨、退缩之将领，自是将弁均不畏法而畏贼。《书》云：'威克厥爱允济；爱克厥威允罔功。'古今用兵得失，尽此二语。今宽纵既久，一旦驭之以严，难期帖服。此威令不行之可虑也。"⑩ 曾国藩也说过：

---

① 《左宗棠全集》第五册，第 54 页。
② 《左宗棠全集》第十一册，第 336 页。
③ 《左宗棠全集》第三册，第 169 页。
④ 《左宗棠全集》第十四册，第 10 页。
⑤ 秦翰才：《左宗棠逸事汇编》，岳麓书社，1986 年，第 259 页。
⑥ 《左宗棠全集》第十册，第 595 页。
⑦ 《左宗棠全集》第十册，第 631 页。
⑧ 《左宗棠全集》第十四册，第 10 页。
⑨ 《左宗棠全集》第十四册，第 399 页。
⑩ 《左宗棠全集》第九册，第 7 页。

"古人有言曰：'作事威克厥爱，虽小必济。'娄敬所谓逆取顺守，亦此意也。军营用民夫，其先则广取之，虐役之；其后则体恤必周，给钱必均。法可随处变通，总须用人得当耳。"①

　　相比严苛，将领治军更易出现的问题是失之于宽，特别是对长期跟随自己出生入死的部将，往往可能碍于情面，然而这却可能带来严重后果。治军以严整著称的左宗棠也承认，"老兄（胡林翼）治军不能严，弟亦非能严之人，然亦有求严之意，较之宽而无制者稍可"②。曾国藩在治军中不断反省，调适宽严之度。如同治十年（1871）他在给左宗棠的信中讲，"敝处近年驭将失之宽厚，又与诸军相距过远，危险之际，弊端百出"，这更强化了他一直认为的"威克厥爱"，他说，"作事威克厥爱，虽少必济，反是，乃败道耳"。③胡林翼亦赞同治军宁可失之严，不应失之于宽，但在手段运用上似较曾、左有更大的灵活性，他说："愚谓立法宜严，用法宜宽，显以示之纪律，隐以激其忠良，庶几畏威怀德，可成节制之师。若先宽后严，窃恐始习疲玩，终生怨尤，军政必难整饬。"④宽的目的在于情感培育，但必须是在严的框架内才有意义，否则就成了放纵或不作为。但何时当宽，何时当严，则需领兵者视情而定。胡林翼极善处理各种复杂关系，其眼光远大，在策略运用上又灵活多变，比之曾国藩的目不旁视高明不少。后人对他一生功业的评价是"究竟文忠之所以集事者，权术而非理学也"⑤。这里的权术，虽指手腕或手段，但不含贬义。

　　通过多种约束手段同时并举，曾、胡、左使湘军逐渐养成听命令、守纪律、能吃苦的良好作风，正因为此，湘军早期的军纪确实比当时其他的军队要好很多。

---

① 《曾国藩全集·书信二》，第 1597 页。
② 《左宗棠全集》第十册，第 343 页。
③ 《曾国藩全集·书信四》，第 3707 页。
④ 《胡林翼集》第二册，第 335 页。
⑤ 《水窗春呓》，第 14 页。

（二）忠君爱民

曾国藩认为："第一教之忠君，忠君必先敬畏官长，义也。第二教之爱民，爱民必先保护闾阎，仁也。斯二者，总须纪律严明，训导有素。"① 在君即国的大背景下，忠君即为爱国。但忠君对于普通士兵是颇为抽象的概念，对士兵而言官长是君之代表，所以面对官长时，亦应敬畏有加，这实际上是将忠君的这个抽象概念转化为对于官长的尊崇与敬畏，实质仍在忠君。左宗棠则从勇忠两者间的关系来认识忠君的意义，他说，"勇不本于忠，则亦非所谓勇耳"②，只有将忠诚内化于心，才能外化于行。左宗棠也认为："孝弟忠信礼义廉耻不可不随时讲究，心中明白，自然作事不差。将官时以此训其千把外额，千把外额时以此教训兵丁，则人人知道理，有志气，乃是第一好营头，不枉吃朝廷钱粮也。"③

民心向背是战胜攻取的根本，历代军事家都明晓民心的重要性，湘军统帅亦不例外，爱民为用兵第一义，曾国藩曾屡次向其手下言说，"用兵之道以保民为第一义。除莠去草，所以爱苗也；打蛇杀虎，所以爱人也；募兵剿贼，所以爱百姓也。若不禁止骚扰，便与贼匪无异"④，又说，"所恶乎贼匪者，以其淫掳焚杀，扰民害民也。所贵乎官兵者，以其救民安民也。若官兵扰害百姓，则与贼匪无殊矣。故带兵之道，以禁止骚扰为第一义"⑤。胡林翼也认为，"养兵所以卫民，兵不爱民，何乐有兵？粮饷军火，营中要需也，然可以体恤民情，节省民力之处，务须极意谋之，乃不负杀贼安民之本志"⑥。左宗棠更指出，"杀贼所以保民，保民而后可以杀贼，一定之理。伸（申）明约束，且练且训，令纠纠（赳赳）之士皆知爱民敬上之意，守则固而战则克，亦不难矣。近日主兵之人以诈为有谋，

---

① 《曾国藩全集·批牍》，第 235 页。
② 《左宗棠全集》第十册，第 127 页。
③ 《左宗棠全集》第十四册，第 446 页。
④ 《曾国藩全集·诗文》，第 466 页。
⑤ 《曾国藩全集·诗文》，第 437 页。
⑥ 《胡林翼集》第二册，第 376 页。

以力为有勇，选将募士皆以此为程，宜其不能御寇而以致寇，不能安民反以害民"①。

　　曾国藩将爱民意识贯彻在平日治军中，要使弁兵均有"爱民乃行军第一义"的意识，要求日日三令五申，"视（爱民）为性命根本之事，毋视为要结粉饰之文"②。曾国藩还亲订《爱民歌》，教授士兵习唱，内容颇为具体生动，如"莫拆民房搬砖石，莫踹禾苗坏田产"，"官兵贼匪本不同，官兵是人贼是禽。官兵不抢贼匪抢，官兵不淫贼匪淫。若是官兵也淫抢，便同贼匪一条心"。将士兵与百姓日常交往时所应采取的行为，对失当行为所应承担的罪责，皆通过歌谣这种浅显易懂的形式传达出来。如此口诵心惟，终将不扰民刻在心里，使士兵行为真如歌中所言，"爱民之军处处喜，扰民之军处处嫌"③。

　　除思想教育外，曾国藩还试图在制度和纪律上对士兵有所约束，力避士兵扰民情形的出现。其一是在湘军营制中，每营都定有长夫和帐棚制度，使兵士有夫可用，有帐棚可住，避免了部队强拉民夫、强占民房的情况；其二是在营规里规定陆军不许乱出营，水军不许岸上行走，使兵士无从为非作恶；其三是确定了"凡兵勇与百姓交涉者，悉宜伸民气而抑兵勇"的原则，要各级遵行。同时曾国藩为禁戒恶习，借以严肃军容，还颁发禁令七条："曰洋烟，吸者褫之，鬻者驱之；曰财，打牌押宝，犯者惩之；曰喧哗，居勿吵嚷，临敌勿高声，有梦魇者，推而警之；曰奸淫，和则棍责，强则斩决；曰谣言，谤上离军心者惩，乱是非说短长者惩，张贼势谣言惑众者斩；曰结盟拜会，鼓众挟制者严惩，拜哥老会习邪教者骈诛；曰异服，包巾、衣裤及腰带、辫线，禁用红绿，花鞋花巾，并禁绝之。"④

　　鲍超所统霆军在湘军中以作战勇猛，敢打硬仗著称，是湘军中

---

①　《左宗棠全集》第十四册，第42页。
②　《曾国藩全集·书信四》，第2661页。
③　《曾国藩全集·诗文》，第430页。
④　《湘军史料四种》，第678页。

战斗力最强的部队之一，但鲍超治军不严，常常纵容手下骚扰地方，影响恶劣，被人诟病。胡林翼曾多次以养兵卫民之论对其进行劝诫，"闻霆营告假勇丁及弁勇差务在外者，均擅用民夫，实属不知爱民，即非自爱之道"，警告他"若必仍前苦民，致滋抗累，则百战之功，亦无以偿过矣"。① 左宗棠亦曾多次表达对霆军扰民的不满，曾数度向曾国藩提及此事，"鲍军已回江西，所部游勇滋扰特甚，数十里内巷无居人，行径大与《爱民歌》倍，恨不及面为言之。若循此不改，竟可危也"②。

（三）严明赏罚

赏和罚是为达成军事训练或作战目的而常被采用的治军手段。两种手段的作用机制不同，但导向的结果是一致的，即要让每名将士都能做到令行禁止，使部队成为一个整体、一个堡垒，能够一体行动，一体进退。中国古代历来强调"信赏明罚"，即必须有一套明晰、精准的功过判定标准，同时将领要坚持"赏不逾时，罚不迁列"的原则，赏该赏的，罚该罚的，这样才能做到"信赏明罚"。

曾、胡、左治军均重视赏罚对士气的影响。曾国藩认为："夫古今所以激励军士者，重赏以鼓好胜之心，严刑以诛奔溃之卒，故可用也。"③ 左宗棠则特别强调罚不逾时，他说："法行自贵，天下无不用命之人；罚不逾时，军中自有震动之意。嗣后临阵逃溃、畏葸巧避、失误军机文武各大员，如系情罪昭彰法无可宥者，若仍令解交刑部定拟候旨，为时既久，虽获罪之人旋膺显戮，终未足以作士气而励戎行。"④

道理阐述简单，但要在实践中真正做到信赏明罚却并非易事。左宗棠对此有过分析："论功行赏最难核实，有无功而冒滥者，有有功而掩抑者，历代官私纪载之书皆有同慨，而当时并未闻执一切之

---

① 《胡林翼集》第二册，第 377 页。
② 《左宗棠全集》第十册，第 419 页。
③ 《曾国藩全集·奏稿一》，第 448 页。
④ 《左宗棠全集》第九册，第 88 页。

法以相绳。盖亦谓事变无常，情形互异，有时亲历行阵者尚未能尽悉其功伐之等次，劳烈之浅深，势难居堂奥而权衡阃阈之外也。……又筹饷转运出力各员，固为寻常劳绩，然观近日军营，有因欠饷过多或转运不速致兵勇怨噪，甚或叛溃者，贻误大局实非浅鲜，则此项寻常劳绩中亦似应有区别。若仅概准保奏议叙，所得不过加级纪录，实欠平允。"① 可见，赏罚虽针对个人，但影响全局。如果赏罚不当，不仅不能激发斗志，还可能适得其反，消损部队战斗力，甚至可能对作战行动产生影响。对此问题有深见的是湘军早期领袖江忠源，他在《条陈军务疏》中写道，"军中赏罚未可一概而论也。战而胜，固当赏矣，然或杂然旅进，割取他人之首级以冒功，或当追击至要之时，不思乘势掩杀，只顾夺取财物、器械、马匹，以致大胜变为小胜者，又当罚。战而败，固当罚矣，然或奋勇前驱，后援不继，或大众却走而一军独前者，又当赏"。他主张赏罚必须分别算定，"同一赏而厚薄攸分，同一罚而轻重迥别，当视其功罪为等差"，而要真正做到赏罚分明，他认为只有"亲历行阵，开诚心，布公道"才可，否则无法"慰士卒之怀而振积疲之习"。②

曾、胡、左对赏罚均采取了极为慎重的态度，不能因有功未赏而打击士气，但又不能每战即报功而形成骄气。胡林翼认为，"国家名器，不可滥与，慎重出之，而后军心思奋，可与图后效而速成功"③，否则"稍有滥予，不仅不能激励人才，实足以败坏风俗。试思昔年湖北保举不为不多，究竟真出力者遗之，而钻营者得之，人不知感，事亦无成，此又我所深惧矣"④。在三人的信件中均曾表示对作战期间的奖惩贵在持平，免因畸偏畸重造成将领之间的隔阂，影响后续军事行动的开展。如1861年曾国藩与胡林翼商量如何对太

---

① 《左宗棠全集》第二册，第144页。
② 《江忠源集·王鑫集》，第55页。
③ 《胡林翼集》第二册，第483页。
④ 《胡林翼集》第二册，第964—965页。

湖之战中表现出色的鲍超请奖时认为，"此次于鲍之坚忍处，平平叙去，不过烘托，亦好。盖近日各统领专看折奏中出语之轻重，以权其效力之多寡。往往正在酣战之际，忽见一折叙事不甚如意，遂废然不肯向前者有之"①。功劳代表着利益和地位，争着获得上司的赏识或认可，对于激发战斗力有一定的促进作用，但若太过看重功劳，一旦某次立功未获奖赏，就可能灰心丧气。一个人太过突出，奖赏过多，有时不仅不会出现人人争奋的局面，还可能出现相反的情况。特别是在败仗之后，更易如此。左宗棠以此告诫胡林翼："大约打败仗之后，总以申明军令、严赏罚为要。非是，则人心不服，气亦不振也。……湘军战功之盛，均迪公（李续宾）一人为之。打胜仗人人奋勇，一败仗则现本来面目矣。此亦不独湘军为然。趁此时整顿一番，湘军仍是可用，否则难言也。"②

（四）推诚相与

曾、胡、左在治军中特别注重感情的投入，将感情作为维系部队的纽带。曾国藩主要提倡以诚相待，以诚感人，以心换心，他说，"必尽去歪曲私衷，事事推心置腹，使武人、粗人坦然无疑。此接物之诚也"③，即以平等的眼光来看待同侪，而不是心存偏见，更不能居高临下，盛气凌人。这既是曾国藩基本的待人之道，也是其处理上下级关系的基本态度。为达成这样的目的，他主张"严于治己，而薄于责人"④。曾国藩推崇理学家"修己治人"之法，主张以身作则，带动全军。他说，"吾辈位高望重，他人不敢指摘，惟当奉方寸如严师，畏天理如刑罚，庶几刻刻敬惮"⑤，要自我约束，以德自励，以德勉人。对于这一点，左宗棠亦说过类似的话，"主兵之人惟有努力自修，正己以为正人之本。至于随时觉察惩办，勒令首悔，

---

① 《曾国藩全集·书信二》，第 1222 页。
② 《左宗棠全集》第十册，第 343 页。
③ 《曾国藩全集·批牍》，第 156 页。
④ 《曾国藩全集·书信六》，岳麓书社，1992 年，第 3861 页。
⑤ 《曾国藩全集·书信五》，岳麓书社，1992 年，第 3404 页。

又其余事也"①。为帅者不能唯我独尊，以权势压人，他说："凡将将，须先得其心，不必以权势相压。昭烈亲武侯，而关、张不悦，在昔豪杰，亦所不免。当统领之人，不患无权势，患在不能下人，而必欲强人以就我。"② 可以看出，在士子儒生为主的湘军将帅内部，主帅如能修己治人，以身作则，无疑对于协调上下关系，避免内部因争功妒能而失和于众，是能够起到一定作用的。正如曾国藩所言，"敬以持躬，恕以待人。敬则小心翼翼，事无巨细皆不敢忽；恕则凡事留余地以处人，功不独居，过不推诿。常常记此二字，则长履大任，福祚无量"③。

湘军统帅要求将弁注重平日治军中体恤士卒："忧危以感士卒之情，振奋以作三军之气，二者皆可以致胜，在主帅相时而善用之已矣。"④ 如李鸿章所言："楚军营规无论调援何处，事势缓急，仍守古法日行三四十里，半日行路，半日筑营，粮药随带，到处可以立脚。劳逸饥饱之间，将领须节养其气力，体恤其艰苦，是以用兵十余年卒能成功，为其能自立于不败之地，致人而不致于人。"⑤

第二节　作战思想

关于作战，曾、胡、左没有集中的论述，均散见于书信中，但仍能看出其中的系统性，且内容丰富，颇多新意。这些思想部分来源于对传统作战思想的吸收，在三人书信中常能看到对《孙子兵法》、戚继光思想的引用，但更多的则是对直接作战经验的总结与教训的反思。三人均奉行从战争中学习战争的理念，而不以兵书为据，

---

① 《左宗棠全集》第十四册，第152—153页。
② 《左宗棠全集》第十册，第611页。
③ 《曾国藩全集·书信一》，第686页。
④ 《曾国藩全集·诗文》，第391页。
⑤ 《李鸿章全集》第二册，第67页。

这并非轻视理论，而是更看重实践。三人通过对战争实践的不断反思，逐渐形成了对敌作战的基本作战原则和作战方法，成为湘军克敌制胜的理论依据。

一、谋定后战

曾、胡、左均重视战前谋划，认为这是决定战争胜负的关键。胡林翼称，"从容布置，谋定再战，方为胜算"①，曾国藩也说，"用兵之道，多算则胜，好谋则成。临事而周章，十常九失；先事而熟计，十常九得也"②。与一般兵书空泛地强调"重谋"或"伐谋"，缺乏实质性内容不同，曾、胡、左首先将"谋"置于战争的动态过程中加以看待，既承认"兵机瞬息千变，不能预拟"③，但同时也坚信"谋定后战，自立于不败之地"④，这是曾、胡、左看待谋划问题的基本出发点。三人对战前谋划所能解决的问题有充分估计，对谋划的边界也有清醒的认识，所以湘军的战前谋划是立足现实的，有清晰明确的具体内容。

（一）明己情，审敌情

曾国藩始终认为，"自治"是用兵的基本前提，"用兵者必先自治，而后制敌。……不然，日日但求胜敌，我之可以取胜者果安在乎"？⑤ 所谓自治，即要在对阵之前进行充分的备战，既要有战略层面上高屋建瓴的判断，同时又要有大量如审地势、审己势等细致工作，避免己方明显的弱点或破绽被敌侦知，并尽最大可能使敌方破绽充分暴露。所以在战前要做充分的准备，以免仓促出战而致败，挫伤士气。如胡林翼所言： "圣人之勇、圣人之慎也，一切总求审察。"⑥

---

① 《胡林翼集》第二册，第 177 页。
② 《曾国藩全集·奏稿十二》，岳麓书社，1994 年，第 7190 页。
③ 《左宗棠全集》第十册，第 121 页。
④ 《曾国藩全集·书信九》，岳麓书社，1994 年，第 6182 页。
⑤ 《曾国藩全集·书信一》，第 551 页。
⑥ 《胡林翼集》第二册，第 177 页。

孙子强调"知彼知己，百战不殆"，将掌握敌情置于己情之前，突出了敌情的重要。曾、胡、左承认知彼知己的重要性，但更多地将明己情置于明敌情之前，似更强调"知己"的重要。胡林翼说："古人行军，不问贼之强弱，而先审己之强弱。"① 左宗棠也认为，"机本可乘，然知彼尤须知己（知己方能有底）"②。审己即要对己方实力有清醒准确的估计，"审机审势，犹在其后，第一先贵审力。审力者，知己知彼之切实工夫也。……不审力，则所谓骄也；审力而不自足，即老子之所谓哀也"③。在审己的基础上，决定何事能为，何事不能为。明知实力不济勉强而为，必致败果，反不如适当收缩，保存实力，徐图进取。围攻天京时，鲍超所统霆军在宁国受挫，损失惨重，曾国荃致信："与其株守一隅有坐困之虑，不如暂缩地为自全之谋，且可以腾出兵力，保沿江各城之要隘。如异日徽、祁、旌、绩有惊，亦可相机策应。"④

对于敌情，亦要花时间打探清楚，因打仗以"侦探为先，视贼之虚实为要"⑤，"与悍贼交手，总以能看出他的破绽为第一义。若在贼者全无破绽，而我昧焉以往，则在我者必有破绽，被贼窥出矣"⑥。所以在出兵之前，"必先将地势贼情静气凝神事事审察，乃能有功"⑦。湘军对敌情掌握的一般做法是"博访而咨于众论，沉思而察及贼情，不可道听途说也"⑧。

（二）审地势，扎老营

曾、胡、左重视审地势，三人的基本态度是即使不能得地利，亦不能因地势不熟而受其害，将审地势视作临敌第一要务。胡林翼

---

① 《胡林翼集》第二册，第 199 页。
② 《左宗棠全集》第十四册，第 159 页。
③ 《曾国藩全集·家书二》，岳麓书社，1985 年，第 878 页。
④ 《曾国荃全集》第三册，第 261 页。
⑤ 《胡林翼集》第二册，第 163 页。
⑥ 《曾国藩全集·批牍》，第 143 页。
⑦ 汪士铎：《胡文忠公抚鄂记》，岳麓书社，1988 年，第 139 页。
⑧ 《胡文忠公抚鄂记》，第 162 页。

即说，"惟军事以审地势，审贼势为第一要义"①，将领若能通观敌势之轻重，细察地势之险夷，作战中则可产生"地中鸣鼓角，天上出将军"②的效果。曾国藩在与部将的往来通信中，亦常叮嘱"看地势""审贼情"，要求将领必亲看地势，亲探贼情，"若不亲自看明，亲自探明而浪行出队，直至将近贼巢，轻进则恐中贼之伏，轻退则恐长贼之陷。进退两难，最易误事"③。左宗棠则要求将领每次战前必亲临前线，"于地势、贼情、军情审之又审，尽心力图之，可免贻误"④。

为获知可靠的地形情况，湘军一般都设有侦探小队，前出大队十里或二十里，对作战地域的地形、地貌，何处有树林，何处有村庄，何处有岔路，均要一一铭记，"若遇过桥过渡，尤须谨慎，恐大队过水之后，遇贼接仗，进则容易，退则万难"⑤。

待地势、敌情了解清楚后，即要扎定营盘。曾国藩一生主张慎战，"先求稳当，次求变化"⑥是其作战的基本原则，而扎营是贯彻这一原则的重要一环。营盘稳，则后顾无忧，或进或守，乃可从容，"惟当酌择险要，固垒深沟，先立于不败之地"⑦。湘军无论驻扎何处，无论驻扎时间长短，"须为坚不可拔之计，但使能守我垒安如泰山，纵不能进攻，亦无损于大局"⑧。

（三）明先后，定主次

谋划的目的是要从大局出发，在错综复杂的关系中，理出头绪，抓住主要矛盾，避开次要矛盾，不为眼前、短时情况所左右。左宗棠说，"窃兵事有一定之规模，有自然之次第，其先后缓急之节，则

①　《胡林翼集》第二册，第436页。
②　《胡林翼集》第二册，第436页。
③　《曾国藩全集·批牍》，第208页。
④　《左宗棠全集》第六册，第185页。
⑤　《曾国藩全集·诗文》，第465页。
⑥　《曾国藩全集·家书一》，第365页。
⑦　《曾国藩全集·批牍》，第151页。
⑧　《曾国藩全集·书信一》，第498页。

必审贼势、军情应之"①，又说，"用兵之道，规摹局势，先后缓急"②，曾国藩则说，"筹全局者，志欲坚而势欲远，虽百变而不改初谋。求实际者，虑欲细而功欲精，虽小事而不妨屡试"③。当局部与全局冲突时，曾、左均坚持牺牲局部而服从全局。湘军攻陷安庆后，清廷不顾现实，不断以"早图恢复，拯生民于水火"④为辞，催促曾国藩向金陵进兵，但曾国藩则根据以往金陵被围的教训，甘冒迟延之咎，坚持先清后路。他说，"用兵之道，可进而不可退，算成必兼算败。与其急进金陵，师老无功而溃退，何如先清后路，脚跟已稳而后进"⑤。湘军的战略指导是"欲拔本根，先剪枝叶"，待湘军兵力"数倍于金陵围城之师，庶几无撤回之虞"。⑥

左宗棠用兵西北时，捻军盘桓中原，西北则有陕甘回乱，左宗棠对形势条分缕析，作出极为准确的判断："方今所患者，捻匪、回逆耳。以地形论，中原为重，关陇为轻；以平贼论，剿捻宜急，剿回宜缓；以用兵次第论，欲靖西陲，必先清腹地，然后客军无后顾之忧，饷道免中梗之患。"⑦面对清廷进兵命令的不断催逼，左宗棠给出的答复是，"兵事利钝，受其事者固当身任其责，至于进止久速，则非熟审彼己长短之形，饥饱劳逸之势，随机立断不能。此盖未可以臆度而遥决者也。……剿捻、剿回均惟事机所在。若兵力未集，马队未练，屯务未举，车营未成，则无所借手以报君父"⑧，因此坚持按照"缓进急战"的既定策略稳步推进。

"胜兵先胜而后求战"，这是获取战争胜利的理想状态，然而现实中却极难实现，左宗棠曾感叹，"好谋而成之难也"⑨。不管战前

① 《左宗棠全集》第四册，第 114 页。
② 《左宗棠全集》第六册，第 185 页。
③ 《曾国藩全集·奏稿十二》，第 7190 页。
④ 《曾国藩全集·奏稿四》，岳麓书社，1988 年，第 2068 页。
⑤ 《曾国藩全集·奏稿四》，第 2072 页。
⑥ 《曾国藩全集·奏稿四》，第 2072 页。
⑦ 《左宗棠全集》第三册，第 327 页。
⑧ 《左宗棠全集》第三册，第 328 页。
⑨ 《左宗棠全集》第十四册，第 395 页。

计划如何周详，都不可能把开战后的全部情况全盘考虑清楚，将战场上的一切变化置于自己的掌控之中，因为兵事"瞬息千变"，再有头脑的将领，也无法预见战场全局，只能人随势转，随机应变，这就是谋划的边界。左宗棠对此有深刻的认识，他说："地无常险，险无常恃，攻守之形，不可前定。"① 又说，"兵事变动不居，隔一日、两日之程，便与千里无异。若预为之制，曰贼如何、我如何，是教玉人琢玉，未免徒劳，且机宜亦必多不协"②。对于统帅的作用，左宗棠认为，主要在"明赏罚、别功罪、一号令"③，即治军，而对于战前谋划，"筹画大局而已。若节节筹度，则明有所蔽，而机势反滞碍而不灵"④。他主张对于谋划要辩证看待，既要做充分准备，深入谋划，又不能长虑却顾，因过分谨慎而导向拙滞，所以左宗棠说用兵打仗"冒险二字，势不能免；小心之过，则近于葸"⑤，他认为只要战前谋划有五六分取胜的把握，就应当放手放胆。也正因为谋划不可能面面俱到，所以左宗棠也主张给予前线指挥官以绝对临机处置的权力，"至临敌审几致决，瞬息不同，兵情因贼势而生，胜负止争呼吸，断无遥制之理"⑥。曾国藩也在督办镇压捻军期间奉行"自战主义"，即让各统领根据形势需要，自行决定应敌之策，而不过度干预。他说，"捻匪忽来忽往，晌息百里，探报最难的确。余于不确之信，向不转行各处，反不如听各统领自探自主，自进自止，犹为活着"。⑦

（四）顾后路，保粮道

相比抢占先机，曾、左认为保证粮道畅通和后路安全对于部队

---

① 《左宗棠全集》第十册，第 11 页。
② 《左宗棠全集》第十册，第 457 页。
③ 《左宗棠全集》第十册，第 457 页。
④ 《左宗棠全集》第十册，第 457 页。
⑤ 《胡林翼集》第二册，第 80 页。
⑥ 《左宗棠全集》第六册，第 185 页。
⑦ 《曾国藩全集·家书二》，第 1310 页。

更为重要。曾国藩认为，"后路不清，饷械不继，即履其境，亦毫无裨益"①，又说，"悬军深入，非得饷糈充裕，则办理易致棘手"②。在当时的战争条件下，只有确保稳定的战略后方、可靠的粮饷供应，才能牢牢掌握战争的主动权。左宗棠作战以重后路闻名，他认为，"至战阵之事，非前敌摧锋陷阵不能成功，非后路防守护运严密稳固，前敌亦不能放心猛打"③。战前谋划除要筹划对敌的用兵策略外，更要谋划后路安全，"惟用兵之道宜先布置后路，后路毫无罅隙可寻，则转运常通，军情自固。然后长驱大进，后顾别无牵掣，可保万全。譬若兵器，丰其本而锐其末，锋芒自无顿挫也"④。左宗棠还认为，后路安全，饷道通畅，对于稳定军心、提升士气亦有重大影响。他说："窃以为进兵必先固后路，务令却顾无虞，然后一意前驱，饷道常通，军情益奋。"⑤

在西北用兵时，粮路畅通与否至为重要，能否有持续不断的兵力输出亦是决定战争胜负的关键。左宗棠说："战阵之事，最忌前突后竭。行军布阵，壮士利器厚集于后，则前队得势，锋锐有加，战胜而兵力愈增，必胜之着也。若全力悉注前行，一泄无余，设有蹉跌，无复后继，是乃危道。《诗》言：'绵绵翼翼。'《传》称：'彼竭我盈。'盖皆注意后路之说。况出关之师，所应加意者，不仅哈密以西，客、土各回。似程效不在欲速，取威不仅一战也。"⑥

二、取远势，择要点

将太平军作战的机动与湘军的静守相对照，很容易得出湘军取胜的关键在守拙，是以拙胜巧，这样的解释只陈述了一个表面现象，并未触及湘军最终获胜的根本原因。实际上，湘军制胜的关键在战

---

① 《曾国藩全集·书信二》，第1395页。
② 《曾国藩全集·书信一》，第653页。
③ 《左宗棠全集》第十四册，第267页。
④ 《左宗棠全集》第十四册，第394页。
⑤ 《左宗棠全集》第十二册，第100页。
⑥ 《左宗棠全集》第五册，第495页。

略。长期的学术训练，使曾、胡、左比普遍文化程度不高的太平军将领看待军事问题有更宽广的视野，更善于从全局的高度进行战略谋划，因此能够抢在太平军之先，对要点进行布局，从而弥补作战能力上的不足。如左宗棠所言："用兵无他，只要训练得法，谋略总须先贼一着，自然应手。"① 这里所说的"谋略"，主要是谋势，即确定作战的战略重心。湘军谋势的特点可以用布远势、择要点加以概括。

所谓布远势，可从两个层面来理解。一层含义是，为避免与敌短兵相接，而采取迂回包抄的策略，对敌形成大包围。同治二年（1863），左宗棠进攻余杭时说："该逆（李世贤）自此次击败后，势愈穷蹙，昼夜鼠伏濠内，任我百计诱战，坚匿不出。我军若乘势逼攻，往往为枪炮所伤。非取远势包围，绝其粮道，不足制贼死命。"② 此处所说的远势，即指大包围。曾国藩也曾说："行军贵顾根本，贵取远势。昔年向荣、和春等进攻金陵，惟不能取上游之势以为根本，卒至覆败，几误东南全局。"③ 这里的取远势，也指大包围。可以看出，取远势，与孙子所说的"以迂为直"类似，看似迂远、效率低下，但可以断敌联络，能够更彻底地解决问题，且可以减轻因己方疏失而可能带来的严重后果。

另一层含义则相对抽象，是从战略层面，即从更长的时间维度、更大的空间维度思考问题。胡林翼说："头痛医头，脚痛医脚，枝枝节节而为之。吾恐三四年未必成功，而水陆将领精力尽疲，英华衰歇，是欲速而反迟也。若蓄势审机，驻兵于贼所必争之地，使贼欲不战而不可得，则一半年之后，城邑可尽复，是似迟而实速也。"④ 在这一过程中，要"不为近防，而布远势；不期速效，而勤远

---

① 《左宗棠全集》第十册，第86页。
② 《左宗棠全集》第一册，第289—290页。
③ 《曾国藩全集·奏稿八》，第4771页。
④ 《胡林翼集》第二册，第223—224页。

谋"①，即从战争全局的视野来看待问题，抓住问题的关键。曾国藩曾屡次对曾国荃讲："弟论兵事，宜从大处分清界限，不宜从小处剖晰微茫。"② 这里所说的大处，即从战略的高度思考问题，胡林翼的解释是"兵事不在性急于一时，惟在审察乎全局。全局得势，譬之破竹，数节之后，迎刃而解"③。

其实不仅战略全局上要勤远谋，在具体的作战中也要有通盘的筹划，否则必陷于被动。左宗棠率部入浙时，未按清廷上谕救援衢州，而是由江西婺源入浙，左宗棠对这一做法的解释是，"臣若先入衢城，无论不能固江、皖边围，亦且不能壮衢城声援，一堕逆贼长围诡谋，又成粮尽援绝之局"④，所以他率亲兵营由江西婺源入浙，"先剿开化之贼，以清徽郡后路，饬所部老湘营由白沙关渐进，扼华埠要冲，以保广信而固衢城。幸三次克获大捷，开化肃清，婺源无警，饶、广两郡相庇以安，而杨逆又屡为徽军所创，败溃宵遁，臣军可无须远赴徽援，尤非意想所及。臣虽未亲赴衢郡，而开化贼巢扫荡无余。臣军现驻开化县城、马金街两处，正可兼顾衢城"⑤。可以看出，虽然此战目标不大，但左宗棠是从全局的高度来思考问题的。如果不做通盘的考虑，必会陷己于被动。

所谓择要点，是战略上布远势的具体化，抢占了要点即扼住了敌人的咽喉要害，即握住了全局之机。如胡林翼所言："军事有以先一着而胜者，如险要之地，先发一军踞之，此必胜之道也；有最后一着而胜者，待贼有变计，乃起而应之，此必胜之道也。"⑥

湘军出省作战初期，由于战略筹划不清，重点不突出，主要采取的是城池争夺战，尽管收获不少，取得了一些大战的胜利，但从整体而言，对太平军力量的削弱并不大。三河之战中，李续宾溃败，

---

① 《胡林翼集》第一册，第713页。
② 《曾国藩全集·家书一》，第723页。
③ 《胡林翼集》第二册，第754页。
④ 《左宗棠全集》第一册，第23页。
⑤ 《左宗棠全集》第一册，第23—24页。
⑥ 《胡林翼集》第二册，第428页。

湘军遭受重创，也意味着原有与太平军的城池争夺战的失败。在反思中，湘军战略得以逐步清晰和明确，不再计较一城一池之得失，而是将主要的战斗力量部署于金陵上游，即首先抢占金陵上游地区为作战中心。清军江南大营崩溃后，清廷最关心的是如何尽快收复江浙这一首赋之区。但曾国藩的认识却有不同，他始终认为江南大营之所以围困金陵多年劳而无功，原因就在于只踞金陵下游而未踞上游，而能否占领安庆是能否扭转全局的关节点，如果放弃安庆而移军苏、常，即使有所斩获，最终也会重蹈江南大营的覆辙。

　　安徽是太平军主要的根据地之一，地处天京上游，是阻扼清军东进的主要门户，地理位置极为重要。咸丰三年（1853）太平军占领安庆后，即设西征军大本营于此。对于安庆的重要性，曾、胡的认识比较一致，曾国藩曾说："自古平江南之贼，必踞上游之势，建瓴而下，乃能成功。自咸丰三年金陵被陷，向荣、和春等皆督军由东面进攻，原欲屏蔽苏浙，因时制宜，而屡进屡挫，迄不能克金陵，而转失苏、常。非兵力之尚单，实形势之未得也。今东南决裂，贼焰益张。欲复苏、常，南军须从浙江而入，北军须从金陵而入。欲复金陵，北岸则须先克安庆、和州，南岸则须先克池州、芜湖，庶得以上制下之势。若仍从东路入手，内外主客，形势全失，必至仍蹈覆辙，终无了期。"① 所以要直捣金陵，必须首先跨过安庆这道坎。曾国藩在总结多次战斗的历史教训后，逐步确立了先剪枝叶、后拔本根的战略方针。在他看来，天京之所以长期围困而不能攻陷，太平天国之所以能内讧后声威再振，就是因为有滁州、合县、安庆为屏蔽，有陈玉成联合捻军往来游击，屡次击败湘军和胜保等人的进攻。若集中力量进攻安庆，陈玉成必然全力来争，这样就可迫其进行战略决战。如能攻陷安庆，消灭陈玉成这支部队，天京的攻陷就只是时间问题。他把攻陷安庆当成湘军作战的中心目标，甚至把它看成清王朝生死存亡的关键，他说，"吾但求力破安庆一关，此外

---

① 《曾国藩全集·奏稿二》，第1145—1146页。

皆不遽与之争得失。转旋之机，只在一二月可决耳"①。他下定决心，"纵使江夏（即武昌）或有疏失，安庆围师仍不可退"②。

三、战则必胜

曾国藩曾说，"十余年来但知结硬寨打呆仗，从未用一奇谋、施一方略制敌于意计之外"③。此话虽重心指其作战拙滞迟缓，变化不多，但亦体现出曾国藩本人乃至整个湘军的作战特点，即不战则已，战则必胜。曾国藩反对打无把握之仗，不断以此告诫部将，"凡与贼相持日久，最戒浪战，……故余昔在营中诫诸将曰：'宁可数月不开一仗，不可开仗而毫无安排算计'"④。

（一）防牵缀

所谓牵缀，即除主攻方向外，仍要分出一部分精力或兵力应付敌在其他方向可能的袭扰，防止注意力或兵力分散，形成极易顾此失彼，为敌调动的局面。胡林翼说："有牵缀之势，与特立独行、四无牵顾之势，大不相同，设援贼乘我官军，有内外受敌之势耳。"⑤他在思考江南大营崩溃时说，"本年江南之事，以七万人缀于城下，贼从旁路、后路横轶纷扰，遂至溃败决裂不可收拾"⑥。

被敌牵缀的原因，一方面是在兵力分配上考虑不周，如胡林翼所讲"有围兵而无备战之兵，有守兵而无备剿之兵"⑦，但更主要的原因在于对敌的策略。湘军前期多用攻城之法，虽有所获，但损失亦较大。"发逆自粤西起事以来，每以坚城坚垒牵缀我兵，而转于无兵及兵弱之处狡焉思逞。故贼日见其多，兵日见其少；贼处乎有余，

---

① 《曾国藩全集·家书一》，第 682 页。
② 《曾国藩全集·家书一》，第 654 页。
③ 《曾国藩全集·奏稿九》，第 5395 页。
④ 《曾国藩全集·家书一》，第 348—349 页。
⑤ 《胡林翼集》第二册，第 394 页。
⑥ 《胡林翼集》第二册，第 678 页。
⑦ 《胡林翼集》第二册，第 678 页。

而我转处于不足。"① 后期策略则采取布远势、择要点，仅对全局具有重大影响的城池进行长久围困，而以雕剿之兵对其他城池进行骚扰，以配合重点城池的围困。咸丰十年（1860）胡林翼在给李续宜的信中对这一策略的实质有深入解析："皖北、楚北之军务，只应以一处合围以致贼，其余尽作战兵、援兵、雕剿之兵。假如围安庆，则不可再围桐城。若处处合围，则兵力皆为坚城所牵缀。援贼大股上犯，势必无劲兵可备援剿，不破援贼，则城贼不可得而灭；不剿流贼，则守贼不可得而走，此一定之局也。"② 这一战略调整，使湘军逐步摆脱了前期面对坚城时的被动，并能反过来牵制敌人。

（二）不攻坚

在无得力大炮辅助攻城的情况下，攻城作战都是极其艰难的事情，所以"攻城无良策，自昔已然"③，这是曾、胡、左三人的共识。咸丰八年（1858），湘军主力李续宾部从太平军手中夺取舒城、桐城等四座城池后，便以为"兵将如虎如熊，殆将飞而食肉"④，而对战争的长期性与艰巨性估计不足，未能对屡次胜利中存在的问题保持警觉并及时做出调整，最终导致三河之战中李续宾部全军覆没。对于此战的失利，湘军统帅胡林翼颇为痛心，他深刻反思，"得一坚城，破十巨垒，杀贼不多，贼氛仍炽，而士卒伤残，元气不复，此非用兵之至计也。又兵事当逼城攻垒之时，如雀之伺蝉，志在于蝉，而不知弋人之又伺其后。假令攻坚不克，志懈力疲，他贼旁援，往往误事"⑤。此后的胡林翼将力避攻坚作为其指导部将作战的基本信条，对部将屡屡以"不攻坚"相劝诫，如对唐训方说，"不攻坚、不蛮打，则士气不伤"⑥；对多隆阿则说，"攻坚之有害无利"⑦。有

① 《胡林翼集》第二册，第 677—678 页。
② 《胡林翼集》第二册，第 552 页。
③ 《胡林翼集》第二册，第 222 页。
④ 《胡林翼集》第二册，第 201 页。
⑤ 《胡林翼集》第二册，第 221 页。
⑥ 《胡林翼集》第二册，第 232 页。
⑦ 《胡林翼集》第二册，第 692 页。

时为预防部将产生轻躁攻坚之念，胡林翼甚至说，"只要'不攻坚'三字悬之戒律之中，便是上策"①，只有"防援贼，不攻坚，审地势，度贼情，保全精锐，一鼓成功，乃行军之妙法也"②。曾国藩在总结历次失败经验后也指出："用兵之道全军为上，保城池次之。"③又说，"此后不可再行蛮攻坚垒，须扼扎要地。贼所必争之区，致令贼来攻我，我亦坚壁不与之战，待其气疲力尽，而后出而击之，自操胜算"④。

（三）少分兵、用活兵

在兵力的使用上，曾、胡、左的基本主张是贵整不贵散，即集中使用兵力，而不主张分散兵力，如胡林翼说，"兵不可太分，恐分则力弱；剿贼亦不可太远，恐远出而无后援"⑤。又说，"太分则力单，穷追则气散；大胜而变成大挫，非知兵者也。不可不慎，敬则胜，整则胜，和则胜，三胜之机决于此矣"⑥。咸丰九年（1859）湘军合围太湖时，陈玉成调军反扑太湖，逼近城西霆军，恐有粮道断绝之虞。多隆阿遂向胡林翼请调部队增援，胡林翼在给多隆阿的信中讲，"林翼苦思焦虑，与其拨来拨去，毫无补益，不如挟全势全力，以剿为主。……若零星抽拨，微论不能得力，实亦无可应命，非兵家之上策也"⑦。在对部将的指示中，胡林翼也常以"戒散队"加以规训，他说"临阵切戒散队，切戒贪财。得胜之时，尤宜整饬队伍，多求痛杀"⑧。

当然，胡林翼所讲的不分兵，并非指所有部队都要团聚一处，如铁板一块，而仅指对敌时不宜临机分兵而言。从全局看，不仅要

① 《胡林翼集》第二册，第 194 页。
② 《胡林翼集》第二册，第 252 页。
③ 《曾国藩全集·家书二》，第 890 页。
④ 《曾国藩全集·批牍》，第 183 页。
⑤ 《胡林翼集》第二册，第 383 页。
⑥ 《胡林翼集》第二册，第 446 页。
⑦ 《胡林翼集》第二册，第 445 页。
⑧ 《胡林翼集》第二册，第 460 页。

分兵，而且要有合理的兵力配置，需区分游击之兵、围城之兵、应变之兵等，如此才能在各种突发情况出现后从容应对。胡林翼言："临阵之际须以万人并力，有前有后，有防抄袭之兵，有按纳不动以应变之兵，乃是胜着。"① 又说，"有围城之人，须先行另筹打仗之人"②，"预留一大枝，置于空闲之处，以为应变之兵。待他路之贼机已露端倪，然后起而乘之，则满盘棋子均活，无一呆着矣"③。左宗棠对于分兵也有辩证的看法，运用上似更为灵活，他曾讲，"曾文正、胡文忠曾力主兵不宜分之说，虽老成慎重、阅历有得之见，然弟每与之争，谓亦当看贼势轻重、贼踪整散，因而定计，又必择能当一面者分任，然后有分兵之益而无其弊，若守定不分之义，亦未免坐昧机宜。攻吐鲁番必两面下手，虽系暂分，终归于合"④。

　　曾国藩用兵拙滞，不及左宗棠多变，但也并非如左宗棠所讲，力主不宜分兵之说。曾国藩对自己的评价是，"古人用兵，最贵变化不测。吾生平用兵，失之太呆"⑤，但他亦认为，灵活用兵，方为取胜的关键。实际上曾国藩常以用活兵、用轻兵叮嘱部将，如"行军之要，屯宿之守兵宜少，游击之活兵宜多"⑥。又说，"宜多用活兵，少用呆兵；多用轻兵，少用重兵"。所谓活兵，即"进退开合，变化不测"；所谓呆兵，即"屯宿一处，师老人顽"；所谓重兵，即"多用大炮辎重，文员太众，车船难齐"，而"器械轻灵，马驮辎重，不用车船轿夫，飙驰电击"，则为轻兵。他认为，即使部队因积习已深，无法全改为活兵和轻兵，也应"姑且改为半活半呆、半轻半重，亦有更战互休之时"⑦。

---

① 《胡林翼集》第二册，第440页。
② 《胡林翼集》第二册，第442页。
③ 《胡林翼集》第二册，第350页。
④ 《左宗棠全集》第十二册，第90页。
⑤ 《曾国藩全集·家书二》，第1024页。
⑥ 《曾国藩全集·批牍》，第243页。
⑦ 《曾国藩全集·家书二》，第893页。

（四）得势猛打

与战前的持重相对照，曾、左特别强调一旦得势，必定穷追猛打，即便不能全歼当面之敌，亦要使敌遭受重创，令敌胆寒，下次再遇必心存忌惮方罢休。如曾国藩对朱品隆部湘军的要求："我军平日宜戒浪战，若看定地势，酌定时候，本有可打之机，却又不可太斯文了。一经得手，即须痛剿穷追，上午得手，下午又剿又追；先日得手，次日又剿又追，乃足以振军威而寒贼胆。不过猛打数次，三千余人即足抵万人之声威矣。若一味稳慎，全不勇猛，交锋之际，见贼小挫退，我亦得罢且罢，得收且收，不说天色将晚，便说风雨将至，不说士卒饥疲，便说出队太远，不说怕有埋伏，便说另股包抄，如此则永无痛剿之时，贼亦永无吃亏之日。不过数次，贼必狎而玩之，三千余人只足抵千余人之声威矣。"①左宗棠亦曾说："大抵与剧贼斗，须静须整，毋示之以形。迨痛剿两三次，贼势真败，则宜急速追之，其党易散，其气易挫。年来兵事，皆误于'锐进缓追'四字，以致贼之乘我易，而我之制贼难，此意不可不深长思也。"②左宗棠还认为小胜即使连续不断，对敌人也无多大威慑，"连声之雷不震，食鼠之猫不威"③，重要的是打好有决定意义的大战，着眼于歼灭敌方主力，"总以多歼悍贼为首功"。不论是在浙江、福建、广东歼灭太平军，还是在西北用兵，左宗棠都注意歼敌主力，而不争数战之效。可以看出，无论是战前的慎重与战中的勇猛，目标是一致的，作用上则相辅相成，体现了保存自己与消灭敌人的内在一致性。

在以上这些作战指导的基础上，湘军形成了一些有效的应敌策略，成为克敌制胜的法宝，在战法上表现出与其他部队明显不同的特征。这些作战原则可以归结为以下几点：

一是水陆相依。

---

① 《曾国藩全集·批牍》，第269—270页。
② 《左宗棠全集》第十册，第352页。
③ 《左宗棠全集》第十册，第243页。

所谓水陆相依，是指凡陆上作战必有水师相配合，凡水面作战亦有陆上部队相协调，使陆上与水面，联为一气，相互应援，成为一个整体。湘军之所以能够终成大功，水师的作用不可低估。曾国藩自己曾说："惟论金陵克复之功，实赖水师肃清江面，断绝贼粮。上游三千里滨江城隘，皆由水军苦战得来。"① 郭嵩焘写给曾国藩的挽联也称："实赞其行，其练兵以水师为著。"②

湘军最早提出设立水师的是江忠源，他在咸丰三年（1853）七月防守南昌时，曾上奏清廷，认为，"行军之法，因敌制胜。阻山寨之险者，直扼其要害；兼水陆之势者，先破其舟船"，所以"欲克复三城，必筹肃清江面之法；欲肃清江面，必破贼船；欲破贼船，必先制造战船以备攻击"。③ 受江忠源的影响，曾国藩很快认识到控扼江面的重要性。当时清军绿营虽有水师，但不事训练，面对太平军水师的冲击，"无一舟可为战舰，无一卒习于水师"④。所以湘军要肃清江面，必须从零开始，建立自己的水师部队，"今若带勇但赴鄂省，则鄂省已无贼矣；若驰赴下游，则贼以水去，我以陆追，曾不能与之相遇，又何能痛加攻剿哉？再四思维，总以办船为第一先务"⑤。

咸丰四年（1854），湘军水师成军。由于太平军统帅对水师的战略意义缺乏深刻认识，忽视舰船建造，忽视水师队伍建设，随着湘军水师的崛起，在经历几次水面作战，特别是田家镇之战后，太平军水师丧失殆尽。此后的长江控制权基本握于湘军水师的手中。

实际上，曾国藩的"建瓴而下"的战略方针，也是基于水陆相依而提出的。他说，"自古行军之道不一，而进兵必有根本之地，筹饷必有责成之人。故言谋江南者，必以上游为根本"⑥。这里曾国藩

---

① 《曾国藩全集·奏稿九》，第 5645 页。
② 《郭嵩焘全集》第十四册，岳麓书社，2012 年，第 264 页。
③ 《郭嵩焘全集》第四册，第 1 页。
④ 《曾国藩全集·奏稿一》，第 77 页。
⑤ 《曾国藩全集·奏稿一》，第 77 页。
⑥ 《曾国藩全集·奏稿八》，第 4752 页。

只是在"势"上做了解释，实际上顺江而下的优势在于得水师之利。左宗棠对于建瓴而下的解释更有说服力，"盖水有师船，平地有马队，山谷有陆师，贼之长皆我所有。自古下游足以祸楚者，惟水师耳。今则我得上流，而贼无战舰，此一着已操胜算"①。胡林翼对于水师的重要性也有充分认识，他说："求所以制贼之死命者，惟以精实水师断贼粮为先务之要。"② 南方水网地带，舟船四通八达，水师联络便利，援助较易，所以"凡用兵，以水道为纲，得江、淮、河、汉之要，则脉络通而气势乃振。预谋淮河，非徒为富计，亦为强兵计耳"③。

在与太平军的作战中，湘军水师的作用主要体现在两方面。一是保障己方粮路畅通。"水师为粮路根本"④，水路畅通则陆兵无缺粮之虞，特别是对担负长围任务的部队而言，水路即粮路。曾国荃曾说："陆师深入重地，全恃贵水师为根本，以水面为粮路。与雄师戈船相辅而行，联为一片，则我陆路之立脚亦稳矣。"⑤ 湘军粮台一般都依水而设，随军而行。曾国藩曾对沿江水师形成的保障景象有过生动的描写，"战船能多更妙，纵使不能，亦当雇民船百余号，与陆路之兵同宿同行，夹江而下。凡米、煤、油、盐、布匹、干肉、钱项、铁铅、竹木之类，百物皆备，匠工皆全"。"凡兵勇扎营，即以船为市。所发之饷，即换吾船之钱。所换之钱，即买吾船之货。如此展转灌输，银钱总不外散，而兵勇无米盐断缺之患，无数倍昂贵之患。"⑥ 二是断敌接济。与保障己方粮路畅通相对应的是断敌粮路。胡林翼曾说，"城贼米粮不足，自系实情。得水师严密防范，使艇船不能接济，诚为要着"⑦。曾国藩也曾说，"攻剿金陵，诚非陆

---

① 《左宗棠全集》第十册，第347页。
② 《胡林翼集》第一册，第56页。
③ 《胡林翼集》第二册，第610页。
④ 《李鸿章全集》第二十九册，第93页。
⑤ 《曾国荃全集》第三册，第173页。
⑥ 《曾国藩全集·书信一》，第341页。
⑦ 《胡林翼集》第二册，第930页。

师奋力不为功，水师亦断不可少。水师以断江面之接济，截北岸之援贼，陆师则开花炮与地道并举，而辅以苏军洋枪骁队，当可济事"①。

随着水师作战日渐纯熟，陆师对水师的依赖日见深入，"水陆相依"几乎成了曾国藩叮嘱部将时的口头禅。如咸丰五年（1855）曾国藩叮嘱李元度，"水军不可一日而离陆营"②，不厌其烦地指出，"吾弟时时以保护水军为心，如龙抱珠，百变而不离其宗"③。咸丰六年（1856）对李续宾说，"大抵鄙人与尊处两军，一西一东，皆以厚、雪水军为中路之枢机，其转运粮台，皆当安设九江，其后路皆在湖北，其根本皆在湖南，必使皖军、浙军与水师息息相通，庶于全局有益"④。为避免类似三河之战由于缺乏水师配合，孤军深入，终被围歼的局面再次出现，三河之战后的湘军作战主要在长江沿线进行，意在发挥水师之利。如咸丰十年（1860），曾国藩对鲍超说，"惟阁下进兵至景镇，总须近水师以通粮路"⑤。咸丰十一年（1861）多隆阿率军再次进逼三河时，曾国藩告诫他："庐郡地势平旷，无险可扼，而又须防援，防捻，防苗练，防粮路之中隔，防水师之远隔。……至水师炮船不能逼近庐郡，而可逼近三河。昨舍弟与水师攻破泥汊贼垒后，闻水军已驶入白湖、黄皮湖。若能驶入巢湖之内，则炮船可直达三河。请阁下与舍弟常常通信，如炮船果至三河，则求雄师进剿三河，水陆夹攻。倘三河得手，以水陆劲兵守之，则巢湖为我所有，异日进攻庐州，不患无粮运矣。"⑥

后期湘军、淮军几乎所有的作战均有水师配合。曾国藩筹建淮扬水师也是出于此种考虑，他给出的解释是："如天之福，能保守浙江，嘉兴、松江、上海，犹留得海漕基址，是为至幸。如其不然，

① 《曾国藩全集·书信六》，第 4516 页。
② 《曾国藩全集·书信一》，第 495 页。
③ 《曾国藩全集·书信一》，第 496 页。
④ 《曾国藩全集·书信一》，第 637 页。
⑤ 《曾国藩全集·书信三》，岳麓书社，1992 年，第 1955 页。
⑥ 《曾国藩全集·书信三》，第 2250 页。

亦当力保淮扬里下河，犹不失产米之区、财利之数。欲保里下河，非水师战舟二三百号，不足以遏寇氛，而保盐场。"① 为规复苏州而建太湖水师，曾国藩的解释是："欲攻苏州，须于太湖另立一支水师。浙江无事，宜于杭州造船；浙江有警，亦宜于安吉、孝丰等处造船。必使太湖尽为我有，而后西可通宁国之气，东可掫苏州之背，而陆师亦得所依附。"② 此外还曾有过办石臼湖水师以规复芜关③，为规复芜湖而办宁国水师④等的设想。可以看出水陆相依的思想在曾国藩头脑中已根深蒂固。基本上每于所要用兵之处，必先建水师。后期几乎所有作战或在长江沿线，不在长江沿线的话，亦在舟船可到的水网地带。如无水师可供调遣，则必建水师以配合陆上作战，在水师无法应援的地点则很少采取行动。其至曾国藩指挥镇压以快速机动见长的捻军时，亦考虑以南方水路作为粮饷和军械的保障，"臣前在金陵，曾国藩商调该军（铭军）赴皖，当以南循大江、北沿淮河驻扎防剿，军火炮弹由苏转解，虽远而尚能运到，虽迟而可期决胜。若调往西北，水道不通，接济不及，诚恐迁地弗良，是以曾国藩奏明刘铭传等军宜以三河尖、固始为老营，凡皖、豫交界有警，相机剿办，盖欲就淮河为转运之路，苏省当设法筹济也"⑤。

我们在李鸿章规划北洋海防和建设北洋海军时，亦能看到"水陆相依"的影子。李鸿章曾说，"自来设防之法，必须水陆相依，船舰与陆军实为表里"⑥，再如"海口设防，全恃水陆相为依辅，岸上则恃台炮，水中则恃水雷。环瀛诸国经营海疆，必须雷炮兼精，方称完固"⑦。

---

① 《曾国藩全集·书信二》，第 1399 页。
② 《曾国藩全集·奏稿二》，第 1163 页。
③ 《曾国藩全集·书信二》，第 1693 页。
④ 《曾国藩全集·奏稿二》，第 1162 页。
⑤ 《李鸿章全集》第一册，第 613 页。
⑥ 《李鸿章全集》第十四册，第 155 页。
⑦ 《李鸿章全集》第十五册，第 336 页。

三是围城打援。

三河之战后，湘军在作战指导思想上有一个比较大的调整，由夺取城池为中心转变为消灭太平军主力为中心，在具体战法上，则由以攻城作战为主转变为以围城打援战法为主，如胡林翼所说，"不徒以得城为喜，而以破援贼为功"①。在胡林翼看来，打援的目的有二：一是消灭敌人的增援部队，确保围城部队的安全；二是击破守城敌军的希望，动摇其守城决心。所以围城为辅，打援为主。这样，既避免了使围城战变为消耗战，同时又能使己方始终处于相对主动的优势地位，这与传统兵学中历来强调的以主待客、以静制动的原则是相合的。在湘军的主要作战中，如武汉之战、九江之战、太湖之战及安庆之战，均能看到这一策略的运用，而其中尤以安庆之战布置最为周密，效果也最好。

在"围城打援"指导思想明确后，曾国藩、胡林翼对这一决策实施过程中需注意的问题做了更深入的讨论，主要有以下几点：

1. 长壕围困。湘军作战历来重视挖壕，曾国藩将此视为军心安定的重要基础。在围城作战中，长壕的作用更为突出，不仅能断敌接济，使敌坐困，更是阻击敌援军的重要基础。湘军的长壕主要有两道，内壕困守军，外壕阻援军。《能静居日记》中记述有湘军围攻安庆所挖深壕的形制，则壕分三层，"渡湖又一里余到内濠，广二丈，深几三、四丈，渡濠进土墙门，诸营罗布，各据高阜。……营后十余步即到外濠，视内濠尤深广。濠以外又有一濠，稍狭"②。湘军扎于内外壕墙之间，以逸待劳，从而达到反客为主、以守为攻的目的。这样，长壕就不仅成为围城阻援、待敌自毙的主要手段，也为集中优势兵力攻击对方援兵创造了条件。

2. 合围一处，不受敌牵缀。有牵缀，照应之处过多，导致力量分散，如胡林翼所言"为城贼所牵缀，虽多犹寡也"③。他主张集中

<hr>

① 《胡林翼集》第二册，第585页。
② 赵烈文：《能静居日记》第一册，岳麓书社，2013年，第369页。
③ 《胡林翼集》第二册，第394页。

兵力合围一处，其余兵力应当尽作战兵、援兵和雕剿之兵。为此，曾国藩、胡林翼最终决定将安庆地区的湘军一分为三，以曾国荃十数营对安庆全城进行长久围困，断绝内城与外部的一切往来，迫使太平军率军前来增援，而驻扎城外的多隆阿、李续宜、鲍超军则寻机对回援的太平军发动攻击。

3. 留有足够的机动力量。绿营江南大营亦曾对金陵采用过长围战术，但终以溃败收场，对此胡林翼给出的解释是，江南大营围困过于消极，不懂分兵，将主要兵力顿兵坚城之下，使七万人均成呆兵，犯了兵家大忌。"愚见江南大营之弊，其虚冒荡佚，乃其致败之由。其调度布置，实亦不能尽善。患在有围兵而无备战之兵，有守兵而无备剿之兵，以七万人顿于城下，贼从后路、旁路纷扰。闻江南大帅迟疑吝啬而不肯速分兵，又不肯多分兵。继因所分之兵败挫不力，后路、旁路已陷，饷道已阻，始不得已而再分兵，则应战之兵气已挫，而围城之兵力又单，乃得乘间抵衅，以陷其营垒，此金陵军营之覆辙也。"① 可以看出，胡林翼并不认为围困不可行，而是坚决反对打消耗战，他认为除了困守之兵外，必须要有足够的机动兵力，以消灭敌人有生力量。

清军安庆合围计划开始后，太平军起初并未予以足够重视，而是将主要的军队调往苏常地区，准备待彻底占领苏常地区后，再乘胜上援安庆。进攻苏常的任务主要由李秀成负责。安庆被合围后，太平军才调整原有战略，展开第二次西征，调集长江两岸部队，合取湖北，拟用"围魏救赵"的办法，迫使湘军抽调围攻安庆的兵力西援湖北，以解安庆之围。在对这一战略方针的贯彻上，陈玉成态度坚决，李秀成则有意向苏、常发展，对守住金陵上游地区信心不足，所以在行动上较迟移。安庆局势日趋严峻后，太平军逐步放弃合围武昌的计划，调动各路大军，直接救援安庆，分别有陈玉成军，李秀成军，杨辅清、黄文金军，李世贤军，但总体上看，这些救援均不成功。

---

① 《胡林翼集》第二册，第552页。

　　自咸丰十年至十一年（1860—1861），在贯彻合取湖北之前，陈玉成首先率军直救安庆。在桐城和枞阳两地与清军接仗。双方战于挂车河，清军主将多隆阿与李续宜上下夹攻，同时发挥马队的快速冲击力，击溃陈玉成军队。陈玉成遂转战枞阳，亦被击退。见无力直接救援安庆，陈玉成遂重新回到合围湖北的间接战略上来。在进击武昌过程中，陈玉成所部太平军不断受到沿线清军的阻击，进展缓慢，遂中止进军，除留一部驻守黄州外，陈玉成率主力转战鄂北。在陈玉成专注湖北之时，安庆情势危殆，陈玉成不得不放弃合取湖北战略计划，留一部驻鄂北，率其他部队再次回救安庆。四月进入安徽宿松，后逼至集贤关，进迫围城的曾国荃军，终被安庆城外多隆阿、李续宜击败。

　　咸丰十年（1860）九月，李秀成率军挺进皖南，在休宁和黟县被鲍超、张运兰击败，遂转移至羊栈岭，此地距曾国藩祁门大营仅60里，曾国藩极度恐慌。但李秀成无意进攻祁门，而率部折回浙江境内。次年二月，为减轻安庆压力，李秀成以围魏救赵之策，进攻湘军主要的后方基地武昌，迫使成大吉回援湖北，鲍超军往援江西，胡林翼返回武昌。李军前锋一度占领武昌县，当得知陈玉成已回师东援安庆时，胡林翼遂撤兵武昌，折入赣西北地区。总体而言，李秀成救援安庆的策应作战很不利，大概是预感安庆难救，所以早有放弃的打算，对于合围武昌以解安庆之围战略的贯彻也很消极。

　　杨辅清一路于咸丰十年（1860）九月下旬自安徽宁国出发，沿长江西进，攻克建德，后在湘军三路合击下溃败。随后太平军直入江西境，连克多城，但因没有水师配合，多地得而复失。十一月，黄文金部进攻景德镇、浮梁，被左宗棠、鲍超所败。此后，杨、黄部太平军无力再战，退至芜湖休整。

　　咸丰十年（1860）七月，李世贤一路由浙江进入皖南，在徽州大败李元度军。曾国藩檄调张运兰、左宗棠堵截。李世贤又转入浙江，企图占领杭州，作战不利重回皖南，率军击败湘军王开琳部，并使左宗棠军向景德镇后退。随后切断曾国藩祁门驻军粮道，企图一举攻克湘军祁门大营。曾国藩指挥部队进行过几次反攻，但因缺少得力干将，均以失败告终。至此，曾国藩企图依靠自身力量解救祁门之危，并打通浙江粮道的计划归于失败，在绝望中，他写下遗书部署后事。适时，左宗棠在江西景德镇、乐平一带击败李世贤，祁门之危得以解除。经此一战，李世贤元气大伤，不能再战，遂全军东返浙江。至此，太平军数路大军援皖的战略遂告失败。

咸丰十一年（1861）三月，陈玉成第三次率军援救安庆，同时洪仁玕、林绍璋与前军主将吴如孝自桐城、庐江南下，亦逼近安庆。胡林翼坐镇太湖，以成大吉 5000 人在集贤关拦击。曾国藩亦从祁门移营北上，派出鲍超军 6000 人增援集贤关。在随后的菱湖之战中冲垮了安庆城外的 13 座营垒。五月，陈玉成亲赴天京恳请洪秀全继续调兵援救安庆，但太平军当时已无多余的部队可调。在湘军步步进逼下，安庆守军虽仍顽强抵抗，但城外据点还是被个个拔除，到六月，安庆成为孤城。后陈玉成又联络驻扎无为的杨辅清，做最后一次救援安庆的努力，太平军林绍璋、吴如孝等为策应，三路大军进援安庆。多隆阿亲率马步各营迎战，击败太平军。七月，太平军进抵集贤关内，仅攻破安庆外围由湘军构筑的第一道壕沟。其时安庆城与外界的交通完全断绝，曾国荃则加紧发起对安庆的总攻，八月初五日（9 月 5 日），安庆被攻陷。

纵观湘军围困安庆，历时近两年之久，主要采取长围久困的战略，不攻坚，不出战，唯坚守营垒，密困安庆。诱使陈玉成多次进援，又以重兵拒援，逐次消灭陈玉成兵团的主力，成功地挫败了太平天国的进援行动。

四是缓进急战，剿抚兼施。

新疆远在西陲，千里黄沙，号称瀚海，无论行军作战还是转运粮饷，都要比内陆地区用兵困难得多。然而在左宗棠的精心擘画与组织下，较好地协调了眼前需要与长远利益、军队需要与地方利益的关系，顺利地解决了收复新疆过程中的各种难题。而在这一过程中左宗棠采用的核心策略就是"缓进急战""剿抚兼施"。

所谓缓进，即要做好充分的战争准备。当时新疆大部分地区沦陷，清军只控制东北部偏狭的贫瘠地区。而出关的六七万大军，一年就需四五千万斤粮食，这么多粮食全部要从关内采运，难度极大，费用极高。在左宗棠西征之前，先后有陕西巡抚刘蓉和陕甘总督杨岳斌西征。刘蓉在陕西，仅能勉强对付入陕的太平军和捻军。至于杨岳斌，则因急于求成，把军队全部开入甘肃，结果弄得后路被截，饷道中断，最终部队哗变。左宗棠不无感慨地说，"筹粮非易，筹运更难，必须预为筹度，乃免临时周章"①。从甘肃去新疆，沿途千里尽是荒漠贫瘠、水草缺乏之地，如果不能采运较充足的粮食供前线使用，其西征计划将会全部落空。左宗棠说，"粮、运两事，为西北用兵要着，事之利钝迟速机括，全系乎此。千钧之弩，必中其机会而后发，否则，失之疾与失之徐，亦无异也"②。

　　如何解决这一难题，左宗棠可谓绞尽了脑汁。为鼓励转运人员，他一反清朝奖励军功只看杀敌多少的规定，宣布对转运人员"当与前敌一体论功"③，提高其转运的积极性。左宗棠还根据历代在新疆办粮的经验，提出"自古边塞战事，屯田最要"④，以就地屯田解决军粮问题。这样，一可供官兵食用之需，二可省转运之费，三可为善后工作奠定基础，一举三得。凡西征大军所收复的地方，左宗棠都会命令那些距前敌较远的队伍，利用战守闲暇，在附近从事耕作。所收获的粮食和蔬菜，即由营中作价收买。这种方法的好处：一是士兵不致习逸成惰；二是多种则多获，可以增加士兵的收入；三是耕熟之地准由原主认领，可使逃荒的地主闻风而趋，自然而然地产生招揽的作用。

　　所谓急战，就是在最短时间内结束战斗。每次作战，一经准备完毕，左宗棠便抓住有利时机，以迅雷不及掩耳之势，速战速决。在收复新疆的一年半时间里，清军从出师肃州到进军北路，相隔两个月；收复北路到进军吐鲁番，相隔半年；从收复吐鲁番到进军南

---

① 《左宗棠全集》第十一册，第 347 页。
② 《左宗棠全集》第五册，第 434 页。
③ 《左宗棠全集》第五册，第 123 页。
④ 《左宗棠全集》第三册，第 327 页。

路，相隔四个月，总共用去十一个月做准备，而实际作战时间不到半年。如古牧地之战，是双方主力第一次交锋，六天结束战斗；达坂城之战，是一次漂亮的歼灭战，只打了四天。南疆西四城克复后，清军为追剿残余之敌，深入人迹罕至之地，"四昼夜驰八百余里，人未交睫，马未卸鞍，接仗时犹复倍加抖擞，愈接愈厉，卒能殄此狂寇，大振军威"①。可见，"缓进急战"的作战方针是十分正确的，它解决了符合新疆特殊条件的具体打法问题。

出兵新疆，是正义之举，符合新疆各族人民的利益，为充分发挥这一政治优势，左宗棠规定"非剿抚兼施不可，非粮运兼筹不可"②，即在加强清军战斗的同时，采用攻心战术。他一面严整清军纪律，争取民心；一面宽待阿古柏部属，缩小打击面。左宗棠认为，这样做"不但目前整军勘乱之计，亦所以销弭异日怨毒隐伏之根也"③。他命令各提督："申明纪律，除临阵外不准滥杀，不准奸淫妇女，搜抢财物，烧毁粮食，如敢故犯，准随时军法示惩。"④ "大军进逼环攻，谕以剿抚兼施之意，释胁从而急渠魁，解散必众。"⑤对于被分裂势力裹胁的民众，除持械顽抗、死不悔改者予以格杀之外，其余一律招抚，并资遣回籍。如东四城战役，遣返乌鲁木齐难民2800余名，送归哈密原籍2750余名，皆"给以赈粮籽种，收其马械，令各安生业，毋相侵暴"⑥。这些剿抚兼施的策略，深得新疆各族人民拥护，"不但此时易以成功，即后此长治久安亦基于此"⑦。

湘军对兵学发展的主要贡献，不在思想的深度，而在具体指导实践上的价值，是对传统兵学思想的实践化和具体化，使传统兵学的价值在实战中得以体现。从本质上讲，曾、胡、左三人虽性格各

---

① 《左宗棠全集》第七册，第367—368页。
② 《左宗棠全集》第六册，第180页。
③ 《左宗棠全集》第十四册，第366页。
④ 《左宗棠全集》第十四册，第366页。
⑤ 《左宗棠全集》第六册，第444页。
⑥ 《左宗棠全集》第四册，第110页。
⑦ 《左宗棠全集》第十二册，第136页。

异，但在基本的认识层面上却较为统一，差别只在具体的实践转化上。对于作战方法，三人均保持开放的态度，尽管湘军作战多采用深沟高垒，困死敌人之法，但他们始终认为，没有一成不变、屡试不爽的万能方法，若不思变通，不能根据实际情况做出调整，必会以昔日前人获胜之方而致今日之败。"用兵之道，随地形贼势而变焉者也，初无一定之规，可泥之法。或古人著绩之事，后人效之而无功；或今日制胜之方，异日狙之而反败。唯知陈迹之不可狃，独见之不可恃，随处择善而从，庶可常行无弊。"①

第三节　训练思想

由于湘军各部队武器配备情形并不完全相同，所以各部队营制与人员构成亦有差别。如曾国藩所统湘军与鲍超的霆军、左宗棠所统楚军均有差异。左宗棠楚军设立之初，曾国藩就曾说："楚勇束伍之法，须略改变……厥后阁下制劈山炮，为陆军利器，似不能不另立劈山炮哨官，而以小枪刀矛护之。"② 由于武器装备不同，部队编制亦随之改变，而且各统领统带营数亦有多寡，客观而言，很难用统一的训练制度加以规范。湘军的训练是在相对统一的训练理念下，结合各部队的自身实际自行组织，在训练方法的细节上略有差异。湘军成军后，一直处于与太平军作战的过程中，除编组新兵入营进行一个多月的集中训练外，多数时间都是在作战间隙利用以战教战的方式进行训练。从招募到出战，中间训练的时间短者一月，长者三月。

---

① 《曾国藩全集·奏稿十一》，岳麓书社，1994 年，第 6501 页。
② 《曾国藩全集·书信一》，第 825 页。

一、指导思想

曾国藩青年时期曾随当时的理学家唐鉴、倭仁从学，对理学和经世之学用力很深。"（曾国藩）以理学为根柢，而不为空言慎独所泥，兼取考据的长处，而不为乾嘉学派'为学问而治学问'的流风所蔽，他自创天地，修身以躬行实践为归，经世以博考典章制度得失利病为务。"① 他的治军和训练思想的形成与其早年的治学根基有着密切关系，体现出其为学与治军思想上的内在统一性。正如贾熟村先生所言："曾国藩之所以能摆脱八旗、绿营兵制的束缚，较胡林翼、左宗棠、江忠源、罗泽南等略高一筹，他之所以能创立湘军，所以能镇压太平天国革命，无不与其经世思想息息相关。"②

曾国藩认为，"凡道理不可说得太高，太高则近于矫，近于伪"③。他要求训练将弁宜用"守约"之法，即"凡与诸将语，理不宜深，令不宜烦，愈易愈简愈妙也。不特与诸将语为然，即吾辈治心、治身，理亦不可太多，知亦不可太杂，切身日日用得着的不过一、两句，所谓守约也"④。他在总结一生练兵经验时说，"近年军中阅历有年，益知天下事当于大处着眼，小处下手。……故国藩治军，摒去一切高深神奇之说，专就粗浅纤悉处致力，虽坐是不克大有功效，然为钝拙计，则犹守约之方也"⑤。这里的"大处着眼"即指以儒家的"礼义""忠信"为指导，所谓"小处下手"，则将其归结为"勤"和"简"。

首先，"治军以勤字为先"⑥。曾国藩认为，"天下事未有不自艰

---

① 《湘军新志》，第 53 页。
② 贾熟村：《太平天国时期的地主阶级》，广西人民出版社，1991 年，第 429 页。
③ 《曾国藩全集·批牍》，第 197 页。
④ 《曾国藩全集·书信二》，第 1109 页。
⑤ 《曾国藩全集·书信二》，第 1102 页。
⑥ 《曾国藩全集·书信三》，第 1762 页。

苦得来而可久可大者"①，胡林翼也认为，"治军之道，必以苦其心志、劳其筋骨为典法"②，即行军打仗是辛苦至极之事，没有平时积耐劳苦的训练，根本无法担当作战任务。左宗棠也曾说，"人之智虑，非历练则无所加；而才力精神，非时加淬厉，则颓靡而不可用"③，而"勤"是磨练意志、淬厉精神的必要手段。在曾国藩看来，"勤字为人生第一要义，无论居家、居官、行军，皆以勤字为本"。又说，"治军以勤操为第一要义，操队伍则临阵不至散乱，操枪炮则临阵不至早放"④，只有"昼夜从事，乃可渐几于熟，如鸡伏卵，如炉炼丹，未宜须臾稍离"⑤。只有抱定"勤"的宗旨，才能练出吃苦耐劳的精神。曾国藩要求统领、营官以勤劳自励，平时从小处下手，严加督促。他说："未有平日不早起，而临敌忽能早起者；未有平日不习劳，而临敌忽能习劳者；未有平日不能忍饥耐寒，而临敌忽能忍饥耐寒者。"⑥ 每天要亲自点名、看操、查哨，养成早起和耐劳的习惯。为此，曾国藩亲自制定了站墙子⑦、巡更、放哨等六条营规。其内容如下：

1. 五更三点皆起，派三成队站墙子一次，放醒炮，闻锣声则散。

2. 黎明演早操一次。营官看亲兵之操，或帮办代看。哨官看本哨之操。

3. 午刻点名一次，亲兵由营官点，或帮办代点，各哨由哨长点。

4. 日斜时演晚操一次，与黎明早操同。

5. 灯时派三成队站墙子一次。放定更炮，闻锣声则散。

① 《曾国藩全集·日记一》，第527页。
② 《胡林翼集》第二册，第1008页。
③ 《左宗棠全集》第七册，第567页。
④ 《曾国藩全集·书信四》，第2963页。
⑤ 《曾国藩全集·书信一》，第326—327页。
⑥ 《曾国藩全集·书信三》，第1762页。
⑦ 湘军扎营时所筑的营墙称为墙子，站墙子即守卫营墙。

6. 二更前点名一次，与午时点名同。

"计每日夜共站墙子二次，点名二次，看操二次。此外，营官点全营之名，看全营之操无定期，约每月四五次；每夜派一成队站墙、唱更。每更一人，轮流替换。如离贼甚近，则派二成队。每更二人，轮流替换。若但传令箭而不唱者，谓之暗令。仍派哨长、亲兵等常常稽查。"①

这些日夜常课均体现一个"勤"字。曾国藩始终认为，"军勤则胜，惰则败。惰者，暮气也"②，如果能每天坚持点名，"兵勇终日有事，自然无暇滋扰；且平日劳苦，则临阵亦可耐久也"③。坚持站墙子，警戒值勤，使士兵心理得到训练，增强临战意识，有备无患。除每日训练日课外，湘军还将修造工程作为日常工作，除本身的目的外，亦有习劳苦之意，"弁兵月月移营，亲学挖濠筑全之事，俾习劳苦"④。为避免湘军步兵贪图水路之利，胡林翼还曾特别提醒部将"步军不可使狃水路之利，狃其利，则习于巧便而不耐苦，流弊转多"⑤。左宗棠练兵也注重培养将士勤劳耐苦的作风，强调"治军者知以习劳戒逸为教，恤民勤事为心，其军必可用，于国事必有济"⑥。左宗棠所统楚军在作战余暇，务屯垦、勤树艺、筑城堡、兴水利、开荒地，一方面补充民力之不足，同时"以习劳练其筋力，以作苦范其心思，胜于坐食嬉游多矣"⑦。保持勤事的状态，不仅不会懒散生事，扰累百姓，同时还能保持部队积极向上的精神状态，所以左宗棠说，"（楚军）较之各军功无足言，而过则可寡"⑧。蔡锷对曾、胡关于"习劳苦"的论述评价很高，认为，"习劳忍苦，为

① 《曾国藩全集·诗文》，第 463 页。
② 《曾国藩全集·书信三》，第 1752 页。
③ 《曾国藩全集·书信四》，第 2963 页。
④ 《曾国藩全集·书信十》，岳麓书社，2012 年，第 6952 页。
⑤ 《胡林翼集》第二册，第 197 页。
⑥ 《左宗棠全集》第十四册，第 416 页。
⑦ 《左宗棠全集》第十四册，第 427 页。
⑧ 《左宗棠全集》第十四册，第 427 页。

治军之第一要义。而驭兵之道，亦以使之劳苦为不二法门"①。

其次，化繁为简。湘军与太平军的作战武器基本还是刀矛及抬枪、鸟枪，作战方式主要用方形队阵，短兵相接。根据这种情况，曾国藩说，"御众之道，教下之法，易则易知，简则易从，稍繁难则人不信不从矣"②，强调湘军练技艺仅以"刀矛能保身，能刺人；枪炮能命中，能及远"③为主。对于士兵的技能训练曾国藩仅规定：勇丁练纵步能上一丈高之屋，跳步越一丈宽之沟；练手抛火球，能至二十丈以外；练脚系沙袋，每日能行百里。阵法则以戚继光所制鸳鸯阵、三才阵为主。这些训练方式都不复杂，士兵极易掌握。

为使士兵方便记忆，曾国藩将平时对弁兵的要求，编写成易读易记的歌诀，名为《陆军得胜歌》《水师得胜歌》等，令将领讲解，士兵背诵。其内容有平时着装，军纪，武器收管保养，训练的基本要求、方法，行军时的顺序，侦察，营地的选择方法和营墙的构筑规格，作战时的兵力部署、指挥要领和各种情况的处置，几乎包罗无遗，起到了相当于条令和条例的作用。

二、训练的主要内容

湘军的训练方法，一部分来源于实践中的不断摸索和总结，如曾国藩几乎不离口的站墙子，他将这视为培养良好意志品质的法宝。一部分来源于对戚继光的束伍之法的吸收和借鉴。曾国藩在创练湘军之初就曾说过，湘军要"仿照前明戚继光之法，编束队伍，练习胆技"④。所谓束伍，除指部队约束，层层节制外，亦包括一套完整的训练制度和方法。在曾、胡、左的往来信件及日记中均多次提到《纪效新书》和《练兵实纪》。除此之外，曾国藩所统湘军还部分地采用了绿营训练方法。绿营兵作战能力低下，这一方面有绿营制度本身的原因，但更主要的原因在于训练虚浮，如左宗棠所言，"制兵

---

① 《蔡松坡集》，上海人民出版社，1984年，第1249页。
② 《曾国藩全集·日记一》，第517页。
③ 《曾国藩全集·诗文》，第438页。
④ 《曾国藩全集·奏稿二》，第878页。

散处应操，非如勇丁之萃聚营垒可以朝夕训练，并可收相观而善之效也"①。然而不可否认，绿营作为国家经制兵，经过长期的发展，已建立起系统和完备的训练制度、训练方法及考核办法，其中不乏有价值的成分。湘军成军后不久，曾国藩即邀请绿营军官塔齐布加入湘军，"常倚该游击（塔齐布）整顿营务"②，并对塔齐布的训练效果给予了极为正面的评价，"臣每于三、八日校阅，该游击则日日常阅，大约十日之中不过间断二三日，军士皆乐为之用"③。实际上，湘军的训练与绿营相较并无特异之处，之所以能够在战场上表现出更强的战斗力，原因主要在于湘军规避了绿营训练的空洞化和形式化，而增强了训练的针对性，战场指向性更强。

湘军训练所要达成的目的，一是要临阵从容应对，不致慌乱；二是掌握杀敌护身的技巧；三是要能习劳苦，士兵要掌握恶劣环境下生存的基本技能。

（一）技能训练

技能训练是战术训练的基础，也是保持部队良好心理状态的重要前提。湘军重视体能和技能训练，综合不同部队的技能训练之法，大致可分为练手、练足、练身之法。

所谓练手之法，即以提高臂力和投掷精准度为中心，要求臂力强健，或投，或射，或刺，动作运用灵活，如王鑫所言，"随来随应，即格即杀，一下有无数妙用，一下有无穷变化，手法乃为绝高"④。湘军的臂力训练主要以练习投掷火球为主，规定能将火球抛掷二十丈远之外方为合格，也有部队练习投掷石子，规定每日每人练习二十颗，击打八九丈远之锚杆；也有练习摽刀之法者，"平日操练隔四五丈远立一柱，每勇对丢十刀，亮清眼线，均要中到柱上"⑤。此种训练方法，除练习臂力外，亦可兼习目力。

---

① 《左宗棠全集》第七册，第 567 页。
② 《曾国藩全集·奏稿一》，第 61 页。
③ 《曾国藩全集·奏稿一》，第 61 页。
④ 《江忠源集·王鑫集》，第 1027 页。
⑤ 《国家清史编纂委员会文献丛刊·湘军》第二册，第 293 页。

所谓练足之法，或行军百里，或练习纵跳。有时为增强效果，还会在腿上绑缚沙袋，通过循序增加沙袋重量，增强腿部力量。练习时的动作要领，"脚所站处要如钉铁柱一般，但用功不在脚板，而在脚指脚跟脚腕，运劲极熟，虽踏数脚指，踏数分脚跟，亦可站稳矣"①。

所谓练身之法，即通过训练，使身体轻捷灵活。动作要领是"腰要扎得极紧，头项肩膊两膀均要极紧而又极活，无一处不用功，精极方好。平日身上要放些物件，临阵解开，则身更轻快无比"②。一些部队自创徒手体操，作为日课的一部分，长期坚持亦能起到强身健体的效果。如刘连捷在《临阵心法》中记载有"《易筋经》八法"，其要领，"双手擎天理三焦，左右开弓如射雕，调和脾胃须单举，五劳七伤向后瞧，直目注拳生气力，十指盘尖固肾腰，雁翅同飞利胸膈，坐马颠颠饮食消"③。刘长佑所部湘军亦将身体训练作为考核的重要内容，并依程度的不同划定优劣，"总以手足有力，下下著劲，举止灵便，步伐娴熟者为超等；手足有力，步伐不错者，为上等；灵便而步伐未熟，或手足不甚著劲者，为中等；举止迟钝，步伐生疏者，为下等；力弱而笨，步伐错乱甚至跌倒者，为劣等"④。

器械训练，主要是练习鸟枪、抬枪及劈山炮的弹药装填与打靶。针对当时绿营仅习鸟枪，不习刀矛，临敌不能令行禁止，虽配有火器，然未与敌见，先行胆怯，"皆以大炮、鸟枪远远轰击，未闻有短兵相接以枪靶与之交锋者"⑤，所以胡林翼认为，完全依赖火器，而无刀矛配合，其结果必然是"兵以火器强，亦以火器弱"⑥。由于当时火器射速较慢，两次装弹期间，极易受到敌方刀矛攻击，客观上

---

① 《江忠源集·王鑫集》，第 1027 页。
② 《江忠源集·王鑫集》，第 1027 页。
③ 《国家清史编纂委员会文献丛刊·湘军》第二册，第 293 页。
④ 《国家清史编纂委员会文献丛刊·湘军》第二册，第 314 页。
⑤ 《曾国藩全集·奏稿一》，第 41 页。
⑥ 《胡林翼集》第二册，第 42 页。

要求作战不能仅依恃火器，而必须有刀矛配合，即以鸟枪、抬枪远程射击，以刀矛就近肉搏，"火器精，可壮刀矛之先声；刀矛精，则火器有恃无恐。精火器之人，尤须并精刀矛，则胆气愈雄，神气愈定，而打放不空。果能打放不空，胜已七八矣"①。所以湘军特别重视传统刀矛的训练及与火器的配合训练，"标式以选精锐，不可专用火器也，宜长短相间"②。所谓长兵者，即枪炮弓箭；短兵者，即刀矛锐棍。湘军初建时，曾以猎户为教师训练士兵打靶，"国藩比招得猎户二十人，为火枪之教师，招得李氏之徒二十人，为刀矛之教师"③。后期随着经验的不断累积，湘军的枪械训练逐步规范，对于弹药如何装填、如何瞄准，规定更为明确细致，"或上子药，离五六十丈之远打靶，靶高不过四尺，宽不过二尺"④，但基本认识未变，即不追求繁复的技巧，重在熟练。

为保证训练质量，湘军一些部队设有刀矛、藤牌、打靶考核之法，考核优良者给予奖励、劣等者给予处罚，以激发士兵训练的自觉性。如刘长佑所部湘军考核之法如下："凡操抬枪，靶以一百六十步为准，以五杆为一排。鸟枪，靶以一百步为准，以十杆为一排。无论连环、进退、起坐、高下诸法，以装放快便，举止安闲，手前后稳，头目不闪，三发俱中者，为超等。中二发者，为上等；虽中而头转手摇者，为中等；两枪不著不响者，为下等；三枪不著不响者，为劣等。"⑤

单兵训练完成后，需以小队为单位练习进步十连环，"进退均作九枝连环阵打，不可变动。统领营官先要商量，再传哨官听清号令。正兵接应伏兵，均要打过几进几退。进时要曲腰伏进，退时亦要拖锚、曲腰伏退。火蛋、枪炮仍随时轮打。尤要禁止勇丁，不准妄行

---

① 《胡林翼集》第二册，第 110 页。
② 《胡林翼集》第二册，第 109 页。
③ 《曾国藩全集·书信一》，第 332 页。
④ 《国家清史编纂委员会文献丛刊·湘军》第二册，第 293 页。
⑤ 《国家清史编纂委员会文献丛刊·湘军》第二册，第 314 页。

喊呐。营中旗帜无论何色，每营只许作一色，不可杂乱，庶传令者乃能看得清楚"①。

（二）练胆、练心

训练的目的不仅在于强健体魄、熟练杀敌保身的本领，还在于意志品质的磨炼与言语的激劝和训导相配合，能够使部队上下同心，形成团队意识，使部队成为一个坚强的堡垒。曾国藩认为，"将之以忠义之气为主，而辅之以训练之勤，相激相劘，以庶几于所谓诸将一心，万众一气者"②。

湘军早期将领王鑫除重视刀矛、鸟枪等技能训练外，还提出要加强意志和识见方面的训练，提出练心、练胆、练谋、练识。所谓练心，他要求无论面对何种情况，心要极稳极静，不能有丝毫忙乱躁暴，训练之法是"刻刻作极忙乱极易躁暴时想，我总要稳定，总是静以待之"③，如此反复磨炼，最终能达到"虽入百万贼中，此心也有把握"④。对于练胆，王鑫认为胆气的根源首先在明理，他说，"此心见得理明，则气自雄胆自壮"⑤，其次是坚持，只要临敌之际，稳住片刻不怕，便足以寒敌之胆而壮我之气。此外还要有赴死之心，只要能把性命抛在一边，自然无胆怯之心，他说，"死生自有命，在命该死，虽善逃生路，断不能延过一时半刻，命不该死，虽当万无生理之时，偏救出命来了"⑥。所谓练谋，即要求士兵时时想着御敌、诱敌、防敌、攻敌之法，日想日巧、日练日精。王鑫认为不仅军官需要练谋，兵勇也要练谋，"练出一副名将本领"⑦，为将官出谋划策。所谓练识，就是通过练习使见识宏阔深远，而不局限于眼

---

① 《国家清史编纂委员会文献丛刊·湘军》第二册，第293页。
② 《曾国藩全集·书信一》，第186页。
③ 《江忠源集·王鑫集》，第1028页。
④ 《江忠源集·王鑫集》，第1028页。
⑤ 《江忠源集·王鑫集》，第1028页。
⑥ 《江忠源集·王鑫集》，第1029页。
⑦ 《江忠源集·王鑫集》，第1030页。

前。他认为识见高下对于士气亦有影响，"识益长则气益充，气益充则战益勇"①，还指出，"有识自然有胆。人所见为可怕之事，我偏有道理处置，人所见为难能之事，我自有力量担当"②。以上这些，虽都是心理或观念层面上的问题，但亦需时时留意，时刻在头脑中加以训练，方能临机时应付裕如。

左宗棠也重视练胆、练心，明确指出"练兵之要，首练心，次练胆，而力与技其下焉者也"③，将意志品质培养置于作战技能之上。又说："大小操演，固宜加勤，然非调之随征，俾令历练有素，则虽技艺可观，终不足恃。盖打仗以胆气为贵，素练之卒不如久战之兵，以练技而未练胆故也。"④ 左宗棠所统楚军能够屡战不殆，且特别能打硬仗，与左宗棠始终强调"练心""练胆""养气"等不无关系。

三、扎营、修垒与拔营

曾国藩在总结与太平军作战初期历次攻城失败的教训后认为，"此后不可再行蛮攻坚垒，须扼扎要地。贼所必争之区，致令贼来攻我，我亦坚壁不与之战。待其气疲力尽，而后出而击之，自操胜算"⑤。又说："平时为桑土之谋，则临事收衣衲之效。日来勤加训练，谅已壁垒一新。无事之时宜常常挖濠，使营垒安如泰山，则军心者恃以不恐。"⑥ 故而扎营、修垒，围而不攻，困死敌人，这些都成为后来湘军面对坚城的主要战法。在这种作战指导思想的指引下，湘军极为重视扎营、拔营、挖壕、筑垒，并把这几项当作重要的训练制度来加以落实。

（一）扎营

湘军对于扎营的基本要求是，"凡扎营先审地势，必使粮路无

---

① 《江忠源集·王鑫集》，第1030页。
② 《江忠源集·王鑫集》，第1030页。
③ 《左宗棠全集》第十一册，第437页。
④ 《左宗棠全集》第十册，第480页。
⑤ 《曾国藩全集·批牍》，第183页。
⑥ 《曾国藩全集·书信四》，第2577页。

虞，声援联络，我便于控制而敌不利于围攻"[1]。故扎营不可离城太近，"宁先远而渐移向近，不可先近而后退向远"[2]。离城太近，则地势逼仄，"节太短，则我军出队难于取势，各营同战难于分段。一经扎近之后，再行退远，则少馁士气，不如先远之为愈也"[3]。一旦贼匪偷营则难于防范，奸细混入军营难于查察，所以扎营时务必与城池保持一定距离。

对于扎营之地域，规定一要算明米粮接济之路，保证粮路畅通，不可离水师太远；二要靠近水源，但忌低洼潮湿，水难泄出；忌坦地平洋，四面受敌；忌坐山太低，客山反高；忌斜坡半面，炮子易入。而要选择顶上宽平，旁面陡峻之地。如果四面陡峻者难得，则要选择一面或两面陡峻者。此外还需选择砍柴挑水便利之地[4]。

湘军扎营之规：每到一处安营，无论风雨寒暑，队伍一到，立刻修挖精壕，一时成功。未成功之先，不许休息，亦不许与贼搏战；墙子须 8 尺高，1 丈厚。筑墙子不用门板、竹木裹外，皆用草坯、土块砌成。中间用土筑紧。每筑尺余，横铺长条小树，以免雨后崩裂之患，上有枪炮，眼内有子，墙为人站立之地；墙子外围挖壕沟，最好有 2～3 道，深 1.5 尺；另设花篱 5～6 层，三者缺一不可。全营开两门，前门要正大，后门要隐蔽。亲兵居中，前、后、左、右四哨分扎四方。曾国藩还要求即使军队在某地只驻一夜，也要深沟高垒，坚不可拔，"惟当酌择险要，固垒深沟，先立于不败之地"[5]。

（二）拔营

湘军拔营的方法有二：第一，队伍要整肃，哨探要严明；第二，不贵神速，但求稳妥。其营规中有行路之规三条。其基本内容是："凡拔营时，以七成队预备打仗，以三成队押夫。若贼在前，则七成队走前，锅帐担子走中间，以三成队在后押之。若贼在后，则以三

① 陈昌：《霆军纪略》卷十四，页七，文海出版社，1967 年。
② 《曾国藩全集·家书一》，第 334 页。
③ 《曾国藩全集·家书一》，第 350 页。
④ 《曾国藩全集·诗文》，第 464 页。
⑤ 《曾国藩全集·批牍》，第 151 页。

成队走前，押锅帐担子同行，留七成队在后防贼。如有十营八营同日拔行，则各营七成队伍分班行走，不许此营之队参入彼营队中，尤不许锅帐担子参入七成队中。至押夫之三成队，专押本营之锅帐担子，不许此营与彼营混乱。"① 多营同时开拔，不准相互掺杂。分班次行进，层次不乱，故可使队伍整肃。拔营前，应选派善看地形、善察敌情的将领带七八人在本队 10～20 里前探路，树木、村庄、岔路、桥梁均需一一探明，以防敌人伏击。这些规定，目的在于保持临战队形，以便一旦与敌遭遇，不致造成被动。湘军用兵，绝少有在拔营时遇敌袭击而全军覆没的情况发生，便是由于这个拔营的成规周密所致。

（三）挖壕

湘军与太平军的作战，长围是重要战法，而长壕是长围战法的关键一环。曾国藩指导训练将挖壕视作日常训练的重要内容，时时提醒部将，"务请谆饬诸军认真堵御，日日以修垒挖濠为课，期于必成而后止"②。再如"湘勇向不长守城，而善于修垒，善于守垒。请速出城扎营，不可片刻因循，无论高山平地，总以挖濠为主，愈深愈妙。其石板不可挖者，设法或修一段木城，或作越墙越濠俱可"③。霆军亦重视挖壕，且有固定的形制和要求，"墙外护以濠，濠外加以鹿角栅，或梅花坑，以掘濠之土为墙，墙加高一尺，濠即加深一尺。所部有墙不高坚，濠不宽深者，必重惩其营官，责令加工如式"④。

（四）筑垒之法

所谓筑垒即修造简易碉楼，除一般的防备警戒外，兼有贮藏粮米、弹药的功能，是实现"先为不可胜"的基本前提。曾国藩屡次告诫部将重视该项工作，认为，"石垒之事，切勿视为缓图，垒成则

---

① 《曾国藩全集·诗文》，第 465 页。

② 《曾国藩全集·书信八》，岳麓书社，1994 年，第 5868 页。

③ 《曾国藩全集·书信二》，第 1598 页。

④ 《霆军纪略》卷十四，页七。

腾出兵力为游击之师，为益甚大"[1]。左宗棠也认为，"新到兵勇未经战阵，往往被贼虚声所夺，望尘而奔。应请旨通敕带兵将官，讲求结营筑垒之法，使士卒得有所凭借，与贼相持，庶戡定之功可计日待也"[2]。因此，湘军亦将筑垒作为军事训练的一项重要工作。曾国藩进驻祁门时，感于祁门非用众之地，若太平军前来进犯，手中可资调动的湘、强、霆诸营不足以当敌，故命各营赶速修造营垒。"余欲于南、西两门外修石垒数座。限三日修成一座，每座少者住一哨，多者住二哨，断不可再大。其做法与湘勇平日土梁子无异，但较小较坚较壁立耳。高或丈六尺，或二丈为止，厚仿敦仁碉之式。下一层做炮洞三四个，中间全不做枪炮眼，顶上仍做垛口，做子墙。其贮水、贮米、贮子药三处，仿敦仁碉之式。其兵勇住宿仍支帐房，有愿盖瓦屋者听（从容再做瓦屋）。大约数法皆备：一，厚也；二，下层炮洞也；三，开门甚高，用梯出入也；四，贮水、米、子药有定所也。此用修碉之法。一，垛口也；二圆圈也（方亦可）。此用修城之法。一，内支帐棚也；二，外挖深濠也。此用修梁子之法。"[3]

四、合操

合操是军事训练面向实战的重要一环。左宗棠曾说："练兵原以习战，非置之行阵，目习步伐止齐之节、耳习金鼓号令之声、心明开合缓急之用，则胆识不生，仓卒不知所措，一队偶却，全营靡焉，偏败众携，必至之势。"[4] 由于前期与太平军的对抗中军情较为紧急，有关合操或会操的记录较少，咸丰九年（1859）后，湘军关于会操的记录见多。如咸丰九年四月初三日，曾国藩在日记中写道："饭后出城，看各营合操。吉中营为中路先锋，护军右营为接应；湘前营为右路先锋，岳字中营、后营为接应；强中营、振字营为左路

先锋，振副营、升字营为接应……"①。咸丰十年（1860）闰三月廿
五日中有"赴乡看马队会操，距营约二十里"②，"操技艺之外，须
常常操练队伍。湘勇小操技艺之时多，若多、鲍两军，则大操队伍
之时多。又多军于大操时，不在校场坪地，专择翻山越岭、过沟跳
涧之处。如队伍不乱，则真不乱矣"③ 等等。从这些记载看，湘军
会操的规模较小，多为一营或数营，受兵种及装备所限，操演形式
较为原始和简单，演练配合主要以摆设阵法为主。如《临阵心法》
就有"或摆品字阵、茶盘阵，抑或出伏兵作品字阵"④ 的记载。演
习除演练部队配合熟练与否，也检验指挥能否顺畅，"统领营官先要
商量，再传哨官听清号令。正兵接应伏兵，均要打过几进几退。进
时要曲腰伏进，退时亦要拖锚、曲腰伏退。火蛋、枪炮仍随时轮打。
尤要禁止勇丁，不准妄行喊呐"⑤。

　　从发展的角度看，湘军的训练只是在传统训练模式上的再造，
其基本指导思想仍是建立在传统训练思想基础之上的，并未有任何
形式上或内容上的颠覆。与后来的淮军、新军相比，湘军的装备是
原始和粗糙的，训练手段也相对简陋，然而湘军却通过比较合理的
人员编制、比较合理的武器配置，再加以化繁为简、注重实效的训
练方法，较好地解决了武器性能与作战效能之间的协调关系。湘军
借此形成了比较强的战斗力，不仅成功地将太平天国运动镇压下去，
而且其训练模式对于晚清后期的训练也产生了比较大的影响，在淮
军、练军乃至新军的制度中都能看到它的影响。

---

① 《曾国藩全集·日记一》，第 374 页。
② 《曾国藩全集·日记一》，第 487 页。
③ 《曾国藩全集·批牍》，第 199 页。
④ 《国家清史编纂委员会文献丛刊·湘军》第二册，第 293 页。
⑤ 《国家清史编纂委员会文献丛刊·湘军》第二册，第 293 页。

第三章　湘军主导时期的兵学（下）

第一节　阵法与战法

阵法是传统兵书的重要内容，常作为奇正思想的实例化表现，被赋予变化无穷的特质，如《阵纪》所言，"军而无阵，犹人之无四维，虎之无山谷，不可以一日存也"①。在《握奇经》《太白阴经》《阵纪》等兵书中，均大篇幅地介绍传统阵法的种种阵形及繁复的变换方法，《武经总要》中收录的阵法更有数十种之多。但从实践的角度看，除少数阵法有过用于实战的记载外，多数阵法仅存在于练兵场，有些更仅存在于兵书中，是被文人丰富的想象力无限推衍后的结果，并无实际作战意义。

一般而言，用于实战的阵法人数都不会太多，阵法越繁复，参与人数越多，动作协同越困难，用于实战的可能性越小。中国古代真正用于实战的阵法是戚继光的鸳鸯阵，以及在鸳鸯阵基础上衍生出来的三才阵、大三才阵等阵法。这些阵法均是小队阵法。小队阵法，由于人数较少，变化简单，易于掌握，更可能用于实战。

除面向实战的阵法外，还有一类是面向训练或校阅的阵法，一般认为是不切实用的代表。越在和平时期，此类阵法的变化越繁复。以绿营为例，列有名号的阵法不下数十种，诸如"一字长蛇阵"

---

① 何良辰：《阵纪》，中华书局，1985 年，第 7 页。

"一品荣封阵""三台阵""八面迎敌阵""梅花阵""御马方城阵""双龙阵""两翼迎敌阵""雁门排列阵""追敌冲锋阵""三层奏凯阵""一字得胜阵"等等。① 从一定意义上讲，此类阵法对于提高部队的团队意识，建立士兵间的相互信任能够起到一定的作用。但此类阵法偏离了面向实战这个第一目的，将实际战场可能的变化因素排除在外，同时掺杂进诸多表演性的成分，操演时完全按照固定模式、固定的套路，依程序步步推进，追求场面与气势的宏大，更类似于一种集体体操，有美感，但实战意义不大。此类战法，历来被实战兵家斥为花法，予以屏除。左宗棠曾对绿营的此类阵法有过批评，他说："其练之也，演阵图，习架式，所教皆是花法，如演戏作剧，何裨实用？"② 曾国藩也曾在校阅直隶练军后说："凡演急战阵、藤牌阵、连环阵三图，每图六七变，皆花法也。"③

此外还有由文人臆想出来，仅停留于纸面，而无现实操作可能的阵法。这类阵法名目极多，历代兵书多有记录，如《阵纪》中提到过"孙武之方阵、圆阵、牝阵、牡阵、雁行阵、罘罝阵、车轮阵、冲方阵、常山阵者，皆唐人裴绪所作。嗣而王氏分配八阵，李筌附之而有天覆、地载、风扬、云垂、龙飞、虎翼、鸟翔、蛇蟠之名"④。这些阵法大多遵行五行相生相克的理论，如许洞曾说："敌为弯阵，我以飞鹗阵应之；敌为直阵，我以重覆阵当之；敌为突阵，我以长虹阵当之；敌用兵四面围我，我以八卦阵当之。"⑤ 强调不同阵法间的相生相克，是将阵法推向神秘主义和不可知论，是抽离了给养、兵员、道路、山川、敌情、我情等大量真实作战中必须掌握的要素后，高度抽象化的结果，所以何良臣才会说，"阴符家每好穿

---

① 见《中国地方志集成·湖南府县志》第七十三辑，江苏古籍出版社，2002年，277—278 页。
② 《左宗棠全集》第三册，第 110 页。
③ 《曾国藩全集·日记三》，岳麓书社，1989 年，第 1616 页。
④ 《阵纪》，第 41 页。
⑤ 许洞：《虎钤经》，中华书局，1985 年，第 81 页。

凿，或假知兵之名，而妄作阵图，为害深矣"①。《武经总要》也说，
"废阵形而用兵者，败将也；执阵形而求胜者，愚将也"②。尽管文
人创造的这些阵法多是凭空臆造，既经不起实践检验，对于实战也
无指导意义，但却长期存在于历代兵书中，一方面使阵法披上了一
层神秘主义的面纱，使本该在实践中落地的阵法在玄学化的道路上
越走越远，同时也加剧了空疏的气氛在兵学中的弥漫。

　　湘军统帅对于阵法的认识受戚继光的影响很大，在曾国藩、胡
林翼、左宗棠三人书信中，提及戚继光的地方不下 20 余处，其中涉
及戚氏阵法的亦有多处。曾国藩对阵法的基本认识是，"技艺极熟，
则一人可敌数十人；阵法极熟，则千万人可使如一人"③，充分肯定
了阵法在实战中的作用，同时也认为，"用兵亦宜有简练之营，有纯
熟之将领，阵法不可贪多而无实"④，即阵法必须以实战为导向，避
免绿营阵法训练中的花式之法。

　　湘军建立初期，对于阵法尚无独立认识，而基本采用兵书成法，
曾国藩就曾说，"阵法初无定式，然总以《握奇经》之天地、风云、
龙虎、鸟蛇为极善。兹以五百人，定为四面相应阵，以为凡各阵法
之根本"⑤。大队阵法以《握奇经》中的奇正变化为本，小队则以鸳
鸯阵、三才阵为本。训练中要求士兵熟练掌握这些基本阵法，"每十
人一队，皆习戚氏之鸳鸯阵、三才阵，以求行伍不乱"⑥。随着部队
战斗经验的提高，以及部队装备火器的增多，湘军阵法不再机械式
地照搬，而能够跳出戚继光阵法表面的框框，根据实际的人员、武
器、敌我双方的优势对比等情况创造性地加以改造。如曾国藩所言，

① 《阵纪》，第 41 页。
② 《武经总要·前集》卷九，《中国兵书集成》第三册，解放军出版社、辽沈
　　书社，1988 年，第 370 页。
③ 《曾国藩全集·诗文》，第 438 页。
④ 《曾国藩全集·家书二》，第 892 页。
⑤ 《曾国藩全集·书信一》，第 429 页。
⑥ 《曾国藩全集·书信一》，第 324 页。

"未可浮慕戚氏教阵之虚名，反忘场上目击之实效"①。虽然此时湘军的阵法仍冠以鸳鸯阵、三才阵等名目，但与戚继光时代的同名阵法已有实性的不同。具体而言，湘军在作战中常用的阵法主要有以下几种：

（一）鸳鸯阵

戚继光的鸳鸯阵以 11 人为一个战斗单位，队长居前，其余 10 人分为二列纵队，前 2 人为藤牌手，次 2 人为狼筅手，其后 4 人为长枪手，最后 2 人手持镋钯等短兵器。作战时，藤牌手持牌低头前进，由狼筅手防护左右。长枪手跟随狼筅手刺杀敌人，短兵手负责救援长枪手。该阵法运用的要旨在于短长互用，扬长避短。这是一个长短兵器互相救援掩护、攻防兼备的纵队战阵。鸳鸯阵是基本阵形，在此基础上，可衍生出人数更众，配合更为复杂的两仪阵。两队合编而为两仪阵，仍以藤牌居前掩护，长兵在后冲击，短以护长。其特点与鸳鸯阵类似，亦在发挥长短兵器相互配合而形成的整体优势。

湘军的鸳鸯阵，除有长矛、短刀外，还增加了鸟枪，仍以两列对敌。湘军初建时装备的鸟枪、抬枪均为前膛枪，弹药装填费时，射速很慢，约每分钟 1—2 发。鸟枪或抬枪在两次装弹间隙，极易受到敌方攻击，无法单独使用，所以湘军鸳鸯阵突出了刀矛对火器的防护作用，曾国藩在解释湘军火器与刀矛各占一半的原因时说，"戚南塘论兵器以长矛为第一技艺，近来专讲枪炮，遂将长矛弃置不论，实则劲敌苦战，必须有长矛紧护火器，乃可立于不败之地"②。可以看出，湘军的鸳鸯阵与戚氏鸳鸯阵在武器构成上虽有不同，但阵法的要旨一致，仍在发挥长短互用的精髓。

（二）三才阵

戚继光的三才阵为鸳鸯阵的变形，呈三角形，两长兵在两角，两短兵合在一处在下角。可以看出，戚氏三才阵仍为小阵，湘军三

① 《曾国藩全集·书信一》，第 137—138 页。
② 《曾国藩全集·书信十》，第 6953 页。

才阵则为大阵，兵力以哨为单位。湘军中鲍超所统霆军和刘长佑所部楚军常以三才阵对敌。《霆军纪略》中对于三才阵有比较细致的说明。按《霆军纪略》，一营勇丁六哨，每哨百人，临敌时，留二三成队用于防守，其余队伍分三路进兵，每路各有一哨，是为前敌之兵。所谓三才，即以两哨分列于队伍后方，"或张两翼旁出包抄；或因前敌得势，并力乘贼；或恐前敌不支，出生力突起叠战，是为策应之兵。合前敌三路言之，实象五行。若遇四面受敌，则以四哨结为方阵，四面应之。以一哨居中策应，亦五行式也"。这是就一营出队而言，如果五营同时出动，"则三营分三路进兵，路各一营，以两营分备接应。若各营各哨分追败匪，则每营以数百人分五路截杀，每哨亦自以百人分路截杀，或分或合，变化无方。总不外三路进攻，两路策应之法。分之则数百人、百人不嫌其少，可收以少胜众之功。合之则万人、数万人不嫌其多，且有多多益办（善）之妙"。霆军自咸丰十年（1860）马步勇丁逐渐增加至三十余营，临敌时以一分统所部数营为一路，五路并进，马步一万数千人，"静如阴阖，动如阳开，无坚不摧，其阵法实变而不变"。[①] 可见，这种三才阵既能发挥集团进攻的优势，同时兼顾防守，是一种攻防兼备的阵法。

刘长佑所统湘军的三才阵"体兼动静，有虚有实，可变诸阵形势"[②]，既可出奇设伏，又可相机策应。该阵以三成兵力为策应，"马队分列四隅炮车之后，相机进止"，如"贼在后路，左、后两队为正兵，中队与前、右两队亦可出奇设伏，相机策应。贼在左边，中队与前、左两队为正兵，右、后两队可备策应。贼在右边，中队与右、后两队为正兵，前、左两队可备策应。又如贼在四隅，前、左、右、后皆为正兵，中队亲兵、游兵仍可相机出奇。惟中队派出策应之兵。少则三成，多不过五成，马队分列四隅炮车之后，相机进止"[③]。刘长佑所部三才阵，形制与霆军略有不同，但主旨一致，

① 见《霆军纪略》卷十四，页四、页五。
② 《国家清史编纂委员会文献丛刊·湘军》第二册，第312页。
③ 《国家清史编纂委员会文献丛刊·湘军》第二册，第312页。

即使部队形成一个整体，通过担负不同任务部队的合理配置，减少弱项，形成相互策应的局面。

（三）一字阵或大一字阵

所谓一字阵，是呈一线对敌的阵法，类似西方近代线式战术，这是火器大规模装备部队后产生的新的阵法。其主要形式是，在第一列前锋齐射后，后退装弹，第二列再齐射，如此交替射击。这种交替射击的方法也称为进步十连环，即连环射击之意。战术动作的要旨在于，保持整齐的战斗队形，有序进行射击，如曾国藩所言，"敝处教人专好用'一字阵'。无论何阵，皆由'一字阵'变化出来，只要'一字'匀挑不敌，便处处有整齐之象。至于交锋之际，则惟进步连环、退步连环二阵最为适用"[①]。

对进步连环，描述最完整清楚的仍为《霆军纪略》。"所谓进步连环者，如十人为一棚，出七成队，则什长执旗引队，余六人鱼贯随进至应击贼处。若系枪队，则什长后之第一人执枪，进至什长之侧，向贼施放，不中不发，发则随即装枪，不退一步。当第一人放枪甫毕，第二人已乘势出乎其前，依式放枪，其余三人递进如之。至第六人放枪甫毕，第一人又已乘势出乎其前，为第二轮，即接放数轮，皆用此环进之法。"由于射击轮替不断，步步推进，对敌可形成火力压制，同时也可使己军"勇者不得独先，怯者不得独后，并使怯者化而为勇，勇者不至误用其勇，劳佚有节，步伐有度，势极紧凑，要自好整以暇，无急遽凌乱之虞"[②]。该阵法以矛队与枪队相间，分行齐出，"枪队左右顾皆有矛，矛队左右顾皆有枪，敌逼近，枪不及施，则矛队奋力格斗。敌稍退，矛不中用，则枪队乘势轰击。当矛手鏖斗时，枪手亦乘间施放，矛队之前数人与贼搏战，后数人又乘势抛掷火弹烧贼。短长互用，奇正相生，无形格势禁、应接不暇之虑"[③]。敌人逼近时，霆军不像其他湘军将劈山炮运回阵地，以

---

① 《曾国藩全集·书信十》，第6953页。

② 《霆军纪略》卷十四，页五。

③ 《霆军纪略》卷十四，页五、页六。

防遗失，而是随枪矛队逐渐前移，择机点放，仍采用进步连环之法，马队或抄或冲，或追或截，亦仍用连环叠进之法。① 在《能静居日记》中对湘军"一字阵"有不同的评述："湘军出战多一字站队，勇者、行速者突而居前，弱者、行迟者落而在后，败退亦然，故队伍多不整。"②

　　除了"一字阵"之外，尚有"二字阵"或"两层大一字阵"。曾国藩曾说："打仗用二字阵最好，前一层打冲锋，后一层排立不动，最易取胜，屡试屡验。若被捻匪四面包围，即将二字阵变作方城阵，前一层站前、左两方，后一层站右、后两方，亦足自保。"③两层大一字阵实际上就是二字阵。在霆军中常用两层大一字阵而不用二字阵之名。"所谓两层大一字阵者，各队分行而进，合数十百队齐进，横视之则有似一字也。前敌三路统为一层，策应两路统为一层，大致分之，则有似两层也，合两层言之则有似二字阵也。"④

　　多隆阿所统之军亦归曾国藩节制，但在编制和武器配备上与曾国藩直接统率的部队有较大差异。曾国藩曾比较过他所统带之湘军与多隆阿所部在编制上的差异，"每哨之下，敝处仅有护哨六名；尊处则添队长、蓝旗、大炮、喷筒等为一棚。其余八棚，敝处分别枪炮四棚、刀矛四棚；尊处则每棚皆有枪炮、长矛。……其站队之法，敝处每哨八棚即站八队；尊处则八棚分为十六队"⑤。制度改变了，阵法亦因之而变。多隆阿的进步连环之法："每哨十人为一行，四哨四行，中哨在行之间稍后。其进法，行首一人，火器一发，刀矛一刺一击；行尾一人，趋至其前，亦火器一发，刀矛一刺一击。如是连环而进。其退法，行首一人，火器一发，刀矛一刺一击，旋身退至行尾站立；第二人火器一发，刀矛一刺一击，旋身退至行尾站立。

---

① 《霆军纪略》卷十四，页六。
② 《能静居日记》第一册，第 476 页。
③ 《曾国藩全集·书信八》，第 5665—5666 页。
④ 《霆军纪略》卷十四，页六。
⑤ 《曾国藩全集·书信四》，第 2471 页。

如是连环而进，每趋进半里许，即止步齐队。其包抄逐北，皆以马队为之，故其军难败。"①

（四）两翼阵

该阵法行则为阵，止则为营，"视贼来路，前、后两端可以互为首尾"②。在刘长佑的《畿辅练兵营规》中，对于遇敌不同情况的应对之策，有细致说明。如果前方遇敌，即于中队内分出五成，列于阵首大炮之间，以便应敌。马队则紧跟阵尾站定。如果后路有敌，先令马队收入阵中，分左、右站定，次派中队五成横于阵端，与左后队齐。如敌人分从左右两路夹攻，则马队分列阵之两端，待某路敌人战势稍却，即快速将敌冲散。如果敌人缠斗不休，仍退回阵中。如果两路敌队同时退却，我军马队只宜向一路追逐，以防敌诈退，中其埋伏。③

（五）平地专用茶盘阵

此阵法见于《临阵心法》，出队分四哨，站匀四围，而以亲兵居中。前哨向前，枪炮定须各尚矮庄、跪庄，连环并进。前锋要平胸向前，以抵贼之胸腹，既不可高下失宜，又不得精神散漫。火蛋则俟仅离近数丈，乃可奋力抛击。左、右、后三哨及亲兵仍作四方阵，面向前进，但队伍不得远隔，以防马贼冲入扰乱。若遇后面紧急，速将队伍趋重后面，以前哨改为后哨之接应，如左、右两边要紧亦然。"总宜队伍整齐，不可一人走乱，又不得喊呐叫嚣，如有三五营同路打仗，均照前样推广行之。"④

（六）方城阵

方城阵，又称四方阵，"即阵即营，可战可守，以逸待劳，以寡敌众，以静制动，以整击散，在北方最为相宜"。其基本要求是："外阵不可太疏，亦不可太密。除枪炮、刀矛各起队伍以次排列勿稍

①　《能静居日记》第一册，第476页。

②　《国家清史编纂委员会文献丛刊·湘军》第二册，第312页。

③　见《国家清史编纂委员会文献丛刊·湘军》第二册，第312页。

④　《国家清史编纂委员会文献丛刊·湘军》第二册，第298页。

松懈外，其中间空行仍要分明，庶可进退自由。内阵不可太虚，亦不可太实。除军火、行粮各项车辆分段安扎勿稍错杂外，其周围余地仍要通畅，庶可往来无阻。马队在内阵之外，外阵之内，亦须均匀排列，不得有碍往来。"①

　　方城阵应对快速机动之敌颇为有效，所以湘军在镇压主要以骑兵为主的捻军时，对该阵法使用最多。捻军惯用迂回包抄的"打圈"战术，对清军威胁极大。②曾国藩、左宗棠都主张运用方城阵对付捻军的骑兵，左宗棠说，"捻骑众多，利在平原，与发贼异。官军仍以剿发逆之法剿之，队伍不整，勇怯不齐，枪炮施放太早，皆所不免，忽遇万马奔腾，心惊目骇，遂致被其冲突包抄。似宜改易故技，讲求阵法，先制其冲突，而后放枪炮；先立定脚根，而后讲击刺，庶有把握"③。曾国藩又说，"寿卿所论一字阵不如城墙阵，惟其面面应敌，所以不怕包抄。闻该逆用兵，善于示弱。凡初合战而败，或相持未久而败，皆不可追。追则彼正兵缩而后，奇兵张而前，俟奇兵合，而正兵复回，则我军已为所包裹而不能自脱"④。

　　曾国藩对方阵曾给予过很高评价，并建议鲍超舍弃霆军惯常使用的一字阵，而改学铭军的方阵，因"一字横排，势长而不能顾后面，方阵则能四面御敌"⑤。关于铭军的方阵具体形式，无从查考，但曾国荃关于湘军阵形的一段文字，当可作为理解铭军方阵运用的参考。曾国荃说："亦系学捻逆之结多阵也以凭四面抵御。每战十营之中，只以二三营交锋，其余七八营概系防其包抄。推之三十营，只可用八九营交锋，其余皆宜作接应，以防贼马之包抄为妙。行列必须蹴整，为出队修队之地。贼败之后，即欲乘势穷返，万不可散漫队伍。必先以探马逢村搜村、逢林搜林，乃可预防其伏贼。如此

①　《国家清史编纂委员会文献丛刊·湘军》第二册，第312页。
②　关于"打圈"之法，见第四章。
③　《左宗棠全集》第十一册，第15页。
④　《曾国藩全集·书信九》，第6267页。
⑤　《曾国藩全集·书信八》，第6148页。

击之，方为万全之策。"① 在这段文字里，曾国荃特别强调了队形要疏整，不可散漫，目的是要发挥阵形整体对敌的优势，同时也是为了防备捻军抄袭伏击。可以推知，铭军方阵的功能应当大体与曾国荃所说的阵形类似，意在发挥阵形的整体优势。

除以上见于实战的常用阵法外，在曾国藩的奏折及来往书信中还曾提及过"五行阵""速战阵""常山蛇阵""九枝连花阵""六叠连环阵""三迭枪阵法""撒星阵法"等，但仅有名称，未见更具体的描述。

从上面简略的介绍可以看出，湘军的阵法均不复杂，即使是大阵也只是基本的兵力布置和任务分配，无任何神秘之处。湘军后期作战均强调要依营垒或战壕，绝对意义上的野战并不很多，作战则主要以围城打援为主，即主要以营盘为依托，相机歼敌。左宗棠曾在给王鑫的信中对湘军后期采用的战法有准确的预测，他说："诸军顿于坚城之下，专以长围为得计，似非十全之策。盖贼止一城，则悉力锁围，待其久而自毙可也。今贼以数千之众缀吾数路之师，我兵少则不能合围，我兵合围则不敷分布之用，师老饷竭，求与贼一战以决胜负而不能；而贼得以其余力肆毒他方，迨吾力既竭，而仍以大股乘之，每为所败。于是并长围困贼一着亦不行矣。是宜早为决计，以挽大局。弟上年曾以择要地坚筑老营，分兵四出，肃清旁县为说。其筑老营也如城然，取其小而固，多开枪炮眼，多置枪炮，专主守；其分兵四出也，务乘机蹈瑕，相机策应，专主战。城贼如扑营，则枪炮以轰之，亦如我之攻城，必伤精锐也。贼如围营，则游兵回援，可以夹击。贼如分股游掠，吾亦分兵应之，是我常有争锋逐利之事，得反客为主之势，不强于老对坚城，求战不得哉？"②

总体而言，湘军阵法的主要特点：一是兵器上的长短相间，击远与救近的兵器要能形成配合。二是人员上的奇正互用，要有担负

---

① 《曾国荃全集》第三册，第 425 页。
② 《左宗棠全集》第十册，第 223 页。

正面当敌的人员或部队，也要有侧翼包抄和突袭的人员或部队，担负不同任务的战斗人员要密切配合。对于阵法发挥的功能可以从两个方面来看，一是阵法本身的军事功能，二是由训练阵法形成的团队意识对战争胜负的影响，不在阵法本身的变化，亦不以阵法变化作为制敌的根本。通过明确的任务分工，每个位置上的士兵都能慎守职责，实际上是培养一种职业意识，不至于因一个位置缺失，而使整个阵形动摇，正如《阵纪》所言："阵而定整，出有节也，入有制也，予有权也，夺有衡也。"① 阵法从训练的角度看，本质的功能仍在练心，形成一种合作意识，通过结成一定阵形，使士兵减少胆怯，如曾国藩所言："练有两端，练技艺可使十人敌数十人，练阵法可使千万人如一人。虽未说得甚畅，而此四者实缺一不可。"② 如果孤立地看待阵法，而不能将励士、主帅的权威等因素考虑进来，想仅依靠阵法取胜，几无可能。所以曾、胡、左对阵法的论述不多，其兵学思想主要以治军和作战思想为主，原因也在于此。

湘军后期对敌的主要策略是围城打援，野战战法运用似不多，前期攻城、守城、设伏等战法均有采用，现作简单介绍。

（一）设伏

设伏是中国古代常用战法，湘军在与太平军的作战中多次采用设伏之法，如同治元年（1862）徽州解围之战中即用过此法，"初十日，贼众围扑城外一、二、三旗营墙，我军埋伏夹击，轰毙四五百名"③。《纪效新书》中对于伏兵的配置有过粗略规定："若止四营，则以一营为正，二营为左右，以第四营一半设伏，一半扎老营。若止三营，则以一营为正兵，一营分为左右，一营之半为伏兵，一半为老营。"④ 湘军设伏在兵力配置上与戚继光所讲类似，曾国藩在给王鑫的信中说："以一营言之，则一正两奇，一接应，一设伏，四者

---

① 《阵纪》，第7页。
② 《曾国藩全集·批牍》，第387页。
③ 《曾国藩全集·奏稿三》，岳麓书社，1987年，第2044页。
④ 《纪效新书》，第78—79页。

断不可缺一。"① 即一营部队，要分出一部分人当正面之敌，一部分人为侧翼，但对于设伏战法的细节，曾国藩等缺少更为详尽的解说。刘连捷的《临阵心法》中对于湘军运用设伏之法有较为完整的记述。在兵力使用上，分为正兵、接应兵和伏兵，规定正兵营数与接应兵营数相同，即"正兵一营，接应兵亦一营，正兵数营，接应兵亦数营。正兵或作一路进，或两路进，接应兵亦然"②。伏兵预先埋伏于交战地域左右，"既名之曰伏，则必不使贼知之。或伏作一处，或伏作数处，离接应至远隔半里许，近或隔二三百步，总宜因地制宜"③。战斗开始后，正兵稍作抵抗后，佯装败退。当退至接应兵所在地域时，伏兵起而应敌。此时伏兵需注意，"不可高声大喊，尤要按紧步伍，只宜快行，不可乱走，专靠枪炮、火蛋打进，以击该匪前队"④。需区分何为佯败，何为真败，若正兵佯败退却至接应之后，接应兵无法抵住敌军进攻，这时要考虑敌人是否为真败，须调整对敌策略，或撤退或收缩，总宜以避免全局溃败为上策。"而尤宜防者，伏兵既藏列两边，则与正兵已自离隔，倘不探明情形，最易误事。打正兵者总要用马勇知照伏兵，而打伏兵者亦要用马勇知照正兵，乃免顾彼失此之患。"⑤

除陆上作战外，湘军水面作战也运用设伏之法，一般是在陆上设伏兵，以水师诱敌至设伏地域，再水陆配合夹击，取得最后的胜利。如咸丰四年（1854）克复岳州时，"忽杨载福雷公湖伏兵先起抄贼之尾，彭玉麟君山伏兵继起拦贼之腰，褚汝航坐船亦到，并力合攻，击沉贼舟数只"⑥。再如咸丰六年（1856）湘军在江西临江河口的作战中亦运用了伏击战术，"刘于淳派舢板船王炳等径入内河，嘱令见贼即退，暗派李逢春等带陆勇，伏于南岸堤下。贼见我军船少，

① 《曾国藩全集·书信一》，第341页。
② 《国家清史编纂委员会文献丛刊·湘军》第二册，第297页。
③ 《国家清史编纂委员会文献丛刊·湘军》第二册，第297页。
④ 《国家清史编纂委员会文献丛刊·湘军》第二册，第297页。
⑤ 《国家清史编纂委员会文献丛刊·湘军》第二册，第297页。
⑥ 《曾国藩全集·奏稿一》，第154页。

果水陆来追，我军佯退，堤下伏兵忽起，贼船退败。我军回棹返追，阎廷臣跃入贼船，枪炮齐开，毙贼甚多"①。不过从总体上看，太平军似较湘军更擅长使用伏击之法，取得的胜利也更多。

（二）守城之法

湘军前期作战以攻城作战为主，后期则以长围为主，守城作战的情况不多。主要的守城之战发生在曾国藩坐镇祁门之时，为保卫祁门安全，在徽州、休宁等地实施了一系列守城作战。

左宗棠认为守城较易，这一认识得自初期与太平军作战的教训，"近年因九江环攻不得，益悟守城之易"②。他认为，守城即是以主待客，以逸待劳，"只要米粮子药不缺，便可稳固"③。与左宗棠相反，曾国藩对守城看得要严峻得多，他认为，"守城极不易易，城内虽有守垛之兵，城外亦须扎营以护饷道、汲道"④，如果人数不足，则恐不敷分布。曾国藩始终认为湘军不善守城，而擅长修垒和守垒，所以始终主张，应出城扎营，将守城变为守垒，与长壕相配合，如此则能尽湘军的优势，而避免出现李元度守徽州时所犯的错误。

咸丰十年（1860），太平军攻破宁国后，兵锋直指广德，继而准备进攻徽州。曾国藩以李元度守徽州，临行前，叮嘱李元度，务要"以全扎城外为要"，即以守垒为第一。虽表示守城亦可，但必须是"主守则专守，主战则专战，主城则专修城，主垒则专修垒。切不可脚踏两边桥，临时张皇也"。又说："若为守城计，则当早早分布，早早约定，不准一人出战。待贼来扑城，我军在城上俏俏静静，看得分明，看得的当，看过数次，然后出战。若不度其必胜，尚不出仗也。"⑤ 但最终的结果是，不出十日，徽州即被太平军攻破。曾国藩在反思这次败挫时认为，在守城还是守垒问题上的举棋不定是主

① 《曾国藩全集·奏稿二》，第 735—736 页。
② 《左宗棠全集》第十册，第 166 页。
③ 《左宗棠全集》第十四册，第 12 页。
④ 《曾国藩全集·书信二》，第 1601 页。
⑤ 《曾国藩全集·书信二》，第 1601—1602 页。

要原因，"力主守城之说，乃必待战败之后，始入城而分守之，分布未定，贼已来扑，士气已馁，军械已失，岂复能坚守哉"①？

守休宁时，曾国藩曾提出守城作战中的应敌之法，共有五条："一、守城须分开段落。休城垛口闻近三千之数，应请即日点数。或二人守三垛，或一人守二垛，每一旗共守若干垛，各有专责，以免推诿。一、守城须有游兵救应。各处守垛之兵，各有汛地。此段有警，彼段不可自弃汛地来救此段，恐贼声此而击彼，声东而击西也。另设游兵一二枝，凡垛口各段有警，皆可前往救应。留一二门不用砖石堵砌，以备游兵出城打仗。既有游兵，则各城守垛分段之兵，皆不轻动一步。一、守城须外有应援，以通粮路。休城之粮路全赖渔亭，欲守休宁，须厚渔亭之兵力。目下渔亭仅唐桂生之湘勇三营，淮勇一营，应请阁下酌拨二营协防渔亭。再过半月，令弟之新营一到，则敷调遣矣。徽贼若再占上溪口，再犯渔亭，亦非十日半月不能来。一、守城莫妙于镇静。任贼来多少，坚嘱守垛兵勇一声不喊，一枪不放，令其索然无味而去。静守月余，浙江严州、威坪之兵在东，我军休宁、渔亭之兵在西，徽贼断无久踞之理。安勇全不可恃，仍令其回驻渔亭为是。"② 可以看出，曾国藩所提五点守城之法，并无太多变化，较少积极进取的意味，仍是以静制动，以逸待劳为主。

（三）攻城之法

攻城作战主要在湘军与太平军的初期作战中较多被采用，但由于太平军前期抢占了不少重要城池，占据地利优势，且太平军善于守城，湘军始终未能找到攻克坚城的合适办法，屡次攻城作战均得不偿失。

后来湘军面对坚城，采取以长围代替攻坚，以水师切断敌军粮路，以陆师切断城内之敌与外界的全部联络，将城内之敌困死。这一办法在安庆和金陵之战中均有采用，实际上早在咸丰六年（1856）左宗棠给刘峙衡的信中，对此法就做了解释："欲反客为主，以逸待

---

① 《曾国藩全集·书信一》，第 1602 页。
② 《曾国藩全集·书信三》，第 1913—1914 页。

劳，自不若扼要立坚营，断接济援应，而以时雕剿旁县为愈。此策仆早发之，而人不能用。其所以然者，以逼贼而营，势短节险，不能取势；又近营士民既已剃发办团办捐，则惟恐官军复去，遭贼荼毒耳。假使官军不贪近功，先清其接济之路，渐逼渐近，何至于此？此后移师他向，希留意于此也。"①

尽管长围是后期湘军面对坚城作战的基本策略，但在具体作战中仍不可避免地要有攻城作战，湘军攻城之法除借助西洋大炮轰击城墙外，还采用了地道之法，这成为一种攻坚作战的有效手段，在几次重要战役中均有采用。所谓地道之法，是一般选在距城墙较近之处、城上火力密集、无法地面靠近之地开掘地道至城下，埋雷于地道内，轰击炸毁城墙，步兵则从缺口处攻入城内战斗。湘军在多次重要战役中均采用此法，如安庆之战中，"三十夜，火药装成，地道封口，密置火信，以五更发火轰开北门之西城，墙垣坍塌。曾国荃派信字、节字、义字、开字、振字、后左、副后各营队伍分班层进登城，分东西两路齐杀"②。曾国藩在总结克复金陵的经验时认为，湘军取胜的关键的两种基本战术，即长围与地道。他说："金陵百里之城，孤军合围，群议皆恐蹈和、张之覆辙，即本部堂亦不以为然，厥后坚忍支撑，竟以地道成功。"③ 湘军通过长围，将数十万太平军围在方于九十余里的地域内，尽管太平军的抵抗意志在长围中消耗殆尽，战斗力已大不如前，但湘军要从城外攻破固若金汤的金陵城，仍然要有有效的破敌办法。湘军的办法是，地面以大炮远远轰击城墙，"沅弟（曾国荃）于龙膊子山上，随山高下，架炮数层，安炮百余尊，连攻十余日，昼夜不断"④，使城上之敌无法立足。地下则掘暗道通抵城内，"所掘两洞，距城极近，不过十余丈

---

① 《左宗棠全集》第十册，第166页。
② 《曾国藩全集》第三册，岳麓书社，2011年，第210页。
③ 《曾国藩全集·批牍》，第401页。
④ 《曾国藩全集·日记二》，第1035页。

耳……故城外掘地道者虽极近而贼无如何也"①。曾国藩总结道："此次地道破城，一在炮火极多，猛攻极久，使城贼立脚不住；二在附城极近，掘洞极速，仅五日而成功，出于贼所不意；三在沅弟精诚所格，五万人并力用命。"② 金陵之战中，太平军亦以地道之法破湘军地道，所以双方围绕地道的挖、堵、塞几成为常态，如曾国藩所上奏折中有这样的叙述："曾国荃与诸将议制敌之策，尤莫若审贼所向，掘地数仞，隧而迎焉。二十四日，副后营刘连捷令部卒就营外荷锄开掘，不移时而内外洞穿。适与贼遇，抽刀迭刺，聚而歼之。二十五日，萧开印复穿一地道，熏以毒烟，灌以秽水，贼亦无一生者。次夜风雨交作，刘连捷伺贼无备，于四更时带胡俊升、杨致仁分三路冒雨出濠，袭破潜挖地道之三垒，俘戮数百，损我胡俊升、杨致仁二人。越三日，刘连捷营中发土丈许，豁然开朗，贼不得遁，尽瘗于地道之中。萧开印、武明良、朱洪章等约于三十夜，薄垒攻贼。"③

左宗棠对于地道之法重要性的认识与曾国藩略有不同，他认为，"至地道虽攻城垒之一着，然遇有备之处亦无能为，甚或反伤精锐。当该司开掘地道日约一日之时，本部院亦曾函饬，地道未必可成，成亦未必可恃"④，这主要是因为左宗棠西北用兵时曾有过数次尝试运用地道之法，但均不成功。如在进击金积堡时曾因"地道既以土薄水浅"⑤，未能成功。在进击肃州时，亦采用地道之法，"徐占彪开掘数次，每近城根，被贼警觉，由城内掘濠截断，绩用弗成"⑥。所以，左宗棠对于地道的依赖度远低于曾国藩。不过，左宗棠常将地道用作疲敌和诱敌的策略，使敌始终处于精神高度紧张状态，起到疲敌的作用，待时机成熟时，聚而歼之，称此法为"明攻暗陷"

① 《曾国藩全集·日记二》，第 1035 页。
② 《曾国藩全集·日记二》，第 1035 页。
③ 《曾国藩全集·奏稿五》，岳麓书社，1988 年，第 2781—2782 页。
④ 《左宗棠全集》第十四册，第 23 页。
⑤ 《左宗棠全集》第四册，第 396 页。
⑥ 《左宗棠全集》第五册，第 431 页。

之计。如在进攻玛纳斯时，"南城贼食未尽，数日内未必成功，仍以长围困之，断不可急切图功，致多损折，惟多掘地道，日夜作进攻状以劳之，迫其疲乏，装药发火，必可了事"①。

随着湘军西式火炮装备渐多，地道与大炮攻城的结合更为紧密，因此地道单独使用的机会渐少。左宗棠即说过："惟后膛螺丝大炮最为利器，然以之轰堡垒、轰砖石、轰团聚之贼，固无弗摧；以之攻坚厚土城，则程功不易。"② 李鸿章对地道之法也采取类似的态度："曾国荃地道如轰不开，必须炮队协助，则臣处所有炮队须全调前往，合力猛攻。且有得力炮队，亦须有得力枪队而与炮队素习者相为护持，庶筑墙爬城稍有把握。"③

第二节　选将思想

曾国藩选将尤以眼光独到、识见深入而闻名。俞樾曾说，"（曾国藩）尤善相士，其所识拔者，名臣名将，指不胜屈"④。薛福成称曾国藩"虽不以善战名，而能识拔贤将，规画精严，无间可寻"⑤，其实，这些话用于评价胡林翼、左宗棠，也均切当。

一、人才观

《孙子兵法》把将领放在国家兴衰的高度来认识，认为"夫将者，国之辅也，辅周则国必强，辅隙则国必弱"⑥，因此，对将领的素质从"智、信、仁、勇、严"五个方面提出了要求。曾、胡、左

---

① 《左宗棠全集》第十二册，第118页。
② 《左宗棠全集》第五册，第431页。
③ 《李鸿章全集》第一册，第508页。
④ 《国家清史编纂委员会文献丛刊·湘军》第八册，第745页。
⑤ 《薛福成选集》，第277页。
⑥ 《十一家注孙子校理》，中华书局，1999年，第56页。

继承了孙子的这一思想，并在此基础上又有所发展。曾国藩认为，"行军之道，择将为先。得一将则全军振兴，失一将则士气消阻"①。又说，"兵事之强弱系于一将，将得其人，弱者可强；将不得人，虽强易弱，所谓'有必胜之将，无必胜之兵'也"②。将领素质的优劣，直接决定着军队战斗力的强弱。左宗棠认为："论战阵一事，中外各有所长。胜负之分，全在将领，将领勇则兵强，将领怯则兵弱，此中外所同，不仅在练兵一事。"③

　　将领既是部队的灵魂，亦是矛盾的焦点。湘军的招募是以将领为中心，先有将，而由将领向下层层递推，这样一种上下相维、层层节制的关系使得将领在军队中具有格外的特殊性。胡林翼认为，"军中之事，不患兵力之不勇，而患兵心之不齐；不患军势之不盛，而患军令之不一"④，因此在将领选拔上，要层层把关，若"营官不得人，则一营皆为废物；哨官不得人，则一哨皆成废物；什长不得人，则十人皆成废物"⑤。如果统将不得其人，"即十余好营官亦必败"⑥，所以胡林翼才会说，"凡兵事，以营官得人为主，尤以统将得人为主"⑦。

　　左宗棠在解释何以湖北、江西、广西用湖南乡勇颇收其功，而安徽亦用湖南乡勇而不得其效时认为，原因在于主将未得其所选。若将领既得其人，"尤必士卒素相亲附，其部曲均齐心并力，然后可杀贼而立功"⑧，否则"原募之时，所委募勇者不得其人，所募者皆市井伶俐狡猾之辈及游手无赖之徒，故不得其益，且受其害也"⑨。

---

① 《曾国藩全集·奏稿二》，第 627 页。
② 《胡林翼集》第二册，第 500 页。
③ 《左宗棠全集》第十册，第 526 页。
④ 《胡林翼集》第二册，第 375 页。
⑤ 《胡林翼集》第二册，第 571 页。
⑥ 《胡林翼集》第二册，第 160 页。
⑦ 《胡林翼集》第二册，第 160 页。
⑧ 《左宗棠全集》第九册，第 242 页。
⑨ 《左宗棠全集》第九册，第 608 页。

胡林翼也讲过类似的话，"军事无律，莫楚甚矣。其弊在司兵政者，不求将而先求兵。譬之披衣裘者，不提其领；渔人之撒网，不挈其纲，且梦之也，将自毙已"①。可见，"治兵以选将为要，乃千古不易之义"②。

二、将领的基本素质

（一）忠义血性为总要求

曾国藩认为，清廷最应当担心的不是太平军的造反，而是统治集团本身的物欲横流、人心陷溺。他说，"方今天下之乱，不在盗贼，而在人心；不在愚民之难治，而在士大夫之好利忘义而莫之惩"③。绿营内部一派衙门作风，巧滑油惰之人居于上位，部队风气因此败坏，此类人"无事则应对趋跄，务为观美，临阵则趑趄退避，专择便宜，论功则多方钻营，希图美擢，遇败则巧为推诿，求便私图"④，对这样的人"责其忘躯冒险，踔厉迅发以赴事机"⑤，是根本做不到的，这样的军队也不可能有战斗力。因此，要应对来自太平军的冲击，当务之急是要发现并聚集一批有真才实学，能够为国家尽忠职守的优秀将领。

什么样的人可称得上合格的将领？曾国藩对将领的要求颇高，"须智浑勇沉之士，文经武纬之才"⑥。那么什么样的人才具备这样的素质呢？胡林翼认为："求将之道，在有良心，有血性，有勇气，有智略。"⑦ 曾国藩则将这四点归结到"忠义血性"四字上，他说，"大抵有忠义血性，则四者相从以俱至；无忠义血性，则貌似四者，

---

① 《胡林翼集》第二册，第149页。
② 《左宗棠全集》第十册，第107页。
③ 《胡林翼集》第二册，第694页。
④ 《江忠源集·王鑫集》，第54页。
⑤ 《江忠源集·王鑫集》，第53页。
⑥ 《曾国藩全集·书信一》，第224页。
⑦ 《胡林翼集》第二册，第308页。

终不可恃"①。又说，"带勇之人，概求吾党血性男子，有忠义之气，而兼娴韬钤之秘者"②。何谓忠义？曾国藩的解释是"不忘君，谓之忠；不失信于友，谓之义"③，而且"忠不必有过人之才智，尽吾心而已矣"，其最高境界是"能剖心肝以奉至尊"，不藏丝毫的"巧伪"④。何谓血性？即存在于人们身上的一种淳朴的冲动。利用血性来为忠义服务，能够克服绿营的劣习，保持所建新军的活力与朝气。

"忠义血性"是曾国藩选人、用人、治军、治政的一条重要原则，也是他借以团结一批封建文人、最终战胜太平军的精神力量，使得湘军将领群体渐次达到"以类相求，以气相引，庶几得一而可及其余"⑤ 的目的。"忠义血性"确实揭示出一个命题，就是道义感、责任感、使命感本身所具有的智慧力量。这种道义、责任、使命，既是一种指向，也是一种刚健而持久的动力。蔡锷评价曾国藩"忠义血性"的将才观时说，"为将之道，以良心血性为前提，尤为扼要探本之论，亦即现身之说法"⑥。

（二）"朴、德、恕、廉、明"的将领素质

除"忠义血性"这一选将基本原则外，曾、胡、左也规定了将领所应具备的基本素质。左宗棠认为，"知人不易，大约以廉耻、信义、刚明、耐苦为大界画，出乎此者，虽才不足倚也"⑦，主要指向将领的内在品质。曾国藩的标准略有不同，除关注内在外，也重视外在品质。他说："带勇之人，第一要才堪治民，第二要不怕死，第三要不急急名利，第四要耐受辛苦。治民之才，不外公、明、勤三字。不公不明，则诸勇必不悦服；不勤，则营务巨细，皆废弛不治，故第一要务在此。不怕死，则临阵当先，士卒乃可效命，故次之。

---

① 《曾国藩全集·书信一》，第 225 页。
② 《曾国藩全集·书信一》，第 328 页。
③ 《曾国藩全集·家书一》，第 581 页。
④ 《曾国藩全集·诗文》，第 392 页。
⑤ 《曾国藩全集·书信二》，第 1506 页。
⑥ 《蔡松坡集》，第 1244 页。
⑦ 《左宗棠全集》第十册，第 103 页。

为名利而出者，保举稍迟则怨，稍不如意则怨，与同辈争薪水，与士卒争毫厘，故又次之。身体羸弱者，过劳则病；精神短乏者，久用则散，故又次之。四者似过于求备，而苟阙其一，则万不可带勇。"① 曾国藩后来又说，"大抵拣选将材，必求智略深远之人，又须号令严明，能耐劳苦，三者兼全乃为上选"②。

1. 朴

曾国藩一反中国重谋尚智、务奇尚诈的传统思维，而以朴拙作为建军和治军，甚至对敌作战的根本。基于这样的认识，曾国藩治军"务求蹈实"③。在谈到才略与朴质之间的关系时，他说："大抵观人之道，以朴实廉介为质。以其质而傅以他长，斯为可贵；无其质则长处亦不足恃。甘受和，白受采，古人所谓无本不立，义或在此。"④ 他对那些"心窍多"，以大言取宠，巧语媚上的"浮滑"之徒深恶痛绝，他说，"将领之浮滑者，一遇危难之际，其神情之飞动，足以摇惑军心；其言语之圆滑，足以淆乱是非。故楚军历不喜用善说话之将"⑤。曾国藩的选人标准之一是"朴"，与"质"实同义，即不夸夸其谈，做事踏实而有条理，肯做艰苦的细致工作。

在选将专取朴实这一点上，胡林翼、左宗棠与曾国藩有相同的认识。胡林翼认为，"将材难得，上驷之选，未易猝求。但得朴勇之士，相与讲明大义。不为虚骄之气、夸大之词所中伤，而缓急即云足恃"⑥。又说："军中取材，专尚朴勇，尚须从有气概中讲求，特恐讲求不真，则浮气客气夹杂其中，非真气耳。"⑦ 左宗棠也认为，

---

① 《曾国藩全集·书信一》，第 224 页。
② 《曾国藩全集·书信四》，第 2683 页。
③ 朱孔彰：《中兴将帅别传》，岳麓书社，2008 年，第 16 页。
④ 《曾国藩全集·书信二》，第 1474 页。
⑤ 《曾国藩全集·书信四》，第 2531。
⑥ 《胡林翼集》第二册，第 472 页。
⑦ 《胡林翼集》第二册，第 210 页。

"从来兵事，最宜质实之人，最不宜浮文巧诈之人"①。选人则以"质地惷实"②作为第一品质，能力不足的可以在日后弥补，心浮气躁者表面看似灵光，实则最易误事。他对能言之人保持了高度警惕，在给王鑫的信中，左宗棠说："吴子序议论才辩，最易动人，未必能战。"③他在组建楚军时，特别强调"取人总以朴实为主，多一分文，少一分质，于兵事尤不宜也"④。在平日治军中也要求将领不要沾染上浮夸虚饰之气，不搞花架子，不投机取巧。

2. 德

曾国藩选将、用人注重德行操守，而且要求把这种德行操守落在脚印上，践履到实处。曾国藩在论述德与才的关系时说，"德而无才以辅之则近于愚人，才而无德以主之则近于小人"⑤。在他看来，智可因忠而生，忠不必有过人之智。他说，"能剖心肝以奉至尊，忠至而智亦生焉；能苦筋骸以捍大患，勤至而勇亦出焉"⑥，认为人的才智不是天生的，只要具备了至德、忠心，才智可以通过学习和锻炼得来。因此，有才无德者不足取，必须先取有德者。他也提倡"以'劳苦忍辱'四字教人，故且戒官气而姑用乡气之人，必取遇事体察、身到、心到、口到、眼到者"⑦，即"筋力健整、能吃辛苦之人"⑧，"有操守而无官气，多条理而少大言"⑨之人。

左宗棠在用人上也特别重视"德"。他认为，"用人之道重才具，尤重心术。才具者政事所由济，心术者习尚所由成也"⑩，对于心术不正而有才之人，左宗棠认为，"亦只长恶济奸、自便其私而

① 《左宗棠全集》第十册，第236页。
② 《左宗棠全集》第一册，第250页。
③ 《左宗棠全集》第十册，第231页。
④ 《左宗棠全集》第十册，第200页。
⑤ 《曾国藩全集·诗文》，第390页。
⑥ 《曾国藩全集·诗文》，第392页。
⑦ 《曾国藩全集·书信二》，第1506—1507页。
⑧ 《曾国藩全集·书信二》，第984页。
⑨ 《曾国藩全集·书信二》，第1471页。
⑩ 《左宗棠全集》第一册，第143页。

已，于实事何益？"① 所以，选将应当把道德标准放在重要位置。在用将上，左宗棠同样强调德，认为对将领不须求全责备，但道德上应当过硬，"用人之方，自古难责以备。而行阵之选，求全更难。其人但使勇于赴敌，而骄恣不生；廉于殖财，而军民不困，则制贼有其本，而已乱可止，未乱者不至于乱也。至于方略之优长，机宜之允协，则求诸古昔名将盖亦难之"②。

3. 廉、明

"廉"即"廉洁"，无贪财之心，虽是个人操守问题，但与部队风气的影响却关系匪浅，胡林翼认为，"兵易募而将难求，求勇敢之将易而求廉正之将难。盖勇敢倡先，是将帅之本分；而廉洁正直，则粮饷不欺，赏罚不滥，乃可固结士心，历久长胜也"③。曾国藩也认为，"以廉明信义固结介勇之心，勤加操练，枪炮打靶，蓄锐待时，自然所向无敌"④。可以看出，对于将领而言，廉正已非个人问题，而关乎军心士气，甚至影响战斗力的强弱。曾国藩则对其中的内在逻辑进行了进一步的申说，他说，"兵勇心目之中，专从银钱上着意。如营官于银钱不苟，则兵勇畏而且服；若银钱苟且，则兵勇心中不服，口中讥议"⑤。要使兵勇心悦诚服，将领"必先尚廉介"⑥，而欲求廉介，则"必先崇俭朴。不妄花一钱，则一身廉；不私用一人，则一营廉；不独兵勇畏服，亦且鬼神钦伏矣"⑦。

"明"指"明察秋毫""明辨是非"之明，亦指精明，与见识、学问、视野有关，但亦与态度认真与否有关。曾国藩认为，"明有二端：人见其近，吾见其远，曰高明；人见其粗，吾见其细，曰精

---

① 《左宗棠全集》第十四册，第 428 页。
② 《左宗棠全集》第一册，第 503 页。
③ 《胡林翼集》第一册，第 140 页。
④ 《曾国藩全集·批牍》，第 141 页。
⑤ 《曾国藩全集·诗文》，第 438 页。
⑥ 《曾国藩全集·诗文》，第 438 页。
⑦ 《曾国藩全集·诗文》，第 438 页。

明"①，又说，"'明'之一字，第一在临阵之际，看明某弁系冲锋陷阵，某弁系随后助势，某弁回合力堵，某弁见危先避，一一著明，而又证之以平日办事之勤惰虚实，逐细考核。久之，虽一勇一夫之长短贤否，皆有以识其大略，则渐几于明矣。得'廉明'二字为之基，则'智''信''仁''勇'诸美德可以积累而渐臻。若不从此二字下手，则诸德亦茫无把握"②，所以曾国藩对带勇之人的要求，"'不苟求乎全材，宜因量以器使'，然血性为主，廉明为用。三者缺一，若失锐轨，终不能行一步也"③。

左宗棠用人则把"廉干"作为标尺。廉即言人之德，"干"即干练，然而德才兼备之人少之又少。"廉仅士之一节耳，不廉固无足论，徒廉亦无足取"④。左宗棠本人"钦符十余稔，从未开支公费，官中所入则以给出力将士及亲故之贫者，岁寄家用不过二十分之一"⑤。古人常讲的"廉不言贫，勤不言劳"，左宗棠则完全做到了，故最能得将士之心。

4. 坚忍有谋

胡林翼认为："将以气为主，以志为帅。专尚驯谨之人，则久而必惰；专求悍鸷之士，则久而必骄。兵事毕竟归于豪杰一流，气不盛者，遇事而气先慑，而目先逃，而心先摇。"⑥ 所以"兵事以人才为根本，人才以志气为根本，兵可挫而气不可挫，气可偶挫而志则终不可挫"⑦。将领要智勇双全，"必须智略足以知兵，器识足以服众，乃可胜任。总须智、勇二字相兼，有智无勇，能说而不能行；有勇无智，则兵弱而败，兵强亦败。不明方略，不知布置，不能审

---

① 《曾国藩全集·诗文》，第 434 页。

② 《曾国藩全集·批牍》，第 140 页。

③ 《曾国藩全集·书信一》，第 248 页。

④ 《左宗棠全集》第一册，第 615 页。

⑤ 《左宗棠全集》第一册，第 100—101 页。

⑥ 《胡林翼集》第二册，第 291 页。

⑦ 《胡林翼集》第二册，第 290 页。

势。不能审势，即千万人终必败也"①。其次，除了勇气和智略，将领还要"好勇而能知大义"②，"上将之道，严明果断，以浩气举事，一片纯诚；其次者刚而无虚，朴而不欺，好勇而能知大义"③。这里所说的"良心""血性""大义"，概而言之，就是一种强烈的忠诚感、道义感和责任心，也即政治上的为国尽忠的自觉性。胡林翼还认为，"军事到紧要之时，静者胜，躁者败；后动者易，先动者难；能忍者必利，不能忍者必钝，此其大较也"④。因此，他也将"坚忍"作为考察将领合格与否的一项重要标准。

三河之役后，由于总体的作战思路已由先机制敌而变为待敌而动，因此统将除要具备忠、义、谋、勇等基本素质以外，还必须有超常的决心和忍耐力。对于围城打援这类战法，特别要求将领具有坚忍之心，在坚忍中等待时机到来，只有"必有所忍，乃能有所济；必有所舍，乃能有所全"⑤。实际上，坚忍待敌对将领的考验丝毫不亚于任何一次进攻作战。胡林翼在湘军进围安庆前后为避免多隆阿不耐坚忍，轻举妄动，曾连续多天，连篇累牍规劝多隆阿，要"坚忍以待"，并告诫他"躁者必败，静者必胜"⑥。

左宗棠对"谋"的认识与胡林翼基本相同，但他并不认为所有层级的将弁都要有谋，他认为，"谋"只是统将应具备的素质，而僚佐或偏裨则只要能够执行统将的意图即可。他说："频年涉历军事，于用人一事颇尝留心。大抵贵谋贱勇一说，未可尽恃。盖好谋而成，原是统将之事，未可尽以此望之偏裨僚佐。"⑦ 对于谋与勇的关系，左宗棠也有自己的看法，他将勇置于谋之前，认为作战"窃谓才之

① 《胡林翼集》第二册，第 282 页。
② 《胡林翼集》第二册，第 468 页。
③ 《胡林翼集》第二册，第 468 页。
④ 《胡林翼集》第二册，第 754 页。
⑤ 《胡林翼集》第二册，第 283 页。
⑥ 《胡林翼集》第二册，第 742 页。
⑦ 《左宗棠全集》第十册，第 463 页。

难得，不在谋而在勇"①。他说："汉高百战而得天下，其《大风歌》则曰'安得猛士兮守四方'，是真阅历有得之言。留侯、曲逆，若不得韩、彭、绛、灌之流，亦不能济事。"② 然而勇有为公为私之分，他赞成为国之勇而反对私斗之勇，认为只有为公之勇才合乎道德，也是有德军人应当热衷的，否则只是小人之勇，他说，"语曰：'君子义以为上，小人有勇而无义为盗。'至哉言乎"③！要做到勇于为公，勇而有德，军人就应有强烈的忠君信念，离开了忠，勇也即离了公，即"但勇不本于忠，则亦非所谓勇耳"④。

三、人才使用

曾国藩认为，人才要广收而慎用。他说，"惟于广为延揽之中，略存崇实黜华之意，若不分真伪博收杂进，则深识之士不愿牛骥同皂，阳鱎得意，而贤者反掉头去矣"⑤。但在人才使用上又要特别谨慎，声称"吾辈所慎之又慎者，只在'用人'二字上，此外竟无可着力之处"⑥。广而不慎，则必有滥竽充数，位置不当的弊病出现；慎而不广，则又渐有乏才之患。总之，收之欲其广，用之欲其慎。在人才的选用上，曾国藩似过于严苛，所以尝感叹人才难得。晚年时他曾对自己的选将原则有过反思："当战争之世，苟无益胜负之数，虽盛德亦无所用之。余生平好用忠实者流，今老矣，始知药之多不当于病也。"⑦

左宗棠的选将观与曾国藩基本一致，强调慎选，但也强调大胆任用，如其所言，"吾察人颇严，用人颇缓，信人颇笃，此中自谓稍

① 《左宗棠全集》第十册，第126—127页。
② 《左宗棠全集》第十册，第127页。
③ 《左宗棠全集》第十一册，第517页。
④ 《左宗棠全集》第十册，第127页。
⑤ 《曾国藩全集·书信八》，第5908页。
⑥ 《曾国藩全集·书信二》，第1127页。
⑦ 《曾国藩全集·诗文》，第393页。

有分寸也。……故能驱使人，使各尽所长"①。但又不似曾国藩那样求全责备。他说，"集十人于此，则必有一稍长者，吾令其为九人之魁，则此九人者必无异词矣。推之百人千人，莫不皆然"②。他对人才不求全责备，能量才器使，敢于容人。他说："用人之方，自古难责以备。而行阵之选，求全更难。其人但使勇于赴敌，而骄恣不生；廉于殖财，而军民不困，则制贼有其本，而已乱可止，未乱者不至于乱也。至于方略之优长，机宜之允协，则求诸古昔名将盖亦难之。"③对于曾国藩"尝叹人才难得"，左宗棠则以"十步之内，必有芳草"加以驳斥。他认为对将才的选拔眼光不能太高，总将眼光放在"颇（廉颇）牧（李牧）起（吴起）翦（王翦）"上，那结果只能是目中无人，将可能的有用之人才弃置一旁。特别是在人才极乏之时，"不宽以录之，则凡需激励而后成，需磨练而后出者，举遭屈抑矣。只要其人天良未尽泪没，便可有用"④。只要所选之人身上有一点可取之处，即可大胆任用。他说，"人各有才，才各有用"，并以中医草药作比，"草，皆药也，能尝之试之而确知其性所宜，泡之炙之而各得其性之正，则专用、杂用，均无不可；否则，必之山而求榛，必之隰而求芩，乌乎可，且乌乎能也"⑤？所以，"十室之邑，必有忠信；十步之内，必有芳草"⑥。只要知人善任，开诚布公，奖其长、护其短，用人之朝气，不用人之暮气，必能人尽其才，各得其用。可以看出，相较曾国藩，左宗棠的选将视野更为开阔，也更为宽容和大度。他曾不无骄傲地指出："鄙意谓中才全在策励，此等当是频年所收召，皆涤公唾余也，而在湖南均有所建立。"⑦

在对王鑫的使用上，也可看出两人在用人上的差异。湘军将领

---

① 《左宗棠全集》第十册，第136页。
② 《左宗棠全集》第十册，第198页。
③ 《左宗棠全集》第一册，第503页。
④ 《左宗棠全集》第十册，第136页。
⑤ 《左宗棠全集》第十册，第197页。
⑥ 《左宗棠全集》第十册，第198页。
⑦ 《左宗棠全集》第十册，第136页。

王鑫善以少击众，但自视甚高，不愿听取他人意见，与曾国藩屡次龃龉。曾国藩曾告诫王鑫"志气满溢，语气夸大，恐持之不固，发之不慎，将来或至偾事"①。王鑫不听劝告，自行其是，故曾国藩率湘军出省作战时，拒带王鑫同行。左宗棠却对王鑫的军事才能评价极高，认为其"审事之精，赴机之勇，皆非近时所有。人叹其才不可及，吾谓璞山义烈之心，虽古人亦不多见也"②，甚至将其抬高到江（忠源）、塔（齐布）、罗（泽南）、刘（长佑）之上，认为，"即求之古名将中亦少概见"③。左宗棠如此评价王鑫，当然有其笼络的目的，但其信中的语言所坦露的皆极恭敬、真切，"语语从至性中流出而入人心坎"④，这在自视极高、常常目中无人的左宗棠是极少见的。对于王鑫骄傲自大的毛病，左宗棠则多次温言规劝，一方面肯定王鑫的才气，"审事之精，赴机之勇，皆非近时所有"，同时提醒他，"屡胜之后，其气必渐骄，其视事亦必较易，愿老兄识之"⑤。对于左宗棠的规劝，王鑫则以"鑫何幸而得此知己乎"⑥作为回应。王鑫感于左宗棠的知遇，而乐为其用。后来左宗棠离开湖南幕府，襄助曾国藩办理军务时，独立一军，其主要班底就是王鑫病殁后由王开化统带的老湘营。

在李元度的任用上，曾国藩也曾用违其才。李元度在湘军初建时即入曾国藩幕府，为人善谋，但不善断。对其弱点，胡林翼看得最透："李次青，正人也，任事一片血诚，笔墨亦敏捷清挺无俗尘，军事参谋，可得一当，特未可专以治兵耳。"⑦安庆之战时，徽州无人驻守，曾国藩不得已起用李元度，令其守徽州。出发前曾国藩反复叮嘱李元度到达徽州后要把营盘扎好，不要轻易出击。李元度到

---

① 《曾国藩全集·书信一》，第 275 页。
② 《左宗棠全集》第十册，第 103 页。
③ 《左宗棠全集》第十册，第 249 页。
④ 《江忠源集·王鑫集》，第 521 页。
⑤ 《左宗棠全集》第十册，103 页。
⑥ 《江忠源集·王鑫集》，第 521 页。
⑦ 《胡林翼集》第二册，第 481 页。

了徽州后未能实现曾国藩的意图，"徽州不能坚守三日，以待援师"①。曾国藩认为，李元度之失在于未能遵守他的嘱托，轻易出城作战，因而失败。左宗棠对此却有不同的看法，他认为原因不在作战指导上，错误在曾国藩用违其才，即前提就是错的。左宗棠对李元度的认识与胡林翼相同，认为李元度为幕府之才，而非能独当一面的领兵之才。据左宗棠的观察："李元度平日驭勇过宽，士卒知感而不知畏。又安越一军营制，营官之外，复有帮办、会办之名；哨官之外，复有哨长。事权不一，号令不专。各勇丁多平江一县之人，取才既隘，又狃于宽慢之习，骤难以法绳之。"② 在对李元度后期处置上，左宗棠认为："实幕府长才，若引之入幕，而遣其勇，两益之道也。"③ 曾国藩后来在对李元度的任用上有过反思："次青实不能治军，八千人尤嫌太多。弟早年用违其才，渠亦始终不自知其短。"④

对勇丁的任用，左宗棠亦有自己的认识。胡林翼曾认为黔勇不可用，左宗棠则给出自己的看法，他认为将领的意志、决心、谋略是决定部队战斗力的关键。将领的作用在于取势、用奇和苦战，有此三者必能大胜，而三者"视乎将，不在勇也"⑤。即部队的战斗力强弱主要取决于将领，而不取决于勇丁。他还说："天下无可恃之兵勇，而有可恃之将。杨忠武所部多精兵，他人之疲乏者一入其营，不久即成精锐。即如塔三兄之抚标，寻常除谩骂以外无一长，而此次湘潭之捷，因主将偶尔不见，即相与痛哭寻觅，入群贼中，若无人者，亦可想其心之固结矣。"⑥ 这印证了他一贯的观点："不可因此而灰其爱士之心，亦不可因此而疑人之与我者皆非诚也。我不疑

---

① 《曾国藩全集·书信二》，第 1611 页。
② 《左宗棠全集》第一册，第 49 页。
③ 《左宗棠全集》第十册，第 276 页。
④ 《曾国藩全集·书信四》，第 2568 页。
⑤ 《左宗棠全集》第十册，第 94 页。
⑥ 《左宗棠全集》第十册，第 95 页。

人，人自不疑我矣。"① 左宗棠有眼力识才、重才，敢于容才、用才，因此在左宗棠的部属中，有像刘锦棠、张曜、王德榜这样的虎将，也有如刘典、周开锡这样的良佐，这是他事业成功的重要原因。

四、人才培养

曾国藩指出"人才以陶冶而成"②，湘军军官为层层选拔，且文人占相当比例，慎选只能保证所选人员具备成为合格军官的潜质，而要真正成为独当一面、能当大任的将领，则须有必要的熏陶与历练。"军旅之事，非学不精；行列之才，非历练不出"③，否则"有用之才，然不善造就，则或好义而不明理，或有刚气而无远虑，皆足以偾事而致乱"④。湘军未设近代军事学堂，对军官的培养主要有三种途径：

（一）战场历练

曾、胡、左三人均重视作战经验的累积，左宗棠称："军旅之事，百闻不如一见"⑤，又说，"理可凭虚而悟，事必亲历而知，非练习之深，不敢深信也"⑥。曾国藩也说，"天下事未阅历者不可以臆测，稍艰难者不可以中阻"⑦，"必周历而后识险易之情"⑧，即要亲自感受方有体会。历练即通过真实的战争学习战争，验证或修正兵书中得来的军事认识，使学战军官逐步建立战场意识，使思维更贴近战场实际，而不是将战争永远视作纸上之物。左宗棠称："营官随大队接仗，数十战之后，历练必多，部下人才，优劣亦审，方期渐有把握。否则贸然任重，颠蹶堪虞，不但误国，兼以自误，殊非

---

① 《左宗棠全集》第十册，第 95 页。
② 《曾国藩全集·日记一》，第 422 页。
③ 《左宗棠全集》第八册，第 23 页。
④ 《曾国藩全集·诗文》，第 458 页。
⑤ 《左宗棠全集》第十册，第 358 页。
⑥ 《左宗棠全集》第十册，第 130 页。
⑦ 《曾国藩全集·日记二》，第 1255 页。
⑧ 《曾国藩全集·书信四》，第 2523 页。

所取。必不得已而出，则学战为宜。若从容坐啸，乖其素愿矣。"①

（二）以营务处、粮台等机构作为储才之所

湘军设有幕府机构，下有营务处，"所以赞画戎机、经理庶务，由统领大员派员承充"②。一旦有人才被选入军中，长于治军的，就安置到营务处，使他们历练军务，以为日后将才之选。"营务处之道，一在树人，一在立法。有心人不以不能战胜攻取为耻，而以不能树人立法为耻。树人之道有二：一曰知人善任，一曰陶熔造就。"③此外还有粮台、转运局等机构，担负日常的粮运保障任务。精于综核的人才，则会被安排到这类机构。晚清后期的著名人物，如刘蓉、李鸿章、李瀚章、郭嵩焘等都曾有过幕府经历。

（三）言传身教

曾、胡、左三人均重视对人才的言传身教，要求后进处处留心，以对待学问的态度学战。曾国藩曾说："讲究之法，不外学问二字。学于古，则多看书籍；学于今，则多觅榜样。问于当局，则知其甘苦；问于旁观，则知其效验。勤习不已，才自广而不觉矣。"④小到个人治心治身，大而治军治饷，曾国藩像师傅带徒弟一般，一无保留地倾囊相授。在他的批牍和与部将的书信中，此类训话俯拾皆是。如咸丰十年（1860）他向李榕传授"抽队出赴前敌打行仗之法"，讲解极为细致。"三千人营中抽出六成，约千八百人，分寄鲍、蒋两垒之中，蒋军八墙可寄千二百人，鲍军中前右三墙可寄六百人，或尽寄蒋军墙中亦可。遇开仗时，我千八百人单打一路，蒋军墙内添锅帐而不另筑墙子，请蒋之长夫代我军煮饭，我只送米价、菜价与他，不必另带长夫也。下半日去灯时至蒋营，次日停住一日，第三日晨饭后归；下半日又另派千八百人去，第四日停住一日，第五日晨饭后归。如是轮流，率以为常。遇打仗时，则随同打仗，不遇开仗，则闲住闲归，聊代哨探，既可援助前敌，又可使我军学习战事，

① 《左宗棠全集》第十册，第354页。
② 《左宗棠全集》第七册，第392页。
③ 《曾国藩全集·日记一》，第417页。
④ 《曾国藩全集·诗文》，第439页。

免致猝遇大敌，忙然无措也。"① 再如，向宋梦兰传解守拙心法，"打仗要队伍整齐，开枪不可太远，上半日要寂静，下半日收队时要不散慢。弟昔作有《得胜歌》云：'起手要阴后要阳，出队要弱收队强。初交手时如老鼠，越打越狠如老虎。'虽粗浅之言，而精者不外乎是。……贼匪最谲诈，吾辈读书人大约失之笨拙，即当自安于拙，而以勤补之，以慎出之，不可弄巧卖知，而所误更甚"②。

曾、胡、左最看重人才，所花心思也最多。尽管提出了要用陶熔造就之法，能在一定程度上缓解人才短缺，但无论是学战、陶熔之法，或是手把手地传授，靠的仍是个人悟性，而不是建立一套严密、完善的教育体系，左宗棠就曾感叹，"大抵营务处之设，有隆其事寄者，亦有等诸虚设者。得其人则崇其事权，虚衷委任可也；不得其人则躬亲经理一切，战事则与各统将谋之"③，所以，仍然无法稳定地建立起具备基本军事素养、有一定专业能力的人才队伍。越到湘军后期，专业化装备越多，此种方式则越显力不从心。

第三节　对兵学范畴的重新解读

兵学范畴是对战争运动中矛盾运动本质因素高度抽象化的概括，是中国传统兵学的重要内容。在这些范畴中，有些内涵清楚，较易把握，如众寡、攻守、逸劳等，也有些带有明显的哲学意味，比较抽象，内涵随个体理解和认识角度的不同，而可以被赋予不同的内容，如主客、奇正、虚实等。这后一类范畴，重在反映军事运动中矛盾双方相互影响，又相互转化的内在关系，所以指涉较宽泛，既可用于指代具体事物，如奇兵、正兵，如主地、客地，也可用于指

① 《曾国藩全集·书信二》，第 1202 页。
② 《曾国藩全集·书信二》，第 1644 页。
③ 《左宗棠全集》第十四册，第 429 页。

代较为抽象的战场态势、心理状态等；既可以涵盖战略层面的内容，又可以深入战术层面。正是由于指代目标的灵活性或宽泛性，决定了这些范畴具有引申新观念以及与其他思想交融发展的动力和能力，因此，在历史发展中会不断扩充衍生出新的意义。在曾国藩、胡林翼和左宗棠的军事论述中，对如主客、奇正、虚实等传统兵学范畴多有提及，并在实践的基础上，又有所发展，有新的认识。

一、主客

《孙子兵法》虽未明确使用"主客"一词，但在其《虚实篇》中已明确表达有这样的意思，"凡先处战地而待敌者佚，后处战地而趋战者劳。故善战者致人而不致于人"①。先处战地，主军补给方便，则易于形成以逸待劳的局面，而客军运输线长，补给困难，缺乏休整，则可能从一开始就陷入被动，所以"致人"一方为主，为敌所致者即为客。张预对主客关系进行了更进一步阐发："我先举兵，则我为客，彼为主。为客，则食不足；为主，则饱有余。若夺其畜积，掠其田野，因粮于彼，馆谷于敌，则我反饱，彼反饥矣。则是变客为主也。不必焚其积聚，废其农时，然后能饥敌矣。或彼为客，则绝其粮道。"② 可以看出，主客是对战争双方战场地位的一种判定，进攻或防守的状态与判定主客地位有相关性，而起关键作用的则在补给。

《唐太宗李卫公问对》提出了"变易主客"的思想，即主客地位是随势而变的，是可以主动应对而客观转化的。《唐太宗李卫公问对》指出，"较量主客之势，则有变客为主、变主为客之术"③，进攻作战要力求速战速决，反对旷日持久。然而当攻方处于"客"军的不利地位时，就要力求"变客为主"，方法就是"因粮于敌"，而

① 《十一家注孙子校理》，第105页。
② 《十一家注孙子校理》，第109页。
③ 《李卫公问对校注》，中华书局，2016年，第69页。

对敌时则尽量使之"饱能饥之，逸能劳之，是变主为客也"①。问题不在于处于何种战场地位，关键在于取胜的方法要恰到好处，即时机的选择，"故兵不拘主客迟速，惟发必中节，所以为宜"②。

以后的兵家对于主客关系的基本认识未超出上面两部书的讨论。但亦有一些兵书将主客关系过度地推衍与玄虚化，将阴阳五行、天象、风候等玄学因素用于主客地位的判定上，给主客关系增加了神秘主义和不可知论的成分。如《虎钤经》中有"静为主，动为客。敌上胜气，有如门上楼，如杵如枝，或曰赤为木，我则俟金时自西击之，可克矣，水日水时不可也，水能生木故也。敌上胜气，或赤如火光火烟之伏晕，晕而起者，木日木时不可也，为木能生火也。日为火，亦俟水时自北击之，可克矣。敌上胜气，如白粉者，白为金，水日金时皆不可也……"③。不可否认，时机和方位的选择对于主客关系确有影响，但不能因此而将方位与时机的关系绝对化，更不能将天时或气候作为判定主客地位的主导因素。一般而言，对于主客的分析，如不能与实践相结合，脱离战场实际越远，认识越形而上，指导现实的意义也越小。

"主客"在曾、胡、左兵学思想中占有重要位置，在其文集中谈及主客的文字颇多，对主客关系的本质亦有较为透彻的分析。如曾国藩所言："凡出队有宜速者，有宜迟者。宜速者，我去寻贼先发制人者也；宜迟者，贼来寻我，以主待客者也。主气常静，客气常动。客气先盛而后衰，主气先微而后壮。故善用兵者，最喜为主，不喜作客。"④ 实际上，曾国藩将主客地位的判定作为优先考虑的问题，作战或速或迟则是主客地位判明之后方才考虑的事情。如果将领"但知先发制人一层，不知以主待客一层；加之探报不确，地势不审，贼情不明"，其结果必然是"徒能先发而不能制人"⑤。主客亦

---

① 《李卫公问对校注》，第 69 页。
② 《李卫公问对校注》，第 69 页。
③ 《虎钤经》，第 37 页。
④ 《曾国藩全集·书信三》，第 2108 页。
⑤ 《曾国藩全集·书信三》，第 2108 页。

是曾国藩看待军事问题的一种基本思维方法，是判定所处地位利弊及作战是积极进取或是后发制人策略的重要标准。既有一种战略层面的判断，亦有战术运用上的考虑。

胡林翼对主客关系的认识，基本限定在有备与无备上，有备则为主，无备则为客。他常以先后、静躁来作为主客地位的不同表现，用以解释主客的关系，"军事到紧要之时，静者胜，躁者败；后动者易，先动者难；能忍者必利，不能忍者必钝；此其大较也"①。相较胡林翼，曾国藩对于主客的认识，似更为大胆，在原旨的基础上做了进一步的延伸和发挥，将主客的关系不再简单地限定于主地与客地，而是扩大到一切能够影响战场主动权的因素上。他在对部将的指示中常对主客之势进行明确划定，规定哪些情况处于主势地位，哪些处于客势地位。在一篇名为《兵》的短文中他集中阐述了对主客的认识："守城者为主，攻者为客；守营垒者为主，攻者为客；中途相遇，先至战地者为主，后至者为客；两军相持，先呐喊放枪者为客，后呐喊放枪者为主；两人持矛相格斗，先动手戳第一下者为客，后动手即格开而即戳者为主。"② 除上面的集中论述外，尚有散见于书信中的其他说法，如"扑营则以营盘为主，扑者为客。野战则以先至战地者为主，后至战地者为客。临阵则以先呐喊放枪者为客，后呐喊放枪者为主"③；再如"扑人之墙、扑人之濠，扑者客也，应者主也。我若越濠而应之，则是反主为客，所谓致于人者也。我不越濠，则我常为主，所谓致人而不致于人也。稳守稳打，彼自意兴索然"④；等等。曾国藩也强调在被动地位下争取主动权，即《唐太宗李卫公问对》中讲的"主客异势"，但对如何争取论述不多。所论最多仍是如何在一开始就尽量避免处于被动地位。可以看出，曾国藩所追求的不是先发制人，而是后发制人，是"先为不可

---

① 《胡林翼集》第二册，第 754 页。
② 《曾国藩全集·诗文》，第 385 页。
③ 《曾国藩全集·书信一》，第 590 页。
④ 《曾国藩全集·家书一》，第 384—385 页。

胜，以待敌之可胜"。对上面提到的几种关系分别讨论如下：

（一）守城为主，攻城为客

城池争夺战，是湘军与太平军的主要作战形式。曾国藩、胡林翼关于城战的论述很多，基本认识始终未变，即认为，"攻城无良策"①，反对攻坚作战。曾国藩认为，"顿兵坚城，贼常主而我常客，是仆所深恶者"②。这里所说守为主，攻为客，并非泛称一切进攻行动都是被动的，而是专指对太平军的军事行动而言。前期由于绿营毫无战斗力，太平军夺取了长江沿岸大量城池，并以这些城池为依托据守。太平军极善守城，这在曾、左的信中都有提及，如林启荣抢占九江后，湘军用了近五年时间方夺下。所以守城为客，主要原因有二：

一是"贼若凭坚城而守，我军仰攻，断难得手"③，从战法而言，较为被动。左宗棠在一份奏折中对攻坚之难作了详尽的描述，他说，"该逆见我军锐气百倍，坚匿不出，穴墙开炮，抵死抗拒。我军于枪炮如雨之中，排队屹立，逾越重濠，肉薄垒下，有攀垒先登而坠者，有入垒被斫而死者，前者被创，后者复进，相持三时之久，贼垒垂破复完，乃收队而还。贼之潜伏清湖者，伺官军收队，突起抄我归路，经安越军于河边扼击，擒斩百余名，鼠窜而去。是日杀贼不过数百，而我军之阵亡者三十余名，带重伤者至二百七十八名之多"，所以最后他感叹道，"盖攻坚之难如此"④。

二是久顿坚城，士气日损。曾国藩说，"军事以气为主，瀹去旧气，乃能重生新气。若不改头换面，长守此坚壁，以日夜严防而不得少息，则积而为陈腐之气，如败血之不足以养身也"⑤。说明顿兵坚城，不仅会造成无谓的伤亡，更会挫伤士气，而士气是部队战斗

---

① 《胡林翼集》第二册，第222页。

② 《曾国藩全集·书信一》，第582页。

③ 《曾国藩全集·书信三》，第1697，

④ 《左宗棠全集》第一册，第37页。

⑤ 《曾国藩全集·书信一》，第576页。

力的主要体现。

在经历了初期的几次失利后，湘军的城战策略逐步清晰，"直待贼来扑营，坚壁不出，待其惰归而后出击，亦不远追。如是二日，彼之锐气少沮，我之识力稍定，然后设法击之"①，即利用湘军粮道畅通的优势，围而不攻，以待敌衰，然后伺机而动，或者干脆困死敌人。左宗棠在给王鑫的信中也说："攻城无善策，火箭大炮固佳，然守之善者亦难得手，大约断接济是不易之策，仍在城外用功夫耳。"② 湘军安庆之战、天京之战采取的基本就是这一策略。

后期湘军夺获的城池渐多，对攻守与主客的关系认识，略有变化。不再简单地认为攻为客，守为主，而认为，守亦需满足多方条件，方能占据主动，否则作战仍极艰苦。曾国藩给左宗棠的信中说："守城煞非易事，银米、子药、油盐有一不备，不可言守备矣。又须得一谋勇兼优者，为一城之主。凡备多则力分，心专则虑周。"③

（二）后出为主，先发为客

《老子》中云："用兵有言：吾不敢为主，而为客；不敢进寸，而退尺。是谓行无行，攘无臂，扔无敌，执无兵。"④ 这里强调的不争，是要在军事上主动放弃有利地位，并不含有以退为进的意味。咸丰九年（1859）二月，曾国藩在日记中写道："兵不得已而用之，常存不敢为先之心，须人打第一下，我打第二下也。"⑤ 可以看出，曾国藩的后出为主与老子的思想类似，也是主动让出首发地位，退而求其次。但在具体运用上，曾国藩则将后发为主，先发为客作为一种策略，最终目的仍在于求得压倒性的优势地位，而求取的路径则是先退守或收缩，待敌锋芒逐渐退去后，再反客为主，达到致人而不致于人的目的。曾国藩在指示部将作战时，都会切切叮嘱"决

---

① 《曾国藩全集·书信二》，第 1122 页。
② 《左宗棠全集》第十册，第 131 页。
③ 《曾国藩全集·书信三》，第 1764。
④ 陈鼓应：《老子注译及评介》，中华书局，1984 年，第 323 页。
⑤ 《曾国藩全集·日记一》，第 362 页。

不先去寻贼"①。如他在给胡林翼的信中说："十九日余军之挫,不知尚可自振否? 若伤亡过多,刻难自立,止可令山外、山内各军一概休养,专待贼为扑我,决不先去寻贼。即以近事言之,腊月二十二、正月初六、十九日,三次之挫,皆我去寻贼,惟十一日系贼来扑我。主客胜负之数,了然甚明。竟可用公牍私函切止各军,不再先出寻贼,致人而不致于人。"②

曾国藩所以会采取这样一种方式,是基于对敌我双方客观分析之上的。太平军的战术机动灵活,而曾国藩用兵则老成持重,面对太平军时湘军的作战常显被动。曾国藩曾说,"狗逆(陈玉成)从不先发,最善反客为主(谓搦战不先发也,抄后路则多先发)"③,湘军只能反其道而行之,采取坚壁不出的策略,待敌而动。他说:"见贼不出,即不进击贼巢,不受狗贼之诱,可谓有识。嗣后若能常守此法,山内山外,两边夹贼为营,我势日松,贼势日逼。贼不能不寻我开仗,则我为主而贼为客,狗之二技可破其一矣……再,狗贼二技,弟向日已闻之,然闻其杀回马枪耳,此次乃必于日暮时始逞其技。但闻其好截扎官军后路,逼官军寻它开仗,令官军为客而他常为主耳。此次则不能截官军之后路,而反置彼之后路于不顾,岂果另有他长哉? 鄙意:狗贼之计,仍不诱官军去攻他之坚垒,攻他之山险,他为主而我为客;上半日以匪党拒我,下半日乘我疲乏,狗自出巢,逞其猖獗耳。是此次狗以二技变为一技也。"④

《陆军得胜歌》是曾国藩战术思想的集中体现,核心主张就是反客为主,具体表现是:在攻守态势上,不主动向敌营出击,让敌人来扑我营,使敌为主而我为客,即所谓"他若扑来我不动,待他疲了再接仗"⑤,用的是以逸待劳的原则。在临阵声势和作战动作上,不主动发起进攻,让敌人先呐喊,先放枪,使敌为主而我为客,即

① 《曾国藩全集·书信二》,第 1226 页。
② 《曾国藩全集·书信二》,第 1226—1227 页。
③ 《曾国藩全集·书信二》,第 1570 页。
④ 《曾国藩全集·书信二》,第 1238—1239 页。
⑤ 《曾国藩全集·诗文》,第 428 页。

所谓："他呐喊来我不喊，他放枪来我不放"，用的是"再而衰三而竭"的原则。在作战力量的使用上，最初不全力投入，以示己弱，即所谓"初交手时如老鼠，越打越强如老虎"[1]，用的也是后发制人的策略。再如对部将的指示，"如贼来渔亭扑营，我军各营专心静守，示之以弱，若不欲战者然。待至申酉之际，贼众饥疲，头目欲战，散贼欲归之时，然后出队击之"[2]，用的则是《孙子兵法》中的"击其惰归"。敌人因我之坚忍不动，进攻盲目而难以奏效，我虽后发制人，但若打到敌人薄弱环节，致命之处，敌人必败，从这个意义上说，"后发制人"反先致敌于死命。

曾国藩区分主客的目的在于发挥己之优长，避免己之弱点。从他对主客关系的认识上看，相对僵化，大体上不抢先者均被理解为主，且认为为主者则必能获得战争胜利，实际上是将运动的战争变作静止的战争。从他的书信中，我们很少能看到机动作战、积极进取的言论，而是一味强调收缩，一味固守。他反对草率出战，反对攻坚作战，反对没有章法的一味蛮战。我们当然可以认为是曾国藩的指挥能力偏弱，应敌变化不强，故而采取这种后发制人的策略。但这样的做法，又有其存在的必要性。军事决策上，无绝然的对或错，只要战略与战术能够紧密配合，设定好的战略意图能够达成即是好的、正确的。从这个角度来看，曾国藩对主客的认识，关键在于战略与战术配合一致。战略上的先手与作战上的后手，在曾国藩看来都是"以主待客"。没有战略上的靠前处置，就不可能掌握战术活动的主动权。

二、奇正

奇正是中国传统兵学中内涵最丰富、影响最深远、最具思维张力的一对范畴。孙子在《势篇》中提出"凡战者，以正合，以奇

---

[1] 《曾国藩全集·诗文》，第 428 页。
[2] 《曾国藩全集·书信三》，第 1775。

胜"①，认为奇正运动是理解战争胜负的关键。又说，"战势不过奇正，奇正之变，不可胜穷也"②，指明奇正的变化无穷无尽，所以对于奇正互动规律的探求，要像日月盈亏、四时轮回一样永不停息。

孙子提出的奇正观，含有一种军事辩证法思维，深刻反映了军事运行的内在规律及特点，学术的和实践的意义都是非凡的。可惜《孙子兵法》中涉及奇正的地方仅六处，只指明掌握这一规律的重要性，而对奇正内涵未加限定，亦未对如何运用这一规律指导实践做深入阐发，所以《孙子兵法》中的奇正思想，只提供了一个相对简单的理论模型，对于军事实践缺乏具体、明确的指导意义。

孙子以后的历代兵家或学者，在孙子奇正思想的基础上，着重对奇正内涵及对现实的指导进行了更进一步的解读和发挥，从而使奇正思想得以丰富和发展。从历代兵书对奇正一词的解读来看，无实际作战经验的文人，特别喜欢在奇正这对范畴上做过度发挥，往往将原本为一体的奇正关系割裂开来，单独强调奇之重要，将奇与诡并列，与巧等同，在奇道上越走越远。如"夫兵不出奇与正，奇之外，诡谲之名，何自而立也？盖其为术小，而施之于用则巨。……乘敌之隙，舞智弄术，圆而转之，神而用之。初若无奇，终知微妙。斯巧于谲者也"③。对于过分夸大出奇用诈的认识，早有人质疑，如《阵纪》中就说，"大抵负诞好奇，不究根本，形势日巧，实用日拙。若乃执而行之，不免为武安君之所侮"④。没有战术的基础，奇谋或奇计不会单独发生作用。过分看重奇谋的作用，实际上是将极端复杂的军事问题做极端简单化的处理，消解了战争的严酷性和严肃性。与学者的思辨不同，有过战场实践经历的人，倾向于将奇正的指代关系具体化，将过于灵活、难于把握的观念，进行降格处理，使其指向军事实践中的某一种特定形态，明确规定何为奇兵，何为正兵，以及在不同的情况下奇兵与正兵的使用方法。

---

① 《十一家注孙子校理》，第87页。
② 《十一家注孙子校理》，第89页。
③ 王云五：《草庐经略》第一册，商务印书馆，1936年，第51—52页。
④ 《阵纪》，第41页。

　　奇正的基本特征在于分兵，如《六韬》所言，"不能分移，不可以语奇"①。曹操在注解"倍则分之"时说，"以二敌一，则一术为正，一术为奇"②。对于何种部队充当正兵、何种充当奇兵，历代兵家认识纷杂，概括而言，可归纳如下：一、依出兵先后，如曹操讲，"先出合战为正，后出为奇"③，《尉缭子》中也有"故正兵贵先，奇兵贵后，或先或后，制敌者也"④。二、以正面当敌者为正兵，实施快速机动作战或侧翼包抄者为奇兵。如陈亮所讲："正兵，节制之兵也，奇兵，简捷之兵也"⑤，李筌则认为，"当敌为正，傍出为奇"⑥，《虎钤经》中也有"交战既酣，阴以奇兵分左、右翼，自阵后两出击之，使外溃而内骇焉"⑦。三、以伏兵为奇兵，常被称为"伏奇"。如"已与敌人众等，善者犹当设伏奇以胜之"⑧。在《翠微北征录》中总结了九类设伏之法，"孙、吴之书，韩、曹之术，皆有出奇设伏之名，而不及九伏"⑨。所谓九伏，即山伏、土伏、草伏、林伏、夜伏、烟伏、水伏、沨伏、伪伏等。亦有兵家将伏兵与奇兵对等看待，如杜牧认为，"夫伏兵之设，或在敌前，或在敌后，或因深林丛薄，或因暮夜昏晦，或因隘陕山阪，击敌不备，自名伏兵，非奇兵也"⑩。《武经总要》中有"战兵内，弩手四百人，弓手四百人，马军一千人，跳荡五百人，奇兵五百人"⑪，此处，奇兵似已成为一个与马兵、车兵并列的独立军种。一些兵书还常将马

---

① 《中国军事史》编写组：《武经七书注译》，解放军出版社，1986 年，第 342页。
② 《十一家注孙子校理》，第 53 页。
③ 《十一家注孙子校理》，第 86 页。
④ 《武经七书注译》，第 212 页。
⑤ 《陈亮集》（上），中华书局，1987 年，第 84 页。
⑥ 《十一家注孙子校理》，第 86 页。
⑦ 《虎钤经》，第 32 页。
⑧ 《十一家注孙子校理》，第 54 页。
⑨ 华岳：《翠微北征录》卷六，页一，清光绪四年（1878）刻本。
⑩ 《十一家注孙子校理》，第 54 页。
⑪ 《武经总要·前集》卷六，《中国兵书集成》第四册，第 220 页。

队固定为奇兵，意在发挥其快速机动能力，以便实施包抄。

可以看出，孙子之后对于奇正的解读大体沿着两个方向推进，一是哲学上的，一是实践上的，这既是奇正思想发展的两个取径，实际上也能反映出传统兵学发展的不同层面。两个方面的发展都有意义，学术层面上的价值在于突破陈旧观念，打开人们看待军事问题的思路，而实践上的价值则是直接指导军事现实。

曾、胡、左在上奏和往来信件中对奇正互用之法多有提及，如曾国藩说，"两军合力奋击，奇正并用，该逆首尾不能相顾，且战且走"①，左宗棠亦曾讲"所以屡致败衄者，将领不晓分合奇正之术，勉务浪战以求胜，又不善用间谍，致屡陷伏中"②，胡林翼在讲到刀矛与鸟枪的编配比例时，认为此法是"长短相兼，奇正互应之法"③。可以看出，上面这些说法，是类似如"知彼知己，百战不殆"这样一般文人亦会使用的军事习语，仅用以表示战法运用上，在坚持常法的同时，要有所变化。事实上，曾、胡、左对于奇正的认识并不止于这种常规的使用，还对奇正范畴中的主次关系进行了重新认识和重新解读。由于三人兵学认识中有着深厚的实践基础，故对于奇正认识更倾向于实践一路。

（一）兵事以质实为主

兵事以质实为主是曾国藩、左宗棠看待军事问题的基本态度。曾国藩说，"（兵事）总以质实二字为主"④，左宗棠则说，"兵事均须从质实处着想，不必弄巧"⑤，"兵事以质实为主，以人才为急"⑥，胡林翼虽未明确使用过"质实"二字，但其表述中亦流露出类似的意思，"兵事非可空谈而成，赵括仅能读书，马谡言过其实，

① 《曾国藩全集》第四册，第 158 页。
② 《左宗棠全集》第十册，第 74 页。
③ 《胡林翼集》第二册，第 947 页。
④ 《曾国藩全集·书信二》，第 1641 页。
⑤ 《左宗棠全集》第十册，第 500 页。
⑥ 《左宗棠全集》第十册，第 632 页。

是兵家所忌也"①。

何为质实？一是认识上要实事求是，一切的战争准备、战略决策的制定，乃至实际的作战指挥均以战争实际为出发点。左宗棠对当时空疏的社会风气给予了批评，他说，"近时言练兵者，多系套话"②，仅是对传统兵法原则的简单重复，不切实际。胡林翼和曾国藩对于传统兵书的批判则更为大胆和彻底。胡林翼说："千古兵书，以《左传》为第一，此外则《资治通鉴》胡身之所注，亦大有所得，余人皆呓语梦话耳。"③ 曾国藩则说，"军事是极质之事。二十三史除班、马外，皆文人以意为之，不知甲仗为何物，战阵为何物，浮词伪语，随意编造，断不可信"④。二是实践上则要"克勤小物"，扎扎实实讲求实效。曾国藩强调对军中事务，要"脚踏实地，躬耐劳苦"⑤，必须踏下心来做细致而微的具体工作，不做毫无根据的推断或臆测，尤其反对将军事问题虚空化。他总结道："近年军中阅历有年，益知天下事当于大处着眼、小处下手，陆氏但称先立乎其大者。若不辅以朱子铢积寸累工夫，则下梢全无把握，故国藩治军，摒去一切高深神奇之说，专就粗浅纤悉处致力，虽坐是不克大有功效，然为钝拙计，则犹守约之方也。"⑥ 曾国藩在指导部将治军的信件中，总是以看操、站墙子为治军第一要务，"阁下与之至交，须劝之尽弃故纸，专从事于点名看操，查墙子诸事也"⑦。任何神奇高论，都不及坚持做一件简单的事情来得真切和实在，对于军事尤其如此。所以左宗棠才会说，"打仗是过硬的事，一分乖巧着不得，有一分朴实气，即有一分事业"⑧。又说，"天下惟兵事不可弄巧，愈

① 《胡林翼集》第二册，第 125 页。

② 《左宗棠全集》第十一册，第 211 页。

③ 《胡林翼集》第二册，第 178 页。

④ 《曾国藩全集·书信二》，第 1509 页。

⑤ 《曾国藩全集·书信二》，第 1641 页。

⑥ 《曾国藩全集·书信二》，第 1102 页。

⑦ 《曾国藩全集·书信二》，第 1509 页。

⑧ 《左宗棠全集》第十册，第 236 页。

巧则愈坏矣"①。胡林翼同样认为，"凡奇谋至计，总在平实处。如布帛菽粟之类，愈近浅愈广大而精微也"②，认为没有"小处入手"的智慧，没有脚踏实地、步步为营的执行与落实，一切都是空谈。

（二）以正为奇

长期的军事实践，使曾、胡、左能够以比较接近战争本质的眼光重新认识奇与正的关系，因而能够产生不同以往的新认识。胡林翼在继承孙子思想的基础上，结合当时的战争实际，提出"兵事不可言奇，不可言精。盖必先能粗而后能精，能脚踏实地，乃能运用之妙，存乎一心也"③，认为，"奇"并不单指出奇不意，意想不到，更多要靠脚踏实地的操作与落实。更提出要以正为奇，他说："军旅之事，能脚踏实地，便是奇谋。"④ 又说："不轻敌而慎思，不怯敌而稳打，斯得之矣。……鄙意总以并力为主，稳打为主，此是奇兵也。奇兵而出之以稳，尤奇之奇也。"⑤ 这里的意思非常明确，只要稳扎稳打，把正兵的作用发挥到极致，即能产生奇兵的效果。求稳求慎始终在胡林翼思想中占据中心位置，无论是围城打援，或是修壕固守，都是以先固根本为前提。以此为基础，胡林翼超越了历代对于奇正的一般认识，将稳慎用兵纳入奇正的范畴里，这是对奇正思想的非常重要的丰富和发展。对于这一点，曾国藩亦有类似的认识："权不可预设，变不可先图，自是至当之论。大抵平日非至稳之兵，必不可轻用险着；平日非至正之道，必不可轻用奇谋。然则稳也，正也，人事之力行于平日者也；险也，奇也，天机之凑泊于临时者也。敢以质之左右，有当万一否？"⑥

左宗棠对于奇法也持谨慎态度，他说："游剿专用奇兵，利在飙忽速战，非精劲百战之兵与智勇深沉、才堪应变之将，则措之危地，

---

① 《左宗棠全集》第十册，第217页。
② 《胡林翼集》第二册，第314页。
③ 《胡林翼集》第二册，第512页。
④ 《胡林翼集》第二册，第510页。
⑤ 《胡林翼集》第二册，第443页。
⑥ 《曾国藩全集·书信三》，第1730页。

难以万全，尤未可轻为尝试。"① 他在西北用兵时，制订了"缓进急战，先北后南"的战略，其中缓进的目的在于解决粮食问题，因"粮、运两事，为西北用兵要着，事之利钝迟速机括，全系乎此"②，若粮食、粮路解决不好，一切谋略战法均无实施的可能。左宗棠的结论是，"大抵西路用兵，不在兵多，必先将粮料转运料理妥协，节节贯注，乃免他虞。至临阵决胜，制敌出奇，则犹其后焉者也"③，将具体的粮食问题摆在比出奇制敌更重要的位置。与曾、胡、左过从甚密的郭嵩焘也认为，"其实战阵之事，有平实而无奇巧，从平实入者，虽无大功亦无奇祸。从奇巧入者，未有不贻误者也"④。这些思想与胡林翼的"以正为奇"一致，且都有丰富的战争实践为基础，所有的思想都是由战争经验凝结而成，而不是无实践所依的脑中推断，是可以用于指导实践的科学，而不是书斋里的学问。

（三）奇正指代明确化

在曾、胡、左三人文集中亦有关于奇正相对抽象的探讨，如"大抵兵事不外奇正二字，而将才不外智勇二字。有正无奇，遇险而覆；有奇无正，势极即沮"⑤，"兵机瞬息千变，势难拘执。见贼打贼者，善也；未见贼而出兵，料贼必至，出不意打之者，善之善者也。用奇者当如是"⑥，等等。但他们更倾向于从训练角度来看待奇正，即将奇正具象化为某一特定指代，常以驻防军为正兵，而以担任游击任务的部队为奇兵。如曾国藩讲："吴竹庄（坤修）带彪勇并义武营驰剿新昌，甚好甚好。有重兵以镇守，有轻兵以雕剿，正合古人奇正互用之法。"⑦ 曾国藩在《兵》中详细区分了不同情况下何为正兵，何为奇兵："中间排队迎敌为正兵，左右两旁抄出为奇

---

① 《左宗棠全集》第九册，第 502 页。

② 《左宗棠全集》第五册，第 434 页。

③ 《左宗棠全集》第十一册，第 229 页。

④ 郭嵩焘：《云卧山庄尺牍》卷二，页二十，文海出版社，1966 年。

⑤ 《胡林翼集》第二册，第 198 页。

⑥ 《左宗棠全集》第十四册，第 163 页。

⑦ 《曾国藩全集·书信一》，第 583 页。

兵；屯宿重兵坚扎老营与贼相持者为正兵，分出游兵飘忽无常伺隙狙击者为奇兵；意有专向吾所恃以御寇者为正兵，多张疑阵示人以不可测者为奇兵；旌旗鲜明使敌不敢犯者为正兵，羸马疲卒偃旗息鼓本强而故示以弱者为奇兵；建旗鸣鼓屹然不轻动者为正兵，佯败佯退设伏而诱敌者为奇兵。忽主忽客，忽正忽奇，变动无定时，转移无定势，能一一区而别之，则于用兵之道思过半矣。"①

《唐太宗李卫公问对》中有言"善用兵者，教正不教奇"②，意在说明奇正可悟，但不可学，因为奇正运用的本质在于因敌制权，要随势而动，所以是不能预先筹划、提前准备的，正所谓"惟临时因用，始有奇正之名"③。将奇正指代明确化和具体化，一定程度上违背了"奇正相生，变化无穷"的基本假设，丢失了奇正变化中的隐秘性和突然性，但同时却增加了已经降格为一种战术手段的奇正战法的可行性，并通过不断的练习与配合，能够针对不同的战场情况，熟练应对。所以从训练的角度来看，将奇正从抽象的观念，降格为一种战术动作，仍然是有实际意义的，也符合前文已提到的战略谋划与战术动作之间要相互配合的基本原则。

三人对于奇正的认识，有继承，有发展，也有创见，虽只是点到为止，但还是能让我们感受到这些思想的闪光点。最关键的是，这些思想不是建立在虚空之上，而是建立在对于战争残酷性的深刻认识以及敌我双方实力对比的冷静分析基础之上的，而且是经过战争实践考验后得出的结论，因而更接近于奇正思想的军事本质。

三、虚实

虚实也是传统兵学中较为抽象的一对范畴，是判定军事行为主动与被动的前提和基础。虚实与主客在内涵上有重叠，在指代和使用上界限较为模糊。孙子说："兵形象水，水之形，避高而趋下；兵

---

① 《曾国藩全集·诗文》，第385—386页。
② 《李卫公问对校注》，第51页。
③ 《阵纪》，第19页。

之形，避实而击虚。水因地而制流，兵因敌而制胜。"① 虚实策略运用的终极状态是"故善攻者，敌不知其所守；善守者，敌不知其所攻"②，即我方意图敌人无从获知，而敌人的意图则充分暴露，也即孙子所讲的"形人而我无形"，从而实现"致人而不致于人"的目的。

虚实与奇正也有密切关联，《唐太宗李卫公问对》中有"奇正者，所以致敌之虚实也。敌实则我必以正，敌虚则我必为奇。苟将不知奇正，则虽知敌虚实，安能致之哉"③，即奇正是虚实策略的运用。《唐太宗李卫公问对》还特别提出通过奇正来理解虚实，"教之以奇正相变之术，然后语之以虚实之形可也"④，不明奇正则必不识虚实。类似的说法还有"奇正之道，虚实而已矣；虚实之道，握机而已矣"⑤。张预也说，"奇正审，然后虚实可见矣"⑥，与《唐太宗李卫公问对》中所讲基本一致，即奇正是理解虚实的基础。

历代兵书对于虚实多有论及，但论述基本都停留于"避实击虚"四字上，较少有能将探究更深入一步者。除"避实击虚"外，类似的说法还有，"批亢捣虚"⑦，"见其虚则进，见其实则止"⑧ 等，表述虽不同，但意思均与"避实击虚"相同，可以理解为以有备战无备，或以自己的强点对敌弱点。然而虚实策略运用的基础在"识虚实之势"⑨，即首先要判定何者为实、何者为虚，或者何时为实，何时为虚，且虚实关系并不是一成不变、固定不动的，是会随着形势的发展不断演化的。

曾、胡、左三人对于虚实均有过论述，虽仍未能将虚实与其他

---

① 《十一家注孙子校理》，第 124 页。
② 《十一家注孙子校理》，第 112 页。
③ 《李卫公问对校注》，第 42—43 页。
④ 《李卫公问对校注》，第 42 页。
⑤ 《古今图书集成》第七百四十八册，中华书局，1934 年，第 48 页。
⑥ 《十一家注孙子校理》，第 87 页。
⑦ 《史记》第七册，中华书局，1963 年，第 2163 页。
⑧ 姜尚：《六韬》，中华书局，2016 年，第 166 页。
⑨ 《李卫公问对校注》，第 42 页。

范畴的关系完全解释清楚，但似较前代止步于"虚实"门口的局面向前推进了一步，特别在虚实范畴于实践中的转化与运用上有一些新的认识。

（一）示形

示形是完成虚实转化的重要手段。所谓示形，即制造假象，迷惑敌人，造成敌强我弱，或敌弱我强的局面，"敌不得与我战者，乖其所之也"[1]。曾国藩认为："兵法最忌'形见势绌'四字，常宜隐隐约约，虚虚实实，使贼不能尽窥我之底蕴。若人数单薄，尤宜如此诀。若常扎一处，人力太单，日久则形见矣。我之形既尽被贼党觑破，则势绌矣，此大忌也"[2]，所以要时进时退，时虚时实，时而示之怯弱，时而示之强壮，"有神龙矫变之状"[3]。

示形常用的方式是示弱，使敌人放松警惕，轻敌冒进。胡林翼认为，"示弱而实自强之法"[4]，他在指导部将作战中，常教部将以示弱之法。如"临阵能敬畏戒慎，不贪小利，不图近功，先示弱以懈贼之心，后坚忍以养官军之气，自可力遏凶锋"[5]；再如"先以最弱之营，委令尝贼，贼必骤胜而骄，我兵亦必戒慎而惧，然后并力图之，贼可大破"[6]。左宗棠亦曾运用示弱之法，咸丰十一年（1861）江西乐平之战，他率所部楚军数千人屯守乐平，太平军李世贤部号称十余万人围困该城。左宗棠看出贼众我寡，其锋锐甚，不可战，命令士卒凭壕静待，太平军不到眼前不还击，做出兵少胆怯不敢应战的样子，以长太平军骄盈轻敌的情绪。

虚实地位不是一成不变的，而是随着形势的变化而变化的。只要通过合理的调动，使敌离其坚垒而入我彀中，能发挥己之所长，则原有的虚亦可变为实。在与捻军的雉河集之战中，曾国藩指示部

---

① 《十一家注孙子校理》，第 115 页。
② 《曾国藩全集·批牍》，第 135 页。
③ 《曾国藩全集·批牍》，第 135 页。
④ 《胡林翼集》第二册，第 988 页。
⑤ 《胡林翼集》第二册，第 701 页。
⑥ 《胡林翼集》第二册，第 199 页。

将"或先捣龙山、石弓山老巢，以攻其所必救，亦足以分掣贼势，使不得专力于雉河"①。曾国藩在解释安庆合围的必要性时说，"贼酋老小在内，彼所必争。若仰托福庇，贼以全力援北岸，攻所必救，致人而不致于人，亦未始不足为皖南、苏、浙抽釜底之薪，斯大幸也"②。

示形的目的在于迷惑敌人，使敌人露出破绽，但取胜的关键仍在抓住稍纵即逝的战机，"与悍贼交手，总以能看出他的破绽为第一义。若在贼者全无破绽，而我昧焉以往，则在我者必有破绽，被贼窥出矣"③。作战中要熟审地势敌情，妥谋分击之举，"或伺贼之缺处蹈瑕而入，或掣贼之重处并力而前，皆在相机斟酌"④。无论示弱或示强，必须以实力为后盾，不考虑自身实力，盲目隐真示假，不仅达不到目的，还可能陷己于被动，如曾国藩所言："凡用兵之道，本强而故示敌以弱者，多胜；本弱而故示敌以强者，多败。敌加于我，审量而后应之者，多胜；漫无审量，轻以兵加于敌者，多败。"⑤ 左宗棠也认为："大抵与剧贼斗，须静须整，毋示之以形。迨痛剿两三次，贼势真败，则宜急速追之，其党易散，其气易挫。"⑥

（二）有备

虚实策略的实质是以有备战无备，从而完成虚实转化。"我以有备攻贼之无备，破之必矣。"⑦ 有备并不仅指物资的准备，更指对于敌人目标、可能的行动方式等有充分的估计，所以有备强调战略上的超前布局。胡林翼曾言，"天下断无一条直路令人得以坦然行之，

---

① 《曾国藩全集·批牍》，第 357 页。
② 《曾国藩全集·书信二》，第 1579 页。
③ 《曾国藩全集·批牍》，第 143 页。
④ 《胡林翼集》第二册，第 459—460 页。
⑤ 《曾国藩全集·书信三》，第 1896 页。
⑥ 《左宗棠全集》第十册，第 352 页。
⑦ 《左宗棠全集》第十册，第 227 页。

必有许多湾曲，许多波折，循生迭起，应接不暇，惟在人之预审其机耳"①。曾、胡、左对于虚实的理解，并不限于作战层面，而更看重战略上的考量。胡林翼则将"有备攻无备"概括为"以整攻散，以锐蹈瑕"②，类似的说法还有，"知物之不可以力争，莫若审势而扼其要；知事之不可以勇斗，莫若择利而蹈其瑕"③。曾国藩也认为："凡行军最忌有赫赫之名，为天下所指目，为贼匪所必争。莫若从贼所不经意之处下手，既得之后，贼乃知其为要隘，起而争之，则我占先着矣。"④ 可见，要完成虚实转化，必须在军事行动之前对全局形势有深入而准确的判断。

四、气

气也是中国传统哲学中的重要范畴，内涵丰富，可指宇宙万物的构成要素，如张载所言，"太虚不能无气，气不能不聚而为万物，万物不能不散而为太虚"⑤，气聚则成万物，气散则归于太虚。孟子论气则以主体道德人格的禀赋为主。孟子云："我善养吾浩然之气"，"其为气也，至大至刚，以直养而无害，则塞于天地之间。其为气也，配义与道；无是，馁也。是集义所生者，非义袭而取之也。行有不慊于心，则馁矣"。⑥

对于志与气的关系，孟子从哲学上给出了解释，"夫志，气之帅也；气，体之充也。夫志至焉，气次焉，故曰：'持其志，无暴其气'"⑦，即志主宰气，志至气随，志作为气充溢四体，而使人能尽其心，践其志，有志则不会伤损士气。又说，"志一则动气，气一则

---

① 《胡林翼集》第二册，第 523 页。
② 《胡林翼集》第二册，第 457 页。
③ 《胡林翼集》第二册，第 957 页。
④ 《曾国藩全集·家书二》，第 883 页。
⑤ 《张子正蒙》，上海古籍出版社，2000 年，第 87 页。
⑥ 杨伯峻：《孟子译注》，中华书局，2010 年，第 57 页。
⑦ 《孟子译注》，第 56 页。

动志也。今夫蹶者趋者，是气也，而反动其心"①。正如冯友兰先生所言："孟子的气也就是勇气的气，士气的气。它和武士的勇气、士气性质相同。"② 孟子对气的解释与兵学中气的概念有一定相通性，均表明一种心理状态，一种道德境界。在不同情境下，气则具体理解为士气、勇气、胆气，有时也可专指锐气、惰气等。

中国历代兵家均重视"气"。如《司马法》中有"凡战：以力久，以气胜"③。《尉缭子》中也有"气实则斗，气夺则走"④，即根据士气的高下决定是继续战斗还是退走。戚继光认为士气是战斗意志的外在表现，"心者内气也，气者外心也"⑤，"气发于外，根之于心"⑥。《孙子兵法》提出了"治气"的思想，"故三军可夺气，将军可夺心。是故朝气锐，昼气惰，暮气归。故善用兵者，避其锐气，击其惰归，此治气者也"⑦。可以看出，治气的方法是"避其锐气，击其惰归"，即在己方士气高涨而敌方士气低落时对敌发动攻击。

"兵事尚气"，是曾、胡、左看待军事问题的基本出发点，左宗棠认为，"兵事强弱，在乎气之盛衰；无以司其消长之权，则强者弱矣；有以妙其鼓舞之用，则弱者能强"⑧。他对此的解释是"兵事属阴，当以收敛闭塞为义；战阵尚气，当以磅礴郁积为义；知柔知刚，知微知彰，则皆乾之惕若之心为之"⑨。胡林翼也说过类似的话，"夫战，勇气也。当以节宣、蓄养、提振为先；又阴事也，当以固塞、坚忍、蛰伏为事，尤必以智计为先"⑩。这些说法颇有道家哲学的意味，与老子的"贵柔守雌"思想相类。所谓"阴"，即带有不

① 《孟子译注》，第 56 页。
② 冯友兰：《中国哲学简史》，北京大学出版社，1985 年，第 94—95 页。
③ 《司马法》，中华书局，2018 年，第 382 页。
④ 《尉缭子·吴子》，中州古籍出版社，2018 年，第 50 页。
⑤ 《纪效新书（十四卷本）》，中华书局，2001 年，第 211 页。
⑥ 《纪效新书（十四卷本）》，第 211 页。
⑦ 《十一家注孙子校理》，第 149—150 页。
⑧ 《左宗棠全集》第十册，第 493 页。
⑨ 《左宗棠全集》第十册，第 103 页。
⑩ 《胡林翼集》第二册，第 201 页。

为先，后发的意味。老子提出"贵柔守雌""柔弱胜刚强""后发制人"，实际蕴含着主客关系的转化，是在实力的收敛和积聚中实现强弱的转化，而气是达成这一转变的重要媒介。在冷兵器时代，意志对战争胜负有决定性的影响。然而聚气非易，一旦气衰，很难复振，所以曾、胡、左将战前谋划与治气联系起来，如预料城池不能遽下，则需提前做好准备，蓄养锐气，先备外援，以待城内之弊，"兵机虽因敌势而生，进止迟速各有攸宜，然先事筹维则不可不豫也"①。

（一）养锐气

曾国藩认为，"军事纯视气之盛衰，不尽关人力也"②，将勇气的作用置于绝对实力之前。善用兵者，懂得治气、养气，始终保持部队高昂的战斗意志，避免因不当的行动影响士气，所以曾国藩说，"大约用兵无他谬巧，常存有余不尽之气而已"③。

在曾、胡给僚属的信中，多次出现"全军"一词。全军并不仅指保全整个军队，而且要保全"精锐"和"士气"。曾国藩说，"名将以救败为第一难事"④，"凡勇丁强而不固者，多一两次挫折，人心便有动摇之势，非慎固安重"，所以，任何时候都不要草率出兵，以防因小败挫伤士气。一旦出现败挫，则必须中止进一步的军事行动，采取切实的措施，使士气恢复，"将士气养回，稳打几次胜仗，不可言大战也"⑤。湘军备战特别强调自固，且往往留有退路，曾国藩的解释是："言胜负不在形而在气，在屡败而无伤，亦有一蹶而不振，气为之也。余出兵屡败，然总于未战之先，留一退步，故尚不至覆巢毁卵。"⑥ 又说："凡与贼相持日久，最戒浪战。兵勇以浪战而玩，玩则疲；贼匪以浪战而猾，猾则巧。以我之疲敌贼之巧，终不免有受害之一日。故余昔在营中诚诸将曰：'宁可数月不开一仗，

---

① 《左宗棠全集》第十四册，第 461 页。
② 《曾国藩全集·家书二》，第 278 页。
③ 《曾国藩全集·书信一》，第 543 页。
④ 《曾国藩全集·书信一》，第 770 页。
⑤ 《左宗棠全集》第十册，第 280 页。
⑥ 《能静居日记》第二册，第 1064 页。

不可开仗而毫无安排算计。'"① 左宗棠则将"慎"字贯穿于战前、战中和战后全过程，"虽兵事利钝非所逆料，然慎以终始，其要无咎"②。

胡林翼对败挫的认识与曾国藩略有不同，他认为小挫在所难免，但只要善加利用，仍可保持士气旺盛，"行军固不能无小挫，但挫后而队伍日加整顿，志气日见壮盛，则小挫未始非大胜机也。总须哨长、十长得人，营伍乃有把握"③。遇有败挫时，首先要能和气平心，从容以待，同时要及时加以整顿，俟时机成熟，再图复起。特别是在作战失利的情况下，迅速扭转失败情况，"经此大挫之后，又须养之时日，加以经理，其气渐固，始可用之"④。

为求反败而胜，而急于求成，意气用事，则极有可能遭受更大挫折。"大约打败仗之后，总以申明军令、严赏罚为要。非是，则人心不服，气亦不振也。"⑤ 越在受挫时，越考验将领的谋略与意志。可以看出，所谓养气的关键仍在主将，要打有把握之仗，连胜几次，士气就旺盛，否则气衰。所以要尽量避免低效的行动对士气的影响。一旦战败，主帅不能情绪波动，要及时进行整顿和疏导，使士兵积压的情绪得到释放。

胡林翼以猪脬作比，解释士气蓄养之重要。他说："尝论孺子之戏猪脬，贯以气而缚以绳，当其盛时，千锤不破；一针之隙，全脬皆消。兵事以气为主，兵勇之气，殆如孺子猪脬之气，此中盈虚消息之故，及蓄养之法，节宣之法，提唱之法，忍耐之法，惟大将能知之。彼营哨各官，贼未来则欲攻，则勇气不可遏；贼果来则殊不能战，勇气又减去大半，此积年之通弊也。"⑥ 用一个词来概括就是收缩，通过收缩将郁积的力量不断增加，待时机到来时使积聚的能

① 《曾国藩全集·家书一》，第348—349页。
② 《左宗棠全集》第七册，第445页。
③ 《胡林翼集》第二册，第893页。
④ 《左宗棠全集》第十册，第95页。
⑤ 《左宗棠全集》第十册，第343页。
⑥ 《胡林翼集》第二册，第694—695页。

量喷薄而出。曾国藩也说："凡打仗，一鼓再鼓，而人不动者，则气必衰减；凡攻垒，一扑再扑，而人不动者，则气必衰减。"①

（二）戒骄气

但也必须看到，大胜后则要戒骄气，要力戒因胜利而产生的骄气和轻敌的情绪，始终保持昂扬和谨慎小心的心理状态，这是曾、胡、左三人均反复告诫部将的，并在实践中努力加以维持的状态。曾国藩说："军事不可无悍鸷之气，而骄气即与之相连；不可无安详之气，而惰气即与之相连。"②

在攻下田家镇后，湘军兵骄将傲，曾国藩本人亦有轻敌之心，称太平军不足为患，多则三载，少则一年，即可澄清。咸丰四年（1854）曾国藩率湘军水陆东下，兵临江西九江城下。由于太平军守将林启容守御得法，湘军在很长时间内攻不下九江，且伤亡惨重。为摆脱困境，曾国藩采纳了彭玉麟的建议，以小股部队继续攻打九江，而以大股部队绕过九江，攻击湖口和梅家洲，以打通湘军东进的道路。湘军水师进抵湖口后，鉴于湘军水师优势，太平军难以力胜，遂用疲敌战术扰敌。为阻止湘军水师冲入湖内，太平军于当夜将大船数只装满沙石凿沉江底，堵塞湖口，湘军水师遂被肢解为外江、内湖两支。后太平军又在官牌夹大败湘军水师，俘获曾国藩座船，毙其管驾和监印官，曾国藩只身上岸，避入陆营，其余船只溯江而逃。目睹自己苦心经营的水师船毁勇溃，曾国藩愤不欲生。他又一次赴水求死，被罗泽南等苦劝，方作罢。但湘军成军以来的节节凯旋的态势被终止，以后湘军又一败再败，此后半年中江西13府中有8府渐次落入太平军手中，而曾国藩仅保有赣州、南安、饶州、广信4府及省城南昌，"疆土日狭，饷源日竭，省会成坐困之势"③，陷入苦境。此后曾国藩长期坐困江西，度过了一生最艰难的一段日子。

---

① 《曾国藩全集·书信三》，第 1763 页。
② 《曾国藩全集·书信二》，第 937 页。
③ 《曾国藩全集·奏稿一》，第 686 页。

　　总体而言，曾、胡、左的兵学论述是散落在大量具体战场布置当中的，尽管缺乏兵书系统化的外在形态，但从认识深度与现实指导价值而言，则远远超过了一般的兵书，也呈现出与一般兵书不同的特点：一是不简单重复旧说。尽管这些思想仍在传统兵学框架之下，但对一些旧的错误认识却有所校正和纠偏，且有比较多的创见。二是这些思想皆来源于实践。所论不再纠缠于一些概念或范畴的抽象理解，而是着眼于如何化解现实矛盾和解决实际问题，不作空泛之论，因此指导性更强。无实战经历的文人不可能有这样的认识。三是这些思想是发展的，是有生气有活力的，因为仍被添加着新的内容，而不是铁板一块，或者日渐锈蚀。实际上，也正是由如曾、胡、左一样的近代军事人物在充分肯定传统兵学精髓要义的同时，又能够放下身段，通过认识、总结和思考，发现自身兵学体系的不足，发现西方军事理论的价值，从而创造出衔接中西兵学的缓冲平台。如果没有这些新的认识和反思，不可能使传统兵学中的不足充分显露出来，西方军事理论亦不可能顺利被引入。

　　曾、胡、左的兵学思想，很多是对传统兵学的重新认识和重新解读，是将已经严重脱离战争实际的抽象观念放回到战场这个一切战争理论的最真实的检验场，并在军事实践中发现传统兵学缺失的成分。尽管这种探索仍然有限，但其已经让传统军事思维从虚空中重新落地，重新回归兵学思想应有的本来面目。

第四章 淮军主导时期的兵学

第一节 淮军时期的兵学思想简述

淮军脱胎于湘军，其初建时的营制、装备皆仿效湘军。淮军入沪后，由于所处环境不同，加之淮军领袖李鸿章对西洋兵器的认识较曾国藩更为深刻，因此，淮军在独立作战后不久，即大规模引入西方先进军事装备，并在较短的时间内完成了武器装备由冷热混杂到全部由热兵器为主的转变，在武器的配备上比较早地实现了近代化。武器装备的更新，推动了独立炮队的建立和军事制度的调整与改革，进而对淮军后期的军事教育、军事训练、战术都产生了较大的影响。

一、淮军的建立

咸丰十年（1860）春，攻破江南大营后，太平军随之深入江浙地区。江浙本为清廷财赋之区，这一地区的沦陷对清政府的震动极大。清廷数次下旨，要求曾国藩迅速带兵规复苏州、常州。清廷认为，"曾国藩规取安庆，顿兵坚城，即使安庆得手，而苏常有失，亦属得不偿失。为今之计，自以保卫苏常为第一要务"[1]。然而此时的曾国藩正坐镇祁门，以大半兵力围攻安庆、桐城，根本无力分兵规

---

[1] 《清实录》第四十四册，第648页，中华书局，1985年。

复苏、常。曾国藩转而选定他一向颇为赏识的李鸿章作为援沪的领袖。李鸿章受命后，即开始招募兵勇。因李鸿章曾在庐州办理团练六年，与当地团练组织有很深的渊源，因此组建淮军时，兵员主要从舒城、庐州一带旧有团练募集而来。两个月后以这些团练为基础，组建淮军数营。曾国藩另从湘军中拨出数营，并入淮军，凑成十三营，共6500人。同治元年（1862）正月二十四日集合于安庆，订立营制，是为淮军之始。随后，淮军分三批陆续进驻上海。

淮军初建时一切营制、器械之制皆仿照湘军，"公为定营伍之法。器械之用、薪粮之数，悉仿湘勇章程，亦用楚军营规以训练之，拨湘勇数营以助之"①。但淮军进入上海不久，即开始装备洋枪洋炮，使原有完全仿效湘军的营制发生了一定程度的变化。湘军营制，每营500人仅用抬、小枪120余杆，而至同治四年（1865），淮军已大部分采用西式洋枪，李鸿章称"臣军每营则用洋枪四百余杆，少亦三百余杆，洋药铜帽每开一仗则须数万斤"②。

淮军初建时使用的火器与湘军相同，只有鸟枪、抬枪和劈山炮。而这一时期的西方国家，由于技术革命的推动，在枪炮设计上完成了一系列重大改进。如枪管由滑膛改为线膛，增大了射程，提高了命中精度；点火方式也发展出触发式点火，比原来火绳点火和较晚的燧石点火更加简便快速，且不受天气的影响，较清军所用火器有着明显的优势。攻占苏、常后，太平军曾通过在沪的军火商，从洋人手中进口了大量洋枪洋炮，其中尤以李秀成部装备最多。李鸿章进入上海后，亲见李秀成所部"专用洋枪，力可及远"，因而得出淮军"惟有多用西洋军火以制之"的结论③。于是通过联络洋人代购，委托同僚采办，派人奔走于纽约、香港、广州、上海等国内外军火市场购买，淮军获得了大量洋枪洋炮，使装备得以迅速改进。同治元年（1862）八月，在淮军程学启部建成的一营洋枪队中，装备洋

---

① 《曾国藩年谱》，第131页。
② 《李鸿章全集》第二册，第67页。
③ 《李鸿章全集》第二十九册，第134页。

枪 300 多杆，劈山炮 40 尊。一年之后，李鸿章在准备部署攻打苏州时，淮军全军人数五万有奇，各营洋枪总计 1.5 万～1.6 万杆①，平均约三人有一杆。到同治三年（1864）五月，淮军主力郭松林、杨鼎勋、刘士奇、王永胜四军 1.5 万人，装备洋枪 1 万余杆，刘铭传所部 7000 余人，洋枪 4000 杆。② 到镇压捻军起义时，淮军陆师已 5 万余人，约有洋枪 4 万余杆，摒弃了大部分旧式兵器。

随着 19 世纪 70 年代西方各国军事工业迅速发展，武器技术得到质的飞跃。此时的李鸿章仍竭力追求外国新式武器，"闻外国有一器新出，一法新变，未尝不探求而写（放）［仿］之以教练将卒"。③ 洋枪陆续由前膛枪更新为后膛枪，洋炮则由前膛短炸炮更新为长炸炮、后膛钢炮。光绪三年（1877），又添购克虏伯后膛钢炮 114 尊，仿德制成立新式炮队 19 营。光绪十年（1884）将所部各营"一律操用克虏卜、阿摩士庄等炮，呎啫士得、哈乞开思、毛瑟等枪"④。这些枪炮的列装，使淮军的装备更为精利。

淮军在武器装备方面的变化，加速了原有编制的改变。正如王闿运所说，"淮军本仿湘军以兴，未一年，尽改旧制，更仿夷军"⑤。但到上海不久，便成立了洋枪小队。至同治元年（1862）九月，李鸿章首先在程学启所统三营中改一营为洋枪队，并在每哨中添加劈山炮二队。⑥ 此后淮军各营陆续将原有的抬枪、刀矛、小枪队改为洋枪队。每营所配洋枪多则 400 余杆，少则 300 余杆。到同治三年（1864）末江南范围战事结束时，淮军虽不像李鸿章所说全是洋枪队，但已有三分之二以上的部队改用洋枪，也可以说基本洋枪化了。⑦

---

① 《李鸿章全集》第二十九册，第 251 页。
② 参见王兆春：《中国火器史》，军事科学出版社，1991 年，第 327 页。
③ 《吴汝纶文集》，上海古籍出版社，2017 年，第 121—122 页。
④ 《李鸿章全集》第三十三册，第 350 页。
⑤ 《湘军史料四种》，第 163 页。
⑥ 《李鸿章全集》第二十九册，第 152 页。
⑦ 见樊百川：《淮军史》，四川人民出版社，1994 年，第 137 页。

　　由于李鸿章坚持"练军练器",使淮军不仅超越湘军而成为清军最精锐的部队,比之太平军在武器装备方面也占有了压倒性的优势。李鸿章曾不无得意地说,"苏贼无劈山炮,专恃洋枪",而淮军"遇贼交锋先以劈山炮拥洋枪队而行,屡获幸胜"①。改编后的淮军装备情况为:每营有洋枪28队,洋枪每人1杆,每队除伙勇外,11人持有洋枪,加上各哨官勇计20人,合计全营共有洋枪328杆,洋枪兵占全营战兵总数的71.6%。每哨编2个劈山炮队,全营共有劈山炮队10队,每队有炮4尊,全营共有劈山炮40尊,炮兵占全营战兵总数的26.2%。②尽管此时淮军所用洋枪仍系前膛枪,但已改为铜帽底火,射程与火力都数倍于旧式鸟枪。

　　淮军各营除改用洋枪外,又进一步淘汰劈山炮,而改用洋炮。李鸿章到上海后,惊叹洋兵的"落地开花炸弹真神技也",并在向西方学习过程中,逐渐领会到"西洋兵法以炮为主,枪为辅,煞有至理"③。同治二年(1863)正月,淮军亲兵护卫营,即张遇春的春字营中已有炮队200人参与战阵,这是淮军最早的正式炮队,成为中国炮兵制度的发轫。④其后淮军各大枝营头,先后建立起各自的炮队。同治三年(1864)五月,淮军程学启和刘铭传所部炮队,组建成专门的炮营。后又接管常胜军炮队600人。次年,淮军共组建开花炮队6营,计刘秉璋部1营,刘铭传部1营,罗荣光部1营⑤,刘玉龙部1营,余在榜部1营,袁九皋部1营,均装备了西洋开花炸炮。

　　淮军长夫之制仿效湘军,每营设180人,承担搬运弹药、军装、抬枪、劈山炮等杂役。李鸿章认为:"长夫之制有关兵事强弱,自湘、淮军转战南北,削平寇乱,其得力在于勇额足而拔队捷。勇额

①　《李鸿章全集》第二十九册,第114页。
②　见刘申宁:《淮军装备研究》,《军事史林》1989年第5期。
③　《李鸿章全集》第三十册,第536页。
④　见王尔敏:《淮军志》,中华书局,1987年,第97页。
⑤　常胜军裁撤后遗留下600人的整营炮队,有大炮三十余尊。淮军接收后,由罗荣光管带。

足则力厚，常以一营分扎两垒，故战守足恃；拔队捷则赴机迅速，不致贼退而兵始来，皆原于额设长夫分执粗重之役，不使勇力过劳也。"① 武器装备和作战方式的改变，使淮军长夫的任务更为复杂和专业化，主要担负修筑洋式炮台、营垒和疏河、修路等工程任务，与西方早期的工程兵相似。淮军在武器装备和军事训练以及军兵种方面的"西化"措施，使它的战斗力强于其他清军，李鸿章曾这样夸耀，"敝军枪炮最多而精……是以所向披靡"②，在维护清朝统治方面，淮军起了特殊的作用，成为新军建立之前清廷最为倚重的一支部队。

几乎与装备的更新和营制改进相同步，淮军在进驻上海不久即采用了西式军事训练方法——即所谓"练洋操"。淮军刚到上海时，李鸿章即应英国海军提督何伯所请，将薛焕旧部千人交何伯选派英国军官在松江九亩地训练，练成后改为会字营。继之因法军要求代练，李鸿章从当地练勇拨出 600 人，交法国军官庞发在徐家汇（后改为高昌庙）训练，即为后来的庞字营。因担心外国教官"揽权嗜利"，"久则外国多方揽扰，渐侵其权，不容中国管带官自主，亦不肯绳勇丁以中国之法"③，不再将淮军拨交外国军官教练。

其后的淮军训练主要以聘请洋员担任教习为主。同治元年（1862）十一月，淮军刘铭传部聘请一名法国军官，在营中教练施放洋枪。同治二年（1863）后，李鸿章分令"各营雇觅洋人教练使用炸炮洋枪之法"，以至"传习日久，颇窥奥妙"。④ 先后有金思立、华乃尔、马格里、吕嘉、陆国费等 20 多名英法军官入淮军充任教习。这些外籍教官大多出自常胜军，只有少数教官由英法军官直接投效。光绪十年（1884），李鸿章又令驻德公使李凤苞在德国选雇德

---

① 《李鸿章全集》第十二册，第 263 页。
② 《李鸿章全集》第二十九册，第 322 页。
③ 《海防档·购买船炮》第一册，"中央研究院"近代史研究所，1957 年，第 188 页。
④ 《李鸿章全集》第二册，第 67 页。

军退伍军官 24 人来华，到淮军各营教练枪炮技艺和西方战阵新法。这些洋教习带来的近代的军事训练思想和方法，使淮军军事训练向近代化跨越了一大步。

二、淮军的兵学简述

淮军的训练，原承袭湘军。在普遍地更换了新式洋枪洋炮的同时，李鸿章也开始了解和学习西方陆军的练兵方法和攻防战术。他认为，"近日德国陆兵雄视五大洲，实以操演布阵为根本"①，应当"讲求兵法以图自立"②，同时主张"惟新式枪炮机具精致，中国兵将向多粗疏，稍不细心，即不能尽其妙用。鄙见多置利器，更要讲求操法，有器而不能用与无器同，且恐以其器予敌"③。在进驻上海后不久，淮军的教育、训练发生了相应的变化。由于这些洋枪洋炮与中国旧式枪炮相比具有技术复杂和性能先进的特点，也给淮军官兵的训练和教育都提出了新的更高的要求。

淮军初建时，李鸿章对曾国藩所倡导的思想教诫之法尚能比较遵从，并有意推广湘军营制营规，如《劝诫浅语》《爱民歌》《解散歌》等。他对曾国藩表示，"惟恃此水陆万人相依为命，训练将士，不使少染陋习，积诚以感外间军吏"④。后期淮军亦有类似的举动，如光绪初年，淮军盛军统领周盛传编纂了《严禁樵采谕》《讲求操防谕》《营弁操谕》《严整营规谕》《训将领谕》等，要求弁勇"敬畏长上"，"效忠朝廷"，争取"荫子封妻"，落个"好声名"，⑤似乎淮军完全继承了湘军重视思想教育的衣钵。然而，从实际情况来看，淮军不仅没有落得"好名声"，反以缺乏纪律、作战志在掳掠为其显著特征，有学者甚至认为，"淮军本无精神纪律之训练"⑥

---

① 《李鸿章全集》第三十四册，第 274 页。
② 《李鸿章全集》第三十一册，第 367 页。
③ 《李鸿章全集》第三十三册，第 350 页。
④ 《李鸿章全集》第二十九册，第 76 页。
⑤ 《周武壮公遗书·外集》卷一，页五十三。
⑥ 《淮军志》，第 223 页。

可言。

淮军后期军纪更加败坏，甲午战争更是将这些问题完全暴露出来。如在朝鲜时，卫汝贵所部盛军"见贼即溃，遇物即掳，毫无顾忌"①。在辽东战场，淮军的纪律状况同样如此。奉天府府丞李培元上奏反映他的见闻，其中特别提到"淮军万不可用"，因为"宿将久经凋谢，继起者非其亲戚，即其子弟，均未经战阵之人。补伍皆以贿成，扣饷早怀积怨，况功名已足，习气已成，骄奢居人先，战斗居人后，从前攻打发捻贼，有子女帛货，我兵故以战为利，今与倭寇战无所得，故不利于杀贼，而利于扰民，见贼愈怯者，扰民愈甚"，甚至"抢掠淫暴，无所不为"②。之所以出现这种局面，与淮军将领多为行伍出身，无湘军将领那种"忠义血性"的精神有直接关系。淮军将领缺乏湘军将领的理学素养，只能凭借功名利禄来驱使士兵，所以士兵皆以获利为目的。"正是因为精神颓废，淮军从一开始就没有建立起严格的纪律，平时闹饷扰民，战时争夺战利品。也正因为精神空虚，淮军始终未能树立起刻苦训练的作风，虽然它的教育训练具有求新的意识。"③

湘军对新兵训练较为重视，但训练时间不长，仅一至三个月。李鸿章认为，"外国募兵之法，须操练六个月乃使出仗。其战胜攻取固由枪炮之精，亦由纪律之严"④，据此，淮军规定新兵训练时间为六个月。

淮军所习洋操主要包括打靶、队列、战术三个方面。其中打靶为掌握洋枪洋炮所进行的射击训练，主要内容包括测距、各种姿势的瞄准、击发以及枪炮保养等。队列训练主要有大小横队、纵队、四面转法以及行进和停止等项目。除了枪法，其余一应阵法（包括行军与作战队列）、号角、口令等俱采用西方军队成法。根据《周武

---

① 《清光绪朝中日交涉史料》卷二十三，页二十，故宫博物院影印，1932 年。
② 《中国近代史资料丛刊·中日战争》第三册，第 365 页。
③ 《中国近代军事改革》，第 82 页。
④ 《李鸿章全集》第一册，第 4 页。

壮公遗书》记述："步队洋操之法，必定可分可合，身法、手法、足法，齐起齐止，一人如此，千人亦如此。阵势变换或分或合，相敌而动，如出一气，方为精妙。"① 由于所聘洋教练"鸣角出令皆夷语"②，给实际训练带来不少困难，一度颇为影响军心士气。淮军各部将有鉴于此，在镇压苏州地区太平军之后，各自组织人力，翻译了洋操口令。刘秉璋、潘鼎新、丁日昌、周盛传等，都将翻译后的口令刊刻成书，分发军中使用。

淮军的战术训练，是在湘军传统战术训练的基础上吸收近代西方战术精神而形成的。在实际操练中，李鸿章常常听取部下的合理建议，对西式操法加以改造。据《江南昭忠录》记载："尝见夷兵步伐整齐而行阵嫌过密，请之抚军（即李鸿章），将营哨改编枪炮队，参用连环法以疏之，士卒称便。"③ 所谓连环法就是成交叉队列行进，显然是汲取了湘军阵法的长处。

不可否认，淮军当时的战术训练，已经具有不少近代化的因素。如方阵中拉大了士兵间距，减少层叠，改变射击方式，希望以此来增加火力密度，减少伤亡。又如用以三个梯队交替掩护通过桥梁或险隘的浮梁阵中，出现了散兵线，与清军传统战法明显不同。④ 可惜这些内容一旦套入传统阵式之中，便无法发挥应有的作用，因为所谓"阵者，整而已"，即"步伐止齐"之意。⑤ 要求官兵动作程式化，保持整齐的战斗队形，恰好与近代灵活制敌的战术原则相违背。

尽管存在不足，但淮军抛弃传统的训练方法，转用洋操洋典训练，推动了淮军向近代化的过渡，也对湘军乃至全国的军事训练产生了积极的影响。同治三年（1864），总理衙门奏请在八旗、京营火器营中选派官兵 48 名，到江苏李鸿章的淮军中学习外洋炸炮、炸弹

---

① 《周武壮公遗书》卷四，页一。

② 《湘军史料四种》，第 474 页。

③ 丁日昌：《江南昭忠录》卷一，清同治十一年（1872）刊本。

④ 见《洋枪队大操图说》，"浮梁阵图"，清同治七年（1868）刻本。

⑤ 《中西兵略指掌》，卷四，页七。

及各种军火制器，得到同治帝的谕允。左宗棠也曾请淮军将领郭松林、杨鼎勋派弁勇 10 余人，到他所率领的湘军中教练开花炮。曾国藩奉命镇压捻军时新招募 3000 湘军，也仿淮军组建成洋枪队，并请淮军将领吴长庆到湘军中教练使用洋枪和新式阵法。同治九年（1870）清廷发布上谕，"直隶、天津、江苏、上海及刘铭传军营，均练习枪队炮队，步伐尚为整齐，号令尚为严肃，其教演之法，着各该省自行咨取章程照办，总期实事求是，变疲弱为精强"①。刘铭传部是淮军中的佼佼者，各地练兵，都依刘部的练兵章程组织实施。李鸿章接管直隶练军后，先后派淮军将领前去任职，并给练军装备洋枪，按淮军操法训练。各省的练军又纷纷仿效直隶练军，装备洋枪，用洋操训练。清廷对淮军的近代化高度信赖，动辄令李鸿章从淮军向其他省份派员教练，调拨枪械。可见，淮军比较近代化的训练方式对晚清时期其他军队的训练影响是很大的。

三、主要兵学著作

淮军将领比较注意训练方法和战术的总结与整理。从 19 世纪 60 年代开始，先后编成《洋枪队大操图说》《枪炮操练图说》《操枪程式十二条》等具有条令性质的训练操典。

（一）《洋枪队大操图说》

该书由淮军将领潘鼎新组织编纂。潘鼎新于同治元年（1862）随李鸿章赴上海，所部陆续换装新式枪炮，战术思想也随之发生变化。当时淮军简练精良，自成步伐，以口令代金鼓，颇令人耳目一新。潘鼎新又以"所部五千人合操之，演为枪阵，凡十有五。夜则心揣手摹，以指画被；旦则亲督旗号，试之演场。务使整散互施，离合交应，回环往复，万变无穷"②。后以图配说，编成此书，于同治七年（1868）付梓。李鸿章看了抄本后极为高兴，大加鼓励，并指示潘鼎新将"小操各条亦须一一绘图立说，核定妥本，尽可发刻，

---

① 《曾国藩全集·奏稿十二》，第 7153 页。
② 《洋枪队大操图说》，陈锦谨识。

以便传示"①。

《洋枪队大操图说》所载日常操练阵式 15 种，均绘有阵图，并配以说明文字。这 15 种阵图分别是：转移阵、四叠阵、六花阵、回旋阵、五方阵、撒星阵、八字阵、大方城阵、梅花阵、八卦阵、浮梁阵、双龙阵、小方阵、工字阵和四锐阵。这些阵法，主要为大阵，人员较多，阵法变换较为复杂，用于实战的可能性较小，而更可能是为了强化团队意识仅用于训练的阵法。因当时潘鼎新所统部队多已配备火器，与传统冷兵器阵法已有实质性不同，该书所述阵法多为借用已有之名，而实则已根据实际情况进行了诸多改造。如撒星阵，在李绂的《藤牌撒星阵法说》② 中即有记述，是由大圆阵通过不断变换阵形变为多个小圆阵的阵法，以藤牌作为防护基础，以刀矛和弓箭为主。而该书中所讲撒星阵名虽与李绂所述相同，但原理并不一致，其中加进了大炮和排枪，在装添弹药的间隙进行队形变换，可变作六十四小队，再由移动状态收队还原。各类方阵，立意与功效大体相同，其共同特点是兵力缩成一团，使士兵四面应敌。

无假想敌之设，不借助地形地貌，而空泛地讲动作变换，期望达成一定的战术目的，这是中国传统阵法的追求，但也是其最为人诟病之处。训练此类阵法，或许可以使部队的行动趋于统一和协调，但从作战角度来看，意义则不大。正如译有多部西方军事理论著作的李凤苞所言："咸同以来，各省练军竞尚西国操法，习其分合进退，颇能步伐整齐，而间或能用己意，多设旗帜，甚至杜撰阵势，徒美观瞻。惟平定发逆以后，深知方阵跪伏，实足以防御马队而已。岂知西国炮械日精，方阵一式，亦久作筌蹄之具耶。"③

（二）《枪炮操练图说》

该书是在李鸿章的授意下，于同治十一年（1872）由时任江苏巡抚的丁日昌主持编纂，将洋教习教练淮军洋枪操阵的办法翻译成

---

① 《李鸿章全集》第二十九册，第 470 页。
② 见李绂：《藤牌撒星阵法说》，《魏源全集》第十七册，第 260—262 页。
③ 《陆操新义》，译后序，清光绪十年（1884）天津机器局铅印本。

中文，绘图注说，编成该书，印发给江苏省内练军使用，作为淮军各部的图示操典。李鸿章在序言中说："自今以往，营中不难人置一编，按图而索，口号不烦翻各国之语，教练不待延远方之人，分合动静则朱白识其标，进退转折则点线限其界。即至一移足、一举枪无不有步法、手法以程其式。盖用兵之道，患乎分数不明，千万人即千万其心也。故先设为一定之格，将使怯者仰而企，勇者俯而就。进则俱进，止则俱止，莫敢独为先后。"①

　　全书共分操枪法、一排操法、一哨操法、一营操法、一营出队法、一军操法、操炮法、炮队操法等八篇。该书是译著而非原创，但似根据淮军实际进行了部分改造。该书的最大特点是使用了最早的中文口令。淮军学习洋操起初的口令均为外文音译，在学习西法推广到全国后，各地练习洋操仍用外文音译口令，"不特传授不广，且恐一旦有事，洋兵习知口号，戎机易泄"②。清廷遂于光绪四年（1878）二月十四日下诏令，将洋文改译为中文。日常口令如"立定""稍息""右转半面"等与今日军队训练中约定的口令一致或类似。与后来新建陆军训练中所使用的口令相对照，亦能看出它们之间的承接关系。

　　队列训练强调整齐与熟练，这是进行战术训练的前提和基础。李鸿章对队列训练的基本要求是"口诵心维，先求精熟，再图变化"③。丁日昌也自言"器械既利，惟在心定手熟，自可百战百胜"④，这与李鸿章对于军事训练一贯的认识相一致。遗憾的是，该书只有基本队形操法而无战术配合等内容，因此只作为基本队列训练之书。淮军要学习战术动作，则只能借助其他译著，如《克鹿卜后膛炮法》《克鹿卜小炮简本操法》等。

---

① 《清代军政资料选粹》第七册，全国图书馆文献缩微复制中心，2002年，第111—112页。
② 《李鸿章全集》第八册，第130页。
③ 《李鸿章全集》第三十册，第296页。
④ 《丁日昌集》（上），第192页。

全书以图示方式，附文解说步兵和炮兵的各种操练动作，比较清晰明畅，易于学习掌握。该书编成后，李鸿章曾下发淮军部队，参照训练，"《洋枪图说》《口令阵法》较常操尤为详备，现仅印出二百部，全数奉上，望分给各统带营哨官，人各一部，督令细心考校"①。一直到中日甲午战争之前，该书一直是淮军训练的基本依据。

（三）《操枪程式十二条》

光绪元年（1875），盛军统领周盛传参照西法拟订《操枪程式十二条》，对新式洋枪的使用、保养诸法作了明确规定，后也被李鸿章下令印行颁发北洋各军使用。该书主要内容是关于枪械的用法和保养。规定操枪的一般动作要领，如捣药要实，瞄准时气息要匀，要熟悉靶位远近，并告以平时如何训练，枪械如何保养及如何取准，"欲得机簧灵活，必须用时细心，不可令机上稍有尘垢，机簧尤宜常用油擦"②。此外弹药受潮亦会影响打靶准头，"后门进子枪内外均贵洁净，而内膛尤不可积药煤。宜于放枪后乘热用碎布条穿入通条上之孔，插入枪管，擦去药煤，惟不可多沾湿气，以防生锈"③。

第二节　周盛传的训练思想

盛军是淮军的重要力量，地位仅次于刘铭传的铭军，在镇压太平天国农民运动和捻军起义中发挥了重要作用。同治九年（1870），李鸿章移督直隶后，调周盛传所统盛军驻扎天津马厂，此时的盛军已发展到1.2万人，后移驻新农镇，作为拱卫京畿、留备缓急的游击之师。在津期间，盛军负责修筑大量军事和民事工程，周盛传

---

① 《李鸿章全集》第三十册，第296页。
② 《周武壮公遗书》卷四，页五。
③ 《周武壮公遗书》卷四，页四、页五。

"工作余暇，日以教操为事，而于西洋后膛枪炮尤能深窥秘奥，手著操枪章程十二篇"①。

盛军的装备水平在淮军中提升较快，因此训练亦随着装备水平的提升而有较大变化。《周武壮公遗书》中有较多篇的谕和禀，比较充分地反映了盛军移驻天津后的训练状况。盛军训练办法的主要来源有二，一是对旧有训练方法的保留，主要集中在战术层面上，特别是在阵法上保留较多；二是对西式洋操的吸收。盛军自19世纪70年代开始学习洋操，主要以德操为主。在《议复总教习德参将李保条陈》《议复德国兵机院总办密次藩条陈》中外国军官对淮军训练的实际效果与德操进行过较为全面地比较，总的评价是，"与德国操大同小异，进退尚整，气亦静而不嚣"②。李鸿章主政北洋时，数度巡阅北洋诸防军，每次都对盛军大加称赞，如同治十一年（1872），"查阅提督周盛传所统淮军盛字、仁字马步二十三营，纪律严明，队伍整齐，枪炮大阵全用洋法，熟练灵变，壁垒亦甚坚固，足资防剿"③。光绪八年（1882）则称，"周盛传所部自同治九年由陕西随臣移直，布置海防历年，筑新城、造炮台、操练各种后膛枪炮，精益求精。盛军利器足与西洋相埒，遂为各省防军之冠"④。光绪元年（1875），盛军订立《操枪程式十二条》，对后膛枪的"阴阳向背、风雨晦明之数，剖析微芒，于是北洋练法恒为他军则"⑤，逐步将盛军的做法向整个淮军推广，其他大枝部队虽未达到盛军的训练水平，但亦受盛军训练方法的影响。

盛军中新兵训练约需三个月时间，"新勇进营操练手法、步法、端架、瞄线等事，半月之间即可应手。至于分操、合操，技艺娴熟约在两月以后"⑥。盛军训练的重心在分操与合操，但均以基本的手

---

① 《李鸿章全集》第十一册，第152页。
② 《周武壮公遗书》卷四，页二十三。
③ 《李鸿章全集》第五册，第247页。
④ 《李鸿章全集》第十册，第23页。
⑤ 缪荃孙：《续碑传集》卷五十二，页二十四，文海出版社，1966年。
⑥ 《周武壮公遗书》卷二，页十六。

法、步法为基础，特别是枪械的使用，尤以步枪的端架和瞄准为重。

一、技能训练

队列训练包括单兵及团队原地或行进间各类步法和转法。基本动作熟练后，则由一排、一哨、一营，逐级会合训练，要求做到整齐、准确和快速，如"操左右转身之时，枪须扛顺，转身须要整齐，脚步转还仍须不失分寸，如此操法，必至整至快，乃可合宜"[1]。为提高训练效率，要求主训官严格掌控训练时间，"尤须用表对准，按定时刻操毕"[2]。训练时各营哨官务须亲理，"必定可分可合，身法、手法、足法齐起齐止，一人如此，千人亦如此。阵势变换或分或合，相敌而动，如出一气方为精妙"[3]。

端架是技能训练的第一步，要领在于呼吸气息平稳，臂力稳固，"凡打枪挂线之时，丝毫不能移动，若呼吸气粗，则线必不准"[4]。训练时，要求新兵口念数字，以每秒读一数字为度，以后逐步加长读秒时间，并以西洋表记准。"端架用口数字，虽有限制，然口中气息或躁或静，数字即有快慢之分，必须用表考求，方能定准。如端六十字者，即端六十秒工夫，余可类推，以昭画一。"[5] 端架动作要符合动作要领，"盖打枪，眼贵挂线而手贵端平，并须以枪之后托抵紧肩窝，则子出虽有坐力而前口不至移动"[6]。周盛传还专门创设了一套练习端架的办法，令兵勇早晚练习。"今拟于空中悬一铁圈，圈下挂一铜铃，令兵勇早晚端二次，将枪口送入铁圈中，周围与圈相离，稍一移动，则撞圈铃响。如端架时口数三百字而铃不闻声，则手劲练稳，命中方有把握。"[7]

---

① 《周武壮公遗书·外集》卷一，页十五。
② 《周武壮公遗书·外集》卷一，页十四。
③ 《周武壮公遗书》卷四，页一。
④ 《周武壮公遗书》卷四，页八。
⑤ 《周武壮公遗书·外集》卷一，页十四。
⑥ 《周武壮公遗书》卷四，页八。
⑦ 《周武壮公遗书》卷四，页八。

打靶训练是步兵训练最基本也是最重要的训练科目。周盛传认为，"打靶者，即求中敌之谓。现在西人出师，队伍最为严整，度不若猿猴之跳跃靡定，狐兔之出没无时，必以奇技胜之者也。但须操演打远，合大队以计其成，斯为精实不摇之策"①。在实际训练中，打靶被细化为"马上打、步下打、点打、坐打、卧打、靠打、走打、蹲打、仰打、俯打、斜打、骑马式打、前走向后打、后退向前打"②等各式，要求逐式操演，务求精熟，"苟能逐式操演，使枪无虚发，则一切奥妙必能精熟矣"③。此外，周盛传要求平时打靶"须自近及远，由数百步以至千步内外，皆须逐层递演。至临敌对阵，宜俟敌人愈近则发弹愈准，不至虚糜子药。若欲打远靶，宜多用长靶，尽画人形，或立或蹲，远远排列，以排枪轰之。打过后看靶上人形中枪者若干处，以人形上之枪眼多少定优劣。此即譬如打大队只要向人丛处轰击，虽不能指定一人取准，总可伤人不少也"④。

在训练时间安排上，每次训练的强度及标准都有一定之规。如规定："操演打靶必须定有限制间时。每月打九次，以三、六、九为期，每次准打五枪。忙时每月打三次，以逢五为期，每次准打十枪。先由统带及营官、哨官打准，然后再试兵勇。如兵勇中能屡次打全红者，即将靶式渐次改小。倘兵勇中有不中者，应由该营官时时教导以期其臻精熟。"⑤ 后期为省弹药，又对时间进行了调整："按初领之年每月三十子，打靶六次。次年递减至二十子，打靶四次。三年不再递减，除初一、十五停操，按七日一打靶，以后即作为月领定章。三、四、五、八、九，五个月为忙月，每月领十子打靶两次，六、七两暑月，每月仍领五子打靶一次。似此月有课程，勤加校验，既无作辍之虞，自励专精之效。"⑥ 打靶瞄准距离，亦随训练时间逐

①　《周武壮公遗书》卷四，页十八。
②　《周武壮公遗书》卷四，页八。
③　《周武壮公遗书》卷四，页八。
④　《周武壮公遗书》卷四，页三十八。
⑤　《周武壮公遗书》卷四，页六。
⑥　《周武壮公遗书》卷四，页十六。

渐加长，"打靶用宽长一尺一寸铁靶，以一百八十步为程，演习逾月，展靶二十步，半月后再展。如之至十二月半后，展至二百二十步为止。务须加紧严操，逐渐展远，以期精熟"①。

二、操炮训练

周盛传重视大炮，认为，"练炮储子为海防第一要图"②。因身处作战前线，加之极为重视大炮装备与引进，因此盛军是淮军中装备西式大炮较早形成规模的一支部队。盛军建有炮队三营，主要装备有过山钢炮和田鸡炮。周盛传从作战的角度将大炮区分为守炮与行炮，即可移动与不可移动的大炮，各有优缺点，"守炮安置台上，所欲击者非敌之铁舰，即敌之炮台，线路较宽，取准稍易。行炮则轮毂运行，旋转肆应，兼打活队，取准较难"③。守炮的训练主要在取准，行炮则除瞄准外，还需进行机动训练，所以行炮的训练较守炮更为复杂。

盛军的操炮训练，无论驻防海口的炮队，还是执行游击任务的炮队，均以训练行炮之法为主，认为只要将行炮之法练熟，守炮取准自然即无问题。大炮射击取准取决于表尺测距是否精实。为保证炮兵表尺使用手法熟练，周盛传曾提出利用空操时，练习测距，"拟请饬各营于空操时仍安子火，但不置药于内，时时练习则临时不致忙乱，自有准头"④。

因盛军除防卫职能外，尚有大量的工程工作，为兼顾工程与训练，周盛传在制定炮兵训练课程时颇花了一番心思。其基本指导思想是训练强度依训练精熟程度逐年递减，即保证炮队有足够的训练频度，同时又能留出时间进行河工等工作。基本规定如下："初领之年，四磅炮每月可操响六次，每次用弹五颗。二十四磅炮每月可操

---

① 《周武壮公遗书·外集》卷一，页四十。
② 《周武壮公遗书》卷四，页二十一。
③ 《周武壮公遗书》卷四，页二十二。
④ 《周武壮公遗书》卷四，页二十四。

响四次，每次亦用弹五颗。次年四磅炮每月减至四次，二十四磅炮每月减至三次。三年每月仍各减一次。三年后表尺、眼线、手法均已娴熟，四磅炮似可定为按月操响两次，二十四磅炮每月操响一次。十、冬、腊、正、二，五个月不能作工，为闲月，照此额给领，以便分番轮习。三、四、五、六、七、八、九，七个月为忙月，不暇多操，亦断不能竟废。虽军营不能以工作为常，要可权宜酌减行炮，按月操响一次。"①

　　除以上操枪与操炮训练外，盛军亦重视体能训练，如针对马队，要求"自统带起至马勇止，均令蹲坐马势，左右前后抛掷沙袋，彼抛此接，此抛彼接。习熟日久，臂力既加，跨劲日固，驰驱迅疾，能于马上掇马上之人抛掷地下，始为上选"②。

三、马队训练

　　盛军马队训练以洋操为主，但也保留了中国传统马队训练的成分，兼顾了洋操与华操的优劣，认为，"华操之法，独取纵横猛突，将来可以用奇制整"③，每日训练，黎明仍令先合华操，中晚训洋操，"总期华洋两操并行不背"④。

　　马队训练的重心也在射击，但较步兵更为复杂，除人员需要训练外，亦需对骑乘之马做针对性训练，"须于未操打靶时，先操空枪，使其闻惯不惊，缰辔娴熟。又须跨鞍灵便，至打靶时，气静体直，合线即发，乃可命中。若手生眼滞，一呼吸气间，人马俱动，则线走而著靶难矣"⑤。除练习马上射击外，骑兵也需练习身法、步法、足法，并规定营哨各员要一体督队学习，"一哨操则哨官与教习同叫口令，一营亦然。其身法、步法、足法，左右前后回旋偏侧各

---

① 《周武壮公遗书》卷四，页二十二。
② 《周武壮公遗书》卷四，页一。
③ 《周武壮公遗书》卷四，页一。
④ 《周武壮公遗书》卷四，页一。
⑤ 《周武壮公遗书》卷四，页八、页九。

法，均排如坐马势。逢三逢六则骑马演操，以试马上之势，督队叫口令如前"①。为检验训练效果，盛军定期举行马队会操。操演时马队一排或三里或二里，统带营官须从验看，看马步是否相合，人牲是否不乱。规定初操限八分钟，以后愈操愈快。

周盛传早期认为马队在特定地理条件下，仍有存在的价值，"到机势相宜之处，尚可用以冲锋，或抄击辎重，或截其后路，均以马队为宜"②，但后期基本认定骑兵的作用有限，终将为时代所弃。

四、战术训练

周盛传虽出身行伍，但思想并不守旧，他始终关注西方军事技术发展动向，"于泰西器械，必穷其良楛所在"③，对西方科学也保持极高热情，能不断吸收新的思想指导盛军发展。如其针对中法战争提出以轻捷步兵为奇兵，对敌骑兵之战法，即颇能体现出这一点。面对装备了开花小炮的法军，他主张招募熟悉当地民情的土著数千人，这些临时部队，虽不若洋兵严整，"然其慓悍奔轶之气，亦恐猝不及防"④，配以长矛，再间以西洋兵枪配搭备用。交战时，我军聚为一团，"彼如专攻马队，以开花炮轰我，我之奇兵即可乘虚而入，或扰其前，或击其后，轻快劲利，俾敌人不得措手。但能将前队越广之人扫除净尽，其余真正法人本自无多，我步队正兵又有堆土伏沟避枪之法，炸炮轰伏地人之法，以静制动亦足摧彼凶锋。若法人在前又可以此项奇兵作为诱敌之用，先张旗帜迎敌，先驱我步队正兵即可藉为屏蔽于内，挖沟堆土，法人见我兵不整，势必鼓行而前，无复顾忌。迨至枪子可以直中之时，我正兵即可于沟内放枪轰击，彼族虽悍恐亦无所可逃"⑤。

周盛传对于西式战法，坚持一贯的主张，学习但不盲从，余暇

---

① 《周武壮公遗书》卷四，页一。
② 《周武壮公遗书》卷四，页三十八。
③ 《续碑传集》卷五十二，页二十三。
④ 《周武壮公遗书》卷一，页十九。
⑤ 《周武壮公遗书》卷一，页二十。

常与洋教习讨论战法。曾与洋教习讨论，在暗夜与敌遭遇时的处理办法。周盛传告以伏地打枪之法。"该洋员初不谓然，因即当场演试。命一勇伏地昂首发枪，约计首高于地不过七寸，我勇既伏较敌之平立受枪处，短至四尺有余。敌若对面施枪，线路稍高则枪子必越过伏勇之背，过低则打在地上，阻住不灵，必须按下枪身对准，我勇昂首六七寸之地，乃可伤其身背，似未必能巧中。若斯至我军施枪，则惟对准敌人火线下一尺，内外狙击，无论中其胸腿，皆足制之。"①

　　盛军仍习练传统阵法，如大圆阵、小圆阵等。周盛传曾说："若马队来冲，可用小圆阵，不可用大方阵，因现在后膛枪利害，故如此用法。查小圆阵原为避敌人枪炮利害，十余年前法国即有此阵法，大者名曰大不龙冬，小者名曰小不龙冬，中国名曰散星阵，营中已时常演练。"② 关于小圆阵与大圆阵，《周武壮公遗书》中并无交代。同治十年（1871）八月，李鸿章曾将潘鼎新所编《洋枪队大操阵图说》下发盛军，其中有大圆阵和小圆阵提法，当与周盛传所说"小圆阵""大圆阵"相仿。书中所言："其阵以一字横列，分十排，从五六中间两排并行（五尾与六首并），前走，五偏右绕走（逆行），六偏左绕走（顺行），再面对面走（五尾六首相同），即成小圆阵。再以四三二一排为右翼，七八九十排为左翼，偏左右绕走（亦一逆一顺），圈出小圆阵外，即成大圆阵。"③ 可见大圆阵比较容易分散为队。"盛军在一定程度上改变了以往密集的线式队形，出现了士兵疏开的趋势。不过，因为士兵仍然被要求固定在横队中，以保持整齐的方式推进，所以实际上是一种疏开的线式队形"④。

---

① 《周武壮公遗书》卷四，页三十一。
② 《周武壮公遗书》卷四，页三十七。
③ 《洋枪队大操阵图说》，清光绪年间本。
④ 赵鲁臻：《危机下的变革——晚清陆军战术及训练研究》，第154页，南开大学2014年博士论文。

五、野战工事训练

盛军极为重视营垒修筑，以此为先为不可胜之基，故将野战工事作为一项重要的训练内容。"近年卑军及各防军常作各项土工，亦即以练习挖濠、筑垒诸事"①，主要是因为"洋人炮火之利，非挖濠筑墙，不足以资障蔽"②。此项工作，主要由正勇之外的工程兵负责，周盛传将此类负责工垒修筑的部队称为"奇兵"。他说，"正勇专任攻打，恐难兼顾墙濠，必须此项奇兵以为之助，或与马队相辅，合力包抄，或与地势相宜，分路埋伏。设遇敌人深入，正兵迎击，奇兵可由后路截邀堆土挖沟，伏施枪炮以绝其归路，总期相机应变，出奇不穷"③。此项练习主要在打靶间余，"历年以来，每届打靶余闲，天气晴和，亦必时加肄习"④，最终目标，要能在六分钟内挖成有一定深度和宽度深沟。"每挖土沟长约二尺五寸，宽三尺余，深一尺五六寸之谱（沟），沟沿堆土，宽约三尺，高一尺有奇，内可伏匿，外可遮蔽。"⑤

考虑到洋枪炮威力巨大，传统沟槽防护力有限，周盛传在一般挖沟之法的基础上，还创造了一种防护力更强的野战工事，"临时就地挖槽，植板作架，即以挖槽之土，厚覆板上，兵勇伏于架内以避炸弹，待其既近，然后突出击之"⑥。具体做法如下："宜预择扼要必由之路，相地坚筑防营，每营土垣三层，内墙约高一丈五尺，外二层以次递减，外墙厚约十丈，内二层亦以次递减，内高者便于施炮，外厚者便于御炮，外墙并厚培根脚，以作斜坡，炮弹所加，遇斜坡辄顺滑而下，此足以御迎面正打之炮弹矣。敌若以田鸡炸炮从空堕击，则预于二三层营墙之内，安设木栅，以丈余长一尺厚过心

① 《周武壮公遗书》卷四，页四十七。
② 《周武壮公遗书》卷二，页十八。
③ 《周武壮公遗书》卷二，页十八。
④ 《周武壮公遗书》卷四，页二十五。
⑤ 《周武壮公遗书》卷四，页二十五、页二十六。
⑥ 《周武壮公遗书》卷一，页三十八。

之坚木排立为栅，用土厚培，复用坚大之木横盘盖顶，螺蛳大钉，密钉牢固，培以泥土，覆以草蒿，层草层泥，厚至二尺，并作外低中凸状，如釜底之圆。炮弹炸落营中，必不能穿栅而入，向内一面皆安洋铁气筒，以备透风。再于木栅之隙安设洋枪及小格林轻铜群子等炮，以备施放。其二三层营墙，四面皆设月城，略仿新城之制，并多设暗炮门，城内木栅设炮之处，皆与暗炮门相对。外墙周围皆密布旱雷二道，营墙之外皆设电雷电线暗通墙内，埋处宜深，以防炮轰激发。倘敌人来攻我，有营外之地雷，触机即发，纵敌人诡谲善避，俟其攻营，我仍坚壁不出，彼或破我外垣，我乃将二层墙外之地雷，燃电轰发，出其不意，必可聚歼。即使余众再攻，我仍凭二层墙垣坚守，开月城并暗炮门，伏栅以轰击之。"①

此外，地雷使用也是野战时必备的技能。盛军对埋雷之法也有明确规定："再埋雷时，须将地荡挖好，将雷紧对荡中放正，不得稍偏，发出之时，石子即在面前，及左右轰炸，即有飞石向后亦不过数丈之内，人之离电，总有四十丈之多，大可无虑。"②

六、校阅与大操

盛军一般每年冬月进行校阅，主要检阅中靶多少，并据此予以奖励或惩罚。"盛传复亲自逐日抽调校阅酌定程式，分半里、一里、五百二十步为三等。靶宽一尺九寸至二尺九寸，三枪全中者奖以银牌，其牌亦分轻重，由五钱至三两区为数等。视路之远近，靶之大小为率。不中者分别记过，罚跪，自前月杪至本月，步队各营周阅两次，各弁勇异常激勉，全红者日多，银牌屡罄屡制。"③

在《合操情形禀》中，周盛传对某次会操情形有比较完整的记载。参与会操的营数超过十营，除步兵外，还有炮步和骑兵。"枪队各营接炮队三营之后，右军三营在右，左军两营合中军后营在左，

① 《周武壮公遗书》卷一，页三十六、页三十七。
② 《周武壮公遗书·外集》卷一，页二十四。
③ 《周武壮公遗书》卷四，页十一、页十二。

马队五营附于左右马步小队及中军两正营列后。一营结大排，闻鼓声炮队先进，炮马驾车驰骤而前，枪队继进约打冲锋，五六里前后门炮连环轰击，仍依口令退回打三进三退后，马队伏起两面包抄，而前追击约七八里，依次收队。"① 可以看出，淮军的训练较湘军带有明显近代化的色彩，兵种除步骑外，已有独立炮兵，操演规模更大，演习主要检验部队间的协同配合，但有关对抗性的记录不多。

第三节　李鸿章的兵学思想

李鸿章是晚清后期最重要的政治、军事人物，他是同光时期自强运动的主要领导者和实践者，晚清时期外交领域斗争的主要决策者，同时也是晚清后期海防战略的主要谋划者和近代海军的创建者。尽管肩负多重身份，并在政治、外交等领域均有所作为，但其成就一生功业的基础在军事。他是淮军的创建者，并在相当长的时期内始终是淮军统帅，领导和指挥了镇压太平天国农民运动和捻军农民运动的许多重要战役，参与了中法战争和中日甲午战争的军事部署与战略决策。这些丰富的政治和军事阅历，造就了他比较开阔的战略视野和灵活多变的作战指导才能。

李鸿章没有系统完整的军事著作，其兵学思想主要反映在他的上奏及与同僚的书信中。与曾、胡、左的兵学言论中多格言警句不同，李鸿章的兵学论述，操作层面的内容多，提炼或总结性的语言较少。从系统性和思想深度看，也不如前面三人，但亦表现出一些特征：一是现实性，不做空泛的兵学议论，所有兵学言论均有明确的指向性。二是操作性强。多具体的战略谋划、部署，或战场上临机处置办法等具体内容。三是涉及领域较广，对西方军事思想有一定程度的吸收，比较集中地反映在海防和海军建设思想上（见第六

① 《周武壮公遗书》卷四，页二十六、页二十七。

章），使其兵学思想具有一定的近代化色彩。

一、战略思想

李鸿章是晚清时期具有国际视野，能够将中国问题置于国际大格局中进行思考的少数几个战略家之一。大学士宝鋆在评价洋务主将时说，"中堂（李鸿章）能见其大，丁禹生（丁日昌）能致其精，沈幼丹（沈葆桢）能尽其实"①。李鸿章对时局把握精准，视野开阔，且能不断吸收新的思想来武装自己，思维始终活跃。在列强环伺、中外实力悬殊的背景下，如何能在夹缝中寻求发展，既求得改变实力落后的途径，又在应对当下问题中找到妥善的处置之法，是非常考验一个人的战略能力的。

（一）备豫平时

李鸿章有很强的危机意识，他曾说，"惟臣忝膺拱卫，设有警变，自应激励将士决一死战，而胜负之数既不可知，国家安危要当豫计"②，这是李鸿章对于疆臣职任的基本设定。他以自强为念，思考问题始终突出一个"豫（预）"字，其常言为避免"临事筹防，措手已多不及"③，所以要"备豫于平时，而折冲于临儿"④。可以看出，李鸿章能够始终立足长远来思考问题，不以近利取远害。

对于西方列强，李鸿章的基本判断是"洋人所图我者，利也，势也，非真欲夺我土地也。自周秦以后，驭外之法，征战者后必不继，羁縻者事必久长，今之客国又岂有异"⑤。这一认识虽带有明显的功利主义色彩，但从后来的发展看，李鸿章的这一认识大体是无错的。基于此认识，他对列强的态度是"惟中外交涉，每举一事，动关全局，是以谋画之始，断不可轻于言战；而败挫之后，又不宜

---

① 《郭嵩焘全集》第十三册，第 277 页。
② 《李鸿章全集》第七册，第 127 页。
③ 《李鸿章全集》第六册，第 159 页。
④ 《李鸿章全集》第三十册，第 252 页。
⑤ 《李鸿章全集》第三十册，第 137 页。

轻于言和"①。他明白国家间的竞争，实力是根本，若实力不济，不必强求与列强争胜。他主张对列强采取暂为羁縻的态度，避免发生正面冲突。李鸿章认为，当时的国家实力并不足以与列强抗衡，不如缓退一步，求得相对稳定的国际环境，而应将主要精力放在改革内部陈旧落后的局面，求得国家的快速发展。他说："岛夷利器强兵百倍中国，内则狎处辇毂之下，外则布满江海之间，实能持我短长，无以制其性命。盱衡当时兵将，靖内患或有余，御外侮则不足，若不及早自强，变易兵制，讲求军实，仍循数百年绿营相沿旧规，厝火积薪，可危之甚。"② 他甚至认为，"以中国之大而无自强自立之时，非惟可忧，抑亦可耻"③。尽管形势窘迫，李鸿章对于中国终将摆脱当时的困境却保有相当的信心，他说，"中国地大物博，但能合力以图之，持久以困之，不患不操胜算"④。但前提是国家要有定见，不能因一时一地的利益受损而偏离了发展的主线。

对于日本的威胁，李鸿章始终有极为清醒的认识，始终保持高度警惕，并在战略运筹和布防上进行了必要的准备。早在同治三年（1864），李鸿章即表示过担忧，他说："夫今之日本，即明之倭寇也，距西国远而距中国近，我有以自立，则将附丽于我，窥伺西人之短长；我无以自强，则将效尤于彼，分西人之利薮。"⑤ 同治十一年（1872），他又说："惟该国上下一心，皈依西土，机器、枪炮、战舰、铁路事事取法英、美，百年后必为中国肘腋之患。积弱至此，而强邻日逼，我将何术以处之。"⑥ 他认为，国家应发奋自强，迅速改变军力疲弱的局面，否则"若不赶筹，发愤自强，后患何可思议"⑦。光绪六年（1880）又说，"查日本国小民贫，虚憍喜事。长

---

① 《李鸿章全集》第十册，第 331 页。
② 《李鸿章全集》第二十九册，第 338—339 页。
③ 《李鸿章全集》第六册，第 166 页。
④ 《李鸿章全集》第十册，第 83 页。
⑤ 《李鸿章全集》第二十九册，第 313 页。
⑥ 《李鸿章全集》第三十册，第 439—440 页。
⑦ 《李鸿章全集》第三十一册，第 112 页。

崎距中国口岸不过三四日程，揆诸远交近攻之义，日本狡焉思逞，更甚于西洋诸国。今之所以谋创水师不遗余力者，大半为制驭日本起见"①。对于日本入侵朝鲜，李鸿章亦有准确判断，并提前进行了相应的部署，他说，"至朝鲜为东三省屏蔽，关系尤巨。臣前劝其与西人立约，并导以练兵购器，无非望其转弱为强"②。

（二）大局着眼

对于军事行动，李鸿章始终能从大局出发，而不被一时的小胜蒙蔽双眼，他说，"用兵之道，先揽大势，而后下著，不得以目前小胜负为定准也"③，即小目标要能服务大目标，相合则有益，不合则小胜亦对大局有害。他率领淮军进规苏、常时，即坚持从大局着眼，认为必须"分路前进，或掎或角，取远势以制大敌"④，如此则"我可以抄贼之后，贼不能抄我之后，渐逼渐紧，渐击渐败，使贼大势不振，筋脉不舒，则苏州一城早迟可克，克亦易守"⑤。李鸿章在协助左宗棠平定陕甘回乱时，他的认识也相当冷静清醒，"代筹西事以办粮运、集马队为要务，并以先战后守，守定后战，就地势为里围外围，先保秦，次图陇"⑥。可以看出，这与左宗棠"缓进急战"的基本策略，"以地形论，中原为重，关陇为轻；以平贼论，剿捻宜急，剿回宜缓；以用兵次第论，欲靖西陲，必先清腹地，然后客军无后顾之忧，饷道免中梗之患"⑦，大体是一致的。

维护国家安全，实力是基础。李鸿章认为，"从来御外之道，必能战而后能守，能守而后能和。无论用刚用柔，要当豫修武备，确有可以自立之基，然后以战则胜，以守则固，以和则久"⑧，但须以

① 《李鸿章全集》第九册，第261页。
② 《李鸿章全集》第九册，第261页。
③ 《李鸿章全集》第二十九册，第320页。
④ 《李鸿章全集》第一册，第337页。
⑤ 《李鸿章全集》第一册，第337页。
⑥ 《李鸿章全集》第三十册，第59页。
⑦ 《左宗棠全集》第三册，第327页。
⑧ 《李鸿章全集》第九册，第259页。

对彼己的实力有准确的把握为前提。李鸿章认为，"自古用兵，未有不知己知彼而能决胜者。若彼之所长己之所短尚未探讨明白，但欲逞意气于孤注之掷，岂非视国事如儿戏耶"①。所以他坚决反对意气冲动，必须做立足现实的长远打算。对于文臣动辄言战，李鸿章将此解释为"局外士大夫愤诸国之凭陵，哗然欲战"②，他对此类轻启战端的意见颇为不屑，他说，"夫南宋以后，士大夫不甚知兵，无事则矜愤言战，一败则怔懦言和，浮议喧嚣，终至覆灭。若汉唐以前，则英君智将，和无定形，战无定势，卒之虚憍务名者恒败，而坚忍多略者恒胜，足知制敌之奇，终在镇定。伏愿朝廷决计坚持，增军缮备，内外上下，力肩危局，以济艰难，不以一隅之失撤重防，不以一将之疏挠定见，不以一前一却定疆吏之功罪，不以一胜一败卜庙算之是非，与敌久持以待机会，斯则筹边制胜之要道矣"③。

在对马嘉理事件的处理上，则充分体现了李鸿章决策从大局着眼的特点。面对英国人咄咄逼人的架势，"议者攘臂言战"④，李鸿章从自身实力出发，认为不必为此事轻启战端，他说，"目下南北各海口虽有防兵，均嫌单薄，虽筑炮台，多未竣工，况口岸弯阔空虚之处尤属防不胜防，恐未足言制胜。……臣之愚见，此事究因滇案而起，似不值竟开衅端。且时势艰难，度支告匮，若与西洋用兵，其祸患更有不可测者"⑤。

（三）自强为本

李鸿章重视战略上的超前部署，如购置铁甲舰，建设旅顺、威海要塞，铺设电报线，设立武备学堂培养近代军事人才，都是在这一思想指导下实现的。他认为中国的出路在一"变"字，变易兵制，变易武器，且必须立足自身，"购器甚难，得其用而昧其体，终属挟

---

① 《李鸿章全集》第六册，第 160 页。
② 《李鸿章全集》第三十册，第 90 页。
③ 《李鸿章全集》第十册，第 331 页。
④ 《李鸿章全集》第九册，第 109 页。
⑤ 《李鸿章全集》第七册，第 127 页。

持无具"，只有自造才能"取彼之长益我之短，自强之基莫大于是"。① 李鸿章是中国近代军事工业的主要创始人，江南制造局、金陵机器局、天津机器局的建设，都与他密切相关。李鸿章还认为不仅要购进西式装备，更要不拘成法，变易制度。如对绿营分散驻防的局面，他提出："兵制关立国之根基、驭夷之枢纽，今昔情势不同，岂可狃于祖宗之成法，必须尽裁疲弱，厚给粮饷，废弃弓箭，专精火器，革去分汛，化散为整，选用将能，勤操苦练，然后绿营可恃。"②

二、作战思想

李鸿章用兵前期师法曾国藩，初带兵时，谨守乃师的作战原则，如不攻坚，坚持围城打援等。在上海见识了西洋枪炮的威力，并在西式武器装备渐多后，作战思想渐趋灵活，不再专以曾国藩的一套办法为准，而带有了较多个人特色。

（一）重长围，更重发挥火力

淮军组建后，淮军的作战以夺取城池为主，尽管仍采用湘军的长围困守之策，但已经比较注重发挥火力，利用西洋枪炮的巨大威力，予以太平军以较大杀伤，因此从总体上看，淮军在围城战中的作战效率明显高于湘军。如在收复松江之战中，李鸿章所领淮军"尽出所有大炮数十位，洋枪千余杆，与李恒嵩所带中营抬枪、贾益谦所带督标鸟枪，环堞分列。贼四处聚攻，则以大炮轰之；贼周围驰骤，则以排枪击之"③。淮军所配洋枪较多且先进，因此应敌手段亦较为灵活多变。在进攻常州的作战中，淮军采取的策略是："饬催苏州炮局赶制各项炸弹，多备攻具，克期再举。……臣惟督饬各军稳慎以图，设再轰打不进，即长围困之，多方误之，当有聚歼之一日。"④ 与湘军时期力避攻坚的策略不同，淮军因对敌有火力优势，

① 《李鸿章全集》第六册，第412页。
② 《李鸿章全集》第二十九册，第339页。
③ 《李鸿章全集》第一册，第25页。
④ 《李鸿章全集》第一册，第481页。

不再坚守不攻坚的策略，而是尝试利用炮位优势进行攻坚作战。常州之战中，淮军虽仍采用了合围，但最终发挥关键作用的则是西洋大炮，"常州西南门外贼垒扫除后，官军四面合围……臣即督饬刘士奇、王永胜等将前攻嘉兴大炮在小南门安设轰打，戈登常胜军炮位在大南门安设轰打，刘铭传炮队在北门安设轰打"①。正因为李鸿章屡次亲见大炮在攻城作战中的突出作用，更激发了他后来竭力提升武器装备水平的意愿。

（二）重援应与配合

李鸿章任直隶总督前后近 40 年，历经马嘉理事件、日本侵台、中法战争与中日甲午战争，中国始终处于列强虎视之下，始终面临被进攻的风险。近畿是列强紧盯的攻击重点，所以李鸿章担任直隶总督期间，主要工作是近畿及北洋的整体布防，力图达到"勿论将来有无战事，在我必须严密布置，使之无懈可击"②。李鸿章的指导思想是"兵分则力单，合则势厚"③，这不仅指作战时不分兵，更体现在布防的整体意识上。因此，在布防上注意将分散的驻军，通过相互间的援应与配合，使分散于几处的部队整合为一个整体，力求驻兵互为掎角，能够彼此援应。他说，"近畿重地必须有重兵相为掎角，以备不虞"④，"互为援应，则气脉易贯，运道易通"⑤。李鸿章布防上的这一特点在数次面对海上威胁时都有较充分的体现。如光绪六年（1880）对于近畿的布防，"宣化距张家口仅六十里，该镇王可陞久历戎行，谋勇素裕，现有练军马队四营，足资巡防。臣拟令刘盛休派健将带两三营，前往宣化附近择要屯扎，与王可陞练军联络一气；铭军大队仍屯静海，如北边有警，兼程往援不过数日，事机可无贻误，似属兵家活著"⑥。再如光绪十年（1884）对山海关地

---

① 《李鸿章全集》第一册，第 481 页。
② 《李鸿章全集》第三十一册，第 107 页。
③ 《李鸿章全集》第十册，第 488 页。
④ 《李鸿章全集》第十册，第 386 页。
⑤ 《李鸿章全集》第二册，第 76 页。
⑥ 《李鸿章全集》第九册，第 31 页。

区的布防，"现有曹克忠六营、叶志超四营，合力布守，计可堵扼要冲。其后路昌黎、乐亭一带，又有吴大澂所部马、步十营，联络分扎，声势颇壮，似觉未甚空虚。设将来敌船攻扑宁海城炮垒，意图深入，臣拟派刘盛休铭军马、步驰往援应拦剿，以顾京东门户"①。此外，在海口设防上李鸿章也强调要口之间的呼应，海防与陆防相互间的援应与配合，这在天津布防上体现得特别充分。（详见海防一章）

从总体上看，李鸿章的布防视野较为开阔，能够兼顾陆海，兼顾不同部队的优劣，兼顾重要地区与次要地区，使海、岸、陆形成完整的立体化布防体系，在当时有限的条件下，这是清军能够做到的最有效的方式。

（三）稳慎用兵

湘军重远势，强调避实击虚，淮军作战似更强调短兵相接，所以"涤相（曾国藩）尝哂鄙人调度喜用险着"②。不过从总体上看，李鸿章用兵仍以稳慎为主，而较少冒险。湘军三河之败与江南大营的溃败对李鸿章触动很大，他认为："李续宾之于三河，以孤军无援而败，皖、鄂因之骚动；十年，和春、张国梁之于金陵，以后路围困而败，苏、浙因之糜烂。前鉴具在，不可不思患豫防。"③ 此后较少再有冒险的主张，而时时以"不分兵"告诫诸将。如淮军入沪作战后，他对上海周边地势进行了认真考察，认为："淞沪一片平坦，无险可扼，除守城外，尽作游击之师，俟贼大至，相机择利，以遏其锋，兵力实单，欲守吾师'不分兵、不兼顾'之诫。"④ 他屡次告诫潘鼎新："惟桑林丛杂，河汊纷歧，易中贼伏，严诫各军，勿猛追轻进，勿孤立挤杂。屡胜之后，倍加持重为要。"⑤

---

① 《李鸿章全集》第十册，第 488 页。
② 《李鸿章全集》第三十册，第 70 页。
③ 《李鸿章全集》第一册，第 106 页。
④ 《李鸿章全集》第二十九册，第 99 页。
⑤ 《李鸿章全集》第二十九册，第 317 页。

此外，李鸿章也反对"接仗过猛"，即过分深入敌境，或将主要兵力用于进攻，而对后防布兵过轻。捻军作战迂回包抄是其主要战法，淮军与其作战屡受此法而败挫。如在德安一战中，张树珊即因"打仗过猛"，被捻军分路回抄，前后队被敌冲断，陷入重围。李鸿章在此战之后说："臣早虑其打仗过猛，寡不敌众，迭经批檄，令与周盛波合进一路，以厚兵力。讵仓卒遇贼，与盛军隔河并战，互救不及，军未败而身亡。"① 刘铭传在尹隆河之战中也因过度深入，被捻军包围而击散。此后李鸿章多次告诫部队，勿"接仗过猛"，陷己于被动。

针对捻军作战的特点，李鸿章的用兵策略重新回到了曾国藩的办法，即先求稳当，再图进取，但同时也强调，战则必打痛敌人，使其胆寒。他说："闻刘松山、郭宝昌两军，已逼饶阳北面。该逆迭陷祁、饶两城，其焰渐炽。各军须稳慎进战，前截后兜，此击彼应，先得一二胜仗，再厚集其势，与之角逐，即难就地歼除，必将穷奔出境。若以无制之师，单弱之队，轻为尝试，挫败既易，贼气立张，故兵家慎言战，以战而必不胜，不如不战之养威重矣。捻极狡悍，张总愚尤穷寇死党，非战胜不足以寒其胆，非久战屡胜之军，则人马器械徒以饷贼。"②

（四）以主待客

"以主待客"是曾国藩极力主张的对敌策略，李鸿章亦受其影响，也坚持避敌锋芒，待机而动，以看似被动的方式获得战场主动的地位。同治三年（1864），李鸿章指导潘鼎新作战时说："贼锐当养我兵力，以逸待劳，以挫其锐，不宜昼夜挑战，则十胜必有一挫，一挫即难再振。"③ 后又说："鄙见不须日日出队浪战，耗我精锐勇气。但严束各营凭壕登坪，以静待动，以逸待劳，以主待客；虽大股悍贼，屡扑不动，气自竭矣。我再乘其疲以痛剿之，必能一战而

① 《李鸿章全集》第三册，第13页。
② 《李鸿章全集》第三册，第202页。
③ 《李鸿章全集》第二十九册，第318页。

走，楚军故首戒挑战，大有深意。"① 这实际上是要求部将根据敌人的作战特点，利用有利地形，暂时收缩实力，等待有利时机。对于僧格林沁与捻军的以骑兵对骑兵的追逐战，李鸿章始终不认可，讽刺"其用兵别有师法"，断定僧氏"不于险要形势及贼匪归路、窜路布置扼扎，以逸待劳，……日久将有大挫"②。

（五）粮路畅通

"行军以筹粮为第一要义"③，"兵事先以有饷为急务，……然无饷则不能为用"④，"自来用兵，必先讲运道"⑤，这是李鸿章对筹粮的基本态度，无论与太平军、捻军作战，或于西北用兵时，李鸿章都将保证粮路畅通作为出兵作战的第一前提，凡有兵力调动，必先设粮台。如同治九年（1870）李鸿章奉调入直隶，"于张秋、德州、天津增设转运，数千里粮饷军火转输不绝，前敌乃无掣肘"⑥。

李鸿章认为西北用兵，粮路是关键，军饷和粮食问题不解决，进兵只会空耗部队，得不偿失。所以筹饷要先于筹兵。他说："该处民久乏粮，至无民则何从觅食。兵已乏食，若添兵则徒以酿乱。说者谓移得胜之师，以图大举，似是兵家常谈，而于西事利害得失之故，未深究耳。"⑦ 又说："就现在情形而论，左宗棠全军尽留在陕，即甘境各军，不闻兵单，只闻粮绌。是其所急不在添兵，而在济饷与筹粮也。自来西陲用兵，远或数十年，近或十余年而后定。盖屯田转运，均极迂远，非旦夕所能奏功。"⑧

对于粮食的筹措方式，很多人基于历代治边的成法，主张屯田，以屯田来代替劳师远顿的转运。李鸿章将此类言论视为"事言之甚

---

① 《李鸿章全集》第二十九册，第 356 页。
② 《李鸿章全集》第二册，第 67 页。
③ 《李鸿章全集》第三册，第 197 页。
④ 《李鸿章全集》第二十九册，第 29 页。
⑤ 《李鸿章全集》第四册，第 6 页。
⑥ 《李鸿章全集》第四册，第 6 页。
⑦ 《李鸿章全集》第三册，第 317 页。
⑧ 《李鸿章全集》第三册，第 317 页。

易，行之甚难耳"①。他并非反对屯田，但对此办法持谨慎的态度："至转运不若屯田，诚为伟论，然屯田须收效于二三年后，目前各军西进，不能悬釜待炊，转运劳费仍不能省。"② 他坚持认为西北用兵转运为主，屯田为辅，"关外千里荒芜，大军远出，屯田与粮运必须相辅而行，办得一分是一分，势难遽求速效"③。

三、治军思想

关于选兵。李鸿章治军承于曾国藩，其招募方式亦与湘军相同，"先选统将而后募营，其营哨须由统将自择"④。李鸿章也认为："兵丁之强弱，视将领为转移，必须将领熟谙情形，始能督率弁兵，训练得力，又必须在该营带队日久，方能熟谙情形，断非内地各营员所能深悉，诚未便以规模久定、员弁熟谙，遂谓将领无须选择也。"⑤ 所以淮军亦采取勇自将招的办法，层层挑选，这样做的好处是："勇则募自田野，多朴拙习苦之人，统领营哨各官自行挑选，一气呼应，易于效命。"⑥ 对招募地域，也采取同一地域的办法，"大抵将之于帅，弁勇之于将，皆须恩信素孚，忠奋易生。廉颇思用赵人，自昔为然"⑦。

关于选将。李鸿章认为，"有器尤须有人"⑧，无人才则装备皆成废物。但选将不能仅以忠勇与否为衡定标准，"若仅凭血气之勇，粗疏之材，以与强敌从事，终恐难操胜算"⑨，他认为"可称将才者，颇难其选。现在西陲军事未竣，腹地伏莽尚多，而洋务方兴，海防孔亟。中国力图自强，变易旧用枪械，精练外洋利器，非久历

---

① 《李鸿章全集》第三十一册，第345页。
② 《李鸿章全集》第三十一册，第14页。
③ 《李鸿章全集》第三十一册，第48页。
④ 《李鸿章全集》第三十一册，第82页。
⑤ 《李鸿章全集》第十五册，第57页。
⑥ 《李鸿章全集》第三册，第316页。
⑦ 《李鸿章全集》第三册，第317页。
⑧ 《李鸿章全集》第十一册，第232页。
⑨ 《李鸿章全集》第十一册，第98页。

战守、智勇通变者，不足以当军寄；其次亦须坚朴为质，兼有心思智术，乃可逐渐操习，日进精能，非仅勇猛粗厉之材所克济事”①，可以看出，李鸿章与湘军的选将标准大体类似，仍以朴质为本，但比较看重学习能力，特别是对洋器要能多所用心。从其对于部将的评价看，也比较看重对西洋长技的学习能力，如对王永胜评价："熟悉西军技艺阵法"②，"乃发愤学习炸炮，阴结洋弁之精于炮事者，与之昼夜研究炮具及木心药性、准头用法，往往自出新意"③。

前期淮军将领主要以选将为主，后期随着西式装备引进力度的加大，特别是海军的快速发展，对军官的专业素养提出了更高的要求，仅靠选将这种单一的方式已难满足需要，而必须以新的方式予以教育培养。李鸿章说，"惟中国选将必临敌而后得，西国选将以学堂为根基；中国军械不求甚精，操练不必甚严，西国则一以精严为主。取彼之长，救我之短，不妨参观互证，期有进益"④。他一方面聘请德国的教官训练哨队，"日后将学成者分派各营，充当教练，渐次扩充，成效必多，于海防不无裨助"⑤。另一方面则强调必须设立军事学堂，培养新式军事人才。他说，"其学有在岸者，有在船者。国家设立多学，教其各习艺业。在堂所学者其理，在船所习者其事；出学当差数年，可仍回原学，再加精练，按年考试"⑥。

选拔高级别将领，李鸿章既看重学识，亦看重实战经历。排除政治和个人关系等因素外，在海军提督人选的任命上，李鸿章主要考察或纠结的就是上面的两点。李鸿章认为舰船管带必须是学堂出身懂得技术之人，"蚊船机器过精，非由学堂出身之武弁不能管带"⑦，大型舰船更要如此。以后他更多次重申，"此项人才必须由

①　《李鸿章全集》第六册，第 246 页。
②　《李鸿章全集》第十册，第 221 页。
③　《李鸿章全集》第一册，第 178 页。
④　《李鸿章全集》第八册，第 515 页。
⑤　《李鸿章全集》第八册，第 515 页。
⑥　《李鸿章全集》第十一册，第 147 页。
⑦　《李鸿章全集》第三十二册，第 543 页。

学堂出身，少有历练，方敢畀以带船出洋重任"①。其次，管带以上的将领须是有实战经验者，他认为："惟系学生出身，西法尚能讲求，平日操练是其所长，而未经战阵，难遽胜统率全军之任。"② 实际上，早在海军建设规划之初，李鸿章即已确定要以有实战经历的人来统带水师，"以中国曾经战阵之将会统，庶缓急稍有可恃"③。依此标准来看，丁汝昌出身陆军，没有学堂经历，但"留直后即令统带水师，屡至西洋，借资阅历，……情形熟悉"，李鸿章认为，"目前海军将才尚无出其右者"④。更重要的是"丁汝昌从前剿办粤捻，曾经大敌，迭著战功"⑤，这正是刘步蟾、林泰曾等有过出洋留学经历的将领所缺乏的。最终清廷任命陆军出身的丁汝昌为海军提督，负责北洋海军建设与训练。

四、强器

李鸿章对于西洋火器的关注，始于上海。当他率领淮军到达上海，目睹了常胜军的训练和武器演放后，大为叹服，"夷兵数千，枪炮并发，所当辄靡，其落地开花炸弹真神技也"⑥，"于是尽弃中国习用之抬鸟枪而变为洋枪队"⑦。在震惊于洋枪洋炮神奇之余，李鸿章对于曾国藩所说的"（用兵）在人而不在器"⑧ 的说法进行了比较深入的思考。曾国藩曾说，"和（春）、张（国梁）在金陵时，洋人军器最多，而无救于十年三月之败"⑨。对于这一问题，李鸿章给出的解释是"和、张营中虽有此物，而未操练队伍，故不中用"⑩。他

---

① 《李鸿章全集》第三十四册，第 32 页。
② 《李鸿章全集》第十五册，第 406 页。
③ 《李鸿章全集》第三十二册，第 543 页。
④ 《李鸿章全集》第十五册，第 406 页。
⑤ 《李鸿章全集》第十五册，第 406 页。
⑥ 《李鸿章全集》第二十九册，第 83 页。
⑦ 《李鸿章全集》第一册，第 303 页。
⑧ 《曾国藩全集·书信五》，第 3161—3162 页。
⑨ 《曾国藩全集·家书二》，第 869 页。
⑩ 《李鸿章全集》第二十九册，第 152 页。

赞同曾国藩"在人而不在器"的认识，但也坚持认为当时中国的武器与列强存在巨大差距，如果不缩小这种代际差异，一旦面对列强，终无从措手。他说："用兵在人不在器，自是至论，鸿章尝往英、法提督兵船，见其大炮之精纯，子药之细巧，器械之鲜明，队伍之雄整，实非中国所能及。其陆军虽非所长，而每攻城劫营，各项军火皆中土所无。"① 他深以中国军器远逊外洋为耻，并发誓要"日戒谕将士，虚心忍辱，学得西人一二秘法，期有增益而能战之"②。他甚至认为："中国但有开花大炮、轮船两样，西人即可夺魄。"③

在镇压了太平军后，清朝内部矛盾趋于稳定，与列强的矛盾突显出来，尽快改变武器窳劣局面显得更为急迫。他说："每思外国兵丁口粮贵而人数少，至多以一万人为率，即当大敌。中国用兵，多至数倍，而经年积岁，不收功效，实由于枪炮窳滥。若火器能与西洋相埒，平中国有余，敌外国亦无不足。"④ 又说："西人专恃其枪炮轮船之精利，故能横行于中土。中国向用之弓、矛、小枪、土炮，不敌彼后门进子来福枪炮，向用之帆篷舟楫、艇船炮划，不敌彼轮机兵船，是以受制于西人。"⑤

对于武器与训练的关系的认识，李鸿章不赞同武器制胜论，而强调武器与练兵要紧密配合。他说："臣查制器与练兵相为表里，练兵而不得其器则兵为无用，制器而不得其人则器必无成。西洋军火日新月异，不惜工费而精利独绝，故能横行于数万里之外。中国若不认真取法，终无由以自强。窃谓士大夫留心经世者，皆当以此为身心性命之学，庶几学者众，而有一二杰出，足以强国而赡军。"⑥ 李鸿章甚至将器与人心的固结联系起来，"尊论固结人心之计，似仍空谈，即如台澎，民气素劲，而琅峤附近为倭人所胁，大半附从，

---

① 《李鸿章全集》第二十九册，第 186 页。
② 《李鸿章全集》第二十九册，第 187 页。
③ 《李鸿章全集》第二十九册，第 220 页。
④ 《李鸿章全集》第二十九册，第 217—218 页。
⑤ 《李鸿章全集》第五册，第 107 页。
⑥ 《李鸿章全集》第四册，第 112 页。

此外则全恃兵力弹压倡率，否则土匪又起。……非有重兵利器仍不足固结人心"①。

在湘军主力陆续裁撤后，淮军成为中国实际的维护国家安全的支柱力量。晚清后期的主要战争都是以淮军为主力进行的，从镇压捻军作战到抗击八国联军的作战都是如此。从一定意义上讲，淮军的训练在一定程度上代表了当时中国军事训练的最高水平，而李鸿章和淮系将领对于兵学的基本认识也代表了这一时期的最高水准。尽管他们的认识仍未触及军事近代化的本质，但已经具有了较为主动的变革意识，他们所进行的军事训练改革也已经步入近代化的门槛，开创了晚清近代军事训练的先河。

---

① 《李鸿章全集》第三十一册，第101页。

第五章　太平天国、捻军的兵学

晚清时期社会动荡，农民运动此起彼伏，其中规模和影响最大的是太平天国农民运动和捻军农民运动，这两次农民运动时间跨度大，波及地域广，尽管最终均被清军镇压下去，但对此后晚清的政治格局与军事制度均产生了很大影响。两次运动时间上有重叠，两支起义军亦曾相互配合，共同抵抗清军的进剿。由于两军留存的兵学论述较为零散，条理化的兵书也不多，难以窥见其兵学思想的全貌，但从实践的角度看，其治军、训练颇有独到之处，尤其战术运用较为灵活多变，是晚清兵学中一种特别的存在。

第一节　太平军的治军、训练与战术

太平军起事初期，进取性极强，在很短的时间内即确定了战略目标，"今日上策，莫如舍粤不顾，直前冲击，循江而东，略城堡，舍要害，专意金陵，据为根本"①。同时建立以五军主将为基础的领导指挥体制，及基本的编制制度，即军、师、旅、卒、两、伍，每伍有五人，层层递增，此种制度"大小相制，视众如寡，臂使指应，颇能联络一气，分合咸宜"②。后期太平军的编制有所调整，但主体

① 《中国近代史资料丛刊·太平天国》第三册，上海人民出版社，1957年，第290—291页。
② 《中国近代史资料丛刊·太平天国》第三册，第108页。

的形式未变。这一制度使太平军人员与武器配备情况相协调，在太平军前期的军事进取中发挥了重要作用。此外，太平军还建立了圣库制度，这是一种太平天国公有共享制度，对于保障前期太平军的快速发展起到了积极作用。后期由于太平军主要统帅缺乏远大目标，安于享乐，不思进取，特别是在天京内讧后，离心离德，极大地削弱了太平军的政治基础，最终在湘军与淮军共同围剿下走向失败。

太平军的失败，主要原因在战略。太平军的统帅普遍文化程度低，多数将领缺乏远大目标，缺乏统筹全局的能力，导致在重大决策上屡屡失误。如太平军很早就建立了水师，但对水师的战略价值始终缺乏深刻认识，最终被后起的湘军水师击溃，将制江权拱手相让。再如夺取金陵，实现初期战略目标后，太平军再未提出明确清晰的战略，导致作战始终没有摆脱疲于应付的状态。尽管失误连连，但不可否认，太平军在长期的斗争中形成了较有特色的治军、训练和战术思想，这些都是可圈可点的，在战法运用上也灵活多变，善于以部队做大范围迂回包抄，或以迅雷之势对敌猛扑，打乱敌军阵脚。

一、纪律约束

洪秀全、冯云山早在广西传教时，就定有《天条书》作为信徒们的生活准则，要求教徒"必以同拜上帝，恪守教条与军律为条件，否则不纳焉"[1]。五条军律包括：一、遵条命；二、别男行女行；三、秋毫莫犯；四、公心和傩，各遵头目约束；五、同心合力，不得临阵退缩。[2] 在向金陵进军途中，太平军将零散的条规扩充整理，后又根据形势的发展，陆续作出新的补充规定。据《贼情汇纂》记载，太平军的律令多达 62 条，即所谓"天令"。此外又有《太平条规》，有"定营规条十要"，及《行营规矩》十条。太平军全部军律，可归纳为十大纲要：恪遵天条；服从命令；和气团结；绝对忠

---

① 简又文：《太平天国全史》（上），香港简氏猛进书屋，1962 年，第 240 页。
② 《太平天国印书》（上），江苏人民出版社，1979 年，第 119 页。

心；打仗勇敢；操守公正；戒除恶习；严禁扰民；熟习营规；遵守礼制。① 在《李秀成自述》中，有对太平军严肃军纪的生动描述："安民者出一严令，凡安民家，安民之地，何官何兵，无令敢入民房者斩不赦，左脚踏入民家门口，即斩左脚，右脚踏入民家门口者，斩右脚。法律严，故癸丑年（1853）间上下战功利，民心服。"② 前期由于执纪严格，部队风气严整，士气高昂，后期由于队伍不断扩大，成分趋于复杂，加之将领克己不严，军纪松弛，太平军作风严整的传统不再。

二、思想训导

太平军是以宗教为号召建立起来的军队，非常看重精神感召的作用，特别善于利用天父天兄及天王的神化身份进行精神教育，强化士兵的忠诚与服从意识。太平军经常运用学习"天情"和"讲道理"的方式灌输拜上帝教教义，对将士进行精神训诫，"凡刑人必讲道理，掳人必讲道理，仓卒行军，临时授令必讲道理……所为之事既不同，所讲之言亦互异"。③ 还通过法令将训诫制度化，规定："至兄弟安居营中，总要和催勤慎，天晴则操练兵士，下雨则习读天书，讲解分明，互相开导，俾人人共识天情，永遵真道。"④ 具体而言：一是宣扬"万事皆有天父主张，天兄担当，千祈莫慌"，"自古生死天排定，那有由己得成人"，"尔若贪生便不生，怕死便会死"，等等，以此来动员和鼓励士兵舍生忘死，勇敢作战。二是提倡"越受苦，越威风"，"总要个个保齐，同见小天堂威风"，并声言"上到小天堂，凡一概同打江山功勋等臣，大则封丞相、检点、指挥、将军、侍卫，至小亦军师职，累代世袭，龙袍角带在天朝"⑤，以此鼓励将士不畏艰苦，英勇杀敌。三是用中国古代的英雄、名将来激

① 《太平天国全史》（上），第 167 页。
② 《太平天国文书汇编》，中华书局，1979 年，第 486 页。
③ 《中国近代史资料丛刊·太平天国》第三册，第 266 页。
④ 《太平天国印书》（下），第 528 页。
⑤ 《太平天国印书》（上），第 118—121 页。

励士气，被经常提及的有姜子牙、孔明、关羽、张飞、赵子龙、岳飞等，如说，"功盖周家姜子牙"，"英雄胜比汉关张"，"绝胜常山赵子龙"，"岳飞五百破十万，何况妖魔灭绝该"，等等。①

太平军除进行思想灌输外，还在生活上体恤士兵。《行军总要·体惜号令》中就要求官长爱护士兵，如规定行军时要将马让给伤病员骑坐，天寒时将皮袍给夜间守卡的战士穿着等，充分体现了官长爱兵如子的思想。此外还进行道德教育，要求全体官兵互相爱护和加意爱民，"见人灾病同己病，见人饥寒同己饥"②。

三、军事训练

太平天国很重视军事训练，训练内容可分为以下几方面：

（一）别信号训练

即令士兵学习掌握旗、锣、胜角、梆、灯、鼓、炮所传递的命令意涵。为促进士兵快速掌握这一技能，太平军有"试兵"制度，类似今日的"紧急集合"，其目的是要使全体官兵常备不懈，一旦有事，能立即出动。其做法是："凡试兵之时，必先使多人假作闲人，到各营中，窥探其兵士差尉人等，一闻三阵鼓角以及号令锣，看其装身紧慢如何。兵士若紧急听令装身者，探听之人即诈为不知。若其装身不紧急者，便是逆令。"③ 所谓"三阵鼓角"，《行军总要·点兵号令》中规定："头阵鼓角，各典官衙兵士速即装身；二阵鼓角，各执名牌飞赴佐将衙门听令；三阵鼓角，各跟随各大旗，依令诛妖。"④

（二）技能训练

太平军初期武器主要以刀矛等冷兵器为主，所以训练基本上以行军奔跑和传统武技的训练为主，包括"磨洗刀锚"和"操练武

艺"两个方面。《太平刑律》中规定："凡各衙各馆兄弟，在馆无事，除练习天情外，俱要磨洗刀锚，操练武艺，以备临阵杀妖，不得偷安，妄食天父之禄。"① 太平军十分注重传统武艺的训练，所以将士大多有一身好武艺。后期太平军配备火器渐多，因而将射击作为军训的重要科目。据《金陵省难纪略》记载，天京城中设有"先锋馆"，"凡出城打仗必使行，又听遣寇他处；令各习技勇，以能放枪为上，使效大兵之连环法，每早到小营试放，能放枪者加赏，然千人中不过二三十人，初则参差不齐，月余渐联络"②。据麦高文《东王北王内讧事件始末》载："他们的射击技术比清军熟练得多，有些士兵每天练习打靶。"③

四、阵法与战法

太平军所使用的阵法，名目很多，但实战运用较多的仅牵线阵、螃蟹阵、百鸟阵和伏地阵数个。太平军的阵法运用多集中在冷兵器为主的时期，后期太平军装备火器渐多，作战趋向于散队战术，阵法运用渐少。与湘军相对照，可以看出敌对两军在阵法运用上有一定的相似性。

（一）牵线阵

这是太平军战时行军时所采用的一种队形。太平军每次行军："必下令作牵线阵行走，每两司马执旗一面，后随二十五人，百人则间卒长旗一面，五百人则间旅帅旗一面，二千五百人则间师帅旗一面，一万二千五百人则张军帅旗一面。其军帅监军总制，皆乘舆马随行，一军尽一军即续，宽路则分双行，狭路则单行，肩相挨，足相蹑，鱼贯以进，斩然不紊，贼众数万，诚有首尾蜿蜒二三十里之时。……此二三十里中，但有官兵迎剿追击，首尾蟠曲钩连，顷刻全集，可以相救。每与官军接仗，势果不支；贼目敲金，方准奔窜。

---

① 《中国近代史资料丛刊·太平天国》第三册，第 228 页。
② 《中国近代史资料丛刊·太平天国》第四册，第 712 页。
③ 《太平天国史译丛》第二辑，中华书局，1983 年，第 90 页。

然仍遵牵线之令，此时路宽，虽十行二十行可也，但不得斜奔旁逸，亦必鱼贯而退，挽手急趋，官军往往追之不上，及见其队伍不乱，亦未敢穷追。贼知一溃被歼必多，故互相携手，犹能以人众势聚拒我，此牵线阵之所以始终不易其制也。"① 可以看出，该阵基本为常说的长蛇阵，但士兵要手挽手，除强制连成一线外，似还采用了有更强约束力的办法。无论处在何种情况，所有士兵均需严格按号令行动。这样做的目的，是在行军途中若遇敌军袭击，可以保证不会因一处所挫而全线溃败。

（二）螃蟹阵

这是太平军作战中运用最多的一种阵法。主要是通过迂回包抄，断敌后路，阻敌增援，配合正面进攻部队达到包围敌军的目的。运用该阵时需要左、中、右三队配合。"螃蟹阵者，乃贼中三队平列阵也。中一队人数少，两翼人数多，形似螃蟹，故贼中创此名目。……贼军平列视我军分几队，即变阵以迎战。"② 如敌军仅左右两队，即以中队分益左右，亦为两队。如敌军前后各一队，则合左右翼之前锋为一队，以后半与中一队合而平列，以为前队接应。如敌军左右何队兵多，则变偏左、右翼以与之敌。如敌军分四五队，则亦分为四五队，次第迎拒。其大阵包小阵法，或先以小阵拒敌，后出大阵包抄；或诈败诱追，伏兵四起，以包敌军。其临阵指挥之权，则操之主官；其进退开合，则视大旗，全军数万众，略无参差，提纲挈领，深得以简驭繁的妙用。

（三）百鸟阵

此为小阵队形，以 25 人为一小队，分百数十队如百鸟星罗棋布，使敌惊疑不定，摸不清太平军之多寡，难以选定攻击突破点。当敌犹豫不决之时，太平军乘机对敌发起进攻，每能取胜。据《粤匪犯湖南纪略》载，太平军"最好用分截之法，阵号老鸦。四散漫

---

① 《中国近代史资料丛刊·太平天国》第三册，第 128 页。
② 《中国近代史资料丛刊·太平天国》第三册，第 128—130 页。

立，枪炮不能多伤。我兵稍聚，贼旗一动，变为盘蛇，便团团围住矣"①。这里所说的"老鸦阵"，即百鸟阵的异名。

（四）伏地阵

这是太平军由退却转入反击的一种有效阵法。《贼情汇纂》记载，太平军若"遇官军追剿，至水穷山阻之地，忽一旗偃，千旗齐偃，瞬息万人数千人，皆贴伏于地，寂不闻声。我军急追，突见前面渺无一贼，无不诧异徘徊，疑神疑鬼，贼贴伏约半炊之顷，忽一旗立，千旗齐立，万人数千人风涌潮奔，呼声雷吼，转而急趋，以扑我兵。我兵一疑不释，又增一疑，而益以一惊，其不转胜为败者鲜矣"②。后期，太平军拥有的洋枪洋炮渐多，也开始聘请外国人担任教官，教练枪炮的使用和阵法。吟唎说："我们每天分出一部分时间去教练太平军兵士炮术，或教练太平军兵士操演一种中西参半的阵法。"③

除阵法外，太平军还有针对不同目标或地域的作战方法，概而言之，主要有以下几种：

（一）"穴地攻城"法

这是一种攻守城战法，即开掘地道至城墙下，埋装炸药，引爆轰塌城墙，士兵乘势攻入城内或阻止敌方进攻己城。太平军尚在湖南道州时即已成立"土营"，专门担负穴地攻城作战任务。除一般在地道中单层埋雷外，还创造出双层埋雷之法。如咸丰四年（1854）在进攻安徽庐州时，太平军即采用双层埋雷法，上层地雷轰发后，在守军抢堵时，下层地雷又炸，轰开缺口，太平军乘势攻入城内。湘军也以开掘地道辅助攻守城，因此，围绕城池的开掘与反开掘成为安庆和天京之战中交战双方的重要作战形式。如在天京之战中，守城太平军用迎挖地道的办法破坏湘军的地道。同治三年（1864）六月，清军于金陵"神策门地道一处已透月城，抵老城下。贼抄挖

---

① 《太平天国史料丛编简辑》第一册，中华书局，1961年，第67页。
② 《中国近代史资料丛刊·太平天国》第三册，第130—131页。
③ ［英］吟唎：《太平天国革命亲历记》（上），上海古籍出版社，1985年，第290页。

至月城边，更在我地道之下，昨晚遂自用火药轰倒月城，将官军地道进路压断，官军在地道内者压死八人"①。

（二）伏击战术

即在敌必经之路，设下伏兵，待其进入伏击地域，向敌人发动攻击。《贼情汇纂》中说："贼中一味讲求埋伏，有剪尾、冲腰诸法，贼每出队，或预伏一军于我兵之后、我兵之左右，当酣斗时，非潜出剪我之尾，即突出冲我之腰，我兵惊顾，亦每致挫。"② 咸丰二年（1852），太平军自广西永安突围后，于三冲地方伏击尾追之清军，毙敌总兵以下数千人，采用的就是伏击战术。

（三）"回马枪"战术

即与敌交锋时，假装败退，诱敌追击，当至有利地形处，忽反戈回击。其打法是，太平军"与官兵交战时，约十余合之后，故退二三十步，复一拥而进，谓之'回马枪'。贼每战皆施此计，视官兵稍败，则左右之军追上，两军一合，后军随后一围，如连环之式，用长矛混战。大约贼之阵势，皆不出一分一合之法。倘左右有接应之兵，由中一击，其围自溃"③。咸丰五年（1855）四月，陈玉成于湖北随州平林市、五里墩大败清军，阵斩西安将军扎拉芬，采用的就是"回马枪"战术。

（四）"惊营"战术

这是太平军在夜暗条件下袭扰敌军的一种战术。《贼情汇纂》对此作了具体叙述："如惊旱营，必遣数骁贼乘马，各怀火球数枚，密藏火种，更以慓贼百人随之，携带鼓角旗械，衔枚急走，约距我营数里，则伏于暗陬，俟三更后，数骑贼直驰，抵我土墙，踩鞍攀登，各撒火球，烧我帐房，必有四五处燃着，当阖营惊扰之时，数里外百贼遥见人起，则鼓角齐鸣，飞奔我营，昏夜不知贼之多少，往往

---

① 《能静居日记》第二册，第 797 页。
② 《中国近代史资料丛刊·太平天国》第三册，第 155 页。
③ 《太平天国资料》，科学出版社，1959 年，第 24 页。

致溃。"① 咸丰五年（1855）初，西征太平军在九江湖口之战中，就采用这种惊营疲敌战术。每夜出动部队千余人，手持喷筒火球，大呼惊营，使得湘军彻夜戒严，不敢安枕。②

五、主要兵书

（一）《太平条规》

《太平条规》是太平天国颁定的关于军队纪律制度的兵书。由《定营规条十要》和《行营规矩》两部分组成。

《定营规条十要》记录了太平军平时要遵守的纪律，共十条："一、要恪遵天令。二、要熟识天条赞美朝晚礼拜感谢规矩及所颁行诏谕。三、要炼好心肠，不得吹烟、饮酒，公正和侪，毋得包弊徇情，顺下逆上。四、要同心合力，各遵有司约束，不得隐藏兵数及匿金银器饰。五、要别男营女营，不得授受相亲。六、要谙熟日夜点兵、鸣锣、吹角、擂鼓号令。七、要无干不得过营越军，荒误公事。八、要学习为官称呼、问答礼制。九、要各整军装、枪炮，以备急用。十、要不许谎言国法、王章，讹传军机、将令。"③

《行营规矩》记录了太平军行军作战纪律，共十条："一、令各内外将、兵，凡自十五岁以外各要佩带军装、粮食及碗、锅、油、盐，不得有枪无杆。二、令内外强健将、兵不得僭分干名坐轿、骑马及乱拿外小。三、令内外官兵各回避道傍呼万岁、万福、千岁，不得杂入御舆宫妃马轿中间。四、令号角喧传，急赶前禁地听令杀妖，不得躲避偷安。五、令军兵男、妇不得入乡造饭取食，毁坏民房，掳掠财物及搜操药材铺户并州府县司衙门。六、令不许乱捉卖茶水、卖粥饭外小为挑夫，及瞒昧吞骗军中兄弟行李。七、令不许在途中铺户堆火困睡，耽阻行程，务要前后联络，不得脱徒。八、

① 《中国近代史资料丛刊·太平天国》第三册，第157页。
② 关于太平军的兵学思想，主要参考张一文的《太平天国军事史》相关部分，及管仕福：《太平军的训练——中国军训近代化的开端》一文，载《江西社会科学》2004年第2期。
③ 《中国兵书集成》第四十七册，第585—588页。

令不得焚烧民房及出恭在路并民房。九、令不得枉杀老弱无力挑夫。十、令各遵主将有司号令分发，毋得任性自便，推前越后。"①

以上两部分共二十条，归纳起来，主要有五项：一是服从命令，听从指挥。二是遵守太平天国礼制。三是平时搞好战备，战时英勇杀敌。四是爱护百姓利益，严格群众纪律。五是秉公办事，缴获归公。

（二）《行军总要》

《行军总要》是太平天国颁行的行军号令，作者为太平天国东王杨秀清。为使军中将士"知所取法"，"恪遵金谕"②，太平天国将这些号令"恭辑成书，刊刻颁行"，以供将士循诵习传，达到"万战万胜"的目的。

《行军总要》一卷，共辑录各类行军号令九种，包括：陆路号令、水路号令、点兵号令、传官号令、查察号令、防敌要道、禁止号令、体惜号令、试兵号令等。这些号令类似于现代的战斗条令，涉及作战指挥、日常管理、军民关系、官兵关系等内容。《行军总要》中的这些规定，可以从一个侧面反映出太平军初期的精神面貌及作战能力，太平军初期作战势如破竹，很快定都天京，与这些详备号令不无关系。具体内容如下：

强调战前要做充分的调查研究，要求战前对相关数据做到心中有数。如《陆路号令》规定："凡行军，先要将路程算清。譬如欲往某处，攻剿某处城池，相去约计有多少路程，必须访问明白。即在军中，选择熟谙路径之人多名，知得由此去，多少路到一市镇，又有多少路到一村乡。"③ 可以看出，这些规定明确而具体，具有一定的可操作性。

无论是陆上作战，还是水面作战，均强调部队间的联络与配合，反对孤军深入。如讲到水面作战时说："凡行船，则前中后之船，俱

---

① 《中国兵书集成》第四十七册，第589—593页。
② 《中国兵书集成》第四十七册，第665页。
③ 《中国兵书集成》第四十七册，第667页。

要连络，不可单船独行。行则同行，止则同止。"① 指挥主要依靠鸣锣、胜角、号梆和旗帜等，通过这些标识的不同组合方式，传递各种行军或作战号令。如要开船，佐将于船顶鸣锣，各船则击梆予以回应，表明收到号令。作战中以胜角声响指示敌人方位，"譬如前面妖来，胜角由前面吹来，大旗麾动在前，中队后队，知是前队水面有妖，各各催赶水手，赶紧摇船前去护阵，或分兵士，由岸上两边攻剿"②。

　　重视士兵的日常管理，规定每日"按照名册，逐一点名一次"③，了解士兵伤病、在位情况。除人员外，还需了解武器配备情况，由令典炮官按例检查，"看其该营所领炮火多寡，实为几人承管，方不致有贻误也"④。每日巡更、公文递送情况等均有专人稽查报告。重视对士兵的纪律约束。如规定："凡行营，总要严禁兵士，不准吃酒吵闹、沿途入村煮食以及沿途睡目。"⑤ 作战中则要求士兵严格依令行事，如行军中，"凡毋论行营扎营，俱要严禁兵士，毋得妄行开炮，恐其惊乱军心。且当爱惜红粉，又不准在军营妄放炮竹，恐其火星四散，误烧营盘"⑥。在官兵关系上，强调感情维系，要求统兵官真心爱护士兵，如规定："凡为佐将者当知爱惜兵士。譬如行营，沿途遇有被伤以及老幼人等，遇有越岭过河不能行走者，必须谕令各官，毋论何人所有马匹，俱牵与能人骑坐。如马匹不敷，总要令兵士抬负而行，庶无遗弃。"⑦

---

① 《中国兵书集成》第四十七册，第 679—680 页。
② 《中国兵书集成》第四十七册，第 681 页。
③ 《中国兵书集成》第四十七册，第 703 页。
④ 《中国兵书集成》第四十七册，第 704 页。
⑤ 《中国兵书集成》第四十七册，第 711 页。
⑥ 《中国兵书集成》第四十七册，第 711—712 页。
⑦ 《中国兵书集成》第四十七册，第 713 页。

第二节　捻军作战的主要特点

太平天国时期，捻军曾一度作为友军接受太平军领导，配合太平军作战。天京沦陷后，以赖文光为首的一支太平军会合了安徽突围而出的张宗禹部捻军，成为后期捻军的由来和基础。尽管存在密切的交往与配合，但捻军在作战特点上却表现出相对独立性，与太平军的基本战法明显不同，这主要由捻军的以下特征所决定。第一，战略目标模糊。捻军初期的作战缺少明确的战略指向，其军事行动始终是经济性大于政治性，或者说其作战更多是为了生存，而非夺取政权。后期由于太平军的加入，捻军不再专以"打粮"为目的，但其政治目标仍然模糊，难以对其军事行动给予清晰指引。第二，组织关系复杂。捻军虽有名义上的盟主，但由于组织内部宗族关系错综，人员构成主要以族群为基础，这样一种散漫的组织形式，很难形成真正意义上的集中统一领导。由于内部组织松散，捻军编制没有定额，"其偏裨号旗主，所辖视其所胁之多寡无定额；再上则为堂主，所辖视旗主之多寡亦无定额"①。尽管捻军与太平军合并后，开始有意识地按照太平军的编伍方式对部队进行改编，但始终没有建立起如太平军那样严密、相对完善的编制体制。第三，捻军没有后勤保障制度，作战基本不备军粮，辎重、粮饷主要依靠战利品或抢夺获得，"军装矛子刀之外，无别物，亦无粮运，所至掠以充食"②。由此推知，捻军作战的规模不会很大，持续时间也不会太长，因为长则粮饷难以为继，只能一走了之。第四，捻军除拥有步队外，还有马队，且马队所占份额较高。特别是在捻军分军之后，骑兵在东捻中所占比重更高。按袁甲三的记述，"其马贼合计不下二

① 《能静居日记》第二册，第 1042 页。
② 《能静居日记》第二册，第 1042 页。

万骑，虽不能及官军队伍整齐、技艺娴熟，而以多为强"①。按薛福成一文，仅尹隆河之战中霆军夺获的东捻军的骒马就有五千余匹②。由于有大量骒马可供驱驰，使得捻军作战的机动性好，转移迅捷。第五，装备较落后。捻军的武器装备主要以竹竿和长矛为主。在同清军的不断作战中，亦掳获不少火器，曾国藩在家书中曾说，"郭松林一军，失去洋枪近千杆，张海柯（张树珊）亦失近百杆"③，但即便如此，捻军中的火器数量仍非常有限。

由于存在上述特征，捻军在作战方式上表现出一些特有的形态。

其一，行踪不定。太平军的作战是围绕重要城池展开的，有进攻也有防御。捻军由于行动上缺少清晰的战略导引，没有建立起相对稳定的控制地域，无坚城可资凭借，所以，其军事行动主要在广大田野间展开，以流动作战为主，行踪飘忽不定。清军在镇压捻军初期，以僧格林沁所统率的蒙古骑兵为剿捻主力，捻军流动清军亦流动，虽然偶有克捷，但亦被捻军拖得疲惫不堪，最终被捻军伏击，全军覆没。曾国藩接办剿捻后，由于缺少足够的骑兵，无力在战场上与捻军驱驰奔突，不得不改过去的追逐战为围堵战。从长远来看，这样的做法是正确和有效的，但在具体的作战中，清军以步兵应付捻军骑兵仍备感吃力。

其二，善于避实击虚。捻军作战采用的是寻机歼敌的策略，即尽量避免主动与清军对抗，"必待官兵找他，他不先找官兵"④，然后通过骑兵快速移动，调动敌军，使其疲于奔命。在此过程中一旦发现敌方队伍散乱，存有破绽，则必予以坚决打击；若对手难于迅速攻灭，则立时奔散。因此，捻军作战极善避实击虚，按曾国藩的话说是"得粤匪初起之诀"⑤。对于捻军的这一特点，参与剿捻的清

---

① 《中国近代史资料丛刊·捻军》第五册，上海人民出版社，1957 年，第 203 页。
② 见《中国近代史资料丛刊·捻军》第一册，第 364 页。
③ 《曾国荃全集》第五册，第 246 页。
④ 《曾国藩全集·家书二》，第 1311 页，
⑤ 《曾国藩全集·家书二》，第 1311 页。

军几位主帅都有深刻体会。曾国藩在给李元度的信中说，"捻匪势极猖獗，善战而不肯轻用其锋，非官兵与之相逐相迫，从不寻我开仗。偶战则凶悍异常，必将马步层层包裹，困官军于垓心，微有不利，则电掣而去，顷刻百里"①；曾国荃亦称，"此股捻逆乃百战精锐之余，行则剽疾，急则数日千里，缓则旬月之间旋转于数百里之内。善战而不轻试其锋，每乘间以抵隙；欲南必先奔而佯北，使所向之皆迷"②；左宗棠也说，"捻逆惯技在飘忽驰骋，避实乘虚。始犹马步夹杂，近则掠马最多，即步贼亦均乘马。……其乘官军也，每在出队、收队、行路未及成列之时，遇官军坚不可撼，则望风远引，瞬息数十里，俟官兵追及，则又盘折回旋，亟肆以疲我。其欲东也，必先西趋；其欲北也，必先南下，多方以误我"③。所以，清军统帅均认为同捻军作战远比同太平军作战困难，必须始终全神贯注，时时保持警惕，"稍涉大意，容易为贼所乘"④。

其三，惯用迂回包抄的"打圈"战术。捻军虽不善攻坚，但由于骡马众多，行动迅速，颇亦善围⑤。其经常使用的"打圈"战术，效率极高，对清军威胁极大，"贼中相传秘诀曰：'多打几个圈圈，官兵之追者自疲矣'"⑥。所谓"打圈"，即利用骑兵的快速机动能力，对敌军进行迂回包抄，或扰敌后路，或分割包围，如此则"马队四面包围，而正面则马步夹进"⑦，进而"捻、回用马，均是野战，不过恃其多且速，得逞其包抄猛扑之技"⑧，将疲惫不堪的敌军一举歼灭。曾国藩在给鲍超的信中对"打圈"战术的实施过程有过比较详细的记述，他说，"闻此贼与官兵接仗时，先以马贼数十骑诱

---

① 《曾国藩全集·书信八》，第 6148 页。
② 《曾国荃全集》第一册，第 104 页。
③ 《左宗棠全集》第三册，第 536—537 页。
④ 《曾国荃全集》第一册，第 104 页。
⑤ 《曾国荃全集》第五册，第 245 页。
⑥ 《曾国藩全集·家书二》，第 1311 页。
⑦ 《曾国藩全集·家书二》，第 1253 页。
⑧ 《左宗棠全集》第十一册，第 7 页。

敌，且前且却，追则四散，而其大支马贼已布作远势，分抄两旁。中间则步贼数十团，团或千数百人，手持二丈余长矛，低头挨进，俟我军排枪放过，即冒烟冲入，横矛骤至，锐不可当。往往我军前枪甫发，后枪未燃，而贼矛已及矣，此步贼大略情形也。至于马贼，技艺尤精，顷刻之间布成一大圈，周围包我，圆而且匀。我军阵脚稍动，则步贼乘隙猛扑，我军无懈可击，则马贼如飞而去"[1]。可以看出，捻军的"打圈"战术即穿插包围之法，是以发挥马队的快速机动能力为中心的。该战法对于地形要求较高，所以，只要清军妥善地选择作战地形，使捻军骑兵的作用得不到有效发挥，取得胜利仍是可能的。

太平军也经常使用迂回包抄之法，如三河之战即是运用此法的成功范例，但太平军的迂回包抄一般是在战役层面上，而捻军对于这一战法的使用则仅限于战术层面，规模明显较太平军小得多。尽管如此，这种战法却彪悍异常，对于湘、淮军的威胁很大。实际上，在罗家集和杨家河之战中，东捻就是用"打圈"之法，"马步抄裹，愈积愈厚"[2]，最终将郭松林军和张树珊军团团围住。清军对于捻军骑兵的快速突袭能力和包抄能力普遍估计不足，常以对付太平军的旧办法来对付捻军，所以会失败。曾国藩在总结失败时也有类似的认识，不断叮嘱部将"慎勿狃于打发逆之长技，而不豫防其包抄也"[3]。

其四，以抢夺敌方辎重、粮食为主要作战目标。捻军不设粮台、不办粮饷，亦无后方基地，一切后勤保障物资皆因粮于敌，因此抢夺敌军辎重、粮饷和其他战利品成了作战的主要目标，故李鸿章戏称捻军为"捻乃贼中偷儿也，人中怪物也"[4]。曾国荃在上奏的《分途扼剿获胜疏》中专门讲到了捻军的这一特点，他说，"查此次捻匪

① 《曾国藩全集·书信八》，第 6148 页。
② 《中国近代史资料丛刊·捻军》，第一册，第 52 页。
③ 《曾国藩全集·书信八》，第 6148 页。
④ 《李鸿章全集》第二十九册，第 494 页。

入境，剽疾异常，赖汶洮（赖文光）、任柱率李、何、吴、牛等酋，列为四股，分为前、后队，遇迎头之师则以前队冲阵，而以后队掳粮；遇蹑尾之兵则以前队蔓延，而以后队抗拒。无兵之地，掳掠甚惨；有兵之地，奔窜如飞"①。可知，捻军作战往往抄袭敌军后路，除包抄的意图外，亦有抢夺辎重、粮饷等战利品之意。

尽管捻军作战冲击力很强，但由于忽视根据地建设，最终走向流寇主义，在湘、淮军的不断围剿下，最终归于失败。

---

① 《曾国荃全集》第一册，第80页。

第六章　海防与海军思想

中国是一个负陆面海的陆海国家，有着漫长的海岸线，但历史上对中央政权构成威胁的主要是北方游牧民族，从海上而来的侵扰势力较少，所以中国历代备边的重心均在北方，"其强弱之势、客主之形皆适相埒，且犹有中外界限"①。长期的外部安全格局及儒家思想影响下形成的相对自足、封闭和内向的社会结构，促成了"重陆轻海"的传统海防观念的形成。在这一观念影响下，中国历代均将海洋视作海上万里长城，而对海上威胁未预足够重视，海防建设更长期落后于陆防建设，这一状况一直持续到明朝前期。明朝中期以后，倭寇肆虐东南沿海，明朝开始着意海防建设，有意识地筑堡寨、造海船、设水军，并在实践的基础上提出了一些有价值的海防思想。清朝建立后，海防建设日益得到重视，至道光时期，多省设有水师，沿海要口建有炮台或炮垒，并建有相对完善的巡洋和会哨制度，但从总体上看，清前期的海防，"仅备海盗而已"②，在水师舰船、炮台布局与岸防部队配置上均存在诸多问题。

1840 年以后，中国所面对的敌人相较前代发生了根本的变化。对国家安全构成威胁的力量主要来自海上，且这些新的敌人均是以"船坚炮利"为主要特征，"西人专恃其枪炮轮船之精利，故能横行于中土。中国向用之弓、矛、小枪、土炮，不敌彼后门进子来福枪炮，向用之帆篷舟楫、艇船炮划，不敌彼轮机兵船，是以受制于西

---

① 《李鸿章全集》第六册，第 159 页。
② 《清史稿》第十四册，卷一百三十八，中华书局，1976 年，第 4095 页。

人"①。一次次的国门洞开，迫使国人不得不以全新的眼光重新认识海洋，思考和寻求应对海上威胁的办法。围绕海防战略和海军建设，晚清时期有过多次大范围的讨论，不仅清廷官员参与讨论，民间的学者亦参与其中，形成了内外人人皆言海防的局面，如郑观应所言，"世之言安内攘外者，不过慎海防，修边备，简军实，选将才，几如老生常谈"②。

尽管晚清时期多数人都能认识到加强海防建设的重要性，但对于水师与海军的关系，江防与海防的异同，海防与海军、海军与海上作战的关系的认识却言人人殊，而且往往是几种设防思想同时并存，争论不休。很多人对于海洋缺乏起码的认知，所论不着边际，拘囿于旧有海防思维，甚至长期以江防思维来理解海防和海军，看待海防的角度不能随着形势和舰艇的发展进行适时调整，一定程度上干扰了海防和海军建设的顺利推进。不过从总体上看，晚清的海防观念是逐步脱离陆上设防，由海口向近海再到远海逐步推进的。

第一节　海防思想

一、以守为战

鸦片战争之前，清朝海防建设长期陷于停顿，虽于重要海口，如厦门、虎门、舟山等沿海之地建有炮台，但所配大炮均为前装火炮，多已年久失修，且炮台设计多不合理，仅注重正面攻击，而忽视侧翼防护。虽设有水师部队，但各省不修武备，不事训练。道光十八年（1838），林则徐赴广东督办海防，在对中英双方军力进行分析后认为，英军的优势在船坚炮利，但若驶入内河，则优势全无，

———————

① 《李鸿章全集》第五册，第107页。
② 《郑观应集》（上），第134页。

"盖夷船所恃，专在外洋空旷之外，其船尚可转掉自如。若使竟进口内，直是鱼游釜底，立可就擒，剿办正有把握"①。对于英军的陆上作战能力，他基于错误的信息而有严重的误判，林则徐认为，"夷兵除枪炮之外，击刺步伐，俱非所娴，而其腿足裹缠，结束紧密，屈伸皆所不便，若至岸上，更无能为，是其强非不可制也"②，只要将英军引诱上陆，英国人即会束手就擒。对于中国军队，他认为师船木料不坚，炮火不利，难以取胜于大洋，"师船既经远涉，不能顷刻收回，设有一二疏虞，转为不值"③。所以，正确的应敌之策当是，"以守为战，以逸待劳"④，主张不与敌争于大洋，而专守内河，利用本土作战补给便利及地理条件熟悉等优势，以主待客。这一对敌战略明显低估了英国军舰的规模和作战能力，对于英军陆战能力的认识则近乎荒谬，且过高估计了清军的陆上作战实力。战争的进程完全超出了林则徐的想象，清军在战斗中几乎未组织起一次有效的抵抗。

林则徐最终因前线处置失当被罢职。远离了战场，他才能从当事者的紧张和固执中清醒过来，开始以较为冷静和客观的态度重新思考自己的对敌之策。林则徐在反思中否定了自己之前提出的诱敌陆战策略，他说："侧闻议军务者，皆曰不可攻其所长，故不与水战，而专于陆守。此说在前一二年犹可，今则岸兵之溃更甚于水，又安所得其短而攻之？"⑤ 林则徐已经意识到单纯的岸防过于被动，且无实现的可能，"逆船在海上来去自如，倏南倏北，朝夕屡变。若在在而为之防，不惟劳费无所底止，且兵勇炮械安能调募如此之多、应援如许之速？徒守于陆，不与水战，此常不给之势"⑥。对于自己先前制定的"以守为战"的对敌战略，以及以此为基础衍生出来的

---

① 《林则徐全集》第三册，第 414 页。
② 《林则徐全集》第三册，第 186 页。
③ 《林则徐全集》第三册，第 287 页。
④ 《林则徐全集》第三册，第 287 页。
⑤ 《林则徐全集》第七册，第 306 页。
⑥ 《林则徐全集》第七册，第 288 页。

一套对敌战术，林则徐也产生了动摇和怀疑。随着反思的深入，林则徐终于认识到，在缺乏可以与敌抗衡的船炮水军的前提下，单纯依靠陆防不可能取得作战的胜利。在与友人的信中，林则徐认识到，中国之败，败在无海军，他说："窃谓剿夷而不谋船、炮、水军，是自取败也。沿海口岸防之已不胜防，况又入长江与内河乎？逆夷以舟为窟宅，本不能离水，所以狼奔豕突，频陷郡邑城垣者，以水中无剿御之人。"① 找到问题的根源后，他提出了改变现状的八字方针，即"器良技熟，胆壮心齐"。这八个字基本指明了清军鸦片战争中失败的根本原因，亦为后来者指明了努力的方向。然而这八个字只是一个宏观指导性的意见，缺乏更为深入的阐发。

魏源在受林则徐之托编写《海国图志》时，在林则徐的海防认识基础上，对"以守为战"海防战略做了更为系统地阐发。其海防思想的核心观点是"守外洋不如守海口，守海口不如守内河"②。相比林则徐，魏源的表述更为清晰、语气更为自信、论述也更为系统。但就认识的深度而言，似并未超过林则徐战败反思时的认识。

魏源海防思想的基本点在一个"守"字。他说，"不能守，何以战？不能守，何以款？以守为战，而后外夷服我调度，是谓以夷攻夷；以守为款，而后外夷范我驰驱，是谓以夷款夷"③。在他看来，"不筹守而即战，是浪战"，"不议守而专款，是浪款"。④"守"即首先立于不败之地，然后才有取胜的可能。他对"守"的内涵做了进一步的解释："守远不若守近，守多不若守约，守正不若守奇，守阔不若守狭，守深不若守浅。"⑤ 守之目的在抑敌之优，而扬己之长。魏源认为，"制敌者，必使敌失其所长"⑥。敌之优势在船坚炮利，而中国无此利器，故在外洋对抗中处于劣势。我之优势则在有

---

① 《林则徐全集》第七册，第 306 页。
② 《魏源全集》第四册，第 9 页。
③ 《魏源全集》第四册，第 9 页。
④ 《魏源全集》第三册，第 486 页。
⑤ 《魏源全集》第四册，第 12 页。
⑥ 《魏源全集》第四册，第 9 页。

纵深，如妥善加以利用，则可形成以主待客的局面。魏源考察了明
代抗倭和安南聚歼英舰的历史后认为，"英夷所长在海，待诸内河，
待诸陆岸，则失其所长"①，又说，"欲奏奇功，断无舍内河而御大
洋之理"②。一旦夷船进入内河，"则止能鱼贯，不能棋错四布"③，
然后兵炮地雷水陆埋伏，"如设阱以待虎，设罾以待鱼，必能制其死
命"④。在此基础上，魏源提出了具体的制敌之法，即待敌船进入内
河后，堵以沉舟，阻断夷船进退之路，同时"两岸兵炮，水陆夹攻，
夷炮不能透垣，我炮可以及船，风涛四起，草木皆兵。夷船自救不
暇，尚能回炮攻我乎"⑤？魏源将此种作战思路概括为："择地利，
守内河，坚垣垒，练精卒，备火攻，设奇伏。"⑥

　　在敌强我弱的前提下，魏源的"守外洋不如守海口，守海口不
如守内河"之说有其合理性的一面，是着力发挥自身优势，以守势
代替与敌面对面的攻势作战，以己之有备制敌之无备，是一种诱敌
深入、聚而歼之之法。但在具体措施上，魏源似较为激进，如提出
为避免被外夷挟制，主动放弃定海，而专守内河，"移其兵民于南
田，严守宁波，佯退镇海招宝山，以诱入之"⑦。这一认识明显带有
书生议兵的意味。对此，学者陈澧曾质疑，认为，"夫守必据险，海
口有险，则守海口；内河有险，则守内河。然必海口无险可守，然
后守内河，盖寇入内河，则百姓惊惶，上贼之窃发，多内顾之忧，
必分外御之力"⑧。

　　林则徐、魏源以守为战的思想是特定时代下的产物，尽管实践

---

① 《魏源全集》第四册，第 18 页。
② 《魏源全集》第四册，第 11 页。
③ 《魏源全集》第四册，第 11 页。
④ 《魏源全集》第四册，第 11 页。
⑤ 《魏源全集》第四册，第 11 页。
⑥ 《魏源全集》第三册，第 486 页。
⑦ 《魏源全集》第四册，第 13 页。
⑧ 陈澧：《东塾读书记（外一种）》，生活·读书·新知三联书店，1998 年，
　　第 338—339 页。

意义不大，但这一认识却在晚清海防发展过程中颇有市场，几乎成为一种看待海防和海军建设的习惯性思维，长期存在于一些官员的头脑中，在晚清时期围绕海防和海军建设的历次争论中不断闪现。如第二次鸦片战争中，御史刘成忠的认识颇有代表性："御之于海口，不如御之于内地，捐海滨百十里之地，坚壁清野以待之，夷船虽坚，夷炮虽利，其势将归于无用"，"西洋火器自昔擅长，然大炮太重，仅可施之海船，不能携之登岸。至小炮洋枪，其力视大炮已减，且其子常去地二三尺，我兵闻枪炮之声而伏，待枪炮之过而起，则枪炮亦不足为虑"。① 这些认识，是基于不可靠的信息作出的不可信的论断。

一些人对清朝自身轮船建造能力始终信心不足，认为中国短期内不可能掌握西方的造船技术，在此前提下，坚持以陆战代替海战，利用想象中强大的陆军来致敌死命。比较有代表性的是曾国藩，他是湘军水师的创建者，对水师及水战的作用认识深刻，他还是江苏外海水师章程的制订者，对于水师在海防中的作用亦有认识，但限于当时的物质条件，曾国藩对晚清海防的探索未能超越林则徐和魏源。他认为，"舟师应敌，更无把握"②，又说，"洋人长于水师，断非中国所能几及。至其陆军野战，则淮勇前在苏沪亦常与洋将洋兵角逐争胜，尚非殊绝不可及者"③。他主张在应对海上威胁时，仍应采取陆上决战的策略，将轮船仅作为运送兵员与装备的工具，即"以陆兵为御敌之本，以轮船为调兵之具"④。在这一认识的基础上，他提出了分省设防构想，即"沿江之安徽、江西、湖北三省亦可归并设防，而以湖北主政。沿海七省共练陆兵九万，少者一万，多者或二万或一万数千。沿江三省共练陆兵三万，或各统一万，或小有

① 《四国新档·英国档》（上），"中央研究院"近代史研究所，1966 年，第 401—402 页。
② 《曾国藩全集·书信十》，第 7446 页。
③ 《曾国藩全集·奏稿十二》，第 7191 页。
④ 《曾国藩全集·奏稿十二》，第 7190 页。

参差。闽省前经奏明，成造轮船十六号。将来沪厂亦须造十六号，各以数号为水师兵船，其余以为货船，平日租赁商贾听装货物，有事则装载陆兵，互相救援"①。可以看出，这一设想仍是以陆防为主，实际上是将海防转换为沿海岸的陆上防务。战船仅被设定为运送物资的工具，而与海战无涉。

也有一些人提及加强炮台与水面舰艇的重要性，但对水面舰艇的作用缺乏前瞻性的认识，而仍将水面舰艇或水师视作陆防的点缀。如第一次海防大讨论中湖南巡抚王文韶说，"防海之要，以守为体，以战为用。守之所恃者，重在炮台；战之所恃者，重在轮船；二者相辅而行，缺一不可"②。但从此段后的论述看，他所认为的海防重心仍在陆防而不在海，他说："愚以为持久万全之谋，水师固不可废，而所重尤在陆防。防亦不必偏设，而所重专在扼要。窃谓宜择形势，拱卫如天津、山海关，冲要如闽广江浙，可相掎角之区若干处，简任知兵将帅，驻以重兵，严为战守之具，以备兼顾策应。"对于水师的作用，王文韶的认识是，"水师不必迎战，但令游弋海上，伺其来攻陆防，即从后袭其轮船，以分兵势"③。可以看出，水师实际上仅为陆防的辅助性工具，其作用在陆防观念下变得可有可无。

光绪元年（1875），袁保恒以内阁学士的身份上书言事，仍然坚持以陆制海的策略。他说："大抵外海重洋，船坚炮利，夷人所独擅，无论我百学所不能到。即幸而得其仿佛，彼又日出新式，我所已学者又全归无用，此必不能与之争胜者也。"④ 在这种情况下，最佳的海防战略仍是以陆战代替海战，利用村村皆有的民团及陆上多变的战术，使敌陷于人海之中。他说："果使陆路有备，俾夷人不犯我内地，本不必与之争胜于海上也。至陆路战守如撒星之阵，伏行之法，壁垒之沟道，宵夜之劫营，与马队之分合驰骤，民寨之坚壁

---

① 《曾国藩全集·奏稿十二》，第 7190 页。
② 《筹办夷务始末（同治朝）》第十册，第 4019 页。
③ 《筹办夷务始末（同治朝）》第十册，第 4023 页。
④ 《李鸿章全集》第七册，第 120 页。

清野，制夷破夷之法不可胜用，浅近之至者正切实之。"①

以上这些观点，多集中在日本侵台之前。随着海防危机的加剧及两次海防大讨论的发生，多数人逐步放弃了这种不切实际的想法，从面向陆地而转向大海，能够以相对客观的态度认识海军的重要性。但坚持陆防观点的人并未消失，即使在 19 世纪 80 年代海军发展已有相当起色的情况下，仍有一些人固执地认为，以陆防代替海防是应对列强海上入侵的唯一正确的做法。光绪十年（1884），王韬在为《陆操新义》所作序言中，仍秉持以陆制海的观点。他说："窃以为，击之于大洋，不如守之于内河，拒之于水，不如持之于陆，可空其地为瓯脱而诱之深入。彼欲攻城掠地，势必登岸，然后预谋以待之，设计以制之。地雷埋器坑阱网罗，层层设伏，四面兜擒，主客异形，众寡异势，劳逸异情，动静异志，虽聚而歼旃，亦易事也。"②

文人未谙战阵，对于海洋和海防想象的成分多，持此种议论并不足怪，但身处一线的总督也持有这种认识，就当认真分析了。中法战争期间，闽浙总督何璟认为，浙江各海口"或门户辽阔，或洋面孤悬，险无可恃，力有不敌。外人长在水战，不若精练陆师，择险设伏，联络团堡，引彼深入，方与力战"③。不仅何璟，主持一线设防的欧阳利见亦认为："莫如避其水战，先防其炮之利，诱其陆来，而故示以兵之单，以静待动，主客之劳逸分矣。"④ 下面一段则道出了以陆制海认识长期存在的真正原因。"敌炮大而能中远，港口炮台滨海敞处，一坦平阳，全无遮护，敌船遥见，排列十艘、念艘，游弋环转，皆可全力攻我。我炮力软，我台不坚，是我台即敌炮之鹄的也。我难御敌，乌能摧敌？敌且摧我，我舍台而退，敌兵登岸占踞炮台，是我炮又助敌之虎翼也。前台一溃，全局震动，港口炮台不惟无益，反致有害，此固显而易见者也。鄙意以港口炮台尽可

① 《李鸿章全集》第七册，第 120 页。
② 《陆操新义》，序。
③ 欧阳利见：《金鸡谈荟》卷一，页二，文海出版社，1968 年。
④ 《金鸡谈荟》卷八，页五。

不设重兵，不安精炮，另为设法，以求稳当。"① 可以看出，没有可靠的岸炮作为保证，即便提出与敌战于海上，亦是缘木求鱼。多数主张以陆制海的人大多都能认识到，这只是一时的权宜之计，要想从根本上解决海防问题，出路仍在大力发展海军。但却有某些人将以陆制海视作应对列强海军的灵丹妙药，反对建造舰船，反对发展海军，甚至提出"船厂可停，水勇可废"，这完全是开历史的倒车。郑观应曾对此类杂音予以驳斥："世之论者因持守外洋不如守海口，守海口不如守内河之说，辄谓船厂可停，水勇可废。不知水陆形势，彼此既有短长，则趋避之术亦顷刻而万变。……今若置外洋海口于不问，则设有师其故智，疲挠我师者，既难节节设防，人将处处抵隙。前明倭寇，殷鉴不远，固未容偏执一说耳。"②

　　第一次海防大讨论中，通过长时间的论辩，清廷在建设海军问题上的一些模糊认识得以澄清。一是为防范来自近邻日本的威胁，必须加强海防建设，而建立近代海军则是海防建设的中心环节；二是明确要建立北洋、南洋两支海军，任命李鸿章为北洋大臣，沈葆桢为南洋大臣，两人分别督办北洋、南洋海防事宜。然而发展海军不是一朝一夕所能完成的，而清廷所要面对的现实是，"今则铁舰未来，现有之师船不足抵御，临时尚须收入内港，安能阻遏敌冲，则仅恃炮垒遥轰，洋面既宽，岂能拦阻"③。在这种情况下，采取何种策略方能有效应对海上可能的威胁是当局必须考虑的现实问题。比较可行的办法是以海岸炮台作为海防的中心，以海面舰艇为辅助，将海上入侵之敌阻截于海口，然后打消耗战。如丁宝桢所言："海疆之事，能守即为能战，日后有警之时，我但慎守沿海炮台，密防沿海城池险隘，而但以轮船与之抵角于近海之间，以为炮台、城池、险隘之防护。又以舢板船、艇船与之出没隐见于岛屿纷错之内，以为轮船之声援。彼欲急战，而我故延缓之，彼欲不战，而我故牵制

①　《金鸡谈荟》卷三，页十八。
②　《郑观应集》，第215页。
③　《周武壮公遗书》卷一，页四十。

之，务使之进不得战，退不得息。久之粮尽煤绝，势必自溃。迨其自溃，我乃乘其势而击截之，或尾追之，当可取胜。此所谓以守为战也。"①

长期担任湘军水师领袖的彭玉麟也主张以守为战。他基于当时清军水师的舰船能力，对与敌战于海上的可能性持怀疑态度，认为与敌争胜于茫茫海上，既无必要，亦无可能。他说："从来有海防无海战之法，弃海口不设法严防以固门户，而欲以铁甲争胜于大洋，果确有把握乎?"② 他反对建造或购买大型轮船，而主张建造可收入江面的小轮。他说："与其购铁甲重笨兵轮争胜于茫茫大海之中，毫无把握，莫若造灵捷轮船，专防海口扼要之地，随机应变，缓急可资为愈。"③ 灵捷轮船的作用是，"不争大洋冲突，无事时则巡缉洋面，有事时则防堵海口。若敌船竟冲入江，则以之四面环攻，跟踪追击；或诱致浅处，彼已如陷泥淖，我则游泳自如，尤为胜着"④。彭玉麟的主张看似保守，但在海军未能成军之前，以海口为中心，水面舰艇配合炮台进行积极防御却是当时唯一可行的策略。

二、要口设防

相比彭玉麟，李鸿章发展海军的决心很大，他认为，"我若早一日备豫水军，敌即早一日消弭衅端"⑤。所以这一时期的李鸿章比较关注西方海战理论，对海军在海面作战中的作用也有一定认识。按照当时流行的西方海防理论，"凡与滨海各国战争者，若将本国所有兵船径往守住敌国各海口，不容其船出入，则为防守本国海岸之上策；其次莫如自守，如沿海数千里，敌船处处可到，若处处设防，以全力散布于甚大之地面，兵分力单，一处受创，全局失势，故必

① 《丁文诚公奏稿》卷十一，页十五，清光绪十九年（1893）刻本。
② 《彭玉麟集》（一），岳麓书社，2008 年，第 259 页。
③ 《左宗棠全集》第八册，第 124 页。
④ 《彭玉麟集》（一），第 255 页。
⑤ 《李鸿章全集》第三十三册，第 369 页。

聚积精锐，只保护紧要数处，即可固守"①。上策在当时的中国并无实施的可能，主要原因是："中国兵船甚少，岂能往堵敌国海口。"上策既然做不到，只能退而求其次，选择要口设防，但自守亦非易言。李鸿章认为："自奉天至广东沿海袤延万里，口岸林立，若必处处宿以重兵，所费浩繁，力既不给，势必大溃。"② 可行的办法仍要退回到海口设防的老路上，分别缓急，择紧要之处重点设防。中国海口关系最紧要的有直隶之大沽，北塘、山海关一带，系京畿门户；其次则是江苏吴淞至江阴一带系长江门户，是为次要。李鸿章说："盖京畿为天下根本，长江为财赋奥区，但能守此最要、次要地方，其余各省海口边境略为布置，即有挫失，于大局尚无甚碍。"③ 在海军未成之前，李鸿章也坚持以守为战的海防观。他听取了丁日昌的建议，即"购中小铁甲船一二号以为游击之用，练水雷数军以为防阻之用，造炮台数座以为攻敌之用，练枪炮队各十数营以为陆战之用"④，创造了一种名为"守定不动之法"的设防办法。他解释道，"如口内炮台壁垒格外坚固，须能抵御敌船大炮之弹，而炮台所用炮位须能击破铁甲船，又必有守口巨炮铁船设法阻挡，水路并藏伏水雷等器"⑤，又说，"中土陆多于水，仍以陆军为立国根基，若陆军训练得力，敌兵登岸后尚可鏖战，炮台布置得法，敌船进口时尚可拒守"⑥。这实际上是将海岸炮台、水面舰艇及岸防部队共同纳入海防体系中，形成了海口陆军、炮台与海面舰艇互为表里、陆海统筹的新的海防战略。在这一办法中，海面舰船扮演着较积极的角色，是前伸的可移动炮台，可以主动抵拒强敌侵入海口，与海口炮台被动阻敌相配合，可以产生更好的设防效果。尽管这种办法仍是被动防守，但相较单纯的海口设防，策略上更为积极。

① 《李鸿章全集》第六册，第 162 页。
② 《李鸿章全集》第六册，第 162 页。
③ 《李鸿章全集》第六册，第 162 页。
④ 《李鸿章全集》第七册，第 264 页。
⑤ 《李鸿章全集》第六册，第 162 页。
⑥ 《李鸿章全集》第六册，第 160 页。

李鸿章在近畿地区的设防，大体上是按照这一思路进行的。光绪十年（1884），他在《力筹战备折》中，解释了天津布防的基本思路。"天津至山海关一带沿海地段绵长，港汊纷歧，断无处处设防之理。惟当于敌舟可以深入登岸处所扼要守险，以杜窜越。守口之营，兵数不必甚多，但以坚守炮台为主，并分布水雷、旱雷，制其冲突。其后路接应之师须有大队，以备游击，庶临事声援稍壮而前敌军心益固。"①

具体而言，有以下内容：

一是改造炮台。由于两次鸦片战争中炮台均未发挥重要作用，故"人人皆以炮台为不足恃"。丁日昌在《海洋水师章程》中对这一认识进行了驳斥，他认为炮台的作用发挥不出来，原因在于旧有炮台形制过于落后，防护炮台的兵力配置也存在问题，而不是海岸炮台之法不再适用。他说："台之式不合其宜，炮之制不得其法，演炮不得其准，守台不得其人，故炮台虽设，亦与沿海师船同归无用耳。"② 要使炮台重新发挥作用，必须仿西式炮台形制对沿海炮台进行改造，同时"演炮必求其准，守台必求其人，与沿海水师轮船相为表里，奇正互用，则海滨有长城之势，而寇盗不敢窥伺矣"③。同一时期的郑观应也提出过类似的看法："嗣后沿海要隘，筑台必照西式之坚，制炮必如西法之精，守台必求其人，演炮必求其准。使与外洋之水师轮船，表里相资，奇正互用。"④

李鸿章在对近畿布防时，部分地听取了丁日昌的意见，按照西式炮台形制对天津周边炮台进行了较大规模的改造。如"海口之台须格外坚厚，上置八寸至十二寸口径新式长筒巨炮，下藏子药小库，内包陆兵，外筑斜坡"⑤。大炮台周围增筑小炮台，形成炮垒群，

---

①　《李鸿章全集》第十册，第 486 页。

②　《丁日昌集》（上），第 611 页。

③　《丁日昌集》（上），第 611 页。

④　《郑观应集》，第 128 页。

⑤　《李鸿章全集》第十一册，第 149 页。

"凡敌船窥口，我必有三处炮台掎角击之"①。同时着手对大沽、北塘两处炮台进行整修。至光绪十年（1884），形成大沽口南岸大炮台四座，小炮台四十座；北岸大炮台二座，平炮台六座。北塘南岸炮台二座，北岸炮台一座。② 除整修和新建炮台之外，还对大沽、北塘炮台的兵力进行了重新配置，并着重在体制上强化了南北岸炮台间的接应与配合。鉴于庚申之役中天津弃守，英法联军得以直入通州，李鸿章认为这是"津城卑薄，又在运河南岸，控扼殊不得势"③的缘故，因此设想"据运河北岸屹筑一城，围以炮台炮船，兼用子牙、大清、北运诸河之险，以鲠塞由津赴通之喉牙，只要布守得人，似较海口尤有依据，京城亦多一遮蔽"④。故于大沽之后 30 余里的天津新城修筑台垒，驻屯重兵，"扼由津赴京水路"⑤，与大沽、北塘炮台成掎角之势。

二是增加海面舰艇及水雷。除建设海口炮台外，李鸿章还将部分炮艇分防于海口外洋面，作为水炮台之用。这一时期李鸿章对西方舰船认识有限，目光聚焦于一种配有巨炮的小艇，称为蚊子船，又称根钵船。该船优势是所载大炮口径大，可以作为守口利器。李鸿章说："惟守口大炮铁船即所谓水炮台船，亦系西洋新制利器，以小船配极重之炮，辅助岸上炮台四面伏击，阻遏中流，能自行动，最为制胜。"⑥ 但劣势亦很明显，就是船身过小，不耐风涛，"只宜分扼海口，未可驰逐外洋"⑦。在以守为战的海防观念之下，蚊子船已可满足这一时期海防战略的需要。在李鸿章的海防认识转向发展海军之前，蚊子船是其从国外采购的主要舰船。

除水炮台外，北洋布防还特别重视水雷的作用。驻防近畿的盛

---

① 《李鸿章全集》第十一册，第 149 页。
② 《李鸿章全集》第十册，第 486—487 页。
③ 《李鸿章全集》第三十册，第 159 页。
④ 《李鸿章全集》第四册，第 206 页。
⑤ 《李鸿章全集》第六册，第 72 页。
⑥ 《李鸿章全集》第六册，第 163 页。
⑦ 《李鸿章全集》第十册，第 686 页。

军统领周盛传认为，"至水雷一项，西人每遇敌船来攻，辄安置于塞口缺处……，海口既有拦阻，则敌船不能径冲而过，我台上之炮乃可尽力冲击"①，就是说利用水雷对敌舰的迟滞作用，延长敌舰海口滞留时间，岸炮的防卫攻能才能得到充分发挥。周盛传特别强调要发挥水雷的集团作用，要求"水雷面上横直预开数孔，孔内洋铁管中另凿小眼，埋时务使孔孔相对，眼眼相通，一遇燃放乃可连声轰击"②，这样产生的阻滞作用更为明显。为防止敌船趁夜暗捞尽水雷，兵船阑入，周盛传特别叮嘱海口需设小轮船二三号，分班梭巡，严加防范。

三是围绕炮台进行步兵的布防。李鸿章认为，"海口炮台但求土木兴筑均宜，不在兵数过多，而后路数百里间必须重兵坚垒、巨炮相望，节节布置联络，乃可自立不败之地而争胜于人"③。他反对孤立的点状防御，而主张在点与点之间建立联络，突出相互间的支援与配合，因此在驻防地点的选择和兵力配置数量上都有较多的考虑。这些措施，使孤立的防御点连成线，布成网，最终形成立体化的布防体系。从光绪六年（1880）八月李鸿章所上《复奏言路条陈折》所公布的北洋近畿兵力部署情况，可以清楚地看出这一意图。"大沽海口现派副将罗荣光练兵一千八百人、亲军炮队五百人，分守南北岸炮台，而助以记名总兵刘祺直字营勇千人、副将史济源练兵五百人。北塘海口现派通永镇总兵唐仁廉统带练兵一千二百人、仁字营勇五百人，分守南北岸炮台，而助以参将赵喜义营勇五百分防蛏头沽。至大沽后路，以新城为扼要，前云南抚臣潘鼎新督同提督叶志超练军马步四营守之。北塘后路，以芦台为扼要，直隶提臣李长乐督带练军及武毅马步四营守之。提督周盛传所统盛军马步十六营，令其暂驻小站、马厂一带，距大沽数十里至百余里。提督刘盛休所统铭军马步十一营，令其暂驻兴济镇，距北塘约二百余里，意在布

① 《周武壮公遗书》卷一上，页五。
② 《周武壮公遗书》卷一下，页九。
③ 《李鸿章全集》第四册，第206页。

远势、蓄威重，作为两路策应游击之师，视敌所向即率行队纵横援剿。臣自督天津淮练七营，居中调度。目前分数层扼扎，有事时可首尾相应，正不必拘定某处为二敌三敌四敌也。又称大沽、营口宜备水师为奇兵。查大沽现有新购蚊船四只，与炮台相依助，自可相机夹击。"①

　　从南洋和广东来看，尽管在设防上缺乏北洋的连贯性和系统性，但亦能看出在布防思路上与北洋是一致的。如中法战争期间，两江总督左宗棠对南洋的设防："查江南海口，若就其远者、大者言之，崇明、宝山实第一重门户，白茅沙则入江之门户也。崇明之铜沙，在吴淞口外，东北至十漖，西南至大塔、小塔，均汪洋大海，无险可凭。应以吴淞口、白茅沙两处为前敌要隘。吴淞口系由海入江，苏、松之门户，其关系与白茅沙同。该处筑有炮台，地当扼要，已设巨炮十八尊。其炮台左向西北之海堤，及距炮台约十里之浦东黄家湾内龙王庙海堤，临时尚应抽拨兵船分守，以为之辅。仍檄派大兵轮船驻于炮台之对面，敌船进口即并力御之。再由江南提督李朝斌调集太湖水师分守各港汊。一面选派陆营兵勇，于宝山县属之罗店镇扎两营，为炮台之声援，兼顾嘉定、太仓一路；于川沙厅属之高行镇扎两营，遏浦东黄家湾一带敌人登岸之路；于上海西门新泾市扎两营，以防敌船驶入黄浦，袭我上海县城。此六营为策应之师，遇警即往来策应。如此则吴淞口一路腹地可无虑矣。白茅沙洋面虽阔，暗沙纵横，中泓狭而曲。其南头浮桩半里许之中，应多设水雷、鱼网、拦江龙等具，再以龙骧等蚊船驻东边无名沙脚，水炮台船驻于南岸沙夹，专注中泓来路。如敌船驶至南岸浮桩之处，蚊船与水炮台两面攻击，以外海水师各船驻于蚊船之后，各兵轮船又驻外海水师之后，内洋水师各船则傍南岸沙脚驻泊。是先有水雷、鱼网以阻之，蚊船及水炮台攻其前，兵轮、艇师继其后。若敌船退至海口，我师即绕北面出而尾追。"②

①　《李鸿章全集》第九册，第 162 页。
②　《左宗棠全集》第八册，第 362—363 页。

　　曾国荃在广东布防也注重海面与陆上协调一致，认为："设守之方，与其仅防于水面，犹是孤注之势，不若兼防于两岸，可成掎角之形。滨水设防，首重舟师。细查东省各号轮船，系为附近海口缉捕而设，船身本不甚大，且又购制日久，机器未能坚致如初。光绪五年钦奉谕旨，饬令各省轮船赴吴淞口合操，前督臣刘坤一于复奏折内声明粤省各号轮船实不足以出洋御战。今阅数年之久，苦窳更甚于前。若令驻防巨浸洋面，则不足以当敌船之利炮；若令设伏于虎门沙角以内、黄埔常洲以外，亦足以阻敌舰之往来，扼贼舟之充斥。"① 同时曾国荃认为，之前的炮台不甚得力主要是因为无游击策应之师。他说："从前粤东用兵有年，乃于虎门十分要地，但有守台之营，而未尝厚集兵力作为护台之垒，又无游击策应之师。似此孤立无援，故外寇遂由下游登岸，以袭炮台之背，因而一败涂地，不可收拾。"他认为，兵无救援，断难持久坚守。因此主张调动步兵在炮台周围设防："今欲防守各路炮台，必须屯聚重兵，能耐苦战，方可以资防护。一旦遇警，虽有强敌，乘虚以袭其后，亦可敬慎不败。窃计虎门沙角及黄埔常洲两要隘，万一临警之际，每处须屯万人。首尾援应，可以更番迭战；昼夜轮替，前敌之军乃有把握。至于省城以外抵大黄滘、中流砥柱等处共十余里，亦宜有团练万众严备防守，庶几各港汊小径纵有潜来窥伺省垣之寇，亦不敢乘间抵隙，方足以安定城厢内外之人心，而固全省之根本。"②

三、要口设防主要战法

　　要口设防，主要是"防敌船进港溯流而上，侵我之内地也；亦防敌舰停泊于海，轰击我近海之城邑也"③，所以应尽可能利用水面和海口大炮，进行层层阻击。如果不能阻敌于海口之外，则仍要回到以陆制海的老办法，利用陆上纵深设防，予敌以杀伤。

---

① 《曾国荃全集》第二册，第 162 页。
② 《曾国荃全集》第二册，第 163 页。
③ 《金鸡谈荟》卷一，页三十六。

第一层为水面拦阻。因当时海岸炮台所安炮位多为旧式，射程有限，无法对敌海面舰船构成威胁，而西洋炮船则可凭借射程远的优势，从洋面上直击炮台，因此，一般会在岸炮射程之内的洋面设置拦阻带，阻滞驶近要口敌船的行进，可称为外洋堵口之法。具体做法是，视海口之宽窄浅深，"或用铁链系巨椿，或以沙石沈废船，或用木牌木筏上加浮炮台"。海口既有拦阻，"则敌船不能径冲而过，我台上之炮乃可尽力冲击。惟炮台工坚，炮巨子弹凑手，立脚乃牢耳"。① 这一办法在北洋和南洋的备防过程中均有采用，但实际效果不尽如人意。薛福成曾对此法有过反思，"外洋堵口之法，利弊各半。所宜深虑者，莫如阻碍本国商船兵船往来之路，先致自困"②，又说，"近日闽省封口较早，致船难出入"③。因敌情判断不准，导致稍有风吹草动，即仓猝沉船，未能制敌，反给己方带来诸多不便。此种办法越到后期采用越少，而以铺设水雷代替之，"虽需雷较多，而工价比沉船犹省十倍"④。一般铺设四重，"敌船在后者仍可冲进，则以水雷一叠二叠三叠四叠置于口门，……窃料敌船如毁一二，其在后者必疑畏而不敢进矣"⑤。

第二层为炮台攻敌。炮台包括岸防炮台与置于水面的水炮台。传统方式的岸防炮台击敌，需有数座炮台形成交叉火力方为有效。因有水炮台的加入，岸防炮台能够与水炮台形成配合。因水炮台有一定的机动性，更易形成交叉火力，对于企图闯入内河的敌舰威胁更大。若敌舰已侵入海口，周盛传提出可将战舰当作固定炮台使用的设想，具体做法是在海口建造船坞，将舰船收入船坞，以堆土对舰船进行掩蔽，只露出船艄舰炮。"我船即于坞内开炮横击，相去无多，炮力愈猛，且数船排列协力以攻，即第一船之炮不中，而次船

---

① 《周武壮公遗书》卷一，页五、页六。
② 薛福成：《浙东筹防录》卷一上，页二，文海出版社，1973 年。
③ 《浙东筹防录》卷二，页一。
④ 《浙东筹防录》卷二，页二。
⑤ 《浙东筹防录》卷二，页二。

继发，如此连环排击，必可制之。"① 可以看出，这一做法的实质是将可以机动作战的舰船变为固定的海岸炮台，周盛传认为此法可使"现有之船即可以当彼铁甲之船，寻常炮械亦可当彼极利极猛之炮，化无用为有用，似亦御变救急之微权"②。

第三层是岸防部队的阻击。在缺少有力海面部队的情况下，如果堵口、炮台阻击不能致敌于死命，最终可能仍要进行陆上决战，因此尽管有前面两法，但多数人仍将岸防陆军视为反败为胜的关键因素，"惟陆营力战，足以御之。窃谓战守之把握，陆营当得四成，炮台当得四成，堵口当得二成"③。一般岸防部队分为两部分，一是固守炮台的部队与用于支援掩护的部队两部分；另于后路屯驻重兵，作为"游击之师"，主要用于支援防守炮台的部队，以便稳住海口阵地。《浙东筹防录》对岸防部队的作战方法有简要描述："设遇敌船遥至，我兵静按不动，必计弹子能递得到时，方可轰击，否则不准空开一炮。恐其不能摧敌，反为敌人识破。敌如冒死上岸，一声号炮，则我兵之伏于西北隧道者一拥而出，可以直冲其前，我兵之伏于东北隧道者分路山背，可以包抄其后，一概皆从暗中设防，敌人焉能测我？此即尊函中所谓我能见敌，敌不见我之意也。又虑南岸兵少，不敷布置，乃自衙前山起至布阵岭止，择地势之高阜者，曾经陆续砌就假垒十余座，学昔人减兵添灶故事，毫不驻兵，只插旌旗以张声势，其实真垒皆依岭障山，扼要据险，亦间有半露者限于地也，此又尊函中所谓我无队伍之山，多张旗帜以疑敌之意也。"④

可以看出，在完全决战海上暂无可能的情况下，依托陆上力量的协助，建设陆海统筹，相互配合、互相协调的整体海防是唯一有效的方式。

---

① 《周武壮公遗书》卷一下，页三十五。
② 《周武壮公遗书》卷一下，页三十六。
③ 《浙东筹防录》卷二，页十四。
④ 《金鸡谈荟》卷三，页十二。

第二节　海军建设思想

无论以陆制海或是要口设防，其实质都是以守为战，从策略上而言，较为消极，都是海军未能形成战斗力之前的一种权宜之计。如李鸿章所言："海防二字顾名思义，不过斤斤自守，亦不足以张国而威而詟敌情。"① 相较海口设防，建设海军，拒敌于海口之外，在观念上是一次大突破，主动进取的意识更强。但建设海军，从观念到现实，要突破层层的观念束缚。

一、对舰船的认识

早在鸦片战争前后，林则徐、魏源就已指明了发展海军的重要性，如林则徐称，"有船有炮，水军主之，往来海中，追奔逐北，彼所能往者，我亦能往，岸上军尽可十撤其九"②。魏源也对海军建设的必要性有深入解说，指出"若有战舰则贼登岸之后，船上人少，我兵得袭其虚，与陆兵夹击"，再如，"有战舰则贼舟敢聚不敢散，我兵所至，可与邻省之舰夹攻"③，等等。尽管他们对发展海军言之切切，但细读文本会发现，他们所理解的海军与后来的北洋海军实际上是根本不同的两件事，他们仍将海军视作传统水师的扩大版，或所用舰船船体更大，或舰队规模更大而已。由于对海军的实质缺乏深入认识，林、魏关于建设和发展海军的意见并无太多借鉴意义。实际上，不只林则徐和魏源，在每次海防大讨论中，有相当一部分力主发展海军的人对于海军也仅止于"御外之道，莫切于海防，海

---

① 《李鸿章全集》第三十三册，第 368 页。
② 《林则徐全集》第七册，第 291 页。
③ 《魏源全集》第四册，第 41 页。

防之要，莫重于水师"① 这类表层化的认识。

19 世纪 70 年代清朝陆续引进或建造了多艘根驳船，起初作为守口利器，随着认识的不断深入，此类舰艇的弊端日益显露出来。左宗棠曾说，根驳船"炮大船小，头重脚轻，万难出洋对敌，只可作水炮台之用"②。李鸿章也认识到，"无铁甲以为坐镇，无快船以为迎敌，专恃蚊船，一击不中，束手受困，是直孤注而已"③。甚至说，"盖有铁甲，而各船运用皆灵；无铁甲，则各船仅能守口，未足以言海战也"④。

如何获得铁甲船，丁日昌曾指出："彼族所恃以纵横海上者，铁甲船、蚊子船及水雷、后门枪炮而已。彼可购而得，则我亦可购而得；彼可习而能，则我亦可习而能。"⑤ 这里，实际上提出了两种途径，或通过直接引进西洋舰船，或通过学习仿造来改变舰船落后的局面。左宗棠是坚持海军装备自造的主要倡议者，同治五年（1866）五月他在《试造轮船先陈大概情形折》中说，"泰西巧而中国不必安于拙也，泰西有而中国不能傲以无也。虽善作者不必其善成；而善因者，究易于善创"⑥。他不仅相信中国有能力自己建造新式海军舰船，而且认为中国有超越西方的可能。作为晚清海军建设主导者的李鸿章早期也认为中国海军舰船应由福州船政局和江南制造局提供，他曾说，"请饬沿江海各省，不得自向外洋购船，如有所需，向闽、沪二厂商拨订制，以节度支"⑦。

日本侵台后，其对于中国的觊觎之心已昭然若揭，为防范可能的海上冲突，客观上要求海军尽快形成战斗力。然而依照当时的生产条件，要在短期内完全依靠自造舰船是根本无法做到的。对于这

① 《筹办夷务始末（同治朝）》第十册，第 4059 页。
② 《左宗棠全集》第八册，第 124 页。
③ 《李鸿章全集》第九册，第 18 页。
④ 《李鸿章全集》第九册，第 109 页。
⑤ 《丁日昌集》（上），第 184 页。
⑥ 《左宗棠全集》第三册，第 53 页。
⑦ 《清史稿》第十四册，卷一百三十六，第 4032 页。

一点，曾国荃在光绪十一年（1885）上奏的《奏陈海防事宜折》中解释得很清楚。他说："铁甲等船之所以必先拟购者，非不知自造之与购买情形有别也。良以一器之成，必变通乃能尽利；一法之守，非造极不能翻新。非特福建、上海各船厂，于铁甲、雷、快等船限于机器厂地，未能立时增拓，即赶募洋匠教而习之，收效至速，亦在十年之后。而事变之来，飘忽无定，必待制成而用器，学成而用武，一两三年后海氛复炽，势必仍前束手。即照臣所议，先从购买入手，自定购而付银，而开工，而工竣，而自重洋内驶，已非三年不能到防。此铁甲、雷、快等船，不能不先拟购买之实在情也。"[1]

此时的李鸿章对于自造舰船的态度也发生了变化，认为应以外购为主，而自造为辅。他说，福州船政局和江南制造总局所造之船，物料匠工多来自外洋，"是以中国造船之银倍于外洋购船之价"[2]，同时海军又急于成军，因此舰船来源"须在外国定造为省便"[3]。坚持轮船自造的左宗棠也不得不承认，"轮船之造，原以沿海防不胜防，得此则一日千里，有警即赴，不至失时，可以战为防。五年仅成船十五，不敷海防全局之用"[4]。单靠清朝自身的建造能力根本无法满足建设海军所需要的大兵轮的要求，所以最可行的办法仍是购买。

据统计，在北洋舰队成军的 28 艘舰艇中，有 22 艘是向国外购买的，其中千吨以上的 10 艘主要作战军舰中有 9 艘是从国外购买的。当时也曾有人提出不能一味购买铁甲舰，而应在购买的基础上逐步实现自造。内阁学士梅启照就强调福州船政局和江南制造总局应仿造铁甲舰，他认为在两厂添置铸铁板等机器，加以扩充，就能打造自己的铁甲舰。这一想法没能得到李鸿章和刘坤一的支持。李鸿章认为，"虽该局机器略备，而无精熟此道之员匠，于西洋新式隔

---

① 《曾国荃全集》第二册，第 324—325 页。
② 《李鸿章全集》第六册，第 163 页。
③ 《李鸿章全集》第六册，第 163 页。
④ 《左宗棠全集》第十一册，第 434 页。

阁尚多，似可缓议也"①。刘坤一也认为该局现在制造枪炮、弹药，业必专而精，不必再造铁甲船致糜工费。当面临强大外敌入侵，国家安全和国家利益遭到严重威胁的时候，从国外紧急购买一些尚不能自造的舰船或武器装备以加强海军建设的做法是可取的，但在福州船政局和江南制造总局的造舰水平已有一定能力的情况下，主动放弃依靠自身力量发展海军，不得不说是一个重大失误。

二、海军基地建设

在马江海战中，福建海军几乎全军覆没。此战对清廷刺激很大，不得不正视自己与西方的差距，对持续十余年海军发展的成效进行反思和总结。"自海上有事以来，法国恃其船坚炮利，横行无忌。我之筹画备御，亦尝开立船厂，创立水师。而造船不坚，制器不备，选将不精，筹费不广。上年法人寻衅，叠次开仗。陆路各军，屡获大胜，尚能张我军威。如果水师得力，互相援应，何至处处牵制？当此事定之时，惩前毖后，自以大治水师为主。"② 第二次海防大讨论后，清廷决定集中财力优先发展一支近代化海军，此后海军发展的重心遂由南洋转向了北洋。

除大力购造铁甲舰外，创建与铁甲舰相配套的泊港要塞成为李鸿章主政北洋期间海防建设的中心任务。近畿的大沽、北塘由于自身条件所限，"两岸沙滩一望无际，掘地三尺即见水，无高阜可倚，亦不能添挖地沟"③，无法停泊大型舰船，也就无法建造与未来海军相适应的近代化军港。李鸿章主政北洋期间，为将战略防御前沿前推，优先建设仿西式的旅顺和威海军港，大沽、北塘的战略地位则由过去的防御前沿，变成抵御海上入侵的第二道屏障。

（一）旅顺

旅顺地理条件得天独厚，成为北洋海防建设的重心所在，"渤海

---

① 《李鸿章全集》第九册，第 260 页。
② 《清实录》第五十四册，第 935 页。
③ 《李鸿章全集》第十册，第 488 页。

大势，京师以天津为门户，天津以旅顺、烟台为锁钥"①。李鸿章对旅顺军港建设的设想是："旅顺口有黄金、鸡冠等山为之屏蔽，内有东西两澳，四山围拱，沙水横亘，形势天然。惟外口浅狭，内澳淤平，必须挖浚浅滩，殿宽门口，方能多泊兵船；必须建大船坞，方能修理铁舰快船；必须添造库厂，储备一切，方能接济水陆粮饷军火；尤必须分筑炮台，控制洋面，护卫坞澳，使舟师与陆师相为依辅。"② 自光绪六年（1880）开始至光绪十六年（1890），旅顺军港建设共历时10年，共建成东西两个炮台群，口岸东炮台7座，口岸西炮台5座，共有大炮80余尊。12座炮台主要为露天式，在设计上形成交叉火力，能够有效封堵港湾口门。③ 炮台内部建有各种有分隔的地下弹药提升装置，配有大口径远程巨炮、升降自如的地阱炮和高射速的机关炮。炮台布置合理，可以相互依托，基本符合李鸿章在旅顺港初建时的设想，即"内包陆兵，外筑斜坡。凡敌船窥口，我必有三处炮台掎角击之"④。以后旅顺炮台又有增添，使防卫体系更为完备。为防止敌人从大连湾登陆，巩固旅顺后路，兼防金州，至光绪十九年（1893），在旅顺相对的大连湾修筑炮台5座，陆防炮台1座，共配大炮24尊，这样旅、大二地互为掎角，防卫能力更为完善。

　　旅顺军港的重要之处不仅在炮台，能够停泊大型战船也是其核心功能。旅顺共建有用于修理大船的大石坞1座，另有小石坞1座用于修理舢板船，坞旁设有修船各厂9座，澳南岸建有大仓库4座。澳坞四周建有铁道，并设有起重架5座，以便转运和装卸。⑤ 此外，还设有水陆医院和水雷学堂等其他相关设施。此前北洋的舰只维修主要依赖日本、香港等地船坞，旅顺和威海的船坞建成后，"北洋海军战舰遇有损坏，均可就近入坞修理，无庸借助日本、香港诸石坞，

① 《李鸿章全集》第十册，第468。
② 《李鸿章全集》第十册，第160页。
③ 《近代中国海军》，海潮出版社，1994年，第408页。
④ 《李鸿章全集》第十一册，第148页。
⑤ 《李鸿章全集》第十三册，第513页。

洵为缓急可恃，并无须糜费巨资"①。

光绪十年（1884）前后，李鸿章对旅顺地区的兵力进行了重新部署。"其近山要路数处多设行营炮垒，并于口内密布水雷，沿岸多设地雷，派四川提督宋庆统毅军等十一营驻守，已革江西南赣镇总兵王永胜带护军营八哨协守台垒，天津镇总兵丁汝昌带蚊船两号、快船两号，并道员刘含芳带鱼雷艇弁兵，与宋庆等表里依护。如敌船游弋外海，可相机伺便阻击，冀以牵制其北攻津沽，且借卫奉省门户。"②

（二）威海

由于威海与旅顺隔海相望，共扼渤海大门，从光绪七年（1881）开始成为北洋海军临时停泊基地。光绪九年（1883），李鸿章曾说，威海"东西两峡对峙，水深岸阔，最宜操练舟师"③，并派丁汝昌统带蚊快各船赴此处操巡。但因经费支绌，始终无力对威海进行大规模改造。光绪十三年（1887）清廷决定每年拨银 30 万两，开始建设威海要塞。至光绪十六年（1890），威海海岸共建成炮台 13 座，其中南岸炮台 3 座，北岸炮台 3 座，刘公岛炮台 6 座，黄岛炮台 1 座，并各建兵房、子药库，铁码头、铁道，通联一气。④ 此外威海还设有水雷三营，并在南岸水雷营附设水雷学堂。

按清廷海陆相依的基本设想，"陆路之兵固须益加训练，外海水师尤当亟事精求。各口岸固须设防，然非有海洋重兵可迎剿、可截击、可尾追，彼即可肆然无忌，随处登岸，袭我之空虚，疲我以更调，使我有防不胜防之苦"⑤，故在加强军港和海岸炮台建造的同时，调集淮军主力，分别赴各要塞进行要点驻防，除部分部队担负驻防军外，尚有大支部队担负游击任务。至甲午战争之前，北洋海防建设和布防从整体上看接近完成。按德国模式共修造旅顺、威海

---

① 《李鸿章全集》第十三册，第 514 页。
② 《李鸿章全集》第十册，第 533 页。
③ 《李鸿章全集》第十册，第 351 页。
④ 《李鸿章全集》第十二册，第 383 页。
⑤ 《李鸿章全集》第六册，第 168 页。

两处要塞，加固大沽、北塘炮台，建设了天津新城，烟台、营口和胶澳虽有建设，但终因经费问题，未能建设完成。围绕几处炮台的驻军分布情况如下："山东威海卫则绥巩军八营，护军两营；奉天大连湾则铭军十营；旅顺口则四川提臣宋庆毅军八营、又亲庆军六营；山东烟台则嵩武军四营；直隶北塘口仁字两营；大沽口炮队六百七十名。臣前折所谓分布直、东、奉三省海口扼守炮台全计二万人者指此，其分驻天津青县之盛军马步十六营，军粮城之铭军马队两营，芦台之武毅两营皆填扎后路，以备畿辅游击策应之师。"①

三、海军分布及规模

丁日昌在同治六年（1867）草拟《创建轮船水师条款》中第一次提出了"创建轮船水师，分为三阃"的设想②。三阃分别是：北洋、中洋（东洋）、南洋。具体而言：北洋辖直隶、盛京、山东各海口；中洋辖江苏、浙江各海口；南洋辖福建、广东各海口。三洋互相配合，"有事则一路为正兵，两路为奇兵，飞驰援应"③。同治十三年（1874）丁日昌在《海洋水师章程》中，对三洋海军的设想做了进一步的阐述，认为中国海岸绵长，且"沿海要害互有关涉，宜如常山之蛇，击首尾应"，要做到这一点，就必须建设三支新式海军。以山东、直隶沿海为北洋；浙江、江苏沿海为东洋；广东、福建沿海为南洋。以三支新式海军分防三洋，"每洋各设大兵轮船六号，根钵轮船十号。三洋提督半年会哨一次"④。

李鸿章对海军规模与分布的认识早期受丁日昌影响很大，附和三洋水师之说，认为："窃谓北、东、南三洋须各有铁甲大船二号，北洋宜分驻烟台、旅顺口一带，东洋宜分驻长江外口，南洋宜分驻厦门、虎门，皆水深数丈，可以停泊。一处有事，六船联络，专为

---

① 《李鸿章全集》第十五册，第 373 页。
② 《筹办夷务始末（同治朝）》第六册，第 2265 页。
③ 《筹办夷务始末（同治朝）》第六册，第 2266 页。
④ 《丁日昌集》（上），第 612 页。

洋面游击之师，而以余船附丽之，声势较壮。"① 十余年后，随着海军建设的展开，李鸿章于海军规模的认识又有推进，认为三洋不足分布，因而提出四洋海军的设想，"夫中国七省洋面，广袤万里，南须兼顾台湾孤岛，北须巡护朝鲜属邦，非有四枝得力水师，万不敷用。北洋合直、东、奉为一枝，南洋苏、浙合为一枝，闽、台合为一枝，广东自为一枝。每枝必有铁甲船两艘，快船四艘，捷报舸两艘，鱼雷艇二十只，运兵轮船两只，以先立根基，徐图充拓"②。

除丁、李之外，还有多人提出自己的分区设防设想。何如璋认为，"诚以防海异于防陆，陆军可以分省设守，海军则巡防布置必须联络一气，始无兵分势散之虞"③。在此基础上，他提出了三洋海军设想："拟分三大洋，定为六营；北洋一营，建阃天津，兼辖奉天山东各口；中洋一营，建阃崇明，兼辖上下江、浙、宁各口；南洋一营，建阃南澳或虎门，兼辖闽、粤各口。"④ 张佩纶则认为："然则驭倭之策虽无伐之之力，当有伐之之心，虽无伐之之心，当有伐之之势。欲集其势，则莫如大设水师。论者谓水师当以北洋为一军，江浙为一军，闽粤为一军。臣以为北洋三口可自为一军，江南可自为一军，浙与闽可合为一军，而粤似宜异军特起者也。"⑤ 左宗棠认为："北、东、南三洋联为一气。洋防一水可通，有轮船则闻警可赴。北、东、南三洋共须各驻轮船，常川会哨，自有常山率然之势。若划分三洋，各专责成，则畛域攸分，翻恐因此贻误。分设专阃三提督，共办一事，彼此势均力敌，意见难以相同。七省督抚不能置海防于不问，又不能强三提督以同心，则督抚亦成虚设，论议纷纭，难言实效，必由乎此，不可不慎。"⑥ 张之洞也提出了四洋海军的设想："窃谓宜分为海军四大枝。北洋为一枝，旅顺、烟台、珲春属

① 《李鸿章全集》第六册，第163页。
② 《李鸿章全集》第十一册，第147页。
③ 《中国近代史资料丛刊·洋务运动》第二册，第534页。
④ 《中国近代史资料丛刊·洋务运动》第二册，第532页。
⑤ 《涧于集·奏议》卷二，页三。
⑥ 《左宗棠全集》第十一册，第438页。

焉。南洋为一枝，浙江属焉。闽洋为一枝，台湾属焉。粤洋为一枝，琼州属焉。所辖洋面各有专责，遇有大敌，仍责令各枝合力攻击，互相援应。"①

有学者认为，"七十年代以后海防论中种种分洋设防的意见，大多脱胎于丁日昌'三洋分防'的思想"②。无论哪种设想，认识大同小异，均承认分区设防便于管理，但又强调要保持各区间的联络与救应，避免出现各自为战的局面。从实际情况看，"三洋水师"构想最终演化成三个区域海军彼此独立发展，为后来的海军统一指挥埋下了隐患。

第三节　海军的战略、战术与训练

一、海军战略

随着海军渐成规模，海军逐步成为晚清海防体系的核心，地位日趋重要。在此情形下，海军如何使用，或者说应当制订何种海上战略，不仅关乎海军的建设发展，对选择何种海战战术及何种军事训练模式都有重大影响。

客观而言，李鸿章对于西方海战理论有较多关注，对于海军进取性的特点亦有一定的认识。他在光绪六年（1880）即提出"以战为守"的主张，他说，"南北洋口岸丛杂，不能处处设防，必购置铁甲等船，练成数军，决胜海上，乃能以战为守"③。又说，"从来御外之道，必能战而后能守，能守而后能和。无论用刚用柔，要当像

---

① 《张之洞全集》第一册，第 326 页。
② 张磊：《丁日昌研究》，广东人民出版社，1988 年，第 179 页。
③ 《李鸿章全集》第九册，第 18 页。

修武备，确有可以自立之基，然后以战则胜，以守则固，以和则久"①。但受限于海军建设的进度与规模及旧有海防观念的制约，李鸿章不可能将海军作为独立遂行海上决战任务的工具，而只能将海军纳入已发展相对成熟的海防体系内，将海军作为海防体系中的一环，作为慑止外敌侵扰的一种力量。

同治十一年（1872），海军尚未兴办，各方讨论的重点仍集中于舰船，李鸿章即已流露出消极的态度："我之造船，本无驰骋域外之意，不过以守疆土保和局而已。海外之险，有兵船巡防，而我与彼可共分之；长江及各海口之利，有轮船转运，而我与彼亦共分之。或不让洋人独擅其利与险，而浸至反客为主。臣尝督同沪局委员筹议仿造兵船，以该局现造五号为度，不宜更求加大，庶无事时扬威海上，有警时仍可收进海口，以守为战。"② 到了光绪五年（1879），李鸿章又说："中国即不为穷兵海外之计，但期战守可恃，藩篱可固，亦必有铁甲船数只，游弋大洋，始足以遮护南、北各口，而建威销萌，为国家立不拔之基。"③ 甲午海战之前，李鸿章对于海军消极使用的意图已暴露无遗："倘与驰逐大洋，胜负实未可知，万一挫失，即赶紧设法添购，亦不济急。惟不必定与拼击，但令游弋渤海内外，作猛虎在山之势。倭尚畏我铁舰，不敢轻与争锋，不特北洋门户恃以无虞，且威海、仁川一水相望，令彼时有防我海军东渡袭其陆兵后路之虑，则倭船不敢全离仁川来犯中国各口，彼之防护仁川各海口，与我之防护北洋各口情事相同。"④ 对于此种海军战略，李鸿章给出的解释是，"盖今日海军力量，以之攻人则不足，以之自守尚有余。用兵之道，贵于知己知彼，舍短用长，此臣所为兢兢焉以保船制敌为要，不敢轻于一掷，以求谅于局外者也。至论海军功罪，应以各口能否防护、有无疏失为断，似不应以不量力而轻进转

---

① 《李鸿章全集》第九册，第 259 页。

② 《李鸿章全集》第五册，第 108 页。

③ 《李鸿章全集》第八册，第 510 页。

④ 《李鸿章全集》第十五册，第 406 页。

相苛责"①。

在这种消极战略的影响下，不仅海军后续的发展受到了影响，甲午战争中海军的失败也与这种消极战略不无关系。北洋海军在海战中始终奉行依托海岸炮台进行作战的消极防御战略，其基本任务是以防守旅顺、威海两军港及其附近海域为中心，固守渤海湾口，守备京畿，从未谋划过积极主动地进行海上决战、夺取制海权的方略。丰岛海战中，清廷谕令北洋海军在渤海湾内数处要隘"来往梭巡，严行扼守，不得远离"②。黄海海战前李鸿章给丁汝昌规定的任务是，"择其可用者常派出口外，靠山巡查，略张声势"③，"使彼知我船尚能行驶，其运兵船或不敢放胆横行，不必与彼寻战，彼亦虑我蹑其后"，并强调"用兵虚虚实实，汝等当善体此意"④。待丁汝昌率领海军到达旅顺时，李鸿章又指示，"如贼水陆来逼，兵船应驶出口，依傍炮台外，互相攻击，使彼运船不得登岸"⑤，这实际上是将战舰当作"水炮台"来使用。黄海海战后，李鸿章命北洋水师龟缩威海卫"避战保船"，不得远出大洋决战，都是这种消极防御思想的体现。正如学者所言："北洋海军的基本任务是固守渤海湾口，具体又以防守旅顺、威海两军港及其附近海域为中心，没有确立积极主动进行海上决战的指导思想。这就必然使北洋海军陷于一种消极应付的状态，将海上作战的主动权拱手让给了日本。"⑥

从北洋水师在战争中的表现可以看出，这支被清廷视为可以"振扬军威"的海军舰队，只有近代化海军之形，而无近代化海军之神，在骨子里依旧是一支旧式水师。英国人格伦指出："中国于开战

① 《李鸿章全集》第十五册，第406页。
② 《清光绪朝中日交涉史料》卷十七，页二十七。
③ 《李鸿章全集》第二十五册，第3—4页。
④ 《李鸿章全集》第二十五册，第17页。
⑤ 《李鸿章全集》第二十五册，第110页。
⑥ 皮明勇：《晚清海战理论及其对甲午海战的影响》，戚其章等：《甲午战争与近代中国和世界》，人民出版社，1995年，第218—219页。

之初，已不以海军争夺制海权，徒造屈服失败之因。"① 英海军中将克鲁姆评论："中国舰队……违反了海军战略的原则。为了远远躲开日本舰队，采取了暂时放弃黄海制海权的错误策略。这种错误策略和二百年来屡遭失败的经验一样，北洋舰队也陷于大败，这是不足为怪的。"②

二、海战战术

19 世纪 70 年代，西方海军或海战理论被引入中国，其中对晚清海军建设影响较大的，除《防海新论》外，还有《海战新义》《各国水师操战法》和《海军调度要言》等书。其中《海战新义》提出了决战海上的思想。该书虽未对海权进行全面深入的阐发，但已经开始用"海权"一词来表示取得海面控制权的重要性，提出"凡海权最强者，能逼令弱国之兵船出战，而弱国须守候机会，以伺击强国一分股之船"③。关于海战兵力的使用原则，《海军调度要言》和《各国水师操战法》均强调要集中兵力，"总以专力并锐为务"，"以聚攻散，以专制分"④。这些著作对北洋成军后的战术训练有一定的影响。

从中国来看，对于海战战法有过较深入思考的是丁日昌，他曾根据当时中国的舰船情况提出了海军的自卫之法与进攻之法。铁甲船自卫之法："倘遇两岸有林木之处，船桅必多挂树枝，使敌人不能辨识，所有锅炉、气贯、机键两边必护以沙袋，外面必蒙以铁链，使之往复回环，又以大绳结网为外层遮蔽，使之以柔克刚。倘遇敌之铁甲船冲撞，势猛者槟柁偏左、偏右以避之，势相等者急转船首铁冲，先撞其腰。又以船首衔四五丈之长木二条作叉形，外蒙以网，

---

① 《海事》卷五，第 12 期，第 12 页。
② 戚其章：《中国近代史资料丛刊续编·中日战争》第七册，中华书局，1996年，第 326 页。
③ 《海战新义》（上）卷二，页一六下，天津机器局 1885 年铅印本。
④ 《海军调度要言》卷三，页七上，载《江南制造局译书丛编·兵制兵学类》第三册，上海科学技术文献出版社，2014 年。

下以重物坠之，则可以收取前阻之水雷等物，俾免为所触击。"① 其攻破铁甲船之法："一曰大炮，须用实心坚弹，自二十四磅以至六百磅，愈大愈为得力。其弹体一为嘴弧，二为圆锥形，三为圆柱形，四为平圆底。开炮之时，先应计其速率，三千步内定其准点于船头，三千步外则定准点于未到之处，及其尤近，又必须炮炮击其火药仓及锅炉、螺轮、汽机、榇柁之处，则一炮胜于十炮。至炮中火药，宜用近日布国新制之药饼，则始速率稍减，炮内可免炸裂，末速率倍增，铁甲可以直透。"② 因提出时间较早，所以在战法上仍保留有不少原始的成分。

光绪十七年（1891），薛福成吸收西方海战理论，提出他所设想的海战对敌要诀，共有六条："一、与敌船相近，须用轻而速放之炮，势若连珠，使彼水手兵丁，无论在舱面桅上或炮门外，皆不得停身，势必走避；又必细看敌船大炮显露之处，并烟通与各瞭望孔及露置炮架处，多放轻小快炮。二、与敌船近至二千码，始放中号炮（即六寸炮），宜向望台、舵房、螺轮或无铁甲处，连放不息。三、离敌船一千二百码，始放大于六寸炮；若到六百码以内，恐易受敌水雷之害。四、战时切勿以本船撞敌船，空费撞力，我船行过，彼船或左或右，反可施放水雷；即使撞着，亦难免本船受伤，利不胜害。若已击伤敌船，宜再用大炮打穿其船壳。彼若放大炮，宜用机器炮，连珠炮速放不息，使彼不及放大炮。五、见敌败遗有小船等物，不可往取，恐遭爆药、水雷等害。六、我船最宜慎者，摆舵之器须备双副，且须易拆易换，受伤可赶速修补。"③

以上这些认识主要为单舰对敌战术，对近代海军而言，海军阵形的意义似较单舰更为重要。19 世纪 60 年代清军开始引入西方近代海战阵法与战法。光绪十年（1884），天津水师学堂译出《船阵图说》，作为水师学堂的主要教科书，也是北洋海军操练阵式的基本依

① 《丁日昌集》（上），第 193—194 页。
② 《丁日昌集》（上），第 194 页。
③ 《薛福成日记》（下），吉林文史出版社，2004 年，第 666 页。

据。该书共列有 118 种阵形变换，但核心阵式仅有数种，其他阵式均由核心阵式变化而来，《船阵图说·例言》中指出："大率以鱼贯、雁行二端为纲领，其余各阵变复，胥得而隶焉。"① 光绪十七年李鸿章巡阅北洋舰队，对舰队布阵有过这样的评价，"二十一日开赴大连湾，北洋各舰沿途分行布阵，奇正相生，进止有节，夜以鱼雷六艇试演泰西袭营阵法，兵舰整备，御敌攻守并极灵捷，颇具西法之妙"②。

必须看到，阵形只是一种基本的对敌姿态，随着作战进程的推进和形势的变化，舰队要根据实际情况随时做出调整，以便使作战始终有利于己而不利于敌。阵形布设的基本原则，一是尽可能发挥集团火力优势，避免形成单舰对敌的局面；二是使己方舰队对敌阵面尽可能宽阔，这样更有利于发挥舰队的整体优势。各类阵法各有优势与劣势，在实战中需根据情况及时变化，及时调整。甲午海战中，北洋海军在阵式的使用与变换上似不如巡阅时那样灵活多变，运用也似比较僵化。定远舰枪炮大副沈寿堃战后写道："大东沟之役，初见阵时，敌以鱼贯来，我以雁行御之，是也。嗣敌左右包抄，我未尝开队分击，致遭其所困。此皆平时操演未经讲求，所以临时胸无把握耳。"③ 他总结海战失败教训后说："平日操演船阵，阵势总须临时应变，不可先期预定。预定则各管驾只须默记应操数式，其余则可置之。临时随意挂旗，示演各阵，则各管驾不得不全图考究。临事既无生疏舛错之患，亦能出奇制胜。……此皆平时操演未经讲求，所以临时胸无把握耳。"④

除阵形变换上的问题外，舰船航速过缓也是海战致败的一大因素。李鸿章较早注意到北洋海军的航速问题："海上交战能否趋避，

① 《船阵图说》，例言，天津机器局印。
② 《李鸿章全集》第十四册，第 94 页。
③ 陈旭麓等：《盛宣怀档案资料选辑之三·甲午中日战争》（下），上海人民出版社，1982 年，第 403 页。
④ 《盛宣怀档案资料选辑之三·甲午中日战争》（下），第 403 页。

应以船行之迟速为准，速率快者胜则易于追逐，败亦便于引避，若迟速悬殊，则利钝立判。西洋各大国讲求船政，以铁甲为主，必以极快船只为辅，胥是道也。"① 但 1888 年北洋海军宣布成军后，清廷即停止拨款购船，1891 年又停拨器械弹药款项，致使北洋海军"近八年中未曾添一新船，所有近来外洋新式船炮，一概乌有"②。很多舰船由于舰龄较长，根本达不到额定舰速，致使北洋海军编队航速比日本联合舰队的主力编队差不多慢了一半。北洋舰队在对敌时采用了当时较为通行的乱战战术，试图先冲击打乱敌舰编队，但过于缓慢的舰速使其不具备远距离快速接近敌方的能力。

三、海军训练

在晚清海军发展的早期，一些主政者对海军训练的制度化有过尝试，如同治十年（1871）二月，闽浙总督英桂与福建轮船统领李成谋会商，制成《轮船出洋训练章程》十二条和《轮船营规》三十二条。其中《轮船出洋训练章程》十二条主要内容是：分派统驾以专责成；添拨弁兵以资练习；酌定保奖以示鼓励；常川巡哨以期联络；定期操阅以明黜陟；合队操练以求精熟；随时整顿以备不虞；广搜舆图以加考证；颁定旗式以归一律；实发口粮以杜虚冒；稽核煤斤以省浮费；分别修理以昭核实。③ 可以看出，虽名为训练章程，实际内容则主要以管理为主，兼有涉及军需和保障等内容，而关于训练的内容规定颇为笼统，仅规定舰队操演炮位每月一次，每年春季由统领率各轮船合操一次，冬间由督抚将军同船政大臣阅视一次，以校技艺而定赏罚。单兵训练主要练习操枪炮、救火、登岸等法。从内容上看，章程是为新式兵船制定，"参考了西方近代海军的规章，是海军规章条例的雏形，但仍保留着浓厚的传统色彩"④，与水

①　《李鸿章全集》第十五册，第 405—406 页。
②　《清光绪朝中日交涉史料》卷二十三，页十一。
③　见《海防档·福州船厂》（一），第 281—284 页。
④　《近代中国海军》，第 226 页。

师训练差别不大，算不上真正意义上的海军训练。

光绪五年（1879），船政大臣吴赞诚在《条陈轮船督操事宜折》中对海军训练的主要内容提出了自己的看法，他认为，"分操、合操宜别先后，以成劲旅也。船之应操者，枪炮为先，而济行船之用，救行船之穷，应操者不一而足"①。在他所开列的应操科目中主要以技术训练为主，如舢板驳驶、缘桅挂缆之术、水龙救火之术，以及修械补船等。吴赞诚认为："夫一船犹一营耳，其间马力大小不同，炮械制度各异，必人各自娴其执事，而后可合一船而操之；船各自娴其教令，而后可合众船而操之。声气既联，一呼百应，合之既众志之成城，分之亦一帜之独树，则制胜之机在握也。"② 丁日昌对吴赞诚的上述认识做了回应，肯定了海军训练分操与合操宜分先后的观点，并对吴赞诚开列的训练科目也给予了积极回应。他说："分操则以练习枪炮、帆缆、舢板、水雷、水龙之法为先，合操则以熟谙迎拒、避就、联络、撞碰之法为要。"此外，丁日昌还提出应当学习旗语、火号和卸桅，他认为，"旗语所以通日信，火号所以通夜信，卸桅所以救危急"，并认为，"然将果得人，器果精利，则以上各节固已包括于中，而可兼收其效者也"③。可以看出，两人虽都有分操与合操的意识，但基本上仅限于单舰之内各种技术动作的配合，对于舰船间的协同与配合则尚缺乏思考。

真正近代化的海军训练方式是在北洋海军快速发展以后，在充分吸收国外训练理论的基础上，逐步形成了一套较为系统科学的训练之法。有关训练制度集中反映在光绪十四年（1888）颁行的《北洋海军章程》之中。

据该章程，海军训练可以分为共同科目训练和专业训练两大类。共同科目训练是海军官兵训练的基础，包括条令、枪炮、损伤管制、游泳潜水等。专业训练是海军官兵根据职责分工进行的技术训练，

---

① 《李鸿章全集》第八册，第440页。
② 《李鸿章全集》第八册，第440页。
③ 《丁日昌集》（上），第185页。

包括远海训练、枪炮训练、水中武器（鱼雷、水雷）训练、帆缆训练、通讯训练等。

军官的训练是在水师学堂和在练习舰实习中学得，并在服役后通过实践进一步巩固。军官分为战官、艺官两类。章程规定，战官必须"才艺兼备，博览天算、地舆、枪炮、鱼雷、水雷、帆缆、汽机诸学"①。战官需在水师学堂进行四年基础专业学习训练，期满考试优等者，上练船实习一年。合格者，再回水师学堂学习六个月，枪炮练船学习三个月，然后才能分往各舰任职。章程还规定战官"虽已补缺带船，应随时温习旧业，推广新知"②。每年夏季，由水师学堂出题数道，寄交提督转发各管带和大、二、三副等拟作，然后由提督将各卷汇送学堂，评定甲乙，报明北洋大臣，分别记奖记过。

北洋海军的士兵，按编制分为弁目、士兵和练勇。弁目包括正副炮弁、水手总头目和正副巡查等下级官佐。士兵包括水手、炮目和各色当差兵匠，分一、二、三等。练勇是海军备补兵额，也分为三等。各个等级士兵的训练都有具体的要求。如三等练勇考升二等练勇须熟悉掌握：一、船上各部位名目，绳索名目，并知结绳、接缆之法。二、船帆各部位名目，并帆上所有各家具名目，并张帆之法，缚帆耳之法，开帆之法。三、缝帆之法，帆沿打马口之法。四、能荡舢板。五、运舵量水并罗经体用各法，并船头挂灯之例。六、会泅水。七、四轮炮之操法，洋枪刀剑之操法。二等练勇升一等练勇须熟练掌握：荡桨、把舵、量水、结绳、接缆，凡水手一切应知之事，如张帆、叠帆等法。此外枪炮亦须熟练，包括四轮炮操法、大炮操法、洋枪步法、刀剑操法等。凡一等练勇补升三等水手，不必再考。二等练勇在海上练习六个月，深谙枪炮、刀剑操法者，或未及六个月而技艺甚精且深谙枪炮、刀剑操法者，均可升补三等水手。

---

① 张侠等：《清末海军史料》（下），海洋出版社，1982年，第481页。
② 《中国近代史资料丛刊·洋务运动》第三册，第252页。

弁目、水手专业训练的方法，主要由高一等的弁目水手教授。水手若要升任水手副目，则"必须深明把舵、量水、修帆、结绳索并一切头目应知事宜，枪炮工夫与一等水手同，须更加纯熟"①。章程对于炮目特别订出了应"善于教人"的要求。特种技术兵匠，还要专门训练，如鱼雷匠的训练，就由鱼雷局派人进行，或由各船钢铁匠进修鱼雷技术后再来考充。

舰队训练分为单舰训练和编队训练。单舰训练包括武器训练、船员代理职责和多能训练、舰艇长训练、单航战术训练。章程规定："各舰逐日小操一次"，称为"日操"或"常操"。舰上常操都有定程，随季节不同天之长短而设。例如秋季操规定每天上午8时3刻至11时3刻，下午2时至4时进行。这是北洋单舰训练的基本形式。

北洋军舰每年春夏秋三季沿海操巡，周历奉天、直隶、山东、朝鲜各洋面，东北各岛。冬季驶往南洋江、浙、闽、粤洋面要隘及东南亚各埠。这种操巡包含熟悉风涛、沙线等内容，对提高驾驶能力颇有助益。

编队训练，是指两艘以上军舰参加的协同训练，当时称"操演阵法"，其主要内容是演练海上战斗队形的布列和变换。阵法能直接影响舰队的战斗力，对于夺取海战胜利往往起着关键作用。海军作战与陆上作战的根本区别在于无地形或障蔽可资利用，海上作战的成败主要取决于机动作战的能力及阵法变换是否适当及娴熟与否。阵形因素成为影响海上作战能力的重要因素。

编队阵法训练，主要通过大操、会操、会哨等形式进行。《北洋海军章程》规定，北洋海军"每月大操一次，两个月全军会操一次，均由提督亲自校阅，分别功过，酌量赏罚"②。为加强南北两洋海军协同与配合，《北洋海军章程》还特别规定，"北洋各船每年须与南洋会哨一次。提督于立冬以后小雪以前，统率铁、快各舰，开赴南洋，会同南洋各师船巡阅江、浙、闽、广沿海各要隘，以资历练。

---

① 《中国近代史资料丛刊·洋务运动》第三册，第255页。
② 《清末海军史料》（下），第501页。

或巡历新加坡以南各岛，至次年春分前后，仍回北洋"①。

为及时掌握训练状况，衡定训练成果，北洋舰队建立了定期阅操制度。《北洋海军章程》规定，舰队每年由北洋大臣阅操三次，每三年由清政府派大臣会同北洋大臣出海校阅一次。北洋海军成军后，共进行了两次阅操，一次是光绪十七年（1891）四月，李鸿章和山东巡抚张曜巡阅北洋海军，他们先后到达旅顺、烟台、大连、威海卫、胶州等地。主要检阅了舰队打靶、鱼雷艇演放鱼雷，"兵舰整备，御敌攻守并极灵捷，颇具西法之妙"②。并对驻防各海口的陆营进行校阅，如对驻防旅顺的宋庆所部毅军的评价是："演习德国陆操日臻纯熟，步武枪法一律整齐。"③ 光绪二十年（1894）四月，李鸿章与帮办大臣定安对海军进行了第二次校阅，此次阅操主要考察了大沽、旅顺、大连湾、威海卫、胶州湾、烟台等地，主要校阅了舰队打靶和夜间合操、由兵舰小队登岸操演陆路枪炮阵法等科目。

《北洋海军章程》关于训练的规定是较为细致明确的，北洋海军成军初期的训练也比较严格，但后期则逐渐松懈。从甲午海战看，北洋海军在对训练制度的执行上似存在不少问题。在战后的反思文献中，对平时训练中的问题指责较多，如"平日操演炮靶、雷靶，惟船动而靶不动。兵勇练惯，及临敌时命中自难"④，甚至有弄虚作假的情况，"预量码数，设置浮标，遵标行驶，码数已知，放固易中"⑤。这些问题反映出北洋海军在管理上的虚浮。

---

① 《清末海军史料》（下），第501页。
② 《李鸿章全集》第十四册，第94页。
③ 《李鸿章全集》第十四册，第94页。
④ 《盛宣怀档案资料选辑之三·甲午中日战争》下，第398页。
⑤ 《盛宣怀档案资料选辑之三·甲午中日战争》下，第407页。

第七章　西学全面影响下的传统兵学

随着洋枪洋炮陆续装备部队，战斗队形由密集战阵式逐渐向疏散点线式发展，及步、骑、炮、工、辎重等独立兵种的出现，使作战样式和战法发生了根本变化，客观上要求与时代相适应，能够对新的作战形态有指导意义的兵学理论出现。传统兵学重战略而轻战术，重机巧而轻朴拙，对战争具有高屋建瓴的指导作用，在实战中却往往缺乏实际的可操作性，因而在指导现实的切实性上价值有限，"除了一些高层次的原则理论外，许多具体战法已不能对近代战争起指导作用"①。既然传统兵学理论无法对新的军事改革有所指导，很自然地，人们将眼光转向了西方。

自19世纪60年代起，随着洋务练兵活动的展开，清政府陆续在全国设立多家军工企业，除聘请洋员指导和参与西式装备的生产外，还组织人员设立翻译馆，翻译了西方军事技术和军事理论，将一批西方军事著作介绍到中国。以同治六年（1867）江南制造局创办的翻译馆为例，初期译著以军事技术书籍为主，如译有《制火药法》《克虏伯炮饼药法》《克虏伯炮说》《克虏伯炮弹造法》《哈乞开司枪图说》《阿墨士庄子药图说》等，后期随着对西方军事理论认识的不断深入，译书的范围也逐步扩大，"算学、化学、汽机、火药、炮法等编，固属关系制造，即如行船、防海、练军、采煤、开矿之类，亦皆有裨实用"②。实际上，除军事技术以外，西方军事理

---

① 毛振发、刘庆：《清代兵书概论》，梁巨祥：《中国近代军事史论文集》，军事科学出版社，1987年，第310页。
② 《李鸿章全集》第六册，第413页。

论中各个领域的著作陆续被介绍到中国，如关于训练理论，有《陆操新义》《水师操练》《轮船布阵》《攻守制宜》《行军臆说》《步操释义》《洋枪练法》《行军指南》《克虏伯炮操法》《炮法求新》《攻守炮法》《格林炮操法》等①；关于军事工程，有《城垒全法》《营城揭要》《营垒图说》等；有关作战理论，有《临阵管见》《前敌须知》《防海新论》《海战新义》等；此外还有有关军事制度的，如《列国陆军制》《德国军制述要》《德国陆军考》等。这些新鲜空气的吸入，猛烈冲击着陈旧的中国社会，撞开了中国传统兵学思想的沉重藩篱，也促使晚清兵学家吸收传统兵学中缺失的部分，弥补传统兵学中的不足，同时以西方先进的科学技术为基础，积极构建中国近代兵学体系，推动传统经验性的、缺乏可操作性的"兵学"向着更具有现实指导意义的、科学性的"军事学"转变。

第一节　几部重要的新式兵书

受西方军事译著的影响，清末出现了几部在结构和内容上与传统兵书有较大区别的新式兵书，如聂士成主持编写的《淮军武毅各军课程》，徐建寅独立完成的《兵学新书》，官订教材《新订步兵操法》，还有陈凤翔以日本军事教科书为基础，结合中国实际改编的《战法学》和《军制学》。尽管这些新式兵书对西方军事理论的吸收在程度上各不相同，但相比传统兵书，可以看出这些新式兵书之间明显的共通性：一是内容主要以训练和作战为中心，对各类战法的阐述不仅深入，而且可操作性很强，且均强调兵种间协同的重要性。二是叙述方式与传统兵书有很大不同。三是语言简练明确，军事用

---

① 参见刘申宁：《从兵书刊刻看中国近代军事思潮》，《军事史林》1989 年第 1 期；施渡桥：《西方兵书的译介与晚清军事近代化》，《军事历史》1996 年第 3 期。

语的专业化倾向更为明显。

一、《淮军武毅各军课程》

《淮军武毅各军课程》是淮军将领聂士成在芦台编练新式军队时主持编订的军事教材。聂士成（约 1840—1900），字功亭，安徽合肥人，早年籍隶铭军，在镇压捻军起义中立有战功。光绪十年（1884），他主动请缨，率淮军 800 人增援台湾，参加刘铭传指挥的台湾抗法作战。后曾统领旅顺淮军，实授太原镇总兵。甲午战争爆发后，聂士成所部在成欢驿阻击日军，后又在摩天岭、连山关一带进行积极防御，以杰出的指挥才能备受世人瞩目。甲午战争后，已升任直隶提督的聂士成以功字营为基础，整合淮军其他队伍，并招募少数新兵，于光绪二十一年（1895）编成武毅军 32 营，主要包括步兵、骑兵、炮兵、工兵等不同兵种。光绪二十五年（1899），清廷设立武卫军，武毅军遂改称武卫前军。光绪二十六年（1900），八国联军入侵中国，聂士成率所部武卫前军进攻盘踞在天津紫竹林租界的外国侵略军，在八里台、跑马厂阵地与侵略军血战，最终壮烈殉国。

《淮军武毅各军课程》共十卷，是相对系统的军事教材，涉及训练、口令与阵法、枪炮原理、旗帜灯光等内容，另有对于攻守作战的战术动作，并对一些作战方法进行了阐释。该书明显吸收了西方练兵理论中的合理成分，同时也保留了传统兵学中的部分内容。一般认为，该书是中国传统兵学转型的标志之一。其主要内容如下：

（一）学堂教育制度

为造就人才，武毅军设有随营学堂，他们认为，"迩来阵势、枪炮各法，行军、奇正机宜以及测绘等事，均非学习有素者类难深得奥窍"①。其主要传授方式是："俾今之谙兵法者，于课操外，复进官弁于此，口讲而指画之，则操以练其体质，讲以浚其神明，将见志之所惺，情之所趣，庶几即法、悟法、肆法、生法，或更离诸法

---

① 聂士成：《淮军武毅各军课程》卷一，页六，军事科学院馆藏石印本。

而别有会焉，于兵事不大有益乎?"① 学堂分内堂与外堂，内堂学生"先习算法、地制、测绘、汉文、洋文与操演枪炮各法，继学兵法、格致、军器、堡垒及行军战守各法"②，外堂学生"专习操演枪炮、管理、命中及行军战守各法。所有内堂功课亦须令其学习大概"③。要求参加学习的学生，必须严守学校制订的各种纪律规定和章程要求，把学习战阵攻守之法，视为身心性命之事，"朝夕研求，不遗余力"④。为保证学习质量，每三个月考试一次，一年大考一次，三年学习期满进行毕业考试。按成绩优劣或分遣出国留学，或留任学堂，或任排、哨长等职。

（二）训练制度

《淮军武毅各军课程》有《步马炮各队操规十条》和《步炮马各队操练章程十四款》，对步马炮各队训练的制度有明确规定。如规定步、炮队"每日操演两次，每次以两点钟为限。午前枪队操演分合进退各法，炮队操炮;午后枪队操演站、转、走、估计、瞄准各法，炮队亦按三角习测量、瞄准各法"⑤。"每逢三、六、九等日，各营官长、排头即在本军靶场打靶。至初十、二十、三十等日，各军自操行军队，由本军总教督操官拟定时刻，督率教练。各军炮队每逢朔、望、上弦、下弦等四日，各在本军靶场打靶。"⑥ 训练遵照由易到难、循序渐进策略，先步法，再习持枪步法，所有兵种士兵均要掌握瞄准、估计、工程、旱雷、探敌各法。

马兵训练日程安排与步兵类似，"每日黎明习站马架，午前习骑，午后习马队步下合、分、站、转、走各法，晚限两点钟。双日，由哨长教授各勇刷洗、揭背、遛马并管理马匹各事;单日，由哨官时以忠勇之言开导各目勇，使其蹈矩循规，兼令号令吹马、步、炮

① 《淮军武毅各军课程》卷一，页五。
② 《淮军武毅各军课程》卷一，页六。
③ 《淮军武毅各军课程》卷一，页七。
④ 《淮军武毅各军课程》卷一，页七。
⑤ 《淮军武毅各军课程》卷一，页十八。
⑥ 《淮军武毅各军课程》卷一，页十九。

各队号音，俾其听闻娴熟，临事易于调度"①。"三、六、九等日，午前习演两点钟马上使用枪械，午后习演两点钟步下、估计、瞄准及使用枪械等事"②，每逢初十、二十、三十等日，午前操演两点钟马上分合、聚散、冲锋各法，午后习演两点钟步下、打靶。③ 待基本动作练熟后，再习跑马道、一哨合操；三月后练习马上跳跃、钻沟、渡桥、一营合操；五月后习马上打靶、驰马抓球，一军合操。

（三）训练内容

新兵入伍后，要依次进行单兵操练、操枪训练、打靶训练和战术训练。训练的宗旨是既要效法外洋，又必须按照中土时令寒暖、地势之险易，与一切防守接战得力情形，加以变通，"方不致得其皮毛而略其骨髓"④。

单兵操练为基本训练，其内容有立正、稍息、向右看齐、报数、各种转法、步法、跑法、正便步走法、转弯走法、散开、集合等基本动作。书中对每个动作要领都做了详尽解说，"务使在事员弁勇丁易于习练，由分而合，由浅入深"⑤。所用口令，如"立正""少息""向右看齐"等，与现代军队口令无异。

操枪训练是使士兵熟悉武器装备，了解武器的基本性能和构造，包括口径、枪长、重量、材料、射程、威力，以及枪管、表尺、枪托、弹巢、枪机、机槽、撞针、弹簧、刺刀、子弹等。而后再进行托枪、举枪、提枪、装弹、预备放、放、枪放下等步枪动作的训练。

打靶训练，当时使用的枪靶有黑线靶、环靶和各种人形靶，要求士兵依次练习，由熟生巧，发则必中。

战术训练分为阵法训练和针对不同地形的协同演习。全书共列有阵法16种，分别为：行军走队式、一字阵式、由一字阵变向中成队式、由向中成队变方城式、由方城变三层阵式、由向中成队变方

---

① 《淮军武毅各军课程》卷一，页二十。
② 《淮军武毅各军课程》卷一，页二十。
③ 《淮军武毅各军课程》卷一，页二十。
④ 《淮军武毅各军课程》卷一，页二十二。
⑤ 《淮军武毅各军课程》卷一，页二十二。

城式、由方城变三层阵式、由三层阵变各哨向右归成一字阵式、由三层阵变各哨向左归成一字阵式、由三层阵变各哨归三面方城阵式、由散开队变小接应向前帮助式、由散队变连环退后式、由两层阵变一层阵式、由一层阵变各哨二大排散开前进式、由各哨散开队变各哨接应队向散开队助阵式、由接应队助阵变退回挖沟诱敌式等 16 种行军阵形。这种阵形变换虽然仍为密集队形，但充分考虑了地形及部队特点，与传统意义上的阵法有一定区别，有一定的实战价值。该书认为，"敌人情态层变叠出，要在察度时势，随机应变，务期布置周密，无隙为敌所乘"①，因此强调作战中的阵形布置和变化，要根据战场的平坦崎岖、地形地势，采用山战、林战、野战、巷战等法。书中列举了步炮马占据要隘前进探敌式、平坦处步炮队进攻式、步炮防护走队前进式、攻守村庄阵式等 4 种作战阵形。这 4 种阵形，明显是吸收西方战术理论成果的结晶，但与之前的 16 种阵法置于一处，显得有些不伦不类。

（四）战术运用

该书卷三对进攻、防守、行路中的防守、散队的利弊等作战中十个方面的重要问题做了较为细致的阐述，较有针对性和实用性，亦能看出编者对于战术问题认识是比较深入的。

1. 重视侦察的作用。在《论用侦探规模暨侦探应为各事》一文中，规定"一营所用侦探人数，恒以二十四人为常规"②。侦察所要完成的工作："凡于两军相距之间，须探其道路之宽窄，地势之险夷，可为我军何项队伍驱驰，不至阻滞碍难。遇有河道、桥梁，宜探其桥之坚固、颓坏，水之宽窄、深浅，桥下水内有无敌人预设陷我之军火，并可资我军何项队伍之过渡。遇有树林、村庄，宜探其有无伏敌，树之大小疏密，村之间断连络，并可能为我军设伏据守之处所。逐段前探，必至与敌渐近，一经遥见敌军影形，宜细察真队伍之多寡，马、步、炮何项队伍，居何方向？并察其所占之地势

---

① 《淮军武毅各军课程》卷四，页三。
② 《淮军武毅各军课程》卷三，页一。

如何，我军由何处进攻乃可得力？"① 以上所侦察各事，应当随时记录或绘制草图，以便归队后准确报告。

2. 对不同兵种的优缺点认识清楚。主张"用之者宜知用其所能，不宜强其所不能也"②。书中已有兵种合成的概念，认为兵种要有机地配合，使形成的合力最大。步兵机动灵活，可攻可守，可急战可久持，且受地形影响较弱。马兵的特点在快速机动，"接仗之时，可用以抄袭包裹敌军，并足以遏阻敌人旁面斜攻之队伍。可冲敌之（撒）[散] 队，可追敌之败队"③。炮队的作用在于攻坚击远，在阻滞敌人冲击、击毁敌人防护中作用明显。步兵、马兵、炮兵各有优势，但亦有各自的不足，因此在使用上则要兼顾各自的优缺点。"若步队无马队，则其机不灵，无炮队，则其力不足，是马、炮队适为步队之辅。倘无步队，则马队无所用其迅速冲突，炮队无所用其破坚击远。而步队又为马、炮队之实，故每次接仗，马队宜为步队十分之一，炮队宜为步队十分之二。虽曰因地制宜，亦不过随时稍为增减耳。"④

3. 攻队与守队之规模。进攻之前先要对敌地势、布雷等情形一一侦测清楚，然后以马兵数骑来往梭巡，诱敌击我，试其枪炮所及之远近。进攻时，步队每前进 1000 米，炮队射程应当设置为 1400 米以上，"总使炮弹击过步队之前四百密达为度"⑤。马队则做出或击敌前或抄其后的态势，使敌无从措手，"而我攻右之队伍，宜乘机速进，冲锋攻击，致力无退，势在必克。缘此时已深入敌境，进则有功，退则重伤，与其退缩必毙，何如致胜得生也。斯时敌军若退，即据敌所踞守之地，排枪快击，不可任意穷追，尤恐中其接应埋伏之算也"⑥。防守亦需要派出侦探，远处昼夜梭巡，"以察敌人动静，

---

① 《淮军武毅各军课程》卷三，页一。
② 《淮军武毅各军课程》卷三，页二十。
③ 《淮军武毅各军课程》卷三，页十九。
④ 《淮军武毅各军课程》卷三，页二十。
⑤ 《淮军武毅各军课程》卷三，页十五。
⑥ 《淮军武毅各军课程》卷三，页十六。

并探其人数之多寡，何项队伍"①。在防守地域附近，寻找并占据数处制高点，以期掎角相援。在敌人进攻方向，要挖掘深涧、枪沟数层，每层相距三百米远，并埋设伏雷。防御作战时，则要充分利用数道防线，"斯时能再让一层，诱敌多入一层队伍于我伏雷之处，最为得力"②。

4. 对于散开队形有辩证的认识。书中认为，散队之利有四：一是敌人不易瞄准；二是进退灵便；三是易于躲避枪炮；四是敌人疏于防范，易中我抄袭之计。但同时也认为，散队弊在散漫，管理起来比整队更为困难，所以"每哨每排均有首领，以司督进使退，而救漫散之弊"③。而且散开队形"其势单薄，弊则在于气弱"④，所以欲救此弊，"每用（撒）［散］队，亦必用大小接应，靠拢队伍，在后随之进退，而救气弱之弊"⑤。在实际运用中，强调要懂得利用地势，否则仍要以方城阵式，掎角相顾。这些认识，都是基于当时的武器装备水平和人员素质提出来的，且有过实际的演练，是比较具有科学性的做法。

（五）纪律严明

书中有《行营禁律十七则》，规定了违反军律者的处罚措施，根据所犯错误轻重分别处以参革、记过、责罚或割耳，乃至斩首。负有监管不力责任的直管官及头目也要承担连带责任。另订有《步马炮各队操规十条》，对于官弁及士兵的日常行为、穿着、礼节、枪械保养、队操流程等都进行了规范，如"除令官口令外，所有官长弁勇一概不准言语，至歇息时，亦不准任意吸烟等事"⑥。对于枪械保养，则规定"枪炮原为克敌卫身之具，擦拭务须洁净，存储更宜慎重。该管官长须随时认真验视，不准稍有污锈损伤，致令用时误事。

---

① 《淮军武毅各军课程》卷三，页十七。
② 《淮军武毅各军课程》卷三，页十八。
③ 《淮军武毅各军课程》卷三，页十三。
④ 《淮军武毅各军课程》卷三，页十三。
⑤ 《淮军武毅各军课程》卷三，页十三。
⑥ 《淮军武毅各军课程》卷一，页十六。

即该管督操官亦宜不时亲为查看"①，等等。

该书出版后，产生过积极的影响。光绪二十二年（1896），张之洞在编练自强军时，即仿效直隶武毅军新练洋操章程，参用德国军制，进行新式训练。《自强军西法类编》中关于各类阵形利弊的讨论，即全文采自《淮军武毅各军课程》。

二、《兵学新书》

作者徐建寅（1845—1901），江苏无锡人，字仲虎，是晚清著名科学家徐寿次子。同治五年（1866）随父创办江南制造局翻译馆，在引进和翻译西方军事理论著作方面做出了突出的贡献。徐建寅与英国人傅兰雅、美国人金楷理等人合译有多部军事技术书籍，如《格林炮操法》《水师操练》《轮船布阵》等。光绪五年（1879），徐建寅以驻德二等参赞的身份赴德国定造"镇远号""定远号"铁甲舰。在欧洲期间，徐建寅访问了德国和英国海军部、克虏伯炮厂及造船厂，参观了炮台与海军基地，并以专业的眼光对大炮的制造工艺、造舰规程及炮台的形制作了全面而细致的记录。回国后，徐建寅把参观访问的见闻汇集成《欧游杂录》，成为介绍欧洲军事技术情况的重要资料，也成为其后来撰写《兵学新书》的材料基础。

光绪二十二年（1896），徐建寅出任福建船政局提调，其时正值甲午新败，中国正处于西方列强瓜分的危局中。出于对时局的感愤和强烈的爱国情怀，徐建寅将毕生精研科学所形成的专业知识及欧游时的现地经验灌注于笔下，终于写成近代第一部系统化的近代军事理论著作——《兵学新书》。全书16卷，约20多万字，附图200多幅。第一至第五卷主要讲述步兵单兵体能训练、队列训练、技术训练及一旗、一营乃至一军的战术训练。战术训练主要介绍了进攻与防御、林地作战、要隘攻防战，以及诱敌、劫袭等战法。第六卷主要讲述马兵的训练与使用。第七卷讲炮兵的编制以及训练和作战。第八卷讲兵炮配合。第九卷为徐建寅根据中国国情和军情，参考西

① 《淮军武毅各军课程》卷一，页十七。

方义务兵制设计的新的兵役制度。此外,《兵学新书》还介绍了德国和奥地利的军事教育情况,并用较多篇幅论述了各种先进的军事技术问题,诸如后装枪炮的构造与使用、野战沟垒的建筑以及铁路工程技术等问题。

徐建寅在书前凡例中提及了写作此书的目的,他说,"救世之策,莫若兵学为先"①,认为处有事多变之世,论兵不可泥古,而必须力求通理明义,懂得阵式和战法,并要随着枪炮性能的改进而变化,操练也要随着战术的改变而改变,这样才能固兵心以操胜机,握成算以挫敌焰,使兵学适应实战的需要。他认为中国自古以来的兵书半多空谈,而且"世俗迂儒,一误再误,讳讲兵学,是以二千年来无人以兵学泐为成书者。即有古兵书,亦皆模糊影响,罔切实用"②。可以看出,徐建寅对于传统兵学的评价已与过去有根本性的不同。在他看来,要改变这种状态,必须通过"考究治兵之要,揭各国新法之精理,辑泰西诸书之菁华,以保我国,以尊我君"③。该书虽有谋略的内容,但并不以思辨见长,主要内容多为可用于直接指导训练的方法,相关战术也具有很强的可操作性。《兵学新书》的最大特点是,"采集各国军政,实事求是,择精语详,自募选训练以及布阵运用,下至军士起居饮食之微,凡军所需与一切有关于军者,无不绘图系说……无法不备,无备不精,不载吉凶占验诸异说,可谓集古今兵学之大成,得圣贤教民之深意矣"④。全书的叙述方式不同于传统兵书,而与现代军事理论的叙述方式更为接近,与同一时期出现的《训练操法详晰图说》有较多的相似性。

(一)关于战前谋划

从全书篇幅来看,主要以训练为中心,谈及谋略之处不多,但仍认为战前谋划至关重要。徐建寅将谋略区分为调度方略和布置列

---

① 《兵学新书》,凡例页一。
② 《兵学新书》,后序页三。
③ 《兵学新书》,凡例页一。
④ 《兵学新书》,叙页二。

阵。调度方略主要考虑"彼我之势力，兵将之众寡"等因素，列阵则"不拘兵数多少，总就现有之兵将，由总统审机应敌，以期得胜。诸统将先秉方略移军前进，临敌则遵总统之布置而列阵"①。作者认为，制胜之机取决于"临战气势胆力雄壮"，这既体现在平时训练是否纯熟，纪律是否严明，同时也取决于临战保障、调度是否合宜。具体而言，"兵衣兵食，料量充足，转运支应，一无缺误"②，同时还要看能否做到师出有名，将士皆能同仇敌忾，志气忠勇，绝无畏死之念。一旦定下决心，"初出一战，必期获胜，则众心愈励而愈奋，加以诸将平素善能激励兵心，不有懈弛，临时益加策励，自能众志成城，猛厉十倍矣"③。如此，方能"一鼓作气，不稍馁怯，合志赴功，必能克敌"④。

（二）关于训练

徐建寅认为，选练士兵应仿行西法，建立近代化的军队，但他不赞成聘用洋教习训练部队，认为此举徒费巨款，仅得粗浅皮毛，战时全不得用，他说："盖用洋将弁以教练步伐、枪炮，虽能严整，然仅得兵学之一端，至其精义，头绪繁多，必非粗通洋语者所能传达，仍不能窥其全豹。"⑤ 他坚持认为："非集中国有志之士，自行讲求兵学之精义，必不能训练兵士，使成劲旅也。"⑥ 训练应以纯熟为要，"官兵应奉操法为经典，以为必胜之左券。平时人人娴习烂熟，视等性命之重，战时虽领兵之将伤亡，而各兵仍知如何住守，如何进攻，仍照原定之策，力战成功，不致半途溃败"⑦。为防止出现训练方法各自为政的局面，徐建寅还特别强调全国要按统一的操

---

① 《兵学新书》卷八，页十二。
② 《兵学新书》卷八，页十二。
③ 《兵学新书》卷八，页十二。
④ 《兵学新书》卷八，页十二。
⑤ 《兵学新书》，后序页四。
⑥ 《兵学新书》，后序页四。
⑦ 《兵学新书》卷五，页十六。

典进行训练，"一律阵式，一律放枪，为最要之政"①。步、马、炮三者中，步兵的训练尤为重要，因此"更应用一律操法"②，一旦部队将操法训练纯熟，即便营官升转，后任继之，"仍可如臂使指，绝无阂隔之患"③。

训练之法包括体能训练、队列和射击训练及阵法训练。

1. 体能训练。要求"新兵入伍，先练其手足之力，使足捷身轻，持枪而臂不颤"④。最初十五日，每日教以持球，趋跑跳跃。十五日以后，每逢三、六、九日进行操练，同时兼顾士兵休养，勿迫其所未能⑤。除三、六、九及朔望日外，每天练习持枪手势两个时辰，此外利用操练食宿之余，进行室内理论问答，并学习"补衣、拆装、揩擦枪件，及收拾行李背负等事"⑥。练习持枪十五日后，学习行走阵式，借地势庇身法，再练习两个月后，乃可归入全旗，一同操练。

2. 队列和射击训练。包括徒手立定、转身、走步，以图示方式释解动作要领。待徒手队列动作熟练后，则进行持枪队列训练，亦采取图与文字结合的方式，力求每一步骤都能标示清楚。士兵除学习端架、装枪、瞄准等基本动作外，还需学卧放、跪放等动作。

3. 阵法训练。阵法训练贯穿整个《兵学新书》的前半部分，按照不同编制体制下不同兵种、不同地形下的要求，从实战需要出发，结合中国的国情和军情，灵活机动，以简便实用、适应战场需要为准。

阵法训练分行走阵式和临战阵式。行走阵式即基本的静态阵式，而临战阵式则需根据实际战场情况，随时加以调整变化。书中区分为阵式和运用，分别讲解。一旗阵法训练为战术训练的基础，"合多

① 《兵学新书》卷五，页十六。
② 《兵学新书》卷五，页十六。
③ 《兵学新书》卷五，页十六。
④ 《兵学新书》卷一，页三。
⑤ 见《兵学新书》卷一，页四。
⑥ 《兵学新书》卷一，页四。

营以成军，而始基在一旗"①，而欲使一旗阵法训练纯熟，"要在教训各弁兵，俾全熟分内诸事。是以先在平教场用数十兵作小旗，练熟行走各阵式，再往高低地，以操借地势进攻、住守等法，使官弁、兵丁共明一切与真战无少异，各有定见，再归一旗，以操运用"②。士兵不但要掌握各种新式武器装备的使用技术和战术，通晓构造原理和性能，避免拘泥于操场上的练习和纸上谈兵，而且还要能灵活运用所学的新知识，在战场上勇猛搏战，克敌制胜。操练运用区分了12种作战行动，即住守、进攻、退回、拒马兵、树林、要隘、村镇、堡墙、诱敌、劫袭、应急、巡探等。书中对每一种军事行动的不同情况均有详尽解说。如对林战，地形上区分了林中和林边，作战行动则分为进攻和住守，对林边住守、林边进攻、林中住守和林中进攻均进行了讲解。

一旗训练纯熟后，可以将训练规模扩大至营，训练亦分为行走阵式和临阵运用，模式与一旗类似，只是涉及的部队更多，组织协调更为困难。"操练运用者，一面教官弁以调度之法，一面教兵丁交战之法，大致亦与一旗运用略同，亦须操练进攻、住守、退回并转向等法，均臻便捷，不稍板滞。"③

一军训练注重诸兵种协同训练，以求战时协同作战。步、炮、马兵使用新式枪炮进行协同作战时，须求各尽其长，密切协同。要选择有利地形，使各自的长处得以充分发挥。在三者协同作战时，又要始终注意以步兵为主，以马、炮二兵为辅的原则，但"用马兵或炮兵，偶值机会凑巧，间或亦成大功。然仍必借步兵之协助"④。

以上作战行动多以散队形式出现，对于旗官的素质要求很高，何时以何种队形，采取何种行动，对时机要有准确判断，对于士兵遵从号令情况有准确了解，同时要熟悉地形并善用地形，而且命令要坚决。领兵者应熟谙方略，把握制胜之机，审机应变，灵活机动

---

① 《兵学新书》卷三，页一。
② 《兵学新书》卷三，页一。
③ 《兵学新书》卷四，页十一。
④ 《兵学新书》卷八，页一。

地指挥作战，切不可拘泥古法。

（三）关于兵役制度

中国古代一般的兵役制，或征兵制，或招募制，均有弊端。征兵之制，"终岁散处田间，仅于蒐苗狝狩，以时简阅，训练亦不能纯熟，用意虽美，立法固未尽善"①。招募之制，"纪律未谙，训练未悉，兵将未识，心力未齐，贸然临敌，望风奔溃，贻误大局"②，且招募制最大的问题是遣散之后，驯良者，无本业可安，生活凄苦，大胆狡悍者，则可能流为匪盗。徐建寅认为，最佳的兵役之法是参民兵招募而兼用，提出"抽丁之法"，即"抽丁常居营中，给饷定课，部勒训练，毋作别业，不异召募，则训练精矣"③。具体而言，从每 200 名壮丁中抽一名为兵，其余壮丁每人每日出一文钱以供养服役士兵。三年服役期满，遣散回家，年各不过二十三四岁，仍能经营本业，如此"则民间既无荒废治生之患，而在营又免老羸充数之弊矣"④。以后每年秋收农隙时，仍调集至本府之营中，操练二十日，操练完毕回家，名为"备调兵"。每年如此，七年为期，期满不再调练。招募则本着自愿与强制相结合的原则，规定凡年龄在 19 岁至 44 岁之间，城乡村镇中身家清白的壮丁，均可自愿报名。若一地无自愿当兵者，则抽签选定一人为兵，并取具邻里及廪生身家清白（者）保结⑤。这一办法如果能够施行，当时全国 22 个省，可招兵 40 多万人，能够节省国家养兵之费，而不会加重民众负担。

这一制度明显吸收了西方近代的义务兵役制思想，并结合中国自身情况予以改造，是寓征于募，在当时是比较超前的一种兵役办法。光绪二十四年（1898），陕西按察使端方根据徐建寅所说的"抽丁之法"拟定了《抽练陆军办法》一折，连同《兵学新书》一并进

---

① 《兵学新书》卷九，页一。
② 《兵学新书》卷九，页一。
③ 《兵学新书》卷九，页二。
④ 《兵学新书》卷九，页二。
⑤ 见《兵学新书》卷九，页二、页三。

呈，清廷接受了这一建议，并命直隶总督裕禄先在直隶试办，"一俟办有成效，次第扩充推行各省，以期悉成劲旅"①。

（四）关于军事教育

除军事训练外，该书还重视思想训导，认为："平日仅能操练娴熟，列阵便捷，犹未足全恃，必须以勇果鼓舞人心，勉为君子，不以死伤夺其志，方为可恃之军。"② 训导主要内容包括，爱国忠君思想等："每日训以立品爱国，使其尊君亲上之心油然而生。训以历代名将、古来勇士之功业，流芳史册，以励其效慕欣羡之心。训以战阵无勇，不孝之尤，辱亲莫甚；战阵死亡，无量荣耀，立升天界，共证正果，永享极乐世界，无穷尽期，非特忠义传于乡里，流芳百世已也。"③ 书中强调，训导要讲究方法，要能"言者历历如绘，听者娓娓忘倦，方足深入人心，久而化之，自然勇气百倍，目无强敌矣"④。此类训导，曾国藩在训练湘军时亦曾采用，尽管这种方式看似粗陋浅薄，但不可否认，对于增强普遍文化程度不高的士兵的战斗意志确有其价值。

《兵学新书》也注意培养士兵团队意识，方式则较为灵活，除一般的训导外，还辅以团队游戏，如"往野田山林，教以练力、互搏、泅水、逾沟"，其间"行歌互答，奏乐节步"，使人人皆有"不避艰险之志，又开豁其喜悦之心"。⑤ 夜晚训练时，"爇火坐谈，指示他旗所习之阵，令其欢欣羡慕，兴会淋漓"⑥。如此，兵丁既能熟练使用军器及行走阵式，又能将平日训导之语心领神会。

（五）兵制与学堂教育相结合

徐建寅通过分析近代德国和日本的崛起之路，认识到军事教育

---

① 《光绪宣统两朝上谕档》第二十四册，广西师范大学出版社，1996 年，第498 页。
② 《兵学新书》卷五，页十四。
③ 《兵学新书》卷五，页十四。
④ 《兵学新书》卷五，页十四。
⑤ 《兵学新书》卷五，页十四。
⑥ 《兵学新书》卷五，页十四、页十五。

对于国民性的改造有重要影响，他认为兵制与学堂要相辅而行，要移风易俗，改变当兵者鄙的错误观念。同时作者也将军事训练视作人格健全、崇尚道德、改变社会风气的一种手段。他说："武备即学问，学问即武备，两相附丽不能分，亦不可分，分之国贫且弱，合之国富且强，必学问深而武备始精，学问既深，将弁兵丁，无一不各尽其职，于是通其学问，以及士农商工，政治风教，自能渐渍相化，莫不精诚核实。而通国臣民，自皆奋勉鼓励矣。"① 士农工商在军队优良作风的影响下，也能奋勉自励，形成良好的政治风教，如此，国家必然富强。

徐建寅主张在营中设立各级学馆，兵丁除进行一般的军事训练外，还需入学馆进行专门学习。"所学者，寻常学问及兵法、武事章程、报单册籍、公牍，及书记旗哨队长当为之事。各兵操练法、营法、旗法，各旗哨队长当为之领兵教习之事。"② 炮兵则须入炮兵武弁学馆，"须习算学、格致、炮学、造炮墙法、绘图、绘炮沟墙图"③。

（六）武器在战争中的作用

徐建寅重视武器在战争中的作用，但又不是武器决定论者，他在人与武器的问题上有着自己清醒而独到的认识。一方面，徐建寅作为军事技术专家，十分重视武器技术的进步带给战争的影响，如他说，"新式后膛枪，放速致远命中，凭墙以守，攻破甚难"④，又说，"今有新式快枪，昔时大综马兵，冲散敌阵，不能成功"⑤。同时他也认为，讲究兵学不能只限于购买新式军火，聘请外国将弁教练官兵，追求表面上的枪炮更新和操练整齐，不能只学其皮毛而遗其精艺，"后膛枪必操熟之兵，用尽其力，乃为利器，否则，不过多

---

① 《兵学新书》卷九，页四、页五。
② 《兵学新书》卷九，页六。
③ 《兵学新书》卷九，页六。
④ 《兵学新书》卷三，页二十八。
⑤ 《兵学新书》卷八，页三。

枪声而不伤敌"①。甲午战争中清军的惨败强化了徐建寅对于加强兵学研究重要性的认识。他说，"殊不知，用其军火在乎人之精讲兵学，乃为根本。军火之利，抑其末也。不讲兵学，徒糜巨款以购军火，及至临敌，溃败相望，精利军火弃之如遗，转资敌用。乃鉴及于此而知彼兵之强，不全恃军火之利，而在其操练之精"②。

《兵学新书》是徐建寅在吸收西方军事学最新成果的基础上，结合中国国情、军情编写的一部新型兵书。因徐建寅本身即为科学家，故书中对多数军事问题的论述都有科学的基础，其定性论述比较合乎事理，其定量分析亦较为准确。从理论价值上而言，该书是清末最具科学性和实践性的一部兵书，只是当时清王朝已行将就木，未能对该书的价值进行充分发掘，使该书未能产生应有的影响。

三、《新订步兵操法》

《新订步兵操法》（下称《操法》），由清廷陆军部于宣统二年（1910）颁布，用以取代光绪三十二年（1906）练兵处颁发的《步兵暂行操法》。《操法》除总纲外，分为教练、战斗和礼节三部分。

（一）关于步兵的地位

《操法》在总纲中指出，"步兵为战斗之主兵，战场常负主要之任务，而结战斗之局者也。故他兵种的协同动作，必以使步兵能达其任务为主眼"③。清末新军改革在兵种建设上成就斐然，但步兵的地位却未受动摇，仍以步兵为最主要兵种。

（二）关于训练

训练按由简单到复杂、由易到难顺序依次进行。首先是单人教练，目的是使单兵熟练各种制式武器，养成军人之精神及军纪，以为部队教练之基础。单兵需掌握各类徒手或行进间转法，步枪的基本使用，如刺刀的装拆、子弹装退及步枪射击要领，还要懂得利用

---

① 《兵学新书》卷八，页十五。

② 《兵学新书》，后序页四。

③ 《新订步兵操法》，页一，宣统二年（1910）陆军部印行本。

地形地貌进行掩护，熟练掌握跨越沟渠、攀登崖岸或墙壁，还需掌握掩蔽潜行等基本动作。这一阶段的训练对士兵的要求是"在熟练而不在精巧"①，所以要反复练习。训练完成后，单兵要能对营官下达的各种口令迅速并正确地做出反应。单兵训练结束后，进行一排训练，亦包括队列、射击等内容，强调队伍中动作的整齐一致。一排训练亦有散开教练，即由散队变为密队，或由密队变为散队，要求无论散开或密集，均要秩序井然，"散兵教练最紧要之事件，在使散兵线保持行进方向，虽在长距离且甚困难之地形，其运动亦须保其连系与秩序"②。一排散兵射击训练较单兵射击训练更为复杂，除一般的测距取准外，还需寻找掩体，对目标价值进行判断等，皆需士兵独立完成，但又需符合排长设定的战术目的。散兵教练的目的是"养成兵丁独断性质，使当指挥不能实行之际，犹能处置适当，最为紧要"③。

一排训练后为一队训练。一队为战斗基本单位，"一队教练之主眼，在使兵丁服从队官之口令、命令，整齐确实，施行规定之动作"④。三排组成一队，有正面与侧面之分，在队列训练时，除纵队与横队变换外，加入了侧面纵队向横队或纵队的变换。散开训练，则主要关注各排之间的协同与配合，队官在下达命令时，哪排散开，哪排集合，必须明白无误。士兵要严格按照命令行事，特别是当"射击指挥不能实行之时，在火线各兵，须以一己之思虑与判断，依然维持射击效力"⑤，即要能根据先前指令，独立自主地决定以何种方式达成目标。《操法》认为，"火战中之最紧要者，为射击军纪。盖射击军纪之善，能使射击指挥极臻完善。凡在火战中，关于射击之战斗动作与命令，皆确实施行，且能使兵丁严守枪之使用法"⑥。

---

① 《新订步兵操法》，页八。
② 《新订步兵操法》，页三十七。
③ 《新订步兵操法》，页四十二。
④ 《新订步兵操法》，页四十三。
⑤ 《新订步兵操法》，页四十二。
⑥ 《新订步兵操法》，页四十二。

由于实际的战斗往往持续多天，作战艰苦，需要兵丁平常即"能耐此剧烈之要求"，为此，"不可不猛勇沉着，且富于自信力与忍耐力以从事"①。

一营为战术单位，"若统一四队，而适当使用之，则可在战场实行一部之任务"②。以营为单位进行战斗时，部队展开须区分为第一线与预备队，第一线之兵力投入多少视情况而定，但"至少须留一队为预备队"③，各队的战斗正面，依状况及地形而定。进攻时各队之间不分战斗地域，但防御时则规定"将占领地域及前地分派于第一线各队，使专其责"④。一营教练之外，还有一标教练和一协教练，主要训练主将的组织能力、协调能力和指挥能力，对于士兵的要求与更小规模的训练类似。

（三）关于战斗

各级指挥官是达成战斗任务的关键，需准确了解敌我之情，需与邻接部队保持联络，在战斗推进过程中要随时掌握地形、兵员、装备损耗等情况，且要能根据情况的变化，随时调整作战部署。各部队一旦受命，要以最快速度进入战前状态，步队或开始行动，或占据指定地点；炮队则要做好压制敌方火力，或敌方坚固掩体的准备；马队则迅即搜索敌情，不失时机地呈递报告。预备队通常由步队及工程队组成，要求"务须不可分割其建制部队"⑤。

战斗则区分进攻、防御。进攻作战，最要在"向攻击点用优势兵力，乃为攻击部署之要诀"⑥，而攻击点的选择，则以"敌人阵地之弱点，及在敌人最有危害之方向为佳"⑦，进攻作战的具体战法则以"包围为最善"。在进攻作战时，要注意前方部队与后方部队的联

① 《新订步兵操法》，页五十三。
② 《新订步兵操法》，页五十七。
③ 《新订步兵操法》，页六十一。
④ 《新订步兵操法》，页六十。
⑤ 《新订步兵操法》，页七十二。
⑥ 《新订步兵操法》，页七十五。
⑦ 《新订步兵操法》，页七十五。

络，但也要防止因相距过近而受敌方炮火伤害。当仅凭借射击之效力无法取胜时，则须进行冲锋。在遭遇战中，要求指挥官"决心须极果断，指挥须极敏捷"①，特别强调要争取先制之利，先敌展开，先敌抢占有利地形，先敌炮击，如此方能形成有利于己而不利于敌的态势。面对防御阵地之敌的进攻作战，要点一是以野战重炮轰击敌坚固掩体，二是构筑攻击阵地，进行迫近作业。

关于防御作战，认为，"欲得决战之胜利，非以攻击之动作，相辅而行，断难偿如所愿"②，即采取攻势防御的策略，因为"防御时，易陷于受动地位，致使动作不得自由，故稍有机会可乘，宜决然转为攻势"③。进行防御部署时，"须应防御之目的，顾虑地形及指挥之便否，分为数地区，次于各地区内，配置适合之建制部队，而各地区须各酌留预备队"④。总预备队的位置，"须按兵力战况及地形，而选定易于移转攻势之地点，以便乘机逆袭，故此位置通常选定在阵地一翼之侧后方，以便于包围攻者之外翼及其侧面"⑤。

该书还对夜战、持久战、山地及河川战、森林及住民地战，分别做了较为详细的讲解。还提到了持久战和非持久作战的概念，不过实际内容与我们通常理解的不同，实为掩护作战或为等待援军拖住敌人的作战，目的是"趋避决战以求时刻之余裕"⑥。

（四）关于精神士气

《操法》强调：巩固的攻击精神、强健的体力及熟练的军事技术是步兵"必须之要件"。所谓攻击精神，即"由忠君爱国之至诚，献身殉国之大节，所发生军人精神之精华也"⑦。士兵有了攻击精神，技术可因之而精熟，教练可因之而巧妙，战斗可因之而胜利。

---

① 《新订步兵操法》，页八十一。
② 《新订步兵操法》，页八十三。
③ 《新订步兵操法》，页八十三。
④ 《新订步兵操法》，页八十四。
⑤ 《新订步兵操法》，页八十七。
⑥ 《新订步兵操法》，页九十二。
⑦ 《新订步兵操法》，页二。

强调军纪和士气的重要，《操法》认为，"军纪者，军队之命脉也"[1]，"战斗中所最重要者，则在维持军纪与秩序，是以平时操场、野外诸演习，皆以养成此种特别性质为主"[2]。只有严肃军纪，才能万众一心，坚持统一的方针，进行一致的行动。士气直接关系到战斗的胜负，所以指挥官必须"率先躬行，与士卒同甘苦"[3]，要能在战况惨烈之际，勇猛沉着，从容指挥，以激励士气。

《新订步兵操法》是清末反映步兵训练思想最为完整、最为系统的一部兵学著作。该书关于战斗、战术等的概念区分清楚，用语规范一致，表述干脆利落、直接清楚，更接近现代的军语，内容则紧扣训练，已没有传统兵书中练胆、练心的内容，相较此前的《训练操法详晰图说》和《兵学新书》，更加注重部队间的协同与配合。可以说该书是晚清步兵训练思想的集大成之作。

四、《战法学》和《军制学》

《战法学》是高等军事学堂的教科书，编述者为陈凤翔。该书是专门研究陆军作战原则和方法的著作，使用近代军事术语和著述方法。从书中内容可看出，其主要理论依据来源于日本军事教科书。该书主要内容如下：

（一）关于政治与军事的关系

该书认为："战争者，谓国家间所生歧论纷议，而谈判之后平和终局，为控诉威力之策者，是为战争之开始。"[4] 战争所要达成的目的有二，一是政略上的宗旨，二是军事上的宗旨，"政略上之宗旨为保持国家权威及利益，或侵掠他国土地以成独立之势者也"[5]，而军事宗旨则为"挫敌全军，永难再抗，以达政略之宗旨者也"[6]。这一

---

① 《新订步兵操法》，页一。
② 《新订步兵操法》，页四。
③ 《新订步兵操法》，页二。
④ 陈凤翔：《战法学》，页二，高等学堂铅印本。
⑤ 《战法学》，页二。
⑥ 《战法学》，页二。

认识与现代军事理论中关于军事与政治关系的一般论述基本一致。

（二）区分了战略与战术的联系和不同

作者提出"战争依政略宗旨而起，战斗为达战争宗旨而起。盖战争属战略一节用兵之谓也，战斗属战术一节交战之谓也"，并分别从战略和战术层面区分了进攻与防御的利弊，如战略防御之利在熟悉地形，得本国城塞之庇护，人员物资补充较为得力，可得国民支持等。作者也承认"攻防虽各有利害，但权其轻重，防战究逊于攻战"①，所以，"防战之用，限于一时力不如敌，为俟援军及地势宜防之时而已，虽暂时用守势，而乘机仍须用攻势"②。

（三）区分了不同类型的作战

如远战与近战，"远战用火器轰击，为近战之准备"，"近战用白刃扑击，为远战之后援"③。再如密队与散队，该书并不机械地主张全用散队，而是比较了两种作战队形的优劣。密队优势有二："一、地势虽狭，能聚多兵，且易于指挥，得临机应变之利。二、团结力大，前进则士气奋发，防守则抵抗力坚，且有最大之冲力，当抵御马队袭击时，并有至强抵抗力。"④ 散队的优势有四："一、各兵散开，凡地面物体，皆可利用掩身、架枪，击放易中，攻效最大。二、兵成一线，各留间隔，前左右面均无妨碍，用枪最便。三、随意伏匿，目标疏小，敌难取准。四、行动无碍，进退迅速，遇不齐之地形，障碍之地物，较之密集队伍易于通过。"⑤ 然而两种队形又各有弊端，所以作者称："两队形不连络一气，则断不能实任战斗也。"⑥

（四）区分了横队与纵队

---

① 《战法学》，页三。
② 《战法学》，页三。
③ 《战法学》，页四。
④ 《战法学》，页四。
⑤ 《战法学》，页五。
⑥ 《战法学》，页五。

横队的优势在"排列多枪，火力最著，且占据单薄，少受弹害"①，但正面较宽，行动不便，且指挥不易。纵队的优势在于"气势团结，便于掌握地势"②，且正面较小，行动灵便，但人员重叠，易为敌人射伤。两种队形都有适用范围，必须根据实际情况灵活掌握。该书按照一队、一营、一标及至一协的规模，详细讲述了队伍散开与合并及冲锋和射击时的动作要领。

（五）关于进攻与防御

进攻分为遇战、半趋战和趋战，具体战法则有包围、弹击和冲锋。防守则分作攻势防御和守势防御，无论哪一种防御都要"防守期获胜算，则攻击之法当并行不悖"，"专主防守决无歼敌之理"③，因此当进攻受挫时，应抓住时机绕敌侧进行反攻。

（六）关于部队间的协同

该书的基本认识是军队贵合不贵分，贵连不贵断，"是以独立部队苟无各队之协助，亦殊难全然制胜者"④。这是因为步、马、炮各队各有专长，互有长短。"步队虽备其用，而威力不大，故欲张大其威力，必须马、炮各队协力助之。至据地区凭地物以枪火开战，以击刺结局，则步队之能也。马队于未战之先，以速力搜索敌情，当开战之顷，以速力警戒侧面，或乘机抄袭扰乱敌人以援助他队，或担任追击以收取全胜。至遇战机不利，甘为牺牲以遏追军，则马队之能也。炮队以最猛最烈之击力，先行开战，为他队决战之准备，或援助他队，遇敌退却，以炮力向远处击之，务大其损害，则炮队之能也。"⑤ 因此无论攻防进退，"必须互相连系，协力同心，方克有济"⑥。

全书对于步、炮、骑兵的队形及战法均有介绍，三个兵种分量

---

① 《战法学》，页十三。
② 《战法学》，页十三。
③ 《战法学》，页三十七。
④ 《战法学》，页九十九。
⑤ 《战法学》，页七。
⑥ 《战法学》，页九十九。

基本相同，可以看出炮兵地位的提升。该书还讨论了不同兵种间的战法，如步兵对骑兵、步兵对炮兵、骑兵对步兵、骑兵对炮兵的战法，均较为细致，可操作性较强。

与此前出版的《训练操法详晰图说》《江南陆师学堂课程》等军事教材相比，该书篇幅不长，但对一些问题的阐释较为深入，体系结构较为完整，论述方式较接近现代的语言习惯，带有明显的近代气息，反映出清末兵学的眼界逐步打开，已逐渐走出了传统兵学思维的窠臼。

《军制学》是高等军事学堂的教科书，由陈凤翔编著，1907 年出版。该书虽名为《军制学》，但所涉内容较为丰富，除军制学之外，还有军事教育、军事训练等内容，其讨论的问题如下：

（一）关于军制与军制学

该书认为："军制所以组织军队而使之成立，亦犹法制所以组织国家而使之完全。必使一军之中规制严明，对于外而不失战斗力，对于内而适合本国之情势，始巍然成一完全无缺之军队。"① 又说，"战争之胜败，是由兵力活动之巧拙及构成保持之完否而定。夫活动使用兵力者，是用兵学也。而讲（兵力）构成保持之方法，即属军制学"②。关于兵学与军制之关系，该书认为"兵学者，军制之主脑，军制者，兵学之筋络，二者相辅而行，而后军队始克成立"③。该书将军制区分为编制学和经理学。所谓编制学，即"配置军队之方法也，如现时中国改良军队，所谓一标三营、一营四队等，皆准酌地势国情而定者也"。所谓经理学，即"运算军队之经济也。无论平时战时，预算其食物、衣服、军械之需。推而广之，一国之钱粮饷税，亦几归其统驭"④。从该书所述内容看，将装备、管理、纪律、训练和兵役、动员等内容均视作经理之学。

---

① 陈凤翔：《军制学》，页一，高等学堂铅印本。
② 《军制学》，页一。
③ 《军制学》，页一、页二。
④ 《军制学》，页二。

（二）关于军队的组织原则

该书指出："军队必组织其内务，不可徒饰外观，必平时以严切法律，养成一种有军纪、有秩序之特性，而后一有战事，无往不克"①，认为编组军队要考虑到战术、教育、经理三个方面因素。所谓战术上之目的，就是"各兵种人数之多少，教法之后先，概准国势而定"。所谓教育上之目的，就是"发达其爱国思想，振奋其尚武精神"。所谓经理上之目的，就是"弹药军械及食物、衣服、马匹等事，毋使匮乏，且宜节省经费，毋使国家支绌"②。《军制学》明确提出依据上述三要素研究军队编制，这在中国尚属首次。

（三）军事教育

该书将教育区分为学堂教育和军队教育，同时认为学堂教育更为重要，因学堂教育"为军队之基础也"③。学堂教育又分为专门培养军官的将校学堂和培养士官的下士学堂。根据不同兵种，又分设各类专业学堂，如炮兵射击学堂、步兵射击学堂等。除一般军事学堂外，还应设立陆军大学堂，以培养高级将校。军队教育分为将校、下士及兵卒教育三种。将校教育的宗旨在"发达应用战术以备战时之用也"④。将校及下士教育所需掌握的内容包括：现地讲话、兵棋演习、冬期作业、对抗演习、战术实施及讲话。兵卒教育主要是野外演习和机动演习。

此外，该书还比较了几种兵役制度，如征兵、世袭兵役、雇兵役的特点及优劣。从全书内容看，该书反映的主要是日本军事制度的状况，在此基础上，根据中国的实际情况略作调整。

---

① 《军制学》，页二。
② 《军制学》，页二。
③ 《军制学》，页三十四。
④ 《军制学》，页三十六。

第二节　新军编练时期的兵学

清政府依靠湘、淮军勇营镇压了太平天国、捻军农民起义和各地少数民族起义，收复了新疆，在中法战争中取得了镇南关等战役的胜利，从而使不少人过高地估计了装备西式枪炮的勇营的战斗力，对军事改革的成果产生了盲目自信。及至甲午战争爆发，很多国人认为，"中国取胜外夷，陆战最有把握，……至于陆战制胜，明效大验莫著于广西镇南关一役"[1]，"倭兵虽练，未经大敌，不难一鼓得手"，"幸而彼系乌合之众，终难敌我惯战之师"[2]。无论清廷官员战前多么自信，甲午战争的结局让所有人真正认清了持续了三十年练兵活动的成果到底如何。

其一，编制不合理。勇营固定编制以营为最高，营的兵种类型有步、骑、炮之分，但统领所辖不同兵种类型的营的数量无一定之规，不少统领所辖系单一兵种。淮军虽设有长夫之制，但并非完全意义上的近代工程兵。由于缺乏近代化的后勤保障训练，导致清军战时的保障问题极多。反观当时的日本陆军，以师团为基本战略单位，辖有步、骑、工、辎重等兵种的部队和分队，兵种齐全，其多兵种协同作战的能力显然优于清军。

其二，军事训练虚浮。受陈旧观念的左右，甲午战前对于西方军事理论的吸收主要局限于训练领域，且更多地关注队形和技能训练，而忽视战术训练，正如张之洞所言，"向来各省所习洋操不过学其口号、步伐，于一切阵法变化、应敌攻击之方、绘图测量之学，全无考究，是买椟而还珠也"[3]。即使枪械训练，亦存在大量问题，

---

① 《中国近代史资料丛刊续编·中日战争》，第一册，第115页。
② 《盛宣怀档案资料选辑之三·甲午中日战争》（下），第180页。
③ 《张之洞全集》第三册，第264页。

训练中"只知托平乱打，不起码牌，故弹及近，难命中"①。平时训练如此，临阵则多用非所学，"每照击土匪法，挑奋勇为一簇，马奔直前，宛同孤注"②，这种状况反映了清军平素训练重形式而轻实效的通病。淮、练各军的训练，多以校阅时"步武枪法一律整齐"③为满足，缺乏从实战出发的明确要求，更没有统一的典令，从而造成部队军事素质差的恶果。

其三，武器装备驳杂。甲午战争时期的日军已解决了枪炮标准化问题，步枪主要使用村田十八年式和村田二十二年式步枪，其火炮主要是大阪炮厂生产的野炮和山炮。清军在战前虽然也改善了武器装备，但由于自造能力有限，装备主要依靠高价从国外进口，以致式样参差，弹码互异，不能通用。清军在战争中所用枪械有后膛毛瑟、黎意、马梯尼、哈乞开思、林明敦以及前膛来福枪等多种，诚如外国人观察所言，清军"常常同一连军队的武器样式就不一样。在这种情况之下，各省军队共同作战不但危险，而且也不可能"④。清军武器装备驳杂，给作战和后勤供应带来极大困难，这是甲午战争中清军战斗力低下的重要原因。

一向被清朝视为蕞尔小国的日本，因采用西方新式武器、编制和战术，在战场上表现出"简练有素，饷厚械精，攻取皆有成算，弁兵皆有地图，以及登山涉水之具，糇粮御寒之物，无不周备"⑤，这让清廷大为震惊。战后不久，中外臣工纷纷上书条陈时务，对战败进行反思。袁世凯奏称，"此次军兴往往易为敌乘，迭见挫败者，虽由将领调度之无方，实亦军制练法之未善。若不权时度势，扫除更张，参用西法认真训练，则前车之鉴殊足寒心"⑥。张之洞也认为，"愤兵事之不振，由锢习之太深。非认真仿照西法，急练劲旅，

① 《盛宣怀档案资料选辑之三·甲午中日战争》（上），第327页。
② 《盛宣怀档案资料选辑之三·甲午中日战争》（下），第590页。
③ 《李鸿章全集》第十四册，第94页。
④ 《中国近代史资料丛刊·洋务运动》第八册，第466页。
⑤ 《张之洞全集》第三册，第256页。
⑥ 《清代档案史料丛编》第十辑，中华书局，1984年，第233页。

不足以为御侮之资"。又说，"各营积习锢弊深入膏肓，若不捐弃旧法，别开局面，虽事前日加申儆，终无大益，事后加以诛戮，已难补救"①。在认识到原有制度积弊的同时，清廷上下还深刻体会到学习西法仅有武器装备的改变显然不行，即使仿行西法训练也仍然不够，需要全面深刻地认识西法的实质，并在此基础上，对旧有思想认识及制度做出根本性改变。随着讨论的深入，"倭人此次专用西法制胜"② 逐渐成为多数人的共识，一时间"中外论者审溯兵事得失，无不以仿用西法，创练新兵为今日当务之急"③。清廷遂痛下决心，以练兵相号召："嗣后我君臣上下，惟期坚苦一心，痛除积弊，于练兵筹饷两大端实力研求。"④

甲午以后的编练新军活动，无论内容上还是形式上都比战前清军的练兵活动有较大突破，不再局限于改进军事装备的狭小范围，而是以德、日陆军为蓝本，在军事制度、军事技能、军事训练和军事教育等多方面进行了较深入的改革，使清末新军更彻底地趋向近代化。

光绪二十年（1894）十二月，广西按察使胡燏棻在天津马厂成立定武军，练成 10 营，分步、炮、马、工程各队。光绪二十一年（1895）十月，袁世凯接办定武军，将定武军改名为新建陆军，在原有 5000 人的基础上，添募 2000 余人，将军队总数扩充至 7000 余人。仿照德国陆军，编订新的陆军营制：设立步、骑、炮、工、辎重等新的兵种，全军计有步兵 5 营，炮兵 1 营，骑兵 1 营，工程兵 1 营。在袁世凯小站练兵的同时，署两江总督张之洞在南京亦采用西法编练自强军，编制亦仿照德国。

新建陆军在技术训练上主要由洋教习负责，此外还吸收了不少

---

① 《张之洞全集》第三册，第 298 页。
② 《清实录》第五十六册，第 546 页。
③ 刘锦藻：《清朝续文献通考》（二），卷二百三，考九五〇九，商务印书馆，1936 年。
④ 《光绪朝东华录》第四册，总第 3595 页。

天津武备学堂的优秀毕业生，如段祺瑞、冯国璋、王士珍、曹锟等，分别担任统带、帮统、领官、哨官、哨长以及督操营务处稽查先锋官或教习。自强军的做法与新建陆军略有不同，带兵操练之权全交洋将弁负责，而将约束惩责之权交由中国将弁。全军统带由德国人来春石泰充任，其营官、哨官亦以洋员担任，副营官、副哨官等名目则由华官充任。张之洞在总结这一用人制度时说，"一以通新募勇丁之情，二以事权互相维系，三以逐渐观摩，俾华弁储营官统领之材"①。

新军实行近代陆军镇（师）、协（旅）、标（团）、营、队（连）、排、棚（班）的编制制度，拥有步、骑、炮、工、辎重等兵种，突破了湘、淮军时期的单一营制，而成为建制完整、兵种齐全的合成军队。在多兵种合成的编制体制下，"步队为主，炮队、马队为之辅，有工程队以资利用，……有辎重医药队以为接济军械、衣食、粮饷、料物"②，各兵种间相互协调，相互配合，可期部署周密，临敌亦鲜贻误。

为便于士兵操练，新建陆军和自强军训练均以德国陆军操典为蓝本。新建陆军最初由原淮军派赴德国的留学生卞长胜翻译《德国陆师操法入门》，自强军编写了《自强军洋操课程》十卷，后又由洋操提调沈敦和编纂《自强军西法类编》十八卷。光绪二十五年（1899），袁世凯组织段祺瑞、冯国璋、王士珍等人编纂《训练操法详晰图说》，此书博采各书所长，对单兵训练、兵种训练、战术合练及军种间的战术配合讲解颇为详备。光绪二十八年（1902），徐世昌、阮忠枢、沈祖宪、言敦源等主持编撰奏准印行了《军政司试办章程》《练兵要则》《陆军训练简易章程》《训将要言》《训哨弁要言》《训学堂学生要言》《夜战防守暂行章程》以及《续订夜战章程》《马队操练应改各法》《改正行军未能合法各条》《战法教程》《测绘教程》等，对西方的近代训练教程进行全面改造和利用。这些

---

① 《张之洞全集》第三册，第299页。
② 《训将弁须知敌情说》，《训练操法详晰图说》第一册。

系统化的军事训练教材的刊行，为新军训练和人才培养提供了理论依据。

这一时期的兵学思想主要有以下内容：

一、训练思想

训练思想是这一时期兵学思想的核心，是对西方军事理论吸收最为深入的部分。《训练操法详晰图说》（下称《图说》）中规定了训练所要达到的目的："练兵自以步法、手法、阵法、操法为要务，然其尤要者在于听号令，便分合，知地势及枪炮用法之奥妙，行军攻守之变幻。"① 士兵入伍后先进行三个月的基本训练，然后再进行兵种训练和作战训练，"始练以步伐、身手各法，次练以布阵变化诸方，再练以行军、驻扎、攻守、调度之道"②。不同兵种的士兵在完成了基本训练后，则转入各自的专门训练，"若夫步队以起伏分合为主，炮队以攻坚挫锐为期，马队以出奇驰骤为能，工程队以尽地利备军资为事，则又在乎各致其精"③。

（一）基本训练

无论步兵、骑兵、炮兵或是工程兵，均需进行全部科目的基本训练，只是步兵要求更为严格，骑、炮、工程等兵因自有专业，而对步兵操法要求稍弱，但基本的动作要领及战术配合均需学练掌握。

1. 体能训练。袁世凯认为："身体练则力健筋舒，动转灵捷；耳目练则视明听聪，奉令迅速。"④ 不仅如此，通过训练，士兵能冒风雨，耐劳苦，忍饥渴，"人人身体皆足备鏖战之选，方为合格"⑤。《图说》中主要介绍了体操法和舞枪法，体操法意在增强身体灵活性，舞枪法则在增强臂力，是进行操械训练的必备基础。光绪二十

---

① 《练兵要则》，《训练操法详晰图说》第二十二册。
② 《袁世凯全集》第四册，河南大学出版社，2013 年，第 333 页。
③ 《袁世凯全集》第四册，第 333 页。
④ 《练兵总说》，《训练操法详晰图说》第二册。
⑤ 《练兵总说》，《训练操法详晰图说》第二册。

七年（1901）张之洞训练湖北新军时，丰富了体能训练的内容，要求"人人皆习体操"，先练习柔软体操、器具体操，再练习兵式体操，此外还需掌握双杠、单杠、木城、跳台、天桥、木马、游木、晕浪架等器械，以及跳壕、越险诸技。张之洞认为此类体能训练不仅能够增强士兵体质，同时有助于拉近士兵间的关系，"既以练其筋骨，亦以助其兴会"①。

2. 操枪及队列训练。基本要求：一是步法齐。通过练习，士兵能够熟悉掌握各类队形变换，同时"增健步履，庶远征无疲乏之患"②。二是器械熟。《图说》认为，"尽器械所有之长，方可收至精至利之效"③。士兵需熟悉枪械的构造原理，熟练掌握武器的使用方法及枪械保养之法。此外士兵还需掌握测距、修垒、架桥、测绘等基本技能。

训练按照先易后难、先单人后多人的原则，循序推进。练习从基本动作开始，如立正、稍息、静止或行进间转身法。一月练熟后，发给枪支，练习舞枪和托枪。至一个半月，练习端架和瞄准、一哨看齐及横步退步刺枪法。至两个半月教授射击基本要领及刺杀动作。至三个月操一哨步法、不带数枪法等。每日除练习以上诸法外，还须练习端、站、跪、卧各式架枪法及打靶法。根据实战需要，士兵需掌握发枪要义，力求枪无虚发。要义包括："一、发枪时须目视敌兵，耳听口令。二、随身所带子弹宜撙节施放，俟枪火能及敌兵，方可发枪，不得虚击。三、击敌时敌人业经隐伏，我虽发枪亦难伤敌，各兵须牢记此理，无论何等地势，纵在敌人子弹击及之地，亦必安心静俟，按枪不发，甚勿惶恐误击，虚糜子弹。四、不拘何时，须照指挥官所定枪码远近，仔细装好，瞄准即放，放毕速装。五、敌队或散或整，或远或近，或多寡不一，发枪亦须随时斟酌应用，若干枪击敌若干队，或指明某队击敌某处，不可任意纷扰。六、遇

---

① 《张之洞全集》第四册，第97页。
② 《练兵总说》，《训练操法详晰图说》第二册。
③ 《练兵总说》，《训练操法详晰图说》第二册。

有遮蔽，立即借以护身，必须便于发枪，斯能有益无损。"①

由于新操内容较为复杂，"各法操至三月后，只可得其大概"②，为保证训练质量，要求教官"每教一法，按名指授，不惮烦难，俟有领悟，始进习他法"③。如果新兵个体资质差异较大，还需根据领悟快慢，进行分班教学，"俾性灵者成伍较速，兼可转教钝者"④。士卒还需在日常训练间隙，掌握擦枪、捆扎军用行李包等技能。

3. 阵法训练。新军阵法均仿西式，与湘、淮军阵法形式不同，但目的一致，即"阵式者，所以纳官兵于规矩之中，纵至忙迫之时，仍能纵横成列，一气贯注。勇者不能独进，怯者不能独退，指挥所及捷于影响，而调度始能自如"⑤。步兵共有 21 种阵形变换，其中一队阵形变换是所有阵形变换的基础。《图说》认为："近今接仗宜用三层阵，故以三哨为一队，一队之中除书识、护兵、长伙夫外，应到操者二百六十七员名，兵力较一哨加多两倍，交绥时亦可独居一隅，暂时抵御。故操成阵法，必自一队始。"⑥ 一队阵形变换熟练后，方能扩展到一营，再到多营或全军。一队阵形变换主要是由一阵变为三哨，或由三哨变为方城阵。一营的阵形变换则主要为横队与纵队的相互变换。

除阵形变换外，还需练习疏开队形与密集队形的转换。《图说》认为，尽管西方多以散兵制胜，但疏队与密队两种阵形各有利弊。散队士兵为相对独立的个体，易于机动，易于隐蔽，易于发扬火力，但指挥较为困难。密队则调度迅捷，转移灵便，且"靠拢则力整气聚，既可乘虚而入，勇进歼逼，复可阻敌马队，排击力持，其坚锐猛厉，实非散队所能及"⑦，但不利于发扬火力。所以要根据实际情

① 《发枪要义》，《训练操法详晰图说》第九册。
② 《教练新兵次序说》，《训练操法详晰图说》第五册。
③ 《教练新兵次序说》，《训练操法详晰图说》第五册。
④ 《教练新兵次序说》，《训练操法详晰图说》第五册。
⑤ 《预备接仗阵法说》，《训练操法详晰图说》第八册。
⑥ 《步队全队全营阵法说》，《训练操法详晰图说》第八册。
⑦ 《散合队利弊说》，《训练操法详晰图说》第八册。

况，决定采用何种阵形，"万不能拘泥定用何队。要在各适其宜，依令聚散，如臂使指，方易收效"①。《图说》中介绍了数十种散开与合拢相互转换之法，如半面左转弯向右散开，再向左靠拢等。

散队进退的基本原则是"进宜速退宜慢"②，基本方法是各排轮替，如一哨散队，上半哨前进，下半哨发枪。上半哨立定发枪，则下半哨发令前进，当与上半哨排齐时，亦即立定开枪。上半哨再进，两半哨依法轮替，队伍多则以哨轮替，少则以小排轮替。进法如此，退法亦然。《图说》认为："盖如此进退，接战之时枪火不断，使敌军不易调度，我军进退亦较从容。"③

（二）专门训练

基本训练完成后，则按不同兵种所用装备的不同转入专门训练，"务使人之于器浑忘其迹，得心应手"④。步兵主要授以"步伐枪阵，并行军对敌分合起伏进退诸法"⑤。炮兵则需掌握操作施放之术、驰驱驾驶之能、子药接济之法、变阵离合之机⑥。骑兵则要做到"人马枪械运用如一，冲锋逾沟，奔腾神速"⑦，工程兵则需学习架桥梁、筑地垒、设电雷、绘地图、修器械、安电报等六艺。

1. 步队训练

技能训练。熟悉结构原理是进行枪械训练的第一步，《新建陆军兵略录存》中有"枪件问答"，以浅近、灵活的形式，介绍了部队所用枪械的基本知识，如枪支产地、结构（枪管、表尺、枪托、子弹巢、枪机、机槽、撞针、撑簧、刺刀、子弹）和性能（如枪的重量、长度、钢质、口径、射程、威力），以及工作原理和枪械养护的基本方法。平时打靶，规定"每日下午由分统、统带督率各队官，

---

① 《散合队利弊说》，《训练操法详晰图说》第八册。
② 《散队进退法》，《训练操法详晰图说》第八册。
③ 《散队进退法》，《训练操法详晰图说》第八册。
④ 《北洋新军初期武备情形史料》，《历史档案》1989 年第 2 期。
⑤ 《步队操法总说》，《训练操法详晰图说》第五册。
⑥ 见《炮队操法总说》，《训练操法详晰图说》第十一册。
⑦ 《马队操法总说》，《训练操法详晰图说》第十五册。

分队演打，三日一轮，务期人人均知打靶瞄准理法，遇有战事，便可得心应手"①。

战术训练。一营为独立最小之队，"一营接战不宜分其兵力，盖兵愈分而力愈薄也。其分派队伍，自全军至一队，皆以前敌、接应、备分三队为常法"②。若以一营接战，则以一队为前敌，前敌队之任务为"察敌情，择地势，定枪码，审机宜，不但照顾本队，兼为后面接应、备分等队进战之标准"③。对敌时或半哨散开，或全哨散开，需视实际情况而定。接应队为前敌队的增援部队，《图说》规定，若一营接战，人数一般与前敌队相同，作战时接应队"视前敌散开阵线何翼吃重，即向何翼散开，按段梯进"④。待接应队与前敌散线接齐，"即彼此保护，发枪送进。惟两队散线中间须留二十步或三十步余地，以清界限"⑤。备分队则为全营的后备队，因关系綦重，所以调度此队恒以统带任之，不到万不得已，不轻易使用该队。但若使用，必志在速战速决，"宜令备分全队成排猛进，鼓号齐鸣，乘一往莫遏之气，直压敌军，使无转（环）［圜］之力"⑥。备分队"最忌不审兵机，不权轻重，见一时之利，失全队之机，恒至一败涂地，不可收拾"⑦。

若步队与敌方步队相遇，或战或守，需当机立断，随机应变。若采取进攻策略，除正面积极迎敌外，另需调动备分部队增援，并设法包抄敌队，同时防敌队抄袭我方后路。若分出部队进行包抄，需调动备分队居中接应。要点在不慌乱，从容应对，"跪卧发枪，轮

---

① 《打靶法式》，《新建陆军兵略录存》卷一，页五十，光绪二十四年（1898）排印本。
② 《接战次序说》，《训练操法详晰图说》第九册。
③ 《前敌队说》，《训练操法详晰图说》第九册。
④ 《接应队说》，《训练操法详晰图说》第九册。
⑤ 《接应队说》，《训练操法详晰图说》第九册。
⑥ 《备分队说》，《训练操法详晰图说》第九册。
⑦ 《接应队说》，《训练操法详晰图说》第九册。

流迭进"①。作战最忌犹豫不决，一旦"决策稽时，率落后著，易为人制"②。若防守，亦需持以镇静，寻找有利地形，从容布置。如敌众我寡，当适时撤退，但更需稳妥，"后退须一排猛击，一排退后，层递而下，虽败不致夥伤"③。若步队与炮队交战，需抵近至一千三百步之内，方能发挥步队优势，然后"牵制正面，侧击旁面，弹雨密布，炮兵必难措手"④。若步队与马队交战，需靠拢队伍，成一字阵，待敌方马队近至射程范围内，瞄准排击。

2. 炮队训练

新建陆军炮队主要装备格鲁森五七陆路快炮、五七过山快炮和克虏伯七五过山轻炮，有关炮兵的操炮训练之法主要以这三种大炮为准。训练以用表和瞄准为重点。新建陆军编有详尽的"用表问答"，讲解表尺数值与距离远近的关系，以便炮兵掌握查表及计算方法。《自强军西法类编》中有"炮概问答"，以简问简答的形式，教授有关大炮的基本知识，如口径、射速之类，另涉及大炮结构、粗浅的工作原理、各种炮的适用范围等。

炮队训练要求首先熟练掌握从炮架安装到用炮、瞄准、施放，再到拆卸炮架等15个动作。由于陆路快炮和过山快炮重量、结构均不同，《图说》中有不同的驮炮及装卸炮架的训练规则，需分别加以训练。

以上这些内容仅解决大炮的操作与测距问题，实战中炮兵及大炮使用中存在的问题要复杂得多，如选择何种炮弹，开炮时机，炮位安设地势等，这些均是实际作战必须考虑的问题。为此，新建陆军专门编有《战术问答》，要求官兵背诵熟练。其内容包括：筑垒，布阵，选择地形，各种射击方法，炮弹的使用规则等诸多复杂问题。北洋六镇编成后，北洋陆军编译局印发《炮队接战之理》，用以指导炮队作战训练。

① 《步队与各队交战法》，《训练操法详晰图说》第九册。
② 《步队与各队交战法》，《训练操法详晰图说》第九册。
③ 《步队与各队交战法》，《训练操法详晰图说》第九册。
④ 《步队与各队交战法》，《训练操法详晰图说》第九册。

关于炮队的进攻与防守，《图说》规定，进击时，为避免误伤本军步兵前敌队，炮队需随步队前敌队移动，使彼此间距离保持在四百米以外。退守时，亦要与步队保持适当距离，同时密集火力阻敌追击。此外还需防备敌步队进击。若近至一千五百米以内，则需迅速转移。因炮队行动迟缓，转移较难，如无步队防护，易被敌方马队所乘。遇有此种情况，"惟心定神稳，与之力敌，不但可以自存，尤能挫彼锐气"①。

除需对炮兵人员进行训练外，还需对运炮马匹进行训练，以便使其在战场复杂环境下，不至于惊厥，失去控制。

3. 马队训练

马队操练主要分为：马刀操法训练，包括举刀立正及抱刀式、舞刀通法、步下单舞法、马上舞刀法等内容；马术训练，其基本动作分为上下马法、一字站队变化为小排法、二马并行法、乘马纵跳法等内容。其中乘马纵跳法要求越过宽5尺、深4尺壕沟，或宽、高各3尺的障碍物。

《图说》列有数十种马队变换之法，认为，"平日变阵之术，即将来临阵之资"②。马队主要在发挥快速机动，冲击力强的特点，认为，"善用之者，其功用有六"。具体而言："一、分遣出探，将战之先，探敌虚实，兼防暗袭。二、兜抄敌后，交绥之际，乘机陡至，使其猝不及防，自相惊扰，后队溃则前队随之，我军正兵可期获胜。三、抢据地势，使马队迅往下马设伏，以待济师。四、使敌益乱，宜在大队左近择地隐蔽窥伺，敌军摇动，或力疲或欲退，即用马队突出奋冲，使敌阵惊奔践踏，不可复军。五、冀分敌势，凡谋攻一处，恐敌人协力抵阻，宜用马队设疑，游弋牵制，则敌之分枝队不敢合并。六、因势进取，与敌人火线既交，势均力敌，相持不下，无隙可乘，傥暂缓须臾，敌援即至，应由两旁或斜出直薄敌军靠拢大队，使之接应不暇，然后正兵一鼓作气，奋勇力战，必可获胜。

---

① 《战术问答》，《训练操法详晰图说》第十三册。
② 《马队阵法总说》，《训练操法详晰图说》第十六册。

惟马队冲突伤损必多，临阵须酌量轻重，得可偿失，始用此法。知用奇而不用正，则足擅专长矣。"①

4．工程队

与湘、淮军的长夫相比，新军工程队的职能已有明显变化，不再只负责简单的搬运工作，而且担负开通道路、构筑战斗工事等任务，比之长夫的地位更为重要。其主要任务为：架桥、筑垒、设电雷、绘地图、修理器械、安装电报等。其中架桥、筑垒、设电雷三项，为日常训练的中心。

架桥分浮桥、柱桥二种，具体采用何种架桥方式则要根据水的深浅来定。水深超过七尺用浮桥，不及七尺用柱桥，又因河底的软硬、水流的缓急各有不同，架桥之法亦因之而异。

筑垒即修筑防御工事，按照作用时间长短可分为三种：一为永久性工事，如炮台、要塞；一为半永久性工事，如战时所筑堡垒；一为临时性工事，如战时所挖掩体。而掩体又有步队掩体和炮队掩体之分。步队掩体分卧沟、跪沟、站沟三种掩体，与暂守、固守、瞭望三种沟垒。炮队掩体有炮沟，是按炮之大小高低进行挖筑。又有护炮沟垒、多炮连沟、护套马、子药车沟垒、暂守营垒等，与沟垒相辅相成的，还有因水陆而设置的不同拦阻物。

设电雷。电雷为军中利器，有电瓶、电表、电线、电台、电信（电管）、雷药、雷壳、地雷、雷阵九种。这些训练，不仅要求工程兵掌握特殊的技艺，还强调施用技艺时对地形和攻守态势要能迅速把握。

此外，测绘也是新军工兵队的一个重要训练科目。新建陆军所用的测绘仪器，包括直角器、直角镜、测向罗盘、经纬仪、测绘镜、快测机和比例尺。对这些仪器的结构与使用方法，在《图说》中均有详尽的讲解。

（三）战术合练

战术合练是训练的核心，《图说》认为，"至场操步伐，约以范

---

① 《马队战法总说》，《训练操法详晰图说》第十七册。

围，齐其心志，只教兵之始基耳。若择地势、料敌情、分合进退、奇正互用，乃演战之通义，实临战之真筌"①。新军战术合练始以分营分队，自少加多，自近及远，然后或两军合演，或分军交绥。其要点如下：

其一，做好战前准备。《图说》认为："未战之先，贵乎持重。分拨既定，各遣探兵，多寡虚实，强弱迟速，比权度力，通筹全局。智取术驭，谋定后动。至起伏进退，扼要夺险，出奇设疑，迎击冲锋，犹其显焉者也。"②除要进行预先的战略谋划外，还需进行装备器械及物资准备，预探敌情，审定局势，根据敌情确定步、炮、马、工程各队分配人数，确定何为前锋，何为后劲。此外为保证按期行军，需提前多勘路径。

新军特别注意行军的次序与防护。按行军序列分为前锋、大队、旁护、后护四部分。前锋担任行军部队正面护卫工作，人数一般为行军部队的三分之一至六分之一，前锋部队无论何时遇敌，都要一面抵抗，一面报告大队；大队为行军部队的主力，前锋、旁护和后护都由大队拨派。旁护担任行军部队左右两翼的护卫工作，一般为全队的十二分之一，如与敌遭遇，与前锋一样，也是一面抵抗，一面传报。后护担任行军部队后方的护卫工作，其职责与前锋基本相同，人数为行军部队的三分之一至六分之一。新建陆军特别注意夜间行军的训练，认为夜间光线昏暗，敌人瞭望困难，我军行踪不易被察觉，利用夜间行军往往可以抢占有利地形。在《图说》中对夜间行军所应注意的事项也做了明确规定。

其二，练习攻守之法。攻敌之法主要有：一为陈兵速进，称为正攻；二为击敌一翼，称为侧攻；三为以多击少，称为围攻；四为绕击敌后，称为绕攻；五为骤断敌阵，称为突攻；六为反攻为守，以待援军。攻队进法，可分为明进、暗进两法。明进多为虚攻之队，暗进多系实攻之队。防守之法有二：一为势不得已，坚守一处，以

---

① 《练战通法》，《训练操法详晰图说》第二册。
② 《练战通法》，《训练操法详晰图说》第二册。

待时机的固守。二为诱敌来攻，以逸待劳，乘隙出击的战守。无论哪种防守方式，均需关注以下五方面的问题，方能得防守之利。一是要占地利，查敌情，枪炮易于远击，使各队均易于援护；二要有障蔽掩体，使敌不易窥悉；三是守地前要有斜坡，使敌人前攻，不易隐匿；四是两旁地势敌难绕过，我若决战，尤便出击；五是要选择有利地形，必要时得以安全撤退。①

其三，练习驻扎之法。驻扎也称宿营，无论是行军宿营，或是遇敌宿营，总期达到"内可休息兵力，外可防范敌军"的目的。其应注意的事项有：一、辨地势。扎营选择在村镇、城池或地势较高的地方。二、量兵力。行军尽量只在白天进行，夜间驻扎，避免士兵过度疲劳。三、严保护。根据驻扎队伍兵力，设立护军队，轮替负责大部队休息时的警戒。四、编密令。为防敌人混入，需每夜设定口令。五、展阵局。驻扎时，队伍宜分枝犄角，以便彼此援应。六、防窥伺。遇有可疑之人，立即驱逐。七、别马队。马兵应在驻扎地分散喂养。八、重责任，即明确任务分工。②

其四，诸兵种配合的作战训练。无论进攻或防守，《图说》均强调步、马、炮协调一致，相互配合。如进攻有地势隐藏之敌，应先用轻队进攻，以诱其离开敌防守地域。若诱之不出，"须用炮于诱敌步兵之后，越击敌人隐身之具，以保步队前进之路。但步炮两层总宜相距五六百步远近，以防自相击伤"③。再如进攻平坦之地，可将马队分别配置于左右翼以及正面。"三枝隐藏靠拢步队之后，一、左右保护阵端，二、专伺敌人某处阵体单薄，突出猛冲，步队后随。傥敌队散乱，马步并冲。敌若整聚，迅退阵后，以让步队火线。如此用法，可乱敌阵，可劳敌力。但马队进退，总宜迅速，方可尽其所长"④。无论据守何处，"宜将炮位布列阵体前面及左右两翼地势

①　《训练守法》，《训练操法详晰图说》第三册。
②　《训练驻扎通法》，《训练操法详晰图说》第四册。
③　《行军攻守法》，《新建陆军兵略录存》卷六，页二十六。
④　《行军攻守法》，《新建陆军兵略录存》卷六，页二十六。

较高之处，再于炮前布列步兵，保护炮位，兼备击敌之游兵散队。敌若进攻，炮队专击其靠拢接应，断其前后气力。散队势孤，自然退败"①。

与湘、淮军相比，新军的训练，有章可循，规范性更强，训练科目安排亦更为合理。在注重队列操法和技术训练的同时，突出了阵法和攻守战术的训练。在战术训练上，相较湘、淮军也有较多突破。首先，接敌队形进一步向科学、实用方向发展。陆军阵法攻守战术训练，正在由传统的复杂阵法演练转变为以散兵为步队作战主要形式及步炮有机配合的战术演练②。其次，进攻防御的手段进一步加强。原先白昼进攻、夜晚防守的习惯被打破，夜间作战的地位明显提高。

二、装备保障思想与制度

随着新军装备的科技含量不断提高，须有与之相适应的装备管理和训练制度相适应，平时保持武器装备处于良好的战备状态，战时则保证弹药充足。具体而言，新军时期的装备保障思想与制度主要反映在以下几方面：

（一）装备保障制度

新军每镇设有军械局，作为装备保障的专门机构。每营有军械委员，对军械局负责，归军械局总办调遣，指导各营完成相关装备保障工作。随着新军编练规模的扩大，至北洋六镇成立后，各镇均有统一的军械官和维修人员。光绪三十年（1904）颁定的《新定北洋陆军军械军饷章程》对军械官的职责做了进一步明确。依据该章程，各项武器保障管理工作不但要手续齐全，而且要进行定期的检查。如"军械长随时抽查枪械，每二个月到军械房点验枪支数目一

---

① 《行军攻守法》，《新建陆军兵略录存》卷六，页二十八。
② 关于这种战术的转变，可参见皮明勇、刘庆《清军陆战战术的演变》，《中国近代军事思想和军队建设》，军事科学出版社，1990年。

次"，"查验枪炮时，如果有漏报及重修者，按一件一日幅度将队官罚薪"。① 从光绪三十三年（1907）练兵处颁定的《炮兵暂行操法》可以看出，新军已在每标（团）中均设立了弹药队，其主要职能是"务必时常计划，俾各队射击，不致有弹药缺乏之虞"②。

（二）装备保障方法

1. 关于火药的运输。晚清火炮多为前装炮，作战时火药需单独运送。《江南陆师学堂课程》对水面和陆路火药运送的基本方法作了较为细致的规定。每辆运送火药车辆须二人专职照料，以防止途中火药渗漏或碰触；陆路运送需专职运送员前出里许，预先填平道路；水面运送，接泊船只要互相呼应，且各船不能连在一处，船与船之间需离开一百米至一百五十米的距离；等等。③

2. 关于弹药的补充。每排的弹药补充由队（连）弹药队负责。如陆炮弹药消耗过半，队（连）弹药队需以最快速度运送三辆弹药车前来补充，如山炮消耗过半，则需派二辆弹药车前来补充，同时告知该标（团）管带。"弁目带领所招之弹药车马，到放列后与放列处之弹药排长，协力将弹药充实之，各车箱与空虚之各车箱，互相交换，引之复其原位。"④

每标（团）的弹药补充，"如系子母弹，即将弹药车马送至队弹药队，陆炮则用弹匣药筒，山炮则用弹药箱。如系开花弹，则竟送至放列处，用弹药车及弹药箱。交换炮弹时，所有旧炮弹之车箱，如系子母弹，则留在放列处，或暂移至队弹药队，如系开花弹，则移至标弹药队，或暂留在放列处。遇时机逼迫，无论子母弹、开花弹，均当由标弹药队竟至放列处补充之"⑤。

每队（连）弹药队，由管带指定位置，并告知队官。在特殊情

① 《新定北洋陆军军械军饷章程》，《东方杂志》1905 年第 10 期，第 356—362页。
② 《炮兵暂行操法》，页百十六，南洋军事书报社宣统元年（1909）铅印本。
③ 见《江南陆师学堂武备课程》卷三，江南陆师学堂选刻本。
④ 《炮兵暂行操法》，页百十七。
⑤ 《炮兵暂行操法》，页百十七。

况下，可以将各队弹药队集合在一处，令高级资深弹药队长指挥配置。队弹药队，应隐蔽于战线后方，且危险较少的侧翼，尤须分布于交通容易，进退自如之处，方为妥善。"其与放列之距离，原视地形而定，惟对敌弹难于遮蔽时，通常以三百密达（米）为度，切勿用密集队形。"①

3. 关于装备的维修。平时新军在各镇设有修械司，"一军之中，必设修械专司，择地建厂，考选工匠，储材设器"。对修械人员职任规定："送修军械之时，专司修械之员当查明损坏所在，填写连单，并注明若干时日，修成再交送械者收执，俟修成后，持单领取，免致错误。收毕即交监工之员，登入查工簿，某械系某营所送某件系某匠承修，并于械上系一小牌，填写与簿相同。"② 为维修便利，各营配有专门的维修器具，如新建陆军时，每营就配备修理枪炮小机器一副，用于各营枪炮的日常保养和小故障的维修。战时的装备维修由弹药队负责，但史料缺少具体维修流程的记载，仅规定"故该排长与弹药队长，务将补充及修理之要旨，详示士卒，士卒必热诚任事"③。

（三）形成了初步的装备训练指挥体制

在指挥上形成各级装备保障人员分工负责制，如《炮兵暂行操法》中规定："军队指挥官，应将弹药预备队所到之地与所到之时，通知炮兵司令官，该司令官即指示标弹药队长，标弹药队之弹药，该队长应由弹药预备队而行补充。其法以标弹药队之车马送至弹药预备队，填实弹药，仍复原位，是为常法。然有时亦可以请求弹药预备队长，分该队之一部，送至标弹药队或放列处以备补充。开战之后，一队之弹药由弹药预备队直行补充，亦为常法。"④ 尽管这些规定仍较笼统，但可以看出，装备训练指挥的雏形已基本形成。

---

① 《炮兵暂行操法》，页百十五。
② 《修械说》，《训练操法详晰图说》第二十一册。
③ 《炮兵暂行操法》，页百十八。
④ 《炮兵暂行操法》，页百十七、页百十八。

三、会操与四次秋操

会操，即现代意义上的军事演习，是军事训练面向实战的重要一环。新军训练注重各兵种配合的两军对垒野战演习。袁世凯在《练兵要则》中指出，"每年春秋必须演习行军于数百里外，或约会他军作对垒遇敌之状，使将卒习知战法，历练劳苦，遇有征调，立即拔队，不复有迁延遗误之虑"①。在这一练兵思想的指导下，"北洋常备军恒有打靶、行军、野操诸演习，各队按日轮流行之，周而复始，极为可法"②。在全国普练新军后，这一办法也逐渐推广到全国。

新建陆军有记载的会操至少有八次，自强军和湖北护军营亦有关于会操的记录。北洋新军时期，特别是在全国编练新军以后，各省、各军都会定期或不定期举行一定规模的会操，如学者所言，"军事演习在实施范围上不再局限于局部区域的几支新军中，而是在全国新军中普及，在形式上也不再局限于单一的对抗演习，而是具有多种表现形态"③。从功能上可以将会操区分为校阅性会操、训练性会操和集训练性和校阅性为一体的秋季大会操。

校阅性会操，是在新军编练成军时或训练满三年之际，受阅新军在驻地附近的对抗演练，每三年一次，由练兵处、兵部或陆军部奏请清廷钦派知兵大员前往校阅，以检验、考核新军平时的训练情况④。如光绪三十二年（1906），北洋陆军第二镇训练已满三年，直隶总督袁世凯受清廷委派前往校阅。校阅内容包括：点名走排、内务（出师准备、各项章程、军械军装、军舍军垒、风纪军纪）、学科、术科、场操、野外对垒实战演习等⑤。

---

① 《练兵要则》，《训练操法详晰图说》第二十二册。
② 《北洋新军初期武备情形史料》，《历史档案》1989年第2期，第40页。
③ 彭贺超：《新军会操——中国近代军演早期形态研究》（后简称《新军会操》），中华书局，2018年，第97页。
④ 见《新军会操》，第97页。
⑤ 见《光绪朝朱批奏折》第五十三辑，中华书局，1995年，第496—504页。

　　光绪三十四年（1908），第四镇训练满三年，清廷委派荫昌会同杨士骧前往校阅，为期 12 天，校阅内容与陆军第二镇类似，"如演习兵棋及出师计划，又就地讲演战法诸大端，是该镇之特色，足树各镇之先声"①。同年，《陆军部奏定校阅陆军军队章程》对校阅时间及内容进行了明确，规定各省、旗陆军编练成镇满三年及嗣后历届三年之期，应由陆军部查照定章，请简派知兵大员莅军认真校阅。校阅内容有军容、军技、军学、军器、军阵、军律、军垒各项②。

　　除清廷派大员赴各镇校阅外，亦有各地方督抚、将军亲阅本省军队，校阅情况专折具奏，并将各镇、协、标的考绩咨报练兵处、兵部、陆军部备案。如光绪二十三年（1897）四月，自强军在吴淞举行校阅，邀请驻沪各国领事、水陆团练各将弁共一百七十余人观阅。光绪三十二年（1906）三月，陕西巡抚曹鸿勋调集驻省常备军马步炮队及抚标城守各军齐集校场校阅，称"步伐整齐，施枪炮弹不虚发，复按册点验勇丁、军装、器械、马匹，悉属精壮足额，完整膘健"③。再如宣统二年（1910）六月，陕甘总督长庚奏报校阅甘肃新军。陆军步队演示单人教练、成排教练、一队教练、一营教练、散队教练、队形变换诸法，以及步队野操、对敌攻冲、伏地枪进；炮队演示套马卸马、单炮教练、多炮教练、测量击准；马队演示前哨侦探、一队战斗、一营战斗、打靶击准，以及驰骤冲突、包抄掩袭。同年十月，江西巡抚冯汝骙赴建昌校阅新编江西陆军混成协，称各营队伍整齐，动作机警，攻守掩护均能合法，再加训练可期悉成劲旅④。

　　训练性会操，是将新军各部置于实战环境下，检验和提升新军的战斗力，主要由各军组织完成。如光绪三十三年（1907）九月，陆军第一镇从保定移驻京北仰山洼沿途演习秋操，南军抽调陆军第

---

① 《光绪朝朱批奏折》第五十三辑，第 599 页。
② 《大清新法令》第三册，商务印书馆，2011 年，第 709—710 页。
③ 《练兵处档》第二十三卷。
④ 中国第一历史档案馆藏：《兵部——陆军部档》（旧整）第 1067 卷。

一镇编成混成第一协，北军抽调陆军第六镇编成第十一协。南军由保定开拔，沿途自行演习；北军由南苑出发，沿途自行演习。九月二十六日至二十八日为会操日期，两军"互作遭遇、攻守各战法"。二十六日南北两军骑兵冲锋；次日南北两军步兵、炮兵遭遇战；二十八日两军攻守战。陆军第一镇在会操后，于十月二日移驻仰山洼新营。再如光绪三十四年（1908）九月陆军部简放点验大臣考验江苏第九镇野操情形。江苏第九镇分为东西两军，各以混成协兵力演习。东军组织进攻，西军组织防御。两军争夺焦点在江宁城外幕府山炮台。编制既定，两军侦骑四出，搜索马队先于圆通寺附近开始冲突，西军步队由天保城自高而下，东军炮队在京门东南遥为射击，阻其前进。西军以受敌炮猛击，即令步队进据高原，展开射击。东军步队战线已陆续增拓，而西军因敌炮未衰，未能迅速前进。接战既久，两军总预备队发现彼此，火力增加，两军右翼距一百米处接近冲锋，遂即停止演习。点验大臣在观摩了野战后，给出的基本评价是："两军野操，虽无有胜负优劣之殊，而动作活泼，气概沉毅，具见训练有素。惟下级官长于承受官长命令布置有未能周密者，嗣后官长学科急宜倍加讲求，以期深造。"①

　　秋季大会操，兼具校阅性会操与训练性会操两种功能。相较训练性会操，秋操涉及部队更多，规模更大，演习持续时间更长，对抗性也更强。一般在演习实施阶段的前两三天举行诸兵种对抗演习，最后一天举行阅兵仪式。清末共筹备了四次秋操，分别是河间秋操、彰德秋操、太湖秋操和永平秋操。永平秋操前期筹备较长时间，后因武昌新军起义而流产。

　　河间秋操。光绪三十一年（1905）九月末在直隶河间府举行，是我国历史上首次具有近代意义的军事演习。八月奕劻等奏，以第四全镇、第二镇暂编第四混成协、新成山东一镇暂编第九混成协，合编为南军，以统制王英楷为总统官。以第三全镇、京旗陆军第一

①　《步队第三十三标军志》，中国第一历史馆藏：《兵部——陆军部档》（旧整）第1050卷。

混成协、南苑第一镇暂编第十一混成协，合编为北军，以统制段祺瑞充总统官。会操总兵力达到 4.5 万人①，约占北洋六镇之六成。从九月二十四日到二十八日，会操共进行了五天。袁世凯担任这次军事演习的最高指挥官。九月二十四日，南军驰抵交河，逐渐北攻，北军驰抵高阳，逐渐南御。二十五至二十七日在河间一带会合大操，二十八日举行阅兵典礼。十月初，袁世凯、铁良上奏会操情形称，"南北两军部署之宜、攻守之术，颇为完密"，"所有该镇协官佐目兵步伐正齐，一切指挥筹办尚能合法，大改旧观"②，"此次会操非第以齐步伐，演技击，肆威容，壮观瞻而已，盖欲以饬戒备，娴战术，增长将士之识力，发扬军人之精神，熟悉于进退攻守之方，神明于操纵变化之用。……要使在伍之将士人人知担其责任，平日所授习，一一实见诸施行"③。从会操的过程和结果来看，基本达到了预期目的。

彭德秋操。为进一步检阅编练新军的成果，练兵处决定再举行一次规模更大的军事演习。光绪三十二年（1906）七月，奕劻等奏，以南苑一镇、山东一镇各量加抽拨，编作一混成镇，合之京旗一镇抽拨混成一协为北军。以湖北一镇、河南一混成协为南军，谕令袁世凯、铁良认真校阅。八月，袁世凯、铁良奏，派冯国彰为南军专属审判官长，军学司副使良弼充北军专属审判官长。南军总统官为张彪，北军总统官为段祺瑞。九月初五日，南北两军马队在汤阴县东南演习冲锋战法。初六日，两军马步炮队在汤阴县东北十里铺附近演习遭遇战法。初七日，两军全军在彭德府城东南马官屯一带演习攻击防守各法。操战既毕，即于是日颁发命令，解散战列。复于初八日举行阅兵仪式。袁世凯对这次会操的评价是，"此次复举数省已编之军队，萃集一处而运用之，使皆服从于中央统一号令之下，

---

① 见《中国近代史资料丛刊·北洋军阀》（一），上海人民出版社，1988 年，第 575—576 页。
② 《光绪宣统两朝上谕档》第三十一册，第 175 页。
③ 《中国近代史资料丛刊·北洋军阀》（一），第 565—569 页。

尤为创从前所未有，系四方之瞻听"①，"以视去年河间一役，规模闳远，殆为过之"②。

太湖秋操。光绪三十四年（1908）五月，奕劻等奏称，前两次秋操地点均在北方平坦之区，而对南省地形尚少历练，因此，拟于本年秋后调集驻扎湖北之陆军，以第二十一协为主力，将第八镇各队酌量并入，编为混成第十一镇，称为南军。另调驻扎两江各处之陆军，以第九镇各队为主力，将驻苏步队第四十五标、驻江北步队第二十五标一律并入，编为混成第九镇，称为北军，于十月间在安徽太湖县一带会合大操③，谕令荫昌、端方认真校阅。演习于十月二十日开始，持续三天，演练了步炮配合及凭借有利地形进行的攻守战术。太湖秋操是南方新军第一次在南方地区举行的大会操，规模与前两次会操基本相同，但亦有其特点：一是参演部队主要来自南方；二是演习地域为多山多水地带；三是配备新式武器的部队出现在战场上，如气球队、机关炮队等。④

永平秋操。宣统三年（1911）三月，军谘大臣载涛奏请本年秋在河北永平府滦州、开平一带举行秋操。拟以第四镇为主力，将禁卫军混成一协及驻扎保定第六镇步队一标、马队一营、工程一队，酌量一并编为西军；另以驻扎北苑第一镇为主力，将驻扎保定、永平第二镇混成一协，酌量并入编为东军。⑤ 后将第二十镇司令处及步队第四十协司令处及两标也编入东军。东军总统官冯国璋，西军总统官舒清阿。闰六月，谕令军谘大臣载涛恭代亲临总监两军。八月，以抽调军队赴鄂，载涛奏请停办所有大操⑥。永平秋操于是

① 《袁世凯全集》第十五册，第397页。
② 《袁世凯全集》第十五册，第399页。
③ 奕劻等：《奏为本年拟办陆军各镇举行秋操大概情形禀》，转引自《新军会操》，第162页。
④ 见《新军会操》，第180页。
⑤ 《清实录》第六十册，第914页。《宣统政纪》卷五十一，宣统三年三月下。
⑥ 《清实录》第六十册，第1097页。《宣统政纪》卷六十一，宣统三年八月下。

流产。

新军会操与之前的八旗、绿营以及湘、淮军的会操相比，有以下几个突出特点：一是规模更大。湘、淮军的会操仅一营或数营，规模较大的会操也不过四五千人，新军会操动辄万人、数万人，河间秋操中北洋六镇均参与其中，总人数超过 4 万人。二是新军会操的针对性更强。演习不仅为了展示实力，更主要的目的在于发现训练中存在的问题，并力求在后续的训练中予以纠正，所以历次会操从筹备到实施，再到评点均有详细的记录，这是一种进步，是训练科学化的一种体现。三是新军会操有更强的对抗性。几次秋操均区分南军和北军，有明确的进攻或防御目标，对抗双方要提前制定并在作战期间调整作战计划。四是近代化的特征鲜明。新军会操是晚清军事近代化阶段性成果的集中体现，具有鲜明的近代化色彩。参演部队在编制上多仿效德国陆军，装备上基本做到了整齐划一，兵种则更为齐全，除步、骑兵外，还增加了成建制的炮兵及辎重兵，不同兵种间的战术协同更为紧密，更为复杂。在演习中所演练的步队依托工事进行阻击，以炮兵拦阻射击、预备队反冲锋等手段驱逐敌人，伺机转入反攻击和战术协同等进一步走向成熟完善。特别是会操间南北两军的区分，实际上相当于现代集团军层次上的对抗，这在旧式绿营、勇营为核心的传统军队中是不可能出现的。新军会操，特别是四次秋操，有大跨度的兵力调动，涉及数省，筹划及准备时间超过数月，所以演习不仅考验清军的训练和指挥能力，实际上也是对清廷军事管理机构筹划、管理、调度、协调、通讯等多方面能力的集中考察。从四次会操的实际情形看，尽管在组织上仍存在一些问题，但总体上是比较顺畅和有效的。诚如学者所言："秋季大会操筹备阶段颁布的各项规章条令，以及实施阶段形成的演习模式，是其制度化的重要体现。秋季大会操制度的形成，使得近代军事演习以制度的形式在中国军队中扎根，并由此定型为中国陆军军事训练的组成部分。"[1] 晚清军事改革虽道路坎坷，但改革未曾中

---

[1]　《新军会操》，第 259 页。

坠，而是在持续推进中不断深化的，各个层级对于军事近代化的认识不断深入，军队在逐步朝着科学化、专业化的方向缓步迈进，组织机构也在做着不断的调整以适应新的形势。

四、治军思想

新军在治军上较多地保留传统方式，强调要恩威并重，宽严相济。袁世凯对于宽与严的关系认识较为深刻，他说，"治兵之道，宽与严而已"。所谓"宽"，即是"情志相孚，甘苦与共"；"严"，即"法立知惧，令出唯行"。但又要求严不能失之于残酷，宽不能失之于放纵，"傥以放纵为宽，势必纪律尽废，禁令不行，平居则殃害闾阎，临敌则违弃节度。譬之水懦易玩，触犯时多，迨不得已而为骈首之诛，而所伤实众，是欲示恩而转以贼恩矣。以残酷为严，势且鱼肉军士，草芥部卒，平居则无所措手足，临敌则疾视如仇雠。譬之蕴毒，既盈溃烂莫救，迨一旦激而成释甲之变，而倒行堪虞，是欲立威而反至损威矣"①。

新军将言语训导作为精神感化的重要手段，与军事训练置于同等重要的地位，认为，"训以固其心，练以精其技"②，不仅注重对一般士兵的训导，还特别加强了对将弁的思想训导，指出，"将则训以忠勇廉洁之大闲，兵则训以恭顺勤奋之要义，使皆知奉法循理，以端其志而正其趋"③。

（一）对将领的教育

"首在植品节而矢忠诚，任国家之事权，当思所以称职；受朝廷之禄位，当思所以图报。惟时时以尽瘁为心，事事以奉公为念。"④将领要能"爱民"和"自爱"，《图说》认为："不知爱民者，不足

---

① 《训将要言》，《训练操法详晰图说》第一册。
② 《训练总说》，《训练操法详晰图说》第一册。
③ 《进呈练兵图册折》，《训练操法详晰图说》第一册。
④ 《训将要言》，《训练操法详晰图说》第一册。

与言公忠。不知自爱者,不足与励廉耻。"① 所谓"爱民",即与百姓交往要做到秋毫无犯,闾阎安堵。《图说》认为:"爱民适以自爱,利民实足自利。克敌制胜,良必由之。"② 良好的兵民关系,不仅使平时"兵之所需种种具备,民之所有源源接济,兵无匮乏之忧,民有沾润之乐"③,在战时,"居民指示地利,或代探敌情,或导引前往,纵有败伤,或异负以求其难,或隐匿以全其生,得力良多,受益匪浅"。《图说》特别提醒:"扰民适以自扰,害民实足自害。"④

为将领者,要有发源于内心的"忠义之勇"。《图说》认为,少壮时的"血气之勇",求显达驱动下的"意气之勇",威迫下的"勉强之勇",均不可持久,而只有"忠义之勇"能够历久不渝,可以"上戴国恩","下亲族类",如此则"自生仡仡桓桓,干城可寄矣"⑤。《图说》认为,"忠义之勇"方为大勇,"其存于中者,智勇沈雄而闳懈;其见乎外者,光明坦白而不欺。而后其下化之,亦莫不激发天良,明晓大义,尊尊而亲上,乐事而劝功。上率以忠诚,斯下应以忠义,理固然也"⑥。

为将者除忠勇之外,还必须勤于学习,"苟欲胜敌,安可无谋,苟欲能谋,安可废学"⑦。又说,"勇足以行其谋,谋足以运其勇,谋勇兼优,乃克有济"⑧。将领除要学习兵法谋略之外,还要兼习舆图、测算、格致、器械等西方军事理论或军事技术,以济其用。除接受一般营内教育外,还要进入大学堂进行系统化的学习,"肄业有成,试令作弁年满之后,再入大学堂卒业,学优复仕,阅历与学问并进"⑨。

---

① 《训将要言》,《训练操法详晰图说》第一册。
② 《训行队爱民说》,《训练操法详晰图说》第一册。
③ 《训行队爱民说》,《训练操法详晰图说》第一册。
④ 《训行队爱民说》,《训练操法详晰图说》第一册。
⑤ 《训将要言》,《训练操法详晰图说》第一册。
⑥ 《训将要言》,《训练操法详晰图说》第一册。
⑦ 《训将弁勤学说》,《训练操法详晰图说》第一册。
⑧ 《训将弁勤学说》,《训练操法详晰图说》第一册。
⑨ 《训将弁勤学说》,《训练操法详晰图说》第一册。

（二）对哨弁的教育

《图说》认为，下级军官与士卒朝夕共处，"情志可以不隔，气息可以相通"①，"约束训练，临阵之奋身率先，发纵指示，皆惟尔是赖"②。士兵能否战场用命，关键看哨弁一级的军官能否尽到责任。他要求哨弁对士兵要像父兄子弟那样，"士卒之疾病，必躬亲省视，医药调护不徒藉手于夫役也；士卒之衣食，必悉心料检，寒燠饥渴不啻切身之恫瘝也；士卒之技艺，使之必精必熟，不至百密而一疏；士卒之器械，使之必洁必新，勿令匿瑕而含垢"③。对士兵中有小过者，"必从而委曲开导"。对于生事犯法者，则不能流于宽纵。《图说》特别强调在与士民杂居时，"教以公平而严杜骚扰，既禁恃众以滋事，尤禁挟刃以横行。士卒与人争讼，必秉公断其曲直，而力化偏私，既虑逞刁者侵陵不已，尤虑衔屈者报复相寻。士卒之出入起居，既当受之以节，士卒之性情举动，尤当察之于微"④。

（三）对于士兵的教育

《图说》要求新军士兵应做到以下十点：一是"励忠义"，士兵应募，坐食厚饷，应知恩图报，"国不负尔，尔何负国"；二是"敬官长"，对官长平时要如"子弟之敬父兄"，战时应"卫之应如手足"；三是"守营规"，惟有各怀廉耻，谨守法度，才能"人莫不望而敬之，称而颂之"；四是"勤操练"，战阵攻守，练之必精，否则"技艺生疏，自取败亡"；五是"奋果敢"，要置生死于度外，整阵杀敌，果敢向前；六是"卫良民"，民为兵本，严禁侵扰；七是"怀国耻"，时时怀同仇之念，存雪耻之心，奉令出征，奋力图报；八是"惜军械"，平时对枪械加意爱惜，战时方能用之得力；九为"崇笃实"，做人忠诚老实，不欺下罔上；十为"知羞恶"，有过则

---

① 《训哨弁要言》，《训练操法详晰图说》第一册。
② 《训哨弁要言》，《训练操法详晰图说》第一册。
③ 《训哨弁要言》，《训练操法详晰图说》第一册。
④ 《训哨弁要言》，《训练操法详晰图说》第一册。

改，振作向上。① 要求士兵务将上面十条熟习于口，牢记于心，并与各项条规、训词实力奉行，交相切磋，互为劝勉。

袁世凯还根据训兵要旨，并借鉴曾国藩将训练要领和纪律条规写成歌谣的办法，编写了《劝兵歌》《行军歌》《侦探歌》《对兵歌》等韵文，令目兵牢记熟诵，这几首歌的内容基本涵盖了士兵日常需遵守的要点。如《劝兵歌》强调了七项注意事项：一要用心学操练，二要打仗真奋勇，三要好心待百姓，四莫奸淫人妇女，五莫见财生歹念，六要敬重朝廷官，七戒赌博吃大烟。② 这些歌谣通俗易懂，朗朗上口，既便于学习记忆，又易于教授传播，用简单可行的手段向士兵灌输服从命令、听从官长的思想，从而达成思想上对士兵的控制。

张之洞对于自强军的思想教育也极为重视，在编练自强军时如此，在编练湖北新军时亦如此。他也学习曾国藩的方法，编成《劝勇歌》在军中传唱，要义为勉励士卒，如"自应爱身明道理，学成技艺报国家"。并大力宣传当兵为荣，同时严格纪律，严肃军令，兵勇不准擅自出营，③ 等等。

新军除重视思想教育外，仍将严明军律作为维持部队良好风气的重要手段。《图说》认为："军律不明则赏罚倒置，纪律亦因而废弛，故节制之师，必以申明军律为第一义。"④ 新建陆军对军事纪律非常重视，专门制订了目兵须读的"简明军律"，列有违规当斩当罚二十条，军律规定：一、临阵进退不候号令及战后不归伍者斩；二、临阵回顾退缩及交头接耳私语者斩；三、临阵探报不实、诈功冒赏者斩；四、遇差逃亡、临阵诈病者斩；五、守卡不严敌得偷过及禀报迟误先自惊走者斩；六、临阵奉命怠慢有误戎机者斩；七、长官阵殁，首领属官援护不力，无一伤亡及头目战死本棚兵丁并无伤亡

---

① 《训兵要言》，《训练操法详晰图说》第一册。
② 见《劝兵歌》，《新建陆军兵略录存》卷四，页五、页六。
③ 见《自强军创制公言》，卷上，页六十，《中国兵书集成》第四十九册，第378页。
④ 《练兵要则》，《训练操法详晰图说》第二十二册。

者悉斩以徇；八、临阵失火误事者斩；九、行队遗失军械及临阵未经受伤抛弃军器者斩；十、泄露密令，有心增减传谕及窃听密议者斩；十一、骚扰居民、抢掠财物、奸淫妇女者斩；十二、结盟立会、造言惑众者斩；十三、黑夜惊呼疾走乱伍者斩；十四、持械斗殴及聚众哄闹者斩；十五、有意抗违军令及凌辱本管官长者斩；十六、黉夜窃出离营浪游者斩；十七、官弁有意纵兵扰民者并斩；十八、在营吸食洋烟者斩；十九、夜深聚语、私留闲人、酗酒赌博、不遵约束及有寻常过犯者，均由该管官酌量情节轻重，分别插箭责罚；二十、凡兵丁犯法情节重大者，该管官及头目失察，均分别轻重参革、责罚、记过。简明军律刊发各营，使兵丁皆得持诵，并遴派执法营务处秉公纠查。①

除军律外，新军还订有其他方面的条规，如《兵丁日行规条》《操场暂行规条》《惩治逃兵律》《募兵律令》等，官兵必须遵行，违者必究，重则处斩，轻则责罚。如针对旧时军队军装号衣不整之弊，规定各营兵目因事赴市，必须穿着本营记号操衣，以便查街各官分别辨认。如不遵办，除随时拿办外，并将该管哨官责四十棍。又针对逃兵问题订《惩治逃兵律》，在各要道隘口派员设卡，严行稽查，如有逃兵被获解辕，以军法从严惩办。拿获逃兵的员弁，分别情形给赏。

自强军也有《洋操营务处禀定营规》，营规三十二条，规定极为细致，从营官要与洋教练和衷共济到排长要勤于训练等均有规定。对士兵则严禁结盟拜会、谣言惑众、抢劫财物、扰害民间。如有吸食洋烟、酗酒、赌博、口角、争殴，有一违犯者，"著插耳箭游营"②。营规还将枪械装具的保养纳入管理范围，规定枪械炮位要随

---

① 《简明军律》，《训练操法详晰图说》第二十二册。
② 《自强军创制公言》卷上，页五十六，《中国兵书集成》第四十九册，第370页。

时擦拭，不得锈蚀损坏。马匹应尽心喂养刷洗，"倘有瘦毙，从重罚办"①。

五、兵役思想

湘军、淮军均采用勇营体制，这一制度在镇压农民起义过程中发挥了一定作用，并在以后的发展中对晚清时期的其他部队亦有影响。然而"法不能积久不敝"②，尽管曾国藩特别强调湘军忠君爱民的教育，但却改变不了制度造就的士兵以打仗赚取军饷为主要目的，使得士兵缺乏主体意识。张之洞总结勇营之弊时称："一在来历良莠无从察考，一在艺成后即潜往他军，一在征战溃逃无从查拿，一在年齿已长不能遣散更换，遣散即无以为生，冻馁则可闵，为匪则可虑。"③

甲午战争中，勇营之弊充分暴露出来，其中兵员补充问题成为清军战斗力低下的一个重要原因。大量未经训练的士兵被驱赶到战场上，一些人甚至连枪炮都不知为何物。如羊亭河之战中，先行到达荣成的5营河防军，名为河防军，实则是以军队组织形式编制起来的修河民工，"多防河土夫，枪械亦缺，不任战"④。由于训练不足，士兵上了战场必然慌乱，类似于平壤之战中"彼此自攻，互相击杀"的情况也屡屡发生。

战后，很多人对兵员素质问题有过比较深刻的反思，如袁世凯即认为："近来武备愈弛，疲弱冗杂，比比皆是，固由于训练之无法，实始于选募之不精。大率就地取材，滥竽充数，非市井游惰，即革勇逃卒，混迹其中，操防稍严，辄不耐勤劬，远飏潜遁。而为之官长者，复漫焉不加顾惜，或缺额不补，或随时募充，若视兵丁之去留有无为无关轻重也者。往往成军数年，而经练之熟手十无二

---

① 《自强军创制公言》卷上，页五十八，《中国兵书集成》第四十九册，第373 页。
② 《许景澄集》第一册，浙江古籍出版社，2015 年，第45 页。
③ 《张之洞全集》第四册，第98 页。
④ 《东方兵事纪略》卷三，页二十二，文海出版社，1967 年。

三，无异新集之师，几类乌合之众。一旦有警，仓猝出征，兵刃未交，望风先靡，兽骇鸟散，不可收拾。"①

新军编练时，为使兵源可靠，特别强调"兵力强弱在慎选于募兵之始"②，因此对士兵招募规则和流程极为重视，每遇募兵，则遴派妥员分赴风气刚劲各处募选。募兵标准虽在不同时期略有出入，但基本要求一致。如北洋新军规定：年限二十岁至二十五岁；力限平托一百斤以外；身限官裁尺四尺八寸以上；步限每一小时行二十里以外。报明三代家口、住址、箕斗数目；曾吸食洋烟者不收；素不安分犯有事案者不收；五官不全，体质软弱，及有目疾、暗疾者不收。③ 自强军招募也要求兵必合格，人必土著。"各营皆选择土著乡民，年在十六岁以上、二十岁以下，体气精壮向不为非者，取具族邻团董甘结，声明情愿效力十年。只准开革，不准辞退。凡城市油滑向充营勇者一概不收。"④ 人员仅限招金陵附近州县土著乡民，"以杜远省招募淆杂劳费，遣散流落之弊"⑤。仅从上述招募条件上看，新军与湘军、淮军的兵源的要求并无本质不同。

由于新军装备较为复杂，需要士兵掌握的技术、战术技能也较湘、淮军更为全面，如果招募环节仅考虑出身或身体条件，而不考虑士兵文化程度，应付复杂的战术变换将比较困难。张之洞在编练湖北新军时，在招募环节对士兵文化程度提出了要求。他说："入营之兵，必须有一半识字。外国无不深通学堂之将，无不通文理、不能明算、不能画行军草图之弁，无不识字之兵。盖兵不识字，遇有传达命令、探报敌情及一切行军规模符号、营官所发地图，皆不免有茫昧扞格之虞。"⑥ 此后在新军招募时，逐步将能识字作为士兵应具备的基本素养，即使招募之前未曾识字，亦在入伍后将识字作为

① 《袁世凯全集》第十册，第111页。
② 《练兵要则》，《新建陆军兵略录存》卷一，页二十七。
③ 见《募兵告示》，《新建陆军兵略录存》卷一，页三十。
④ 《张之洞全集》第三册，第298页。
⑤ 《张之洞全集》第三册，第298页。
⑥ 《张之洞全集》第四册，第97页。

士兵需掌握的基本技能加以教授。

湘、淮军仅有招募之制，却无妥善的退出之制。勇营为地方武装，按照清朝的规定，事兴则立、事竣则散为其基本原则。勇营实行的是募兵制，即"雇兵役者，以钱雇人当兵也"，所以招募较易，但遣散很难，处理不好，会酿成极严重的问题。湘、淮军部队在遣散过程中，均出现过严重的哗变事件，如霆军就曾因欠饷发生过多次哗变。光绪二十二年（1896），盛宣怀曾对募兵之弊进行过反思，他认为："盖募兵一事，无赖亡命兼收并蓄，来无所考，其弊一；少壮从军，衰老除汰，去无所归，其弊二；闻警增募，类驱市人，不教谓弃，其弊三；事定遣散，多为盗贼，遂贻民害，其弊四。"① 可以看出，勇营之制尽管在历史上曾产生过积极作用，但本质上仅是为应对危局时的权宜之计。对清军而言，核心问题不在招募严格把关、保证新兵质量，不是随招随散，而是如何能将久历战阵的士兵留在部队，同时采取何种方式使国家兵员可以源源不断地得到补充。对于这些问题，传统的募兵制、世兵制，均不能给出满意的答案。

一些较有国际视野的人士已注意到西方采取普遍的征兵制所带来的好处，如许景澄就说，"查泰西陆军之精，推德意志国为最。德制：通国民人至二十岁，无贵贱皆入营为战兵"②，因此，他主张仿照德国，实行普遍的义务兵役制。这样，一方面可以可靠地解决士兵来源问题，同时可以妥善地解决保证足够军力与士兵合理退出现役的问题。光绪二十二年（1896），盛宣怀正式提出仿照西制，实行普遍的征兵制的办法。主张简练新兵 30 万，"征选户籍可稽，未经罪犯，年在二十以上二十五以下，体质身干合格者，录为常备兵，入营教练。期以三年，退回预备兵；亦期三年，退为后备兵；亦期三年，退为民兵；期以五年，除其兵籍。自预备兵以下，平时在家服农，有事以次征集"③。这一办法，被袁世凯采纳，在创练北洋常

① 《条陈自强大计折》，《愚斋存稿》卷一，页四，文海出版社，1970 年。
② 《许景澄集》第一册，第 44 页。
③ 《光绪朝东华录》第四册，总第 3878 页。

备军时，对士兵服役年限作了规定：军分三等，即常备、续备和后备。常备军服役三年，发给全饷；三年后转为续备军，减成给饷；续备三年后转为后备军，军饷递减；三年后转为平民。① 按照这样的办法，"六七年后，续备、后备均已有人，则以五千人之饷，可养二万候调之兵，永无仓猝召募、乌合成军之弊，于军政良有裨益"②。

清廷于光绪三十年（1904）颁布了《新订营制饷章》，规定："军分三等：一曰常备军，选土著之有身家者充之，屯聚操练，发给全饷，三年出伍，退归原籍；一曰续备军，以常备军三年出伍之兵充之，分期调操，减成给饷，三年递退；一曰后备军，以续备军三年递退之兵充之，仍分期应操，饷又递减，四年退为平民。"③ 光绪三十二年（1906）产生了第一个全国性的兵役细则，包括"陆军常备兵退伍办法""陆军续备兵章程"和"续备兵营制饷章"等三部分。规定，各营退伍兵由各镇统制在兵备处汇领退伍凭照，转发各营；由官长带送原籍，交当地续备军官弁、地方官及原保人共同点验接收，并办理入续备役手续；各兵在回到原籍后允许自谋生业，但地方政府和当地续备军官弁对其生产和生活适当给予照顾和约束。

除袁世凯的办法外，张之洞也借鉴德国和日本的征兵制，提出了征募制，这一制度不仅着眼于兵员的服务与退出机制，同时也强调要提高军人待遇及军人的社会地位。在人员招募环节制定严格的标准："募兵之法，略仿日本征兵之制，寓征于募。先择本省郡县中风气刚劲朴实之区，选取士农工商之家安分子弟，或素有恒产，或向有职业、手艺，自足资生，并非待勇粮为生计者。"④ 为避免士兵遣散归籍后无所生业，为非作歹，从勇而变为匪，规定三年兵期满后即退为续备兵。"愿回籍执业者，听其发给凭照，优予奖励。……

---

① 见《袁世凯全集》第十册，第 284 页。
② 《袁世凯全集》第十册，第 284 页。
③ 《大清新法令》第三册，第 657 页。
④ 《张之洞全集》第四册，第 190 页。

各府轮流征调，如此则用饷少而练兵多，且不致有乌合星散之弊矣。惟一省假如有常备军八千人，此项本省按籍征募之兵，前数年试办，大约通计不宜过全军人数三分之二。其三分之一将来是否仍参用客兵，抑或全行渐改土兵，应俟数年后各省临时体察情形，有无流弊，再行酌办。"①

　　征募制是介于募兵制与义务兵役制之间的一种兵役制度，它具有募兵制与义务兵役制两方面的特点。士兵虽仍是政府花钱雇募而来，但有家庭背景及服役年限等方面的规定。政府虽不完全负责安置士兵退伍之后的生活，但在士兵服续备役和后备役期间又给予一定的经济补贴，并要对他们的生产和生活方式做一定程度的限制。②

第三节　晚清军事期刊中的兵学思想

　　甲午战争之前，晚清时期的报纸和杂志上已刊载有关于军事问题或战况的讨论，如中法战争、甲午战争前后，《申报》上出现了一批探讨局势变化的文章，但受限于作者的专业能力，这些文章多为评述性文字，较少深入的专业化分析。甲午战争后，随着军事改革的步伐加快，新军编练活动深入推进，武备学堂在全国各地广泛设立，以兵学或军事理论为研究对象的兵学研究机构也应运而生，如北洋即设有武备研究所，其主要职能为"随时会议，互相讨论"③。为反映这些机构的研究成果，同时配合新军训练的顺利推进，各地陆续出现了多种不同类型的军事期刊。从1904年到1911年，主要军事期刊有《武备杂志》《训兵报》《南洋兵事杂志》《武学》《北洋兵事杂志》《军华》《海军》《军学季刊》等，这些期刊成为表达

---

① 《张之洞全集》第四册，第98页。
② 见《中国近代军事改革》，第120页。
③ 《督宪袁谕军政司教练处设立武备研究所札》，《武备杂志》第1期。

新军事知识的重要平台和传播新军事观念的重要媒介。

这些期刊在栏目设置上各有侧重，但在文章内容上大体包括以下三类：一是介绍军事常识，解释军事术语如行军、治军、宿营等，介绍古代名将、兵学名著、经典战例等。二是介绍世界主要国家的军事现状，包括部队编制，如《英国军制改革》①《英国炮兵编制之概要》② 等，武器装备情况，如《瑞典空中水雷》③《俄国战舰之成功》④，部队管理状况，如《法国陆军之腐败》⑤，等等。三是登载研究性军事理论文章，这是军事期刊的主体功能。文章有译作也有原创作品，主要介绍最新的战术理论，也有些文章以部队管理、训练、后勤保障为研究内容。这些军事期刊成为传播前沿军事知识，启发民智，完成兵学向军事学转变的前沿阵地，"它对活跃当时军事思想，传播先进军事技术，交流将弁学术观点，振发新军部队士气，促进当时军事改革的步伐，起了重要作用"⑥。

一、传播新的军事观念

甲午战后晚清社会对战败的不断反思，使人们对西学的关注从器物层面逐步深入制度层面，进而深入观念文化思想层面，将过去未曾被关注的军人与国家、军事与民事、海洋与海权等问题提出来，通过在军事期刊上的集中讨论，形成一种趋向与热潮，从而使这些新的军事观念得以在人们头脑中生根。

（一）尚武思潮

光绪二十八年（1902），蔡锷在《新民丛报》上发表了《军国民篇》，提出"军人之智识，军人之精神，军人之本领，不独限之从

---

① 《武学》第 14 期。
② 《武学》第 1 期。
③ 《军华》第 1 期。
④ 《南洋兵事杂志》第 51 期。
⑤ 《南洋兵事杂志》第 29 期。
⑥ 毛振发：《清末军事刊物述论》，《军事史林》1987 年第 1 期。

戎者，凡全国国民皆宜具有之"①，强调在国民中普及军事教育的重要性。光绪二十九年（1903），学术巨擘梁启超在《新民丛报》上发表《论尚武》，系统阐述了他所认识的尚武精神。由于梁的巨大声望，他对军国民主义的助推将国内期刊关于尚武思潮或军国民主义的讨论引向了高潮。此后，《申报》《东方杂志》《云南》《江苏》等数十家期刊围绕这一主题刊载相关文章百余篇。从总体上看，这些讨论主要集中在传统政治与文化对人的束缚，批判多于建构，对于国民性的认识仅止于强健体魄，对更本质的东西则缺少深入讨论。但这一讨论的意义和价值却不容低估，有学者认为："在民族生死存亡的危急关头，他们提出重振尚武精神，再造国魂的问题，具有振聋发聩的作用，不失为救时的一剂良方。"②

　　同一时期的军事期刊，如《武备杂志》《南洋兵事杂志》《武学》中也出现了十余篇讨论军国民主义的文章。与一般的刊物主要集中于国民性的讨论不同，军事期刊更多地聚焦于军队、军人与国家的关系上，突出军人在国家中的重要地位，呼吁以新军人观看待军人，给予军人更多的社会尊重，同时也对军人的素质提出了更高的要求。

　　《军队教育与国民教育》一文认为，国民教育应着眼于"体、德、智三者之养成发展"，军人教育同样如此，"吾人所以谓军队者，国民之教育所也"③，将军队视作改变国民性的场所。③ 一方面，"今日我国民之体力养成所何在？曰：舍军队无他"④，另一方面"军队规律之严肃，人所知也。我国民之规律，亦不能不严肃如军队"⑤，即国民的守纪应从军队中汲取养分，所以军队首先必须严整，否则无法承担国民楷模的重任，"军队之整肃军纪，实为他日使国民整肃

①　《蔡松坡集》，第16页。
②　张一文：《论清末的尚武思潮》，《中国军事科学》1999年第3期。
③　庄谔：《军队教育与国民教育》，《南洋兵事杂志》第4期，第1页。
④　庄谔：《军队教育与国民教育》，《南洋兵事杂志》第4期，第2页。
⑤　庄谔：《军队教育与国民教育》，《南洋兵事杂志》第4期，第3页。

民纪之基础也"①。

一些文章认为，要破除"好人不当兵，好铁不打钉"的旧观念，形成崇尚军人的新风尚，关键是军人要有学问。《论今日当贵军人》一文，分析了中国传统观念中军人地位低下的成因，一是军人"无学问"。传统武人"日日练刀石，惟求悍力之发达也，日日执弓矣，惟求骑射之精巧也"②，在文人占主导地位的社会，这种粗陋的、固化了的武人形象，不可能得到尊崇与认可。二是军人自身不知自重，不守军纪、风气败坏，导致百姓厌恶。三是待遇微薄。三点看似无关，实则可归为一点，即"有学问者，必知自贵，而人亦厚遇之。惟其无学问也，故不知自贵，而人亦薄待之"③。此处所讲的学问，既包括内在修养，也包括外在的专业知识。军人有修养、有知识，然后爱国、爱民方能成为军人的自觉行为，即"以学而知爱国"，"以学而知服从""以学而善战""以学而自重"，④ 这样人们在看待军人时，才会与旧时的兵即盗匪的观念区别开来。文章大胆断言："教育不普及，无完全之兵队。教育而不参以军国民之性质，亦万万无完全之军队。"⑤

一些文章认为新的国家观是讨论新军人观的前提，即新军人观是在国家观念萌生基础上的衍生物。如《军队与国家》即讨论了军队与领土、人民、主权的关系，认为军队"俾达其战必胜、攻必取之目的，而其结果遂足以横行大地，保障一切，伸张国家势力，增进人民幸福，以享有人间无上之光荣、特别之权利"⑥。关于军队与国家的关系，文章认为，"人民非国无所依附，国家非军队无以存立"⑦。军人是国家精神的缩影，"若养成雄武伟大之军人，有历万

---

① 庄谔：《军队教育与国民教育》，《南洋兵事杂志》第 4 期，第 3—4 页。
② 覃鎏钦：《论今日当贵军人》，《武学》第 1 期，第 27 页。
③ 覃鎏钦：《论今日当贵军人》，《武学》第 1 期，第 28 页。
④ 万德尊：《军队与国家》，《南洋兵事杂志》第 18 期，第 11 页。
⑤ 万德尊：《军队与国家》，《南洋兵事杂志》第 18 期，第 12 页。
⑥ 万德尊：《军队与国家》，《南洋兵事杂志》第 18 期，第 1 页。
⑦ 万德尊：《军队与国家》，《南洋兵事杂志》第 18 期，第 6 页。

难不足以阻之，遭万劫不足以挫之之一种精神，以贯乎其间，则敛
之即为国魂，推之即国力，而操之纵之者即为国权。国权之消长，
视乎军队之强弱"①。

这一时期的文章，较少将忠君与爱国看作一体的两面，而是将
爱国这个抽象概念置于忠君之前，突出国家的重要，有时也将国家
与人民联结起来一体加以讨论。如"国家活动之渊源，实以人民为
主体，苟无滋长发达之人民，则国家终无以自立"②，又说，"夫人
之于国家也，如鱼于水，如木于土，鱼涸水则死，木离土则枯，人
无国家，遂无往而非杀身灭种之惨剧"③。"自贵胄以至庶人，皆有
充兵役、固国防之战务。盖国为国民公共之国，非国民则已，既为
国民，则天下兴亡与有责焉者也。国计之富由民富之，国势之强由
民强之，而皆非民乐从军不足以实施而收效。是故国民必当军以报
国军，国必练军以卫民，其斯为国民之军人，其斯为军国之国民，
其斯为立宪国之军国民。"④

（二）海权观念萌生

甲午战败后，持续了十余年的海军建设陷入低谷，相关机构和
人员被裁撤，海军发展失去了方向。然而海军作为近代国防的前沿，
其意义仍在，无论直面或者逃避，都是无法绕开的现实，所以在沉
寂一段时间后，海军重建的声音逐渐响起。光绪二十一年（1895），
张之洞上奏称，"今日御敌大端，惟以海军为第一要务……无论如何
艰难，总宜复设海军"⑤，这一建议得到了部分疆臣的响应。光绪二
十四年（1898），清廷发布上谕，"国家讲求武备，非添设海军，筹
造兵轮，无以为自强之计"⑥。在这一方针的指导下，海军复建工作

---

① 万德尊：《军队与国家》，《南洋兵事杂志》第 18 期，第 8 页。
② 万德尊：《军队与国家》，《南洋兵事杂志》第 18 期，第 4—5 页。
③ 万德尊：《军队与国家》，《南洋兵事杂志》第 18 期，第 6 页。
④ 江北督练公所：《精神教育讲义》，《南洋兵事杂志》第 24 期，第 17—18
页。
⑤ 《张之洞全集》第三册，第 257 页。
⑥ 《清末海军史料》（上），第 135 页。

缓慢而又艰难地开展起来。与海军重建相仿，军事期刊中的一些文章，在对海军建设诸多弊端与不足的反思中，逐步使近代海权观念深入人心。

19世纪末到20世纪初，海洋变得越来越重要，国家对海洋权的控制与国家的盛衰越来越紧密地联系起来。宣统元年（1909），由留日学生在东京创办的《海军》季刊即以鼓吹建设海军闻名，发表了一批讨论海权的文章。《海军军人进级及教育之统系》一文认为"凡一国之盛衰，在乎制海权之得失"①，把夺取制海权看作国家兴衰的关键。从"守土御海"的被动反应到力争海权的主动探求，反映了晚清时期海洋观由传统向近代转型的鲜明轨迹。

《海上主管权之争夺》一文也认为："观察各国势力，即以其海上权力之大小定之。何以故？海军强大，能主管海上权者，必能主管海上贸易；能主管海上之贸易者，即能主管世界之富源。"② 通过对海权与国家盛衰之间关系的讨论，留学生们一致认为，"立国之道，国防而已，处此弱肉强食之秋，立国之元素在军备，军备之撷要在海权。时会所趋，固舍所谓黑铁赤血以外无主义，坚船巨炮以外无事功矣"③。就是说，海权和海军建设是中国走向强盛的关键。

一些文章甚至能够跳出海军与国家安全的关系，从更大的视野中看待海军的价值与意义，如萧举规在《海军论》一文中指出，"所谓海上权力云者，约分五端：一曰商业地位之保全，二曰交通线之保全，三曰航业之保全，四曰侨民之保全，五曰海产物之保全"④。又说，"有海军，则国防之巩固，国势之发展，国民之生命财产得保，国家之秩序之安宁，以至维持中立、领海、通商、征税、海上渔业等均得赖保护之权利"⑤。这些认识，见解深刻，启发性

---

① 海涛：《海军军人进级及教育之统系》，《海军》1910年第2期，第211页。
② 笛帆：《海上主管权之争夺》，《海军》1910年第2期，第209页。
③ 范藤霄：《海军经济问题续议》，《海军》1910年第4期，第14页。
④ 萧举规：《海军论》，《海军》1910年2期，第40页。
⑤ 见《近代中国海军》，第597页。

大，对于深化人们对海军与海权的认识有积极作用。一些文章还对中国传统海洋观念的根源做了反思，认为造成我国海权薄弱的一个重要原因就是受传统重本抑末思想的困扰，沈鸿烈在《海军发刊意见书》中指出，"我国自有史以来，素持农本商末主义……使人民醉死梦生于小天地之中，直接为活跃进取、商务振兴之妨，间接为贸迁有无、航业发展之碍者，固为我民族受病之源"①。

二、军事教育

重视将士的教育，是近代军事改革的一大特色，也是清末军事期刊的重要内容。《无指挥官独立战斗之教育》一文认为："兵丁自摅忠勇，自图保国，备独立战斗之精神，有续行进攻之能力，始克收最后之胜利。否则任指挥官者，一经伤亡，兵心无主，军纪紊乱，稍有退让，则全军之大局亦必随之土崩而瓦解矣。"② 文章认为，有形教育和无形教育相辅相成，方能成就具有独立作战意识的士兵。所谓有形教育，即士兵的技能训练和战术训练。平时要进行独立战斗训练，更要重视实战的演习，通过演习达成独立的作战意识。此篇重在强调无形教育，即精神教育，一要有名誉心，"盖国家之有军队也，可以弭外患，扬国威，保利权，扩疆土，执牛耳于大陆，是军队诚为国最有名誉之物也"③。二要有公德心，"敌忾之气象者，正为士卒尚公德之气象也。士卒之于此时，得击敌之一弹，得近敌之一尺，即增一分公德之价值"④。三要有忍耐力，"非有百折不回之精神，不足操百战不殆之胜算"⑤。

《论军事教育当以培养精神为本》一文强调，"精神教育者，以养成军人之完全资格第一之天性，人人愿与国家效死力而不顾个人

---

① 沈鸿烈：《海军发刊意见书》，《海军》1910 年第 1 期，第 10 页。
② 张家瑞：《无指挥官独立战斗之教育》，《北洋兵学杂志》第 1 期，第 99 页。
③ 张家瑞：《无指挥官独立战斗之教育》，《北洋兵学杂志》第 1 期，第 102 页。
④ 张家瑞：《无指挥官独立战斗之教育》，《北洋兵学杂志》第 1 期，第 103 页。
⑤ 张家瑞：《无指挥官独立战斗之教育》，《北洋兵学杂志》第 1 期，第 103 页。

之生命者也"①，将精神教育区分为智育、德育和体育。同时认为，"欲培养其精神，当自学校始。要而言之，一学校即一军队也"②。主张在学校开展竞争性游戏，增强学生的竞争意识，同时指出，"精神教育者，即就其天然之真象以薰陶之，务保全其天然之勇，增长其新生之勇，化血气之勇为忠义之勇。人人知爱国即所以爱家，爱家即所以爱身。名誉之观念、勇敢之精神，早已印之有素，然后再教之以学术，以增其知识；教之以操练，以固其筋力；明之以大义，以定其心志"③。

　　关于精神教育之法，《兵卒教育略说》认为，"由于教练严肃而得之者半，由于内务实行而得之者半"④。所谓内务实行，即平时起居皆当立于规则之中，并认为，"养成军纪之道，则曰教练之严厉与内务实行之细密而已"⑤，如此则能养成遵章守纪的习惯，使每一行动都能合于军纪规范。同时该文也强调了领兵者的表率作用，"躬行率先者，精神教育之根本"⑥。《将校教育论》也强调了军官的素质对军队风气的影响，认为，将校教育为军队教育的根本⑦，"军队教育之如何，当即以将校之良否为之标准，而将校之良否，又当视将校教育之如何为之比例"⑧。对将帅所要具备的素质有基本的要求："一、对于上官之命令，宜实力奉行，以为部下之模范。二、自己宜奋发其精神及体力，以从事于勤务。三、凡下达之命令，宜简明确切，并须在适当之时机。四、对于部下宜使之奋励勤勉，有悦于从

①　李壬霖：《论军事教育当以培养精神为本》，《北洋兵事杂志》第 2 期，第 13 页。

②　李壬霖：《论军事教育当以培养精神为本》，《北洋兵事杂志》第 2 期，第 16 页。

③　李壬霖：《论军事教育当以培养精神为本》，《北洋兵事杂志》第 2 期，第 17—18 页。

④　王国栋：《兵卒教育略说》，《南洋兵事杂志》第 6 期，第 15 页。

⑤　王国栋：《兵卒教育略说》，《南洋兵事杂志》第 6 期，第 16 页。

⑥　王国栋：《兵卒教育略说》，《南洋兵事杂志》第 6 期，第 17 页。

⑦　见四册：《将校教育论》，《南洋兵事杂志》第 1 期，第 13 页。

⑧　四册：《将校教育论》，《南洋兵事杂志》第 1 期，第 13 页。

事勤务之意。"①

也有一些文章，走的仍是传统的路子，讨论的问题较为抽象，不易把握。如《练魂篇》认为练兵的根本在"练魂"，所谓魂与一般的精神不同，"精神之作用在动，而魂之养成在静。精神乃魂之用，魂乃精神之体"②。关于练魂之法，亦要通过练手、练足、练耳、练目、练脑加以实现，但需在四个方面加以注意，"一曰内务凡事必有定制。……二曰教练按秩序而施之，日积月累以进之。三曰训诫涤其秽恶之胸襟，进以高尚之思想。四曰游戏生其活泼之兴趣，饮以新鲜之空气"③。

《论军人之精神》一文将军人所应具有的素质归结为"忠节、礼仪、信义、武勇、质素"。所谓忠节，即"严守军纪，服从命令，以自己之身命为君国之牺牲"④。礼仪是指"凡对人之诸动作"均称为礼仪，实则强调一种内在的约束，所以说，"礼仪者实为服从之反应，而发见于外形者也"⑤。所谓信义，则为躬行与尽责，但文章也称："当此浊流横溢之际，应如何以信义自任乎？曰：无他，惟求诸己。"⑥ 所谓武勇，区分了大勇和小勇，小勇即"拔剑而起，挺身而斗"，大勇则为"临事而惧，好谋而成，沉着以处断，温和以接人，大敌不惧，小敌不侮"⑦。所谓质素，即操守，勿沾染习气，"朴实节用，勿流于骄奢淫佚"⑧。

一些文章则强调了服从的重要性，也有文章强调要赋予各级指挥官独断之权力。如《论军纪与军队之关系》一文即认为，赋权与服从并不冲突，两者是辩证统一的关系。强调军人的绝对服从，"凡

① 四毋：《将校教育论（续）》，《南洋兵事杂志》第 2 期，第 11 页。
② 震飞：《练魂篇》，《南洋兵事杂志》第 1 期，第 10 页。
③ 震飞：《练魂篇》，《南洋兵事杂志》第 1 期，第 10—11 页。
④ 剑飞：《论军人之精神》，《南洋兵事杂志》第 1 期，第 3 页。
⑤ 剑飞：《论军人之精神》，《南洋兵事杂志》第 1 期，第 5 页。
⑥ 剑飞：《论军人之精神》，《南洋兵事杂志》第 1 期，第 6 页。
⑦ 剑飞：《论军人之精神》，《南洋兵事杂志》第 1 期，第 7 页。
⑧ 剑飞：《论军人之精神》，《南洋兵事杂志》第 1 期，第 8 页。

军人，皆不可不绝对的奉行其长官之命令也。其行为之性质，则为片面的，而关系乎军队存立之重且大，殆有不可胜言者"①。文章还讨论了服从与责任心、军队服从上下无歧、不服从则为军队之罪人等问题。文章同时强调命令的正当性，不能以压服代替心悦诚服，"大之发号施令，小之一言一行，皆当明决信，直树之模范，以起属下敬慕畏爱之思想，而后进之以教育，范之以严法，能于不知不识之中，以养成其服从法令之习惯"②。

三、军事训练

清末军事期刊中涉及军事训练的文章不多，较为重要的有《步兵教育之绪论》《军队训练》《兵卒教育略说》《军队教育专断论》《陆军炮队教育指针》《小铳射击教育》等数篇。从这些为数不多的文章中，还是能看出这一时期训练观念和训练方法上的积极变化。

一是较少原则性的讨论，训练的针对性与实践性更为突出。《步兵教育之绪论》一文讨论了士兵需掌握的基本作战技能，如武器的使用、射击、距离测量等，此外士兵还要锻炼体能，掌握行进及驻军时的各项技能。训练的次序则要遵循由少到多、由简单到复杂的原则。"先使熟达各个教练，终图一队之一致，即各个教练恳切教授，使达于完满后，集合之以图一队之一致。"③

这些文章对于战术动作的理解更为透彻，不仅关注武器性能对战术的影响，尤其看重数学计算对战术行动的指导意义。《步队战斗射击之经验》一文主要讨论了受弹面积与距敌远近之间的关系。文章将与敌距离分作三段，第一段是 4500 米至 2000 米，第二段是 2000 米至 1200 米，第三段是 1200 米以内的距离。实战中要根据不同的距离，采取不同的作战队形及战术动作。如第一段距离正处于敌大炮射程范围内，应以纵队对敌，并拉大间隔，"不使其先头在一

---

① 王国栋：《论军纪与军队之关系》，《南洋兵事杂志》第 10 期，第 2 页。
② 王国栋：《论军纪与军队之关系》，《南洋兵事杂志》第 10 期，第 4 页。
③ 张寿熙：《步兵教育之绪论》，《武学》第 1 期，第 46 页。

横线上，再使各中队有时自行用跑步，半面向左右行进，以巧避敌人之炮弹"①。再如，以散兵线对敌时，士兵间隔疏密程度与被子弹击中之间有一定的数学关系，可以借助表尺做较为准确的估计。可以看出，此时关于战术的讨论已非凭借经验，而是要以数据和计算作为主要依据。但由于清军步枪始终未能划一，上面所讲的估算方法在清军的训练中实际上无法做到。

二是训练不仅针对普通士兵，还包括各级指挥人员以及后勤人员和后备人员。武器装备专业化程度的提升，对指挥官的素质提出了更高的要求，除日常管理外，还要能对各类器械的使用方法了然于胸。《陆军炮队教育指针》一文，对低级军官的训练做了较为详尽的介绍。按程度高低将低级军官分作头目甲班和头目乙班，分别教育。头目甲班，需掌握以下十几个方面知识或技能：徒步教练、单炮教练、驭法教练、野外勤务、通信术、测图术、炮兵操法、蹄铁术、军用文书、经理、马学等②。头目乙班训练要领与甲班相同，但程度要求稍弱。此外，对头年兵、二三年兵，也有详细的训练科目和所要达到的程度要求。

三是思想教育与训练的结合更为紧密。《兵卒教育略说》一文认为，训练包括基本教练、野外教练和射击教练，此外还应辅以体操与学科教育。各科训练的目的，"由基本教练以习成战场之普通动作，且养成军纪是也；由野外演习以习熟其应用力是也；由射击教育以习熟其专门之技，发扬火器之效力是也；由体操以柔软其关节，使其举动习于敏捷是也；由学科讲演，以磨练其智识是也"③。同时该文还注意到了训练的教育功能，如基本训练，既可达成一齐行动的目的，同时也可振起兵士之志气，而有利于军纪养成。

四是突出训练的科学性。训练的科学性，不仅体现在制度安排上，亦体现在手段运用上。《兵卒教育略说》一文认为，"不设计划

---

① 雷炳焜：《步队战斗射击之经验》，《北洋兵事杂志》第1期，第38页。
② 蒋廷梓：《陆军炮队教育指针》，《北洋兵事杂志》第1期，第69—70页。
③ 王国栋：《兵卒教育略说（续）》，《南洋兵事杂志》第7期，第3页。

教育不能企；不立顺序教育不能行；不定目的演习不始；不得结果
演习不终"①，有此四点，即将训练置于科学方法之上，而不再基于
经验。文章认为计划之道，第一要计时，即对各类科目所花时间要
有估计；第二要定目标，对未来要达成的目标要有考虑；第三要定
科目，即对要开展哪些训练，如何实施要有估计；第四当分时，即
区别科目难易，规划不同科目训练占用时间；第五定顺序，明白哪
些科目先行，哪些科目后行；第六是计程，对每天训练情况做详细
记录。②

四、各类战术战法

此类作品多以译著为主，多译自日文文献，有些则直接采用日
本士官学校的军事教材中的内容。一些文章标注作者为中国人名，
但从内容上看，仍以译著为主，或是译著基础上的改编，完全出自
国人之手的著作并不多。

除传统的步兵战术外，更多关注炮兵战术、骑兵战术及不同兵
种间的协同与配合，如《实验步炮兵连合之战法》一文，以日俄战
争为例，提出了两条重要原则，"欲实行攻击，则在战斗初期，抑压
敌之炮兵为必要之设施；我军运动及试射，迅速得占优势时，敌兵
即不易恢复"③。

在《日露战役炮兵用法之决论》一文中，作者认为炮兵使用不
当是俄国在日俄战争中失败的重要原因。该文认为，俄军战时常将
炮兵分散配置，虽利于隐蔽但指挥联络困难；日军则多集中火炮形
成炮兵集团，火力猛烈且便于统一指挥。作者由此得出结论，俄军
"所以终归于败者，非炮兵战之罪也。无联络焉，无掩护焉，若之何
其不败"④?《步炮两兵协同动作论》一文认为，步炮既可协同，同
时又能各自独立作战，是取得对敌步炮战斗胜利的关键。

---

① 王国栋：《兵卒教育略说（续）》，《南洋兵事杂志》第 7 期，第 1 页。
② 见王国栋：《兵卒教育略说（续）》，《南洋兵事杂志》第 7 期，第 2—3 页。
③ 陶叔懋：《实验步炮兵连合之战法》，《南洋兵事杂志》第 18 期，第 32 页。
④ 陶叔懋：《日露战役炮兵用法之决论》，《南洋兵事杂志》第 7 期，第 1 页。

　　一些文章还对一些特殊战法进行了介绍，如夜战、林地战、山地战、河川战等。夜战、林地作战中有士兵地形识别困难，易迷失方向、协同困难等特点，提出进攻或防守时应遵循的基本原则。如《论夜战》① 所列举的，预设标识方便辨认；对放枪距离及时机预为规定；宜用密集队形便于指挥等。《论夜间演习教育之顺序及方法》② 和《夜间战斗法之研究》③ 两篇，主要区分了夜间战斗的特殊性，对夜间行军、战斗的准备及实施做了较为深入的研究。还有文章对于空中力量也开始予以关注，《气球与军队有切近关系》④ 和《空中战斗之将来》⑤ 两篇文章介绍了飞艇对未来战争的影响。

　　还有些文章，探讨了战略与战术之间的关系。如《攻势战略及战术》，此文译自俄文，反映的是俄军关于作战理论的最新认识。该文将战略与战术作为一个整体加以研究，尤其关注兵种间的协同。"战斗间，各种兵之协力以期达成其破敌惟一之目的，在于彼此之行动不可不互相调和。……夫攻者之要诀，既在于步骑炮工之协同动作，……使各单位内之各种兵，恰如一体，互相协同，互相尊敬，互知彼我之真价，实所必要也。"⑥

　　五、战场指挥

　　传统兵学谈及指挥的内容较少，即使如《训练操法详晰图说》这样对西方军事理论有较全面吸收的著作，对于战场指挥的内容也仅有零星提及。但在清末军事期刊中，这一局面已发生了改变，有多篇论及战场指挥的文章，尽管仍较简略，但已可看出指挥的内涵，可惜此类文章均为译著。

　　《战斗指挥之概论》，对指挥官的任务职责进行了明确：一、有

---

① 《南洋兵事杂志》第 1 期。
② 《南洋兵事杂志》第 30 期。
③ 《北洋兵事杂志》第 3 期。
④ 《南洋兵事杂志》第 18 期。
⑤ 《军华》第 1 期。
⑥ 孔庚译：《攻势战略及战术》，《南洋兵事杂志》第 30 期，第 20—21 页。

关处置命令，送达于交战之部队。二、确定何时使用预备队，以不误时机。三、指挥直接之干涉，即亲率预备队至战前，以激励士气。① 该文还重点对夜战指挥做了深入讲解。《论军队之指挥与统率》一文阐述了指挥的目的与手段。文章认为军队指挥的目的在"情况、决断、授与命令"②，即掌握情况，定下决心，下达命令。要掌握情况需有侦察手段，强调要发挥骑兵的作用，"使骑兵之用法得宜，则已得胜利之先鞭矣"③。战场指挥考验的是主帅的决断力，所以主帅应当是"胆大于斗，心细于发，又能从容自如，不失事机者"④。具体到战场指挥，除要冷静客观地分析形势外，还必须对以下问题做充分的考虑，"一、我所受任务如何，且达成此任务最良之手段如何。二、全军共同目的如何，吾人如何使之生最有利之影响。三、遇如何敌、如何地形而后可战。四、断行之后生如何之结果"⑤。一旦定下决心，指挥员下达命令必须坚决、简明、清晰，不能使受令者产生误解。为防止差错，需口头与笔录相结合。下达命令时，须对受令者能否完成命令有所估计，并要给受令者留出独断专行的余地。

六、其他相关军事问题

除以上这些问题外，期刊中对军需保障、兵役及动员等问题也有涉及。旧时设有粮台、转运局，然而这些机构多率意取求，茫无稽考，事后仅凭一纸报销而已。随着装备日益复杂，军需保障的重要性也日益突显。《论整顿陆军宜研究经济》一文，提出要研究军需问题，给出三点理由，"国家财力通筹节省，可无虚糜帑项之虑，一也。经理有人，军队供职各员不至代办军需，凡训练教育诸端皆可

---

① 见陶叔懋译：《战斗指挥之概论》，《南洋兵事杂志》第 13 期，第 18 页。
② 万德尊：《论军队之指挥与统率》，《南洋兵事杂志》第 21 期，第 11 页。
③ 万德尊：《论军队之指挥与统率》，《南洋兵事杂志》第 21 期，第 12 页。
④ 万德尊：《论军队之指挥与统率》，《南洋兵事杂志》第 21 期，第 20 页。
⑤ 万德尊：《论军队之指挥与统率》，《南洋兵事杂志》第 21 期，第 16—17页。

悉心考究，二也。下至军曹士卒，其日用衣食，及患病扶伤各项，皆由公家按时供给调理，俾得专心操战，而不至有琐屑之营谋，三也"①。此类文章还有《论联络兵站路并其设立之方法》《论补充子弹》《战时诸般之给养法》《兵器及弹药之补充》《兵器及爆药之保存法》《军用车辆之要点》等。

此外还有讨论兵役制度的文章，如《说兵役》《论征兵宜颁明诏》等。《论征兵宜颁明诏》一文比较了募兵制与征兵制的异同，认为二者最大的区别在于有无国家观念，并认为，考虑到"吾民智未开，教育未普，户口未著"等原因，骤行征兵制可能被疑为抓壮丁，所以提议下诏征兵，明确告知权利义务，饰以荣身，将此称为"寓募于征"之法，认为"国家制度非可由地方各自为制"②。这些认识在当时都是较超前和有见地的。

第四节　从兵学到军事学

从甲午战争到辛亥革命爆发，是晚清军事改革推进力度最大的一个时期，也是传统兵学吸收西方军事理论有益成分，加速向军事学转型的重要时期。从兵学到军事学，不是名称上的简单转换，其中不仅有内容上的扩充，亦有概念和话语体系的迁移，还有研究方法上的转换。两套军事思维体系的转换有一定承继性，但更多的是突破与颠覆，也可以看作传统兵学退隐与军事学登上历史舞台的过程。具体而言：

一、兵学（军事学）的内容大为扩充
从传统兵书看，主要的兵学议题集中于战前谋划、建军治军、

---

① 陶叔懋：《论整顿陆军宜研究经济》，《南洋兵事杂志》第 15 期，第 12 页。
② 陈琪：《论征兵宜颁明诏》，《南洋兵事杂志》第 12 期，第 1 页。

选将用人、作战指导、战术战法等几个大类，军事制度、后勤保障、武器装备、战场指挥等方面的内容虽有涉及，但多较笼统，这与中国古代长期处于冷兵器时代，装备、运输、保障、人员安排相对简单有直接关系。晚清时期，随着武器装备水平快速提升，装备水平得以跳出冷兵器时代而进入热兵器时代，以热兵器为主要装备的战争实践，推动了教育训练、后勤保障，乃至军事制度等领域的显著变化，我们可以从清末军事期刊所登载的文章主题中清楚地看出这一点。如期刊中所涉及的地理测绘、装备保障训练、运输保障、战场救护、战场指挥及战争动员，这些问题在此前的战争实践中均有涉及，但此前的兵家没有也不可能从理论上对这些问题进行反思和总结。如战场救护在湘军时期即已存在，"受伤人数较多，俟医调后，查明阵亡人员，另单请恤"①。但当时仅设有专责医救的人员，不可能形成系统化的救护流程，更不可能形成理论。由于内涵发生变化，一些传统兵学中的概念逐步被新词语所取代，如选将即渐为学堂教育所代替。前者强调选，而后者更强调育，有一套完善的培育办法和机制，是累进式的、可干预或可控的。前者是自化的结果，而后者则是社会干预与自化相结合的结果。对军官素质的要求，军事学与传统兵学也有较多差异，传统兵学把"德"摆在突出的重要位置，军事学也强调德的重要，但同时看重熟练的专业技能。

二、科学精神的影响

晚清时期在引入西方军事理论著作的同时，亦有大批科学著作被引入进来，推动了科学精神或方法在兵学（军事学）中的弥散。科学精神对兵学（军事学）至少有以下两方面的影响：一是手段的科学化。管理和训练以数据为中心，而不再以模糊的、不准确的经验作为指导实践的依据。魏源在《圣武记》曾提出："国家欲兴数百年之利弊，在综核名实始"②，这里所说的综核名实，即准确的调

---

① 《曾国藩全集·奏稿二》，第 1432 页。
② 《魏源全集》第二册，第 507 页。

查与计算。图表是科学化的一个直观特征，将《新建陆军兵略录存》与《临阵心法》做个简单比较，即可看出，前者存在大量图表和示意图，用以记录日常管理和训练情况。表格本身所具有的统计的功能，能够使管理者直观地看出管理或训练的效果，更容易知道哪些措施需要调整，哪些则不必。二是决策的科学化。所谓科学化并不仅指决策中的合理性，而是必以数据作为决策的基本依据。如《统计与军事之关系》一文中所言："吾中国如无战争之准备，非独不能逐角于列强之间，吾恐虽欲求一立足之地不可得也。然欲求全完之武力，非平时经营准备不可；欲平时经营准备，非有资料作为根基不可；然欲求资料，非俟之于统计不能收效果。"[1] 所以文章认为："统计者，乃军事之一大要素也。有统计可以知吾国民平时与战时之负担能力，即可以知战时之费用究竟为吾国民负担能力之所及否？"[2] 尽管认识只是初步，尚处于意识觉醒的阶段，但已可看出，决策的基础在数据和统计，这亦是科学影响下的结果。

三、用语趋于规范和统一

军事术语的规范使用是兵学趋向专业化和科学化的重要特征。传统兵学的术语体系以范畴为核心。范畴语义丰富，思辨性强，但指代较为抽象，指导实战的功能较弱。随着晚清时期大量西方军事理论著作被引入，客观上要求建立一套新的话语作为接驳两套军事思想体系的工具。晚清时期的军事术语体系就是在这一过程中得以逐步建立起来的。将较早的《淮军武毅各军课程》与辛亥革命之前军事期刊所载文章的用语做个比较，能够看出从兵学到军事学在话语体系上的不同与承接关系。晚清时期的军事术语主要有两个来源：一是为解释新的军事观念而对旧有兵学概念重新界定，赋予新的内涵，如训练、作战等；二是来源于译著，特别是清末大量日本军事理论著作的引入，一些军事术语则直接采用日文汉字，如战略、战

---

① 翊武：《统计与军事之关系》，《军华》第 2 期，第 21 页。
② 翊武：《统计与军事之关系》，《军华》第 2 期，第 21 页。

术、动员、指挥、给养等词均来源于日语。尽管在一些文章中仍有大量传统兵学的习惯用语，但在意涵上也在随着形势的发展而产生变化。从总体上看，清末时期的兵学（军事学）术语总的发展趋向是规范和明确的，词汇边界逐步清晰，语义不再有多义性。光绪三十年（1904）颁订的《晚清新编陆军战法兵语字汇》①及光绪三十二年（1906）的《军语》出现是军事术语发展过程中的阶段性成果。

　　文化上的演进，并不总是遵循生物学上的由萌生到兴盛，再到衰朽这样一个过程。对于近代兵学而言，更像是从中心退隐的过程，在西方坚船利炮的冲击和西方军事理论的光芒映照下，传统兵学日益暗淡和无力，逐渐由中心退到边缘，而吸收了西方军事理论有益成分的军事学则逐步占据了中心位置。但传统兵学的价值仍在，它已内化为一种特殊的军事思维，仍然在影响着后世军事家看待军事问题的方式和角度。实际上，当中国革命的战争实践与时代发展相结合后，近代兵学的价值为毛泽东军事思想的萌发与壮大提供了历史养料，传统兵学由此再次焕发出新的活力，开始由边缘逐渐向中心靠拢。

---

① 见《晚清新编陆军战法兵语字汇》，《历史档案》2008 年第 2 期。

第八章　军事教育思想与实践

中国传统兵学中有选将而无储才育将之法，军官的来源主要是军功和武科举。太平天国运动兴起后，文人统兵、文人直接指挥作战几乎成了常态，这一方面说明，随着形势的发展，传统的文武分途在一定程度上被打破，另一方面说明，传统的军官培养方式缺陷明显，无法培养出足够数量的合格军人，而不得不依靠有一定文化素养的文人担任军职。这也说明，文人转学带兵打仗门槛不高，不需要进行专门化的教育训练。正因为统兵指挥缺乏专业性，所以选将多看道德操守，标准也极为含混模糊。如冯煦所推崇的彭玉麟的将材之论："有三等，智识洪远，天资忠亮者上也；秉性刚方，威克厥爱者次之；操守清廉，敬慎畏法者，又次之。其言最为切至。"[1]这些标准均指向道德操守，与指挥作战有关的专业能力标准均无涉及。曾国藩、胡林翼提出了陶熔造就之法，以营务处作为学习战守的储才之地，此虽为一大创举，然而这一制度的适用范围也很有限。

19 世纪 60 年代以后，随着武器装备越来越复杂，尤其是较先进的西洋大炮及舰船等军事装备被引入后，客观上已经形成了对掌握近代军事技能的新型军事人才的迫切需求，仅以道德为标准的选将方式及以战学战的陶熔之法，根本无法选拔或培养出能够熟练掌握近代化装备使用方法并运用新作战方法指挥作战的新式军事人才。传统的武科选将机制，仅注重身体素质，而不重视智力和文化素养，依照这样的体制选拔出来的军官普遍素质不高，根本无法担负近代

---

① 　冯煦：《请图自强折子二》，《蒿庵类稿》卷十二，页十三，文海出版社，1969 年。

化的训练和作战任务。如何解决人才匮乏问题，几乎成了 19 世纪
60—70 年代多数疆臣上奏讨论的主要问题。一些接受西方观念较为
迅捷的思想者逐步认识到，要适应武器装备的变化，必须改变陈旧
的选将制度，创设新的教育方式，而仿照西方兴办近代化的军事学
堂则成为唯一可行的道路。如丁日昌所言："惟兵可数月练就，而将
才非累年培养不能有成，故现用之将才虽经选拣，而待用之将才亦
宜预储，必学堂精延教习，庶赴练船学习者有基；必练船勤加操演，
庶出洋学习者有其基。"①

一、甲午战前的军事学堂教育

左宗棠、李鸿章、张之洞等人通过创办近代军事学堂和选派青
年出国留学的办法，培养近代化的军事人才，从而开创了近代军事
教育的先河。

（一）福建船政学堂

晚清军事学堂之首创为福州船政局所办福州船政学堂，由左宗
棠最早提出创办设想。他在同治五年（1866）五月上奏称，"欲防海
之害而收其利，非整理水师不可；欲整理水师，非设局监造轮船不
可"②。十一月又称："夫习造轮船，非为造轮船也，欲尽其制造、
驾驶之术耳；非徒求一二人能制造、驾驶也，欲广其传，使中国才
艺日进，制造、驾驶展转授受，传习无穷耳。故必开艺局，选少年
颖悟子弟习其语言、文字，诵其书，通其算学，而后西法可衍于中
国"③。接办学堂建设的沈葆桢也明确提出"船厂根本在于学堂"④，
船政局"创始之意不重在造而重在学"⑤，把兴学育才放在突出的
地位。

---

① 《丁日昌集》（上），第 184 页。
② 《左宗棠全集》第三册，第 53 页。
③ 《左宗棠全集》第三册，第 301—302 页。
④ 《沈文肃公政书》卷四，页三，文海出版社，1967 年。
⑤ 《沈文肃公政书》卷四，页五十九。

福建船政学堂于同治六年（1867）正式开学。学堂主要培养造船技术人才和海军指挥人才，分设有学习制造专业的前学堂和学习驾驶、管轮专业的后学堂，前学堂以法文教学，又称法文学堂，后学堂以英文教学，又称英文学堂。福建船政学堂教授内容以全新的自然科学和军事技术为主，主要课程包括：法语、英语、算术、几何、三角、微积分、物理、机械学等，同时注重理论与实践相结合，前后学堂均重视实践课程，但各有侧重，前学堂以船体建造和机器制造与操纵为主，后学堂要学习航海、射击技术和指挥。后学堂有专门的练船，供学生海上亲试风涛。沈葆桢认为，"由海口而近洋，由近洋而远洋。凡水火之分度，礁沙之夷险，风信之征验，桅柁之将迎，皆令即所习闻者，印之实境。熟极巧生，今日聚之一船之中，他日可分为数船之用"①。同时指出，"出自学堂者，则未敢信其能否成材，必亲试之风涛，乃足以觇其胆智否。即实心讲究，譬之谈兵纸上，临阵不免张皇"②。沈葆桢还认为，"以中国之心思通外国之技巧可也，以外国之习气变中国之性情不可也"，所以学生除学习上述课程外，还需接受有关封建伦理道德的教育，"令读《圣谕广训》《孝经》，兼习论策，以明义理"③，保证学生思想不被西方的异端所侵蚀。

船政学堂为晚清第一所近代军事学堂，其在办学章程、教官聘用、学生招考、教学内容和方法等方面的探索，为以后的军事学堂提供了诸多借鉴，在管理和课程设置上的诸多办法，也为后来的军事学堂所效仿。到甲午战争前，船政学堂共毕业12届学生，不少毕业生成为北洋舰队的将领和技术骨干。李鸿章曾对船政学堂的作用给予过积极评价，他说："盖水师为西国专门名家之学，即以其人之道还治其人，未便师心自用，迄无成就。闽厂驾驶管轮学堂之设，用意极为深远，嗣又派出洋肄习，今南、北各船之管驾，如刘步蟾、

---

① 《海防档·福州船厂》（一），第237页。
② 《沈文肃公政书》卷四，页四十五。
③ 《沈文肃公政书》卷四，页六。

林泰曾、蒋超英等造诣皆有可观，……将来水师人才，必当于此辈求之。"①

（二）天津水师学堂

光绪六年（1880），因日本觊觎台湾而海防日紧，且北洋拟添购铁甲船，选募人员上船练习。因需人甚众，而若从福州调遣，动需时日，极为不便，且"欲兼供南北洋之用，恐亦有所不给"②，李鸿章遂奏请清廷，仿照福建船政学堂的模式，在天津开设水师学堂。天津水师学堂办学宗旨为储备水师人才，李鸿章曾说"伏思水师为海防急务，人材为水师根本，而学堂又为人材之所自出。臣于天津创设水师学堂，将以开北方风气之先，立中国兵船之本"③。光绪七年（1881）七月天津水师学堂建成。学堂设有驾驶学堂、管轮学堂和练船，学制初拟 5 年，后改为堂课 4 年，练船实习 1 年。设置课程主要有外文、几何、代数、三角、级数、重学、天文推步、地舆测量等。练船上应习诸艺主要有大炮、洋枪、刀剑、操法、药弹利弊、上桅接绳、用帆等课。同时"教之经，俾明大义，课以文，俾知论人，瀹其灵明，即以培其根本"④。为保证教学质量，学堂聘有外籍军事教官担任教习。船政学堂毕业生严宗光（严复）曾担任总教习一职。

严复于光绪六年（1880）进入天津水师学堂，"主督课者前后凡二十年"⑤，对于学堂教育见解深刻。严复认为，"强弱存亡莫不视此：一曰血气体力之强，二曰聪明智虑之强，三曰德行仁义之强"⑥，即体育、智育、德育要三位一体。严复特别强调身体素质的重要，他认为："古今器用虽异，而有待于骁猛坚毅之气则同。且自脑学大明，莫不知形神相资，志气相动，有最胜之精神而后有最胜

① 《李鸿章全集》第三十三册，第 369 页。
② 《薛福成选集》，第 159 页。
③ 《李鸿章全集》第十册，第 649 页。
④ 《李鸿章全集》第十册，第 649 页。
⑤ 《严复集》第二册，中华书局，1986 年，第 352 页。
⑥ 《严复集》第一册，第 18 页。

之智略。"因此，"君子小人劳心劳力之事，均非气体强健者不为功"①。严复不仅倡导，还身体力行，在天津水师学堂开设体育课程，如体操、击剑、游泳、跑步、跨栏、跳高等。

甲午战败后，有识者多对仿西式教育有名无实提出批评，严复也认为，"盗西法之虚声，而沿中土之实弊"②，"北洋实无一事焉师行西法"③。尽管建立西式学堂有年，但有兵无将的局面并未改观，他说，"今夫中国，非无兵也，患在无将帅。中国将帅，皆奴才也，患在不学而无术"④，深层原因在于不掌握现代自然科学。所以，要解决缺才问题，"非明西学格致必不可"⑤。又说，"不知曲线力学之理，则无以尽炮准来复之用；不知化学涨率之理，则无由审火棉火药之宜；不讲载力、重学，又乌识桥梁营造？不讲光电气水，又何能为伏桩旱雷与通语探敌诸事也哉"⑥?

（三）天津武备学堂

相比海军教育的规模式发展，陆军教育相对滞后，尽管清军较早地引入了西式装备，并采用西式方法进行训练，但陆军的军事学堂教育始终没有引起清廷足够的重视。随着 19 世纪 60—70 年代晚清陆军武器装备的不断更新，对掌握近代军事技能的新型军事人才的需求更为急迫。光绪元年（1875）美国将军额伯敦曾向李鸿章建议，仿照美国章程，开办一所武备学堂。李鸿章对此颇为动心，但最终未能下定决心办理，他在回信中给出的解释是："惟中国现有陆军马、步、炮各队，仿用洋法军器屡平大敌，操练尚属整齐，若议设武学院，延请总办、教习，经费颇多，须待筹画，一时尚未能定议。"⑦

① 《严复集》第一册，第27—28 页。
② 《严复集》第一册，第48 页。
③ 《严复集》第一册，第48 页。
④ 《严复集》第一册，第47 页。
⑤ 《严复集》第一册，第48 页。
⑥ 《严复集》第一册，第47 页。
⑦ 《李鸿章全集》第三十一册，第327 页。

直到光绪十一年（1885）春，盛军统领周盛波、周盛传上书李鸿章，提出"若不求速效，重创宏规，则莫如就天津紫竹林设一公所，仿西国武备院之制，择德弁中之精者，专司教操，饬各军挑选剽健而又精细之弁勇，送院学习，以期成就将才，为异日自强之本"①。李鸿章采纳了这一建议，向清廷呈递《创设武备学堂折》，称："泰西各国讲究军事，精益求精，其兵船将弁必由水师学堂，陆营将弁必由武备书院造就而出，故韬略皆所素裕，性习使然"②，同时认为西方国家对"枪炮之运用理法，步伍之整齐灵变，尤为独擅胜场。我非尽敌之长，不能致敌之命，故居今日而言武备，当以其人之道还治其人，若仅凭血气之勇，粗疏之材，以与强敌从事，终恐难操胜算"③。光绪十一年（1885）五月，清廷正式批准在天津紫竹林仿照西方军事学院之制设立武备学堂，即天津武备学堂，亦称北洋武备学堂，这是晚清开办的第一所近代陆军军事学堂。学堂聘请德国军官为教习，先后有李宝、崔发禄、哲宁、那珀等10余人在学堂任教。调选周盛波、李长乐、曹克忠、唐仁廉、刘盛休、叶志超、吴育仁、徐道奎、史宏祖、宋庆等部弁兵入堂学习。李鸿章又委派长期任幕府的亲信杨宗濂为学堂首任总办。学堂设有炮队、步队、骑队及工程营四科，光绪二十三年（1897）增设铁路工程科。

天津武备学堂不再教练刀矛弓箭等冷兵器技术和传统阵法，一律改用德式新操，教授新兵学理论。学堂设置的课程有兵法、地利、军器、炮台、算法、测绘等，学习课程分课堂、操场两大类。自然科学课程主要学习天文、地理、数学、物理、化学。军事知识理论课有兵法、军器及台炮营垒新法、行军接仗、设伏防守之法等。除此而外，还设有经史课。每天汉教习摘取儒家经史一则，写在黑板上，让学生照录，汉文教师给予透彻讲解，以激发学生的"忠义之心"。操场训练课则需逐日操练马步队、炮队各技。学生每年还须到

---

① 《周武壮公遗书》卷四，页三十三、页三十四。
② 《李鸿章全集》第十一册，第98页。
③ 《李鸿章全集》第十一册，第98页。

旅顺口、山海关等军营炮台实习①。学堂还规定："一月之内，每间三五日，由教师督率学生赴营演试枪炮阵式及造筑台垒之法，劳其筋骨，验其所学。"② 每两月由李鸿章派员考试一次，分别赏罚。经过一年学习培训之后，学堂学生"于西洋后膛各种枪炮、土木营垒及行军布阵、分合攻守各法，必能通晓"③。

天津武备学堂学制短，学生文化水平普遍不高。因主要科目都由德国军官讲授，尽管学堂配备有翻译，但语言障碍仍是问题。此外，一年中要学习全新的数、理、化、天文、地理知识和新兵学理论，枪炮构造原理，炮台营垒构造方法，武器的维修、保养，还要进行军事训练演习，学生不可能在任务重、时间短的情况下，对军事技术和军事理论有太深的造诣。加之天津武备学堂经费不足，规模很小，对当时全国军队的影响极其有限。但天津武备学堂第一次引入西方陆军军事教育制度和完整的课程体系，对以后几十年陆军学堂教育的模式有一定影响。

（四）广东水陆师学堂

早在中法战争期间，时任两广总督的张之洞已从亲身经历中看到了中外在军事领域的差距，他说，"独至船台炮械，则虽一艺之微，即是专门之学。有船而无驾驶之人，有炮而无测放之人，有鱼雷、水雷而无修造演习之人，有炮台而不谙筑造攻守之法，有枪炮队而不知训练修理之方，则有船械与无船械等，故战人较战具为尤急"④。有鉴于此，光绪十三年（1887），两广总督张之洞奏请在广州设立广东水陆师学堂。光绪十九年（1893），陆师学堂解散，改为水师学堂。其办学方针和课程设置"略仿津（天津水师学堂）、闽（福州船政学堂）成法，复斟酌粤省情形，稍有变通。大抵兼采各国

---

① 见王家俭：《北洋武备学堂的创办及其影响》，《中国近代现代史论集》第八册，台湾商务印书馆，1985 年。
② 《李鸿章全集》第十一册，第 98 页。
③ 《李鸿章全集》第十一册，第 98 页。
④ 《张之洞全集》第一册，第 296 册。

之所长而不染习气，讲求武备之实用而不尚虚文"①。所设课程，管轮专业学习机轮理法、制造、运用之源；驾驶专业学习天文、海道、驾驶、攻战之法。张之洞十分重视课堂学习与实践相结合，规定所有学生每年必须有9个月时间在课堂学习，另3个月时间在船上实习。如遇战事，则争取前往观览。学习结束后，即将学生拨入练船，使其将平时所学一一付诸实践。光绪三十年（1904），黄埔水雷局附属之鱼雷班并入该校之后，水师学堂更名为水师鱼雷学堂。至1913年该校因经费困难停办，前后共毕业学生200余人。

这两所武备学堂的学生在经过2—3年的学习，掌握了一定的西方军事知识后，都被分发到各营充任军官或教官，对推动陆军军事训练近代化起到了一定的促进作用。如光绪十三年（1887），李鸿章就曾令天津武备学堂优等生毕业回营，转相传授。这些经过西式训练的新式军事人才，成为日后建立新式陆军的骨干。

军事学堂的设立，将"西文西艺"引进课堂，给陈旧、落后的中国军事教育吹进一股新鲜的空气。外国语言和数学、物理、化学、天文、地理、机械、测量、绘图等学科的学习，大大改变了军事教育的内容，使之适应时代的发展和培养目标的需要。军事教育对西方学制的模仿，也奠定了中国军事学校的初步模式。从军事教育发展史的角度看，这些军事学堂的设立无疑具有划时代的意义，在武科举未彻底废除以前，它为中国军事教育开辟了一片新的领地，而后来的军事学校教育，也大多是在此基础上改进、完善和提高的。

二、甲午战后新式陆军学堂的全面建立

甲午战前，中国的陆军学堂仅有两所，而且广东水陆师学堂并非完全意义上的陆军学堂，它的陆军军事教育仅仅存在了五年，其毕业学生数目也极为有限。随着新式陆军的编练，新式军官的重要性日益显现，增设新式陆军学堂、加快新式军官的培养已变得十分迫切。

---

① 《张之洞全集》第一册，第549页。

光绪二十一年（1895），督办军务处在奏折中称，"各国将弁，率皆幼习武备，由学堂考升职任，故于行军兵法，运用枪炮及绘算测量各法，均能通其奥妙"，而"中国旧有将弁，多以壮年奋勇，荐擢职衔，至暮年精力就衰，勇气消磨，仅以旧有虚名分任兵事，不但于各国兵学毫无领略，即中土古今名将治军之道，亦属茫然"。①署两江总督张之洞也认为，"整军御武，将才为先。德国陆军之所以甲于泰西者，……其要尤在将领、营哨各官，无一不由学堂出身，故得人称盛。今欲仿照德制训练劲旅，非广设学堂，实力教练，不足以造就将材"②。以此为依据，光绪二十二年（1896），张之洞在南京仪凤门内创设江南陆师学堂，聘请德国军官骆博凯、泰伯福特、毛和思等"精通武事者五人"为教习，招收"年十三岁以上、二十岁以下聪颖子弟，文理通顺、能知大义者百五十人为学生"，分马、步、炮、工各门，研习兵法、行阵、地利、测量、绘图、算术、营垒、桥路各种学问，操练马、步、炮各种阵法。所有各门均以两年为期，两年后再令专习炮法一年。③

光绪二十二年（1896），清廷发布"武备学堂能否于各省会一律添设"的谕旨，要求各督抚妥筹具奏。光绪二十三年（1897），已回任湖广总督的张之洞创办湖北武备学堂，该校聘请德国军官法勒根汉为总教习，根次等为教习，开设军械学、算学、测绘地图学、各国战史、营垒桥道制造和营阵攻守转运等课④。同年，浙江巡抚廖寿丰在浙江杭州求是书院创办了浙江武备学堂，挑选浙江防营 25 岁以下，"略识文字，身体健壮"⑤之弁兵 40 名为学生，聘任日本斋滕季次郎和三宅缝造为总教习，学习期限正科三年，速成科一年。光绪二十四年（1898），贵州、陕西、安徽、山西等省也相继创办了

---

① 《请设学堂原禀》，《新建陆军兵略录存》卷一，页二十。

② 《张之洞全集》第三册，第 324 页。

③ 《张之洞全集》第三册，第 324—325 页。

④ 见《张之洞全集》第三册，第 413 页。

⑤ 朱有瓛：《中国近代学制史料》第一辑上，华东师范大学出版社，1983 年，第 547 页。

武备学堂。

庚子之役后，清廷练兵选将的心情更加迫切。光绪二十七年（1901），清廷再次发布上谕，要求各省"亟应于各直省会建武备学堂，以期培养将才，练成劲旅"，特别是还没有建立武备学堂的各省"即着该督抚设法筹建，一体仿照办理，以归划一"。① 于是各省督抚积极筹办，相继开设武备学堂。到光绪三十年（1904），几乎所有省份都已办有武备学堂。这些军事学堂课程设置基本一致。其主要课程有兵法、营垒、军器、数学、绘图、测量、理化、地形、外文等内堂课，以及马、步、炮、工、辎重和军事体操、打靶、演习等外场课。

由于缺乏统一的发展规划，这一时期的陆军军事教育略显杂乱，各校的教育质量也参差不齐。仅以学制而言，就有八个月、一年、三年之分。为"广储武备人才，举国划一"，练兵处在袁世凯的建议下，"酌采列邦学制"，于光绪三十年（1904）八月正式颁布了《陆军学堂办法》，统一了全国军事教育体制。

根据《陆军学堂办法》规定，全国陆军学堂分为三种类型，即正课学堂、陆军速成学堂和陆军师范学堂。其中正课学堂为长期正规的军事教育，又可分为四个等级，即为陆军小学堂、陆军中学堂、陆军兵官学堂和陆军大学堂。其中陆军小学堂"教以普通课及军事初级学，并养成其忠爱勇武、机敏驯扰之性质，以植军人之根本"。陆军中学堂主要"教以高级普通课及紧要军事学，并作成其立志节、守纪律、勤服习之实际，以扩军人之知能"。陆军兵官学堂主要"教以实行兵学，分讲堂、校场、野外教授演习，为造就初级武官之所"。陆军大学堂主要"教以高等兵学，统汇各科，淹通融贯，具指挥调度之能，为造就参谋及要职武官之所"。从陆军小学堂到陆军大学堂，"层累递进"，四个等级阶段的学业全部完成，需要7年零4个月至10年的时间。因周期较长，练兵处又在正课学堂以外，辅以陆军速成学堂和速成师范学堂，"以备目前各军武官各堂教习之选，

---

① 《光绪朝东华录》第四册，总第4718页。

俟各正课学堂办有成效，速成学堂即行停办"。① 除上述三种类型军事学堂以外，《陆军学堂办法》还规定了各省应于省会设立讲武堂一所，为各省现役军官"研究武学之所"。《陆军学堂办法》颁行以后，到辛亥革命爆发前的八九年间，全国共办起 70 余所军事学堂。这些军事学校培养了大批各级军事人才，极大地推动了晚清军事近代化的发展。

三、随营学堂及将弁学堂的建立

在新建陆军和自强军时代，这两支新式陆军部队为了训练各自的在职官弁，都建立了各自的随营学堂。这些学堂的建立，解决了军官在职培训的问题，这是新建陆军较湘、淮军更接近近代化的一个重要特点。随营武备学堂的教育内容与武备学堂大体相同，差别只在随营学堂只从各营中挑选学生。

光绪二十二年（1896）三月，袁世凯"专为造就将才起见"②，建立了四所新建陆军随营武备学堂，内分德文、炮队、步队、马队四所学堂，从各营挑选年轻、勤奋的官弁 230 余名，分入各学堂学习。分别以德国人慕兴礼、祁开芬、曼德、魏贝尔担任教习③。学堂学制二年，开设兵法、枪炮、算学、测绘、地理及战阵各法，并制定了严格的考核管理办法。学生每季大考一次，监考官、阅卷官和巡查官都由袁世凯亲自派定，一切规矩如同科场，优等者加薪受奖。为示鼓励，袁世凯还从每月的薪金中取出三分之一（200 两）作为奖学金。学堂培养了一批新式军事人才，据袁世凯自己称，"近时直隶募练新军，所派将校官弁，亦多取材于此。是该学堂之著有成效，足资实用，已可概见"④。光绪二十四年（1898），荣禄对随

① 《大清新法令》第三册，第 566 页。
② 《新建陆军行营兵官学堂试办条规》，《新建陆军兵略录存》卷一，页二十二。
③ 见杜春和等：《北洋军阀史料选辑》（上），中国社会科学出版社，1981 年，第 18 页。
④ 《袁世凯全集》第十册，第 317—318 页。

营学堂考察后称："（袁世凯）轮调各生，亲加考验，所学兵法、战法、算学、测绘、沟垒、枪学、炮学、操法及德国语言文学，均能洞悉窍要，日臻精熟。"①

袁世凯还很注重官兵的在职教育，光绪二十二年（1896）五月开办讲武堂，专门抽调在职的哨官和哨长学习，规定步队五营各哨官长三人，每日轮调一人来讲武堂"听讲行军政守各法"，由王士珍、孙鸿甲等"认真讲解，切实考询"。另设学兵营集中练习步兵操法，每期 1 至 3 个月。第一期选拔各棚正副头目。从第二期起，每期一营选送正兵 60 名入学，所挑学员"均须年在二十内外，性体灵敏结壮，兼能粗识字义者为尤佳"，并在本月十四日前选竣。受训后仍回本营，以备将来官弁头目之选。②

光绪二十三年（1897）正月，自强军也在驻地办起练将学堂。练将学堂分派洋将四人充任教习，轮流传授枪法、步法、测绘、战学四门课程，每日集华副营哨官赴堂听课，以四个月为期。③ 四个月后，又接办练弁学堂，从自强军中选派排长入堂学习，练习行军、侦探、测绘等技艺。这些学堂的开办，使自强军营哨排长各级将弁得到了轮训。

庚子之役后，清廷为解决因编练常备军所急需大量军官的问题，又命令各省将旧防勇"营哨各官，甄别择留，令入学堂讲习"④。袁世凯和张之洞因有新建陆军和自强军的基础，在接到清廷关于编练常备军的指令以后，各自率先编练了一支常备新军，同时也按照清廷的指令，于光绪二十八年（1902）各自创办了一所将弁学堂，专门用以培训择优留用的"旧日营哨各官"。袁世凯创办北洋行营将弁学堂，挑选"曾经带兵员弁粗识文字、有志上进者，作为学员"⑤，

---

① 《中国近代学制史料》第一辑上，第 541 页。
② 《重选学兵》，《新建陆军兵略录存》卷二，页二十五。
③ 《自强军创制公言》卷下，页二十六，《中国兵书集成》第四十九册，第437 页。
④ 《袁世凯全集》第十册，第 294 页。
⑤ 《袁世凯全集》第十册，第 294 页。

以八个月为期，进行轮训，同时附设兵目学堂，以培训军士，主要课程有战法、击法、演练、实练和射击等。至光绪三十二年（1906），该校已培训直隶、山东、山西、河南等省的在职官弁545人。张之洞开办湖北防营将弁学堂，以张彪为统带，培训湖北、湖南、安徽、江西等省的在营官弁，以一年半为期，光绪三十一年（1905）改名为湖北武备师范学堂。此外，袁世凯为了训练北洋新军步、骑、炮、工各兵科的官弁，于光绪二十八年（1902）在保定开办了练官营，以冯国璋为总办，但不久即停办。

练兵处成立后，随着全国普练新军的开展，清廷对新军士兵教育又进一步提出了新的要求，即新军士兵不仅要如新建陆军和自强军那样进行严格的操练和军事演习，而且还必须掌握浅近的军事学理论。练兵处在《陆军学堂办法》中规定："各营头目亦须粗知学术，应由各省各军在营队内考选聪颖识字兵丁，聚集一处，作为学兵营，专派教员授以浅近兵学，暨训练新兵各法，专备拔升头目之选。"① 嗣后，新军各镇、协也相继设立了各种形式的兵丁教育机构，教练各营兵丁，以提高兵学知识。北洋第二镇各营均设立"头目讲堂"，各队设立了"兵丁讲堂"，各协、标则设有"弁兵讲堂"②，按时对各兵丁、弁目进行兵学教授。北洋第四镇则设立了"头班随营学堂"，挑选略识文字的目兵、员弁及文书人员充当学兵。

四、武举的改革与废除

清朝沿袭明朝旧制，把武科考试作为选拔武职官员的一种途径。有童试、乡试、会试、殿试，分内外三场，主要通过演练步射、骑射，弓、刀、石、技勇和默写武经的考试确定功名，授予相应的武职。要想走科举这条道路，平时自然要学习必要的武经知识，练习相应的技艺。这个传统制度和办法，在清朝前期和中期，对军事教育训练事业的发展，不能说未起一点促进作用。除武科考试外，清

---

① 《大清新法令》第三册，第570页。
② 张侠等编：《北洋陆军史料》，天津人民出版社，1987年，第316—317页。

朝也从行伍有军功者中提拔、荐举低级武官。

武科的弊端早在清朝中期即已显现，其与人才培养方式的不相适应更加突出。清中期后，火器已大规模用于战争，但具有导向性影响的武举选拔制度却并未随着武器及作战形式的变化而变化，专注形式，每次考试都轰轰烈烈，但不讲实效，以致考试时只注重外场，忽视内场，造成一些武生专注于武艺的训练而轻视军事韬略的研究。曾国藩在其《武会试录序》中有这样的文字："各行省山泽猛士，又罗之以科举，所以储采干城之选，至周且当。顾循行既久，向之所谓市井挽强、记录无用者，多亦傥乎其中。而臣之所职，又唯校此默写孙吴之数行，无由观其内志外体，与其进退翔舞之节。"[1] 曾国藩对仅以默写几行兵书作为选拔国家干城的方式，表示了怀疑。

同时火器的大量使用，迫使作战方式、训练方式朝向更为科学化的方向发展。对于将领的要求，则需要知晓更多的近代化装备、训练甚至科学知识。而以骑马射箭、拉硬弓、举大石、舞大刀这种古老的方法选拔出来的将领，是不可能具有这样的素质和眼光的。同治年间以来，随着洋务运动的兴起和发展、军火企业的兴办，不但淮军，清朝其他经制兵的武器装备都在快速更新，沿用数千年的冷兵器正在失去存在的意义。

由于武举选拔制度与新的作战需要严重脱节，以致出现这样的怪现象：武科出身的人不会使枪炮，会使枪炮的只限于行伍。绿营将官多以行伍出身为正途，武科举出身的不足三分之一。无论是行伍出身还是武科出身，在考选升迁时，所重都是骑射和臂力，根本不重韬略。[2]

可以看出，武举作为中国延续了千年的武官选拔制度已经失去活力，很难再为国家稳定提供可靠的军事人才。沈葆桢曾对武科出身的官弁有过生动的描写："顾自军兴而后，窃计国家所以收得人之

---

[1] 《曾国藩全集·诗文》，第193—194页。
[2] 见《丁日昌研究》，第197页。

效者，多半由额兵练勇而来，科目之荣，远不逮焉。即以京旗论，人才辈出者，首推火器营、健锐营，今则神机营出色当行矣，何者？所习其所用也。臣到任日，武举联衔禀诉，投营几及十年，不得一差，心焉悯之。然详细察看，其晓畅营务，实不足与行伍出身者比，其奋勇耐劳，实不足与军功出身者比，何者？所用非所习也。夫归标效力者，尚能束身自爱，勉就范围，而无事家居者，往往恃顶戴为护符，以武断乡曲。盖名虽为士，实则游民，有章服之荣，而无操防之苦，故以不守卧碑注劣者，文生少而武生多，则又非徒无用也。"①

实际上自鸦片战争以后，要求改革武科的呼声就不绝于耳。魏源就曾提出要在福建、广东二省武科中增设水师一科，"有能造西洋战舰、火轮舟，造飞炮、火箭、水雷、奇器者，为科甲出身；能驾驶飓涛，能熟风云沙线，能枪炮有准的者，为行伍出身"②。19世纪60年代，王韬曾明确提出当废止将弓刀石作为拔取的主要依据，而应改试枪炮。他说："至武科，亦宜废弓刀石而改为枪炮。其上者则曰有智略，能晓悉韬钤，深明地理，应敌之机，制敌之命；其次曰勇略，能折冲御侮，斩将搴旗；其次曰制器，造防守之具，明堵御之宜，其建筑炮台，制造机器，悉统诸此，务足以尽其所长。"③

尽管武科举的弊端饱受诟病，但思想界普遍仍肯定武科为一种选拔军事人才的办法，希望通过改革武科考试，改变风气。"夫设科取士自有常经，而救时需才，不拘成格，是必别有陶熔之方，宽予登庸之路，俾人人知所趋向，鼓舞振兴，而后习文事者不专攻于词章书法，肄武备者不徒求诸弓矢刀石也。"同治六年（1867），王韬提出考选军政人才的办法，"询山川形势军法进退以观其能兵"④，这一主张受到李鸿章的称赞，却遭到清廷顽固大臣的极力反对，格

① 《沈文肃公政书》卷七，页六十九。
② 《魏源全集》第四册，第37页。
③ 《变法自强（中）》，《中国近代思想家文库·王韬卷》，第199页。
④ 《弢园尺牍》，中华书局，1959年，第279页。

于部议而不果。比较激烈的提法来自沈葆桢，同治十一年（1872），他请求，"废无用之武科以励必需之算学，导之先路，十数年人才蒸蒸日上，无求于西人矣"①。光绪十一年（1885），张佩纶上奏清廷，请将弓、矢、刀、石、矛等旧武艺改为测试洋枪。他建议："聚中国之武进士、举人、生员，以与西洋之兵敌，孰胜孰败，夫人而知之矣。聚中国之劈山炮、抬枪、鸟枪，以与西洋之后膛枪炮敌，孰利孰钝，夫人而知之矣。"② 然而，以上这些建议均未被采纳，直到甲午战败，人们才重新开始审视武科选拔军官的弊端。

光绪二十三年（1897），荣禄、胡燏棻先后奏请抛开武举，设立武备特科。此奏交军机处与兵部议复，结果军机处与兵部否决了开设武备特科的主张，但赞同武科改试枪炮和各省设立武备学堂。③光绪二十四年（1898）二月，清廷发布了武科改章的谕旨："现在风气日新，虽无庸设立特科，亦应参酌情形，变通旧制。着照该大臣等所拟，各直省武乡试自光绪二十六年庚子科为始，会试自光绪二十七年辛丑科为始，童试自下届为始，一律改试枪炮。其默写武经一场，著即行裁去。"④ 这样，武科考试的形式虽然保存下来，但去除了原来考试的马、步、弓、箭、刀、石、武经等内容，而一律改试枪炮，这一改革后因戊戌政变的发生而未见生效。

庚子事变后，武科改革再次成为热议话题。张之洞与刘坤一在《江楚会奏变法三折》中主张立即废除武科，他们认为，"硬弓刀石之拙，固无益于战征，弧矢之利，亦远逊于火器。至于默写武经，大率皆系代倩，文字且不知，何论韬略"，所以，必须废除武科考试，"揆之今日时势，武科无益有损，拟请宸断，奋然径将武科小考、乡、会试等场，一切停罢"⑤。此后不久，光绪二十七年七月十

① 《中国近代史资料丛刊·洋务运动》第五册，第117页。
② 《涧于集·奏议》卷三，页六十三。
③ 见《光绪朝东华录》第四册，总第4044—4048页。
④ 《光绪宣统两朝上谕档》第二十四册，第59页。
⑤ 《张之洞全集》第四册，第13页。

六日（1901 年 8 月 29 日）清廷发布上谕："武科一途，本因前明旧制，相沿既久，流弊滋多。而所习硬弓刀石及马步射，皆与兵事无涉，施之今日，亦无所用，自应设法变通，力求实用。嗣后武生童考试及武科乡会试，着即一律永远停止。"①

武科制度的废除在当时并没有引起太大的社会反响，但是这种旧制度的废除，对于建立新的军事教育制度有很大的促进作用，使此后军事人才的培养全都趋于近代军事教育一途。②

---

① 《光绪宣统两朝上谕档》第二十四册，第 484 页。
② 见李细珠：《张之洞与清末新政研究》，上海书店出版社，2003 年，第 226 页。

第九章　文人与兵学

中国有文人论兵的传统，特别是宋、明以后，文人参与兵书撰述成为中国传统兵学发展过程中的一大特色。文人将儒家思维中的一些观念和方法带入以诡诈为基本特征的兵学中，使兵书或兵学思想呈现出了与先秦兵家不同的特征。

晚清时期，除曾国藩、胡林翼、左宗棠、李鸿章等文臣握笔从戎，亲自参与战争活动外，还有大量的文臣或儒生，延续前代传统，参与兵学问题的讨论或兵书的著述，表达自己对于兵学的见解。尽管以"使力用诈"为特征的兵学与"仁者无敌"的儒学本质上是相冲突的，且因受传统文化中重文轻武思想的影响，多数文人对于"卑俚通俗"的兵学著作大都抱着轻视的态度，视"兵事为小人之事，非学者之事"①，但在国难当头、内外交困之时，文人的家国情怀会推动他们走出书斋，参与到救国于危难的实践中，他们试图利用自己在学问上的优势，通过自己的主动作为，影响或改变时局朝有利的方向发展，从而践履忠君爱国的理想，这是文人参与兵学讨论的原始动因。晚清内外交困的社会现实，客观上为文人言兵提供了社会土壤。

---

① 《胡林翼集》第二册，第264页。

第一节　晚清时期的文人论兵

一、文人论兵的主要形式

与前代的文人论兵不同，晚清时期，特别是湘军崛起后，以文臣身份统兵作战已渐成一种新局面，文臣在书斋里获得的兵学知识，能够在战场上得到验证或修正，改变了过去文武关系的对立。胡林翼即曾提出"兵事为儒学之至精，非寻常士流所能几及也"①，不仅将兵学归入儒学系统之中，更将兵学提升到"儒学之至精"这样一种地位来看待，突破了兵学与儒学两不相涉、文臣与武将两不相融的壁垒，这对于兵学的发展有着相当大的促进作用。然而晚清时期能直接走向战场，并在战场验证兵学认识的文人毕竟只是少数，未经战阵而参与兵学讨论和兵书著述的仍占多数，走的仍是历代文人论兵的传统路数。具体而言，晚清时期的文人论兵主要有以下几种方式：

一是对于传统兵书的校订与整理。这是学者最擅长的方式，也是学术意义最大的方式。晚清时期被学者关注较多的历代兵书是《武经七书》，其中尤以《孙子兵法》被关注最多，成果也最众。但从总体上看，由于时代所限，晚清时期的此类工作成就不大，未产生特别有影响力的作品。（详见下一节）

二是学者直接撰述兵书。一些民间学者对于兵学极有热情，但因无临战的机会，其对兵学的理解皆来源于历史文本，所以此类作品，尽管形式完整，但跳不出前人设定好的框架，内容多较空洞，学术价值不高。如饶大容所撰《兵略丛言提纲》，于选将、训练、束伍、阵法等均有提及，然而细读，多为引述之语，或引正史中的战

---

① 《胡林翼集》第二册，第653页。

例，或直接引述经典兵书章句，阐发多流于表面，对于兵学原则间的内在关系亦无分析。如对阵法，谈到了八卦阵、六花阵、鸳鸯阵，但对阵法与作战之间的关系，仅以"古之阵法，何其多也，然其名虽多，总不离乎节制之法"① 一笔带过。再如李蕊的《兵镜类编》，提出了一些新的战术，如散队战术，以及空城、空寨、地孔（地道）、地雷诱歼等战术，而这些想法多来源于戚继光的《纪效新书》。其他如以渔网兜裹炮弹，以铠甲、铜面抵御炮弹攻击，则完全出于想象，脱离实际。类似的作品还有《权制》，从全篇内容上看，尽管对西方的军事观念有所借鉴，但写法未跳出传统兵学范畴，且新旧杂陈，内容庞杂，一些思想缺少实践的基础，仅具有纸面上的意义。

三是文人参与兵事讨论。一是在京文臣始终对议兵富有热情。清朝的翰詹科道均有单独上奏的权利，凡遇国家非常时期，这些官员多积极建言，提出自己的应对之方。在这些人的文集中及晚清多部经世文编中均保留有此类文本，涉及军制、边防、海防、兵器、筑城等方面的内容，也有部分关于作战、选将的内容。如同治三年（1864）十二月，陈廷经上奏"各省设兵，不为不多，而军兴以来，按籍有兵，屯营无兵，食粮有兵，杀贼无兵"②，另讲"平时讲武，弓箭为先，临阵交锋，火器为上"，但推荐的书目则为明人所刻《五火元机》，其中提到"火枪、火刀、火牌、火棍"等名目，实际上湘军在同治二年（1863）就已装备鸟枪，此时仍以古人旧法来应对，显然是脱离实际的。除京官外，民间亦有学者参与时事讨论，他们往往将兵学视作经世之学的有机组成部分，如郑观应的《易言》中有《论船政》《论水师》《论火器》《论练兵》等篇，对于海军与海战有较深刻的认识。薛福成所著《筹洋刍议》也提出了自己应对时艰的解决之法。

---

① 饶大容：《兵略丛言提纲》，营阵十一，清光绪三十四年（1908）本。
② 《曾国藩全集·奏稿八》，第 4659 页。

二、晚清文人论兵的主要特点

（一）多言军心士气

一些人不关注现实，耽溺于抽象的概念不能自拔。以抽象的逻辑应对现实的威胁，将决定战争胜利的因素归因于决心与意志，产生出诸如道德制胜论、意志制胜论等论调。比较典型的是倭仁讲的"以忠信为甲胄，礼义为干橹"①，坚持正义之师必胜的信念。俞樾也曾说："兴起教化，劝课农桑，数年之后，官之与民若父兄子弟，然一旦有敌国外患，凿斯池也，筑斯城也，与民守之，效死而民弗去，夫何守之不固乎？'壮者以暇日修其孝弟忠信，入以事其父兄，出以事其长上，可使制梃以挞秦楚之坚甲利兵矣'，夫何战之不克乎？"② 类似的说法还有："今欲为战之说，必先求战之本。本者何？吏治也，民生也，士习也，军纪也。国家于此四者尽其心，得其法，则我中国之根本固矣，心膂壮矣。朝与野一其道，同其风，上下贵贱固结而为一心，兵之鼓勇而出也。彼一炮能伤百人，我以千人进；彼一炮能伤千人，我以万人进。悉如普人攻法国之炮台，使大炮并无装放之暇，而如林如旅之众亡命直前，苟近其身则枪炮无所施能，迁远于海，则轮船铁甲有所不能到，则彼亦且如我何？"③ 这些说法，看似雄壮有力，但却无施行之可能。道德、意志固然重要，但若无实力这个物质基础，意志或道德的力量就是空中楼阁。

（二）侈谈为将之道

受专业知识所限，文人多不能从更为客观的战略战术的运用、后勤保障的妥洽与否、兵器是否合宜上给出切实的意见，而只能将关注的中心聚焦于人，所以文人讨论选将与为将之道的论述很多。如刘连城所著《将略要论》，尽管序言中有人盛赞该书"实由身心

① 《筹办夷务始末（同治朝）》第六册，第 2021 页。
② 俞樾：《自强论》，《春在堂全书》第三册，凤凰出版社，2019 年，第 852—853 页。
③ 金眉生：《我战则克论》，《郑观应集》，第 849 页。

性命而出，与纸上谈兵者奚啻霄壤"①，然而细读，所论空洞，缺乏实质性内容，认识仍停留于"道""机"这些抽象的概念上。谈将领素质，也没有超出《孙子兵法》所讲的"智、信、仁、勇、严"五字。类似的作品在晚清几部经世文编中均有体现，如《皇朝经世文统编》中有《选将论》《选将以一众心论》《储将才论》《论练兵宜先核将才》等，《皇朝经世文四编》中有《选将论》《储将才论》等。《选将论》说："将也者，有平时训练之才，有当机攻守之才，有事后息养之才，而运用之妙实皆归宿于一心。心者，才之所自出也。以一心成天下之务者，谓之才；以一心取天下之善者，谓之学；以一心断天下之是非者，谓之识。无识量学术以裕其才，则偏裨之任耳。"②《选将以一众心论》提出："救今日之弊，必先以齐众志、一众心为第一要义，务使将之于兵，兵之于将有身使臂指之助，呼吸相通，声气相应，履险如夷，视死如归，然后可以杀敌致果，冲锋陷阵而无难矣。"③ 在文臣言事的奏折中，选将亦是讨论的重要话题。究其原因，是为将之道与文人喜谈的形上之道相类，能付诸实践的成分少，而思辨的成分多，自由发挥的空间广阔。然而近代随着武器装备水平的提升，对将领的要求也更加专业化。选将重要，但需以掌握基本的专业技术为基本前提，不考虑专业技能，而仅以德、忠等无法量化的指标为选将标准，是不可能选出良将的。

同一时期的西方，已从选将而转为培育人才，形成了一整套教育方案，如李鸿章所言："西洋各国武官无不由学堂出身，由世家子弟挑选，国人皆敬重之。其学有在岸者，有在船者。国家设立多学，教其各习艺业。在堂所学者其理，在船所习者其事；出学当差数年，可仍回原学，再加精练，按年考试，去取极严，是以将才辈出。"④ 尽管晚清时期武器装备引进与革新的速度不算快，但对人才专业化

---

① 刘璞：《将略要论》，序一，清光绪十九年（1893）本。
② 《选将论》，《皇朝经世文四编》卷三十五，页一，文海出版社，1972年。
③ 《选将以一众心论》，《皇朝经世文统编》卷七十五，页七，文海出版社，1980年。
④ 《李鸿章全集》第十一册，第149页。

需求的趋势却是很明显的。没有专业化的知识，根本无法进行有效的日常管理和指挥。如丁日昌在解释水师提督李朝斌、彭楚汉不能出任海军统领的原因时说："该提督等平日所习之长龙、舢板，与外海之兵轮船绝不相蒙，外海波涛汹涌，旦夕万状，飞轮、硼炮变化无穷，非自幼衽席其间，熟谙其法，断未有不改常度者。"① 要培养合格的军事领导者，必须依靠专业化的军事学堂，"将才非累年培养不能有成，故现用之将才虽经选拣，而待用之将才亦宜预储，必学堂精延教习，庶赴练船学习者有基；必练船勤加操演，庶出洋学习者有其基"②。

（三）以旧法解决新问题

也有一些文人能够较多地关注现实，从抽象观念移步于器械、兵制、战法，其中亦不乏真知灼见。但从总体上看，与现实仍很隔膜，常以历史旧例附会新现实，所言多不着边际，有些根本无视现实，跳不出旧经验。原因在于既不知己也不知彼，对敌方实力没有或不愿沉下心来做细致的观察与研究，而一味凭想象杀伐决断，将旧法作为解决新问题的灵丹妙药。

如海防。很多人对水师与海军的区别认识不清，往往以办江防的思路来理解海防，所以始终突破不了从海口到海面的这段距离。中法战争前后，大办海防成为朝野上下热议的话题，不仅清廷内部皆言海防，民间学者也参与其中，热闹非凡。然而相较于陆上作战，海防的专业性更强，没有近代西方海战理论知识的武装，没有切近的调查研究，很难提出有价值的思想。尽管言海防者众多，观点纷呈，然而真正有价值，能够指导实践的却基本阙如。

尽管当时距离鸦片战争已过去二十余年，但一些人的认识似仍停留在以陆战海的旧时代，有些似尚不及二十年前魏源的认识水平。如《论海防为近今之急务》一篇，从根本上否定了海防建设的必要性，"殊不知海亦无所防者，汪洋浩荡，茫无津涯，我出此途，彼来

---

① 《丁日昌集》（上），第184页。
② 《丁日昌集》（上），第184页。

他道，顾此则失彼，顾彼则失此，兼顾则不胜其烦，择要又将莫知所向。且兵家有声东击西之举，明修栈道，暗渡陈仓，将若何？兵家有劳师縻饷之策，虚张声势，按兵不动，将又若何？我既堕其防不胜防之计，彼乃出其突不胜防之师，是我以凭海而无权，彼且恃海为得计，故海亦何所防哉……要在防乎海口以内而不必防夫海口以外"①。在另一篇《论海防》中，作者认为炮台不可恃，"外洋讲究炮台之法者，莫如法国，而普法之战悉被德人摧毁，然则有炮台者果可恃也，否耶"②。作者提出了自己的对敌办法："与其明明御以无用之炮台，不如暗暗伺以不测之埋伏，生番黎匪拒我官兵，往往掘坎伏人，藏枪丛莽，或所披之衣与树一色，及渐行渐近则突然放枪，以故常中其计。若以此法御敌则敌人虽狡，又焉能测。若再用水雷、鱼雷预藏于险隘处，待其行近而后击之，此即以逸待劳，以主待客之法。"③ 早在鸦片战争时期，此类自欺欺人的战法已被证明是臆想。

民间学者如此，多数文臣对于海防的认识也未见高明多少。如御史朱一新上奏《敬陈海军事宜疏》，提出加强胶澳的建议，"欲固旅顺、威海，则莫如先固胶州，……一旦中外有事，运北洋之军实，以济胶州，则指臂可以相联，而西夷窜扰之谋无所逞。或运齐鲁之杂粮以供禁旅，则漕运可以直达，而西夷封港之技无所施。建威销萌，形势利便"④。对此，李鸿章专门上奏逐条加以批驳："惟称旅顺非战守善地，又云其地锁钥北洋，屏藩辽沈，未容置为缓图。诚如尊示，矛盾其词。所云旅顺六病亦未尽确。一、口门狭，则我能出而敌不易入，转觉紧固易守。敌船封堵与否，本不系口门之宽窄。二、疏浚淤浅费帑，凡水师屯埠，不论大小，未有不须疏浚，即未

① 《论海防为近今之急务》，《皇朝经世文四编》卷三十七，页二。
② 《论海防》，《皇朝经世文四编》卷三十七，页三。
③ 《论海防》，《皇朝经世文四编》卷三十七，页三。
④ 朱一新：《佩弦斋文存》卷首，页十九、页二十，载《拙庵丛稿》，第1267页，文海出版社，1972年。

有不费帑者。三、口外亦有浅滩暗礁，不尽陡岸，敌虽有可登陆之处，要在防守严密。四、各炮台皆有巨炮，交互夹击，敌船炸弹有山遮蔽，内埠不致大损。五、无内河通腹地，固无如何，有事时须预集陆军援护。六、大连湾距旅尚远，金州后路暂有毅军分防，临时仍应添兵，彼不过欲先固胶州，故为抑扬失当之论。殊不知胶距天津一千三百余里，实属鞭长莫及，且胶澳僻在登莱背后，距黑水洋至成山头行船正道尚三百余里，敌船可扬舲直北，不必旁趋。若以全力营胶州而置旅顺于不顾，彼谓堂奥得以晏如者，实未敢信。书生逞臆妄谈，无足怪也。"①

候补道恩佑更提出以集群舢板对抗西洋巨轮的惊人想法，"（舢板）船头设四管诺等飞炮一尊，船上兵丁可持挡牌一面，各带小洋枪一枝，并载火箭、水雷等项。船行迅速，不畏风涛，如遇敌船，远近皆可攻击。以之分布海面，扼守海口，夷船虽大，不能敌我之众多；夷炮虽巨，不能击我散漫"②。李鸿章对这一意见的回复是："方今海战，大抵以铁甲御铁甲，则炮巨铁厚，调度灵捷者胜；以铁甲御兵轮，则有铁甲者胜。……若论以小胜大，以多胜寡，亦只能用薄甲大炮快轮船及鱼雷艇三五只，在海口围攻一大舰，追敌易及，应变较速，尚可出奇制胜。若所拟舢板式样在海面殊无把握，似不必轻于一试，徒糜经费。"③

如学者所言："毫无疑问，海防建设需要借鉴历史经验，但必须与严峻的海防现实情形相结合。缺乏对于海防形势的真实判断，尤其是缺乏对敌对于势力和装备的全面了解，仅仅通过阅读历史书籍就想建言立策，于国家海防建设毫无助益。"④ 尽管文臣言论不着边际，但清廷中枢却屡屡将此类完全脱离实际的书生之论下发督抚讨论，要求给予回复，可见清廷中枢对于海军发展并无基本认识或

---

① 《李鸿章全集》第三十四册，第41页。
② 《李鸿章全集》第十册，第609页。
③ 《李鸿章全集》第十册，第609页。
④ 《晚清海防：思想与制度研究》，商务印书馆，2005年，第233页。

判断。

再如团练。在经费支绌的大前提下，要找到军事能力迅速提升的办法，文人经常习惯性地想到古代思想家所提倡的兵民合一、寓兵于民，而民团则常被文人视作最接近这一思想的现实组织，"寓兵于农，古之良法。后世民团，亦差近之"①。事实上，湘军、淮军仅最初几个营来源于团勇，但相当多的人将团练等同于湘军，将镇压太平天国视作团练之功，每到国家遇有危机时，总有诸多大行团练的奏请，民间亦有很多关于施行团练之法的议论。如同治十年（1871）内阁中书端木采的上奏就颇具代表性，他说，"团练不费国家丝粟，自保身家，多一团练之民即少一胁从之匪。推而言之，即湘、淮诸军摧殄巨寇，为国捍患，亦孰不由团练而起"②。再如光绪十年（1884）中法战争之际，御史赵尔巽上奏《兼筹团练折》，称团练之利约有四端："寓兵于民而饷可不耗，一也。教民所在皆是，宜防内应，维团练易于稽查，无虞窃发，二也。夷人虽器械精利，每以重利啖使土人为之前驱，团练成，则精壮皆已入伍，不为敌用，三也。万一我兵失利，而处处有团，即处处皆可遏敌之前，可以缀敌之尾，彼岂能长驱直入而不顾其后，虽败亦可补救，四也。"③

实质上团练只是低限度的军事武装，组织松散，训练不足，仅适于维持治安，而不适于平巨寇。夸大团练作用者都犯了同样的错误，即视湘军的勇营制为团练制。产生分歧的根源在于团练之名既可指一种制度，也可指一种组织，如果混淆了"团练"所指代的组织与所指代的制度，就容易误认为湘军来自团练。实际上曾国藩是用团练组织中的团丁组成湘军最初几营，用自己新创的勇营制度来取代团练制度。简单地说，就是湘军人员来自团练组织，编制则为勇营制度。

对于团练的弊端，有识者早有认识，如冯桂芬即认为，办团练

① 《郑观应集》，第 220 页。
② 《李鸿章全集》第四册，第 413 页。
③ 《李鸿章全集》第十册，第 591 页。

前，必须清楚办团之弊，否则一切茫然无准备，终必受团练之害。他说："大抵居苏省而议团练与川楚皖豫等省不同，要而论之，约有二弊：乡则不勇，名练而实不能练，故土著农民，脆弱少力之徒不足用也。勇则不乡，形团而心不能团，故寄居游匪，居心叵测之徒不可用也。知此二者而后可以议苏省之团练，若不知因地制宜之法。不问其足用与否，苟以虚应诏旨为心，则累万盈千，一呼可集，一旦有事，不特难资防御，转恐贻误事机。绅等诚不敢为此有名无实，有弊无利之举，上欺朝廷，下糜粮饷也。"① 王韬也曾提出由民团与官军分任其事，既彼此竞争，又相互监督，从而相互促进。他说："民团与官军宜分用以责其成效也。自古战守异势，堵剿不同，而能守必先能战，议堵必先议剿，未有坐待其来者。民团与官军必互为掎角，如民团在东则官军在西。何路有虞则惟何路之官是问。官军耻为民团所笑，必竭力抵御；民团欲先官军建功，亦必踊跃从事。然后惕之以威刑，优之以赏赍，自然人尽为用。若其合在一处，必至互相推诿，欺凌诈虞，诸弊叠生，故分用则各见所长也。"② 可以看出，王韬也充分考虑了民团作用的有限性，并未将民团的作用无限放大。

湘军初起时，虽与团练有较多关联，但成军后的发展则是在全新制度上，与团练之制早已分道扬镳，对于团练的作用与弊端，曾、胡、左均有冷静清醒的认识。曾国藩就坚定地认为，"乡团实不足御大股之贼"，甚至称"弟在军数年，一无所解，惟坚不信团练。闻人言团练大捷破贼者，则掩口而笑，掩耳而走"。③ 受松散的制度所限，团练不可能形成如湘军那样严密的组织，而且团练由地方乡绅统辖，"其绅董之为团总者，尤难其选。贤者吃尽辛苦，终不足以制贼，则费力而不讨好；不贤者则借团以敛费扰民，把持公事。以敝

① 　冯桂芬：《显志堂稿》卷九，页十四，光绪二年（1876）校邠庐刊本。
② 　《弢园尺牍》，第54页。
③ 　《曾国藩全集·书信三》，第1915页。

处选营官、统领之难，知他处选团总之尤难也"①。左宗棠也认为："粤西用兵以来，谈时务者皆知团练保甲之利。然团练之法，粤西行之未睹其效者，盖治小盗则团练固不易之法，然当剧贼纵横，防剿并急之日，则用团练断宜参用碉堡。夫团练云者，取其自相团结，免为贼所掳掠裹胁而已。自捍乡里，人有固志，熟于地形，便于设险，愚者亦能出奇，怯者亦能自奋，此其利也。若使与猾贼驱逐于数十里外，彼乡民者，不习行阵，不知纪律，不走则死耳，乌睹所谓利哉？且无事之日，竭民之财力以奉兵，有事之日，复以其身命代兵冒险而赴敌，卒之训练未娴，十战十北，糜烂其民，以求一日之侥幸而不可得，仁者之所不为也。"② 胡林翼也认为："团练之说出于邸论。谓一有团练则凡兵可撤，凡饷可节，大抵肉食之谋事总在便宜。如言兵则以不费钱、不费力、不选将、不立营，而委之团练；如言饷，则以大钱、钞票等事为至计。其弊无穷，而其误国殃民，只生于浮伪讨便宜之一念耳。请饷安得有饷，姑发一笑耳。"③

一些人认为团练不仅可以靖内乱，甚至在与列强的冲突中，亦可发挥主导作用。如光绪五年（1879）御史邵日濂上奏，请饬李鸿章在天津办理团练，以备抵御列强。李鸿章给出的回复是："夫民团不能与洋兵搏战，人人知之。粤捻之役几二十年，办团几遍十八省，其能助官军击贼者寥寥可数，而敛费扰民抗粮拒捕之弊百出不穷。至堵御外夷又与剿办内匪迥别，各国糜聚口岸，若无事而自扰之，或卤莽从事，为患更甚。或谓津民好义尚气，然咸丰庚申大沽之败，未闻民团有与敌为难、出死力帮同堵剿者。"④ 在另一篇奏折中，李鸿章更几乎完全否定了团练的作用："议者或谓粤民悍而好斗，各乡团练、沿海渔船莫不可用，一朝有警，数万之众刻期可以募集。臣等以为自古胜兵无不由于训练有素，仓卒召募乌合乡民，器械不利，

---

① 《曾国藩全集·书信三》，第 2238 页。
② 《左宗棠全集》第十册，第 72 页。
③ 《胡林翼集》第二册，第 561 页。
④ 《李鸿章全集》第九册，第 161—162 页。

纪律未娴，非有夙练劲旅为之倡率，以御强敌，恐不足恃。"①

三、如何看待文人论兵

不可否认，文人论兵相较其他人有着天然的优势。文人熟悉文本，对于历史上的经典战例可以做到如数家珍，且思维敏锐、感知力强，善于学习新事物。文人有更强的问题意识，更能抓住问题的关键。鸦片战争后，是学者而非当事的官员对战败进行了更为深入的反思，寻找未来应对西方坚船利炮的出路和办法，如魏源、包世臣、夏燮等。晚清几次关于海防的大讨论，也都是文臣率先上奏，引发清廷关注，进而形成关于海防建设方向的大讨论。然而文人论兵的局限也很明显，因缺乏战场经历，对于战争的认识留于浮面，易忽视战争的极端复杂性，所以提出的对策多不切实际。与曾、胡、左等有充分阅历不同，无战场经历的文人，对兵学的理解主要来源于对以兵书为主要载体的兵学文本的分析，并结合历代战例，推导出具有一定内在逻辑性的兵学见解。然而兵学与一般的思想最大的不同在于，兵学不以追求逻辑自洽为目标，而以能否指导实践为旨归。能指导实践即为有价值，否则即为纸上谈兵。所以，从这个角度看，文人论兵是兵学走向专业化之前的一种特有文化现象，会随着经验式的兵学向以科学为基础的军事学转变而趋于式微。

第二节　晚清时期的孙子学

《孙子兵法》是中国传统兵学的集大成之作，被奉为兵学圭臬，历代关于《孙子兵法》的注疏、评解和研究不绝如缕。清代前期关于孙子学的研究，价值最大的在考据与校订方面。受乾、嘉考据之风的影响，孙子学的相关研究也偏重对孙子其人其书的考据，章学

---

① 《李鸿章全集》第十册，第214页。

诚、姚鼐等著名学者也参与其中，推动了孙子文献学的发展，形成了一个校勘、考订《孙子兵法》文献的热潮，也取得了有目共睹的成就。考订类著作以孙星衍校订的《孙子十家注》为代表，此外还有毕以珣的《孙子叙录》等，对后世孙子文献学的研究产生了较大影响。

然而近代以后，《孙子兵法》研究出现停滞，《孙子兵法》的地位也颇为尴尬，在近半个多世纪里，少有研究性著作出现，有价值的文章较少，即便《孙子兵法》的刊刻也少得可怜，且多为节录本。孙星衍的《孙子十家注》是这一时期被官书局重印最多的著作，但始终未解决原本中的重大刊印错误，这也从一个侧面反映出当时《孙子兵法》研究的现状。有学者认为，这是自宋以后孙子学第一次失去显学地位，而成为被遗忘的角落。① 造成这种局面的原因很复杂，但至少有两个因素不应被忽略，一是乾嘉形成的朴学传统到近代已经退潮，学者们的研究热情已从考订再次转向穷理；二是尽管《孙子兵法》的思想高屋建瓴，指导战争的价值始终存在，但在回答如何应对装备有坚船利炮并采用了新式作战方法的西方列强时，较难给出直接和有效的答案。尽管热潮不再，但仍有部分人对于《孙子兵法》的研究持有热情，产生了一些零星的著作和文章。下面以甲午战争为分界，分前后两个阶段，对晚清孙子学研究状况分别加以叙述。

一、甲午战争前的主要著作

（一）《孙子左枢笺》

作者左枢（？—1869），湖南湘乡人，曾参加与太平军的作战。该书除对《孙子兵法》曹操的注文进行删改外，又以"笺曰"的形式发表左氏自己的见解，共40余条，其中一些认识颇有独到之处。如对"上兵伐谋"一句，曹操对此句的理解为"敌始有谋，伐之易也"，左氏认为曹注的解释有误，他认为，伐谋的目的在于"杜其

---

① 　见赵海军：《孙子学通论》，国防大学出版社，2000年，第100页。

谋，使不生心，无所用兵也"①，这一解释使曹注的意思更为清楚完整。又如对"军无辎重则亡，无粮食则亡，无委积则亡"一句，曹操仅注"无此三者，亡之道也"，较为简略。左枢笺曰："远道趋利而必败者，以其辎重、粮食、委积不能从也。三者不能从，以不知地形也。若用乡导得地利，则虽其疾如风，可矣，何止百里而趋利哉。"② 可以看出，左氏笺注常能抓住《孙子兵法》思想的本质，而不受文句表面意思的束缚，解释较为深入且具有一定合理性。

（二）《孙子增注》

作者凌堃，该书是在《魏武帝注孙子》的基础上，以"堃按"的形式对原文个别词义做了进一步的解释，如对"三军之众，可使必受敌而无败者，奇正是也"一句，"堃按：常者为正，譬五味五声是；变者为奇，如色声之变无穷"。③ 再如"交和而舍"一句，堃按，"交和如和于国、于军、于阵、于战之类"④。书中偶有脱开曹注而发表自己观点之处，如对"治众如治寡，分数是也"一句，凌堃增注为"兵无虚设，亿万一心，束伍其始事耳。淮阴将兵，多多益善。孟德赤壁致败，不知分数故耳"⑤。这里提出束伍为万众一心之始，较有见地。但书中也有一些解释过于随意，如对"斗众如斗寡，形名是也"一句中形名的解释，完全脱离形名的本意，而作了过度发挥，"堃按：操必胜以敌必败，曰形。以仁伐暴，以义伐不义，曰名，如汉高为义帝发丧是"⑥。此类按语全书共有 13 条。

（三）《满汉合璧孙子兵法》

该书由耆英主持翻译。耆英是道光时期八旗重臣，曾参与近代多个不平等条约的谈判，道光二十八年（1848）被擢升为文渊阁大学士。耆英是比较具有中国传统文人气质的八旗官员，除该书外，

---

① 《孙子集成》第十六册，齐鲁书社，1993 年，第 6 页。
② 《孙子集成》第十六册，第 18 页。
③ 《孙子集成》第十六册，第 450 页。
④ 《孙子集成》第十六册，第 456 页。
⑤ 《孙子集成》第十六册，第 449 页。
⑥ 《孙子集成》第十六册，第 449—450 页。

还曾主编过《海山仙馆丛书》。是书以《孙子十家注》之《孙子》文本为底本，将其逐字逐句翻译成满文，在编排上满文与汉文并列，可相互对照，但无注解。在译序中，耆英表达了对《孙子兵法》的推崇，他说，"古今兵制屡变，古以车战，后乃用骑；古以弧矢为利器，后乃用铳；古之炮用石，后乃用火。又况宜于陆，不宜于水，宜于平旷，不宜于隘阻，宜于江湖，不宜于沧海，亦安有辙迹之可寻哉？顾有同而异者，异而同者。惟《孙子兵法》，体用经权，无往不备"①，又说，"泥古者不智，蔑古者无法，由其可悟而悟之，斯可以读是书矣"②。对于翻译此书的目的，他说，"虽十家注解，不如我翻译清文了如指掌"③，表明翻译此书的必要性。该书是清代五本《孙子兵法》满文对照译本之一，对于扩大《孙子兵法》在八旗中的影响起到了一定的作用。

除以上诸书外，在清末孙子学复苏的过程中，还出现了一些较有价值的校勘著作。如：叶大庄的《偕寒堂校书记》（亦名《退学录》），有关于《孙子兵法》的校记19条。该书从三个方面对《孙子兵法》的文本进行了校勘：一是从文义角度校订《孙子兵法》的脱漏内容。如《作战》篇中"其用战也，胜久则钝兵挫锐，攻城则力屈，久暴师则国用不足"一句，叶大庄认为，"胜久"二字"无义"，下文提到的"故兵贵胜，不贵久"中"疑'胜'上脱一'贵'字，'暴'上衍一'久'字"④。二是校订《孙子兵法》版本中的错误。如对《军争》篇"其徐如林"一句，叶大庄根据《广雅·释诂》中读音校订认为："'徐'字无义，疑当作'聚'。《广雅·释诂》三：'林，聚也。''徐'、'聚'音近，必缘校者以'徐'、与'疾'为对文，遂沿上句'其疾如风'而误改。"⑤　三是校订《孙子

---

① 《孙子集成》第十六册，第255—257页。
② 《孙子集成》第十六册，第261页。
③ 《孙子集成》第十六册，第257页。
④ 见邱复兴：《孙子兵学大典》第九册，北京大学出版社，2004年，第146页。
⑤ 《孙子兵学大典》第九册，第147页。

兵法》原文和注文。在校订《作战》篇"其用战也，胜久则钝兵挫锐，攻城则力屈，久暴师则国用不足"一句时，叶大庄谓："下句云'夫钝兵挫锐，屈力殚货'，此'殚货'云者，即承'国用不足'意也。"① 在校订《军形》篇"故善战者，立于不败之地，而不失敌之败也"一句时，叶大庄认为，"不失敌之败也"的注文"句意未显"，"此数字移在下文'故为胜败之政'句下，亦疑非孟德之旧"，所以该句应当读为"故善战者，立于不败之地而不失，敌之败也。'之'当读如'其'"②。

于鬯的《香草续校书》，共有与《孙子兵法》有关的校记65条，多涉十三篇正文以及十家注文之难点、疑点。如对"少则能逃之"一句，于鬯认为，"逃"字文义不通，应当将"逃"读作"挑"，"挑，逃并谐兆声，例在通借。挑，谓挑战也。挑战非正战，特出师少许以挑之"。又引《说文·手部》关于挑的解释以为佐证，"'挑，挠也'，盖不能败之，但能挠之耳"③。

俞樾的《诸子平议补录》，录与《孙子兵法》有关的校解文字8条，其中对于"法者，曲制、官道、主用也"中的"曲"字，认为是"典"字之误，应当作典制，即典章之定制来理解④。又认为，"以利动之，以卒待之"中的"卒"字为"诈"之误，给出的解释是《军争》篇中有"兵以诈立，以利动"一句，诈与利同时出现，故"以利动之，以卒待之"一句应改为"以利动之，以诈待之"⑤。

亦有部分学者对《孙子兵法》的兵学价值做综合的研究或解读的著作。如杨琪光的《百子辨证》一书，其中有一篇《读孙子》的短文。文章认为：《孙子兵法》虽为胜兵之术，但若"不济以盈盈武库之兵械，如邱如阜之粮糒，亦必不能战胜攻取"⑥，实际上即俗

---

① 《孙子兵学大典》第九册，第146页。
② 《孙子兵学大典》第九册，第147页。
③ 《孙子兵学大典》第九册，第134页。
④ 《孙子兵学大典》第九册，第129页。
⑤ 见《孙子兵学大典》第九册，第130页。
⑥ 《孙子兵学大典》第九册，第152页。

语所称"兵马未动，粮草先行"，是出兵作战的基本常识。杨氏主张："何如己先谋己以可战可守之强势，再求知将分者畀以旗鼓，扶义而诛灭。"① 杨氏主张用谋应与强本并重，不可偏废，否则不战而先自馁，必致为敌所乘。又说，《孙子兵法》人多能道其一二，但真正掌握这种兵学精义的却寥寥无几，"《孙子兵法》人固多习，而洞晓之者，究未见其人"，他主张用《孙子兵法》的思想教育武将，"则临事为折冲宿将，庶进事长功"②，如此，国家将再不会被列强肆无忌惮地侵凌。由丁晏作序的《孙子兵法十三篇》钞本篇末，有署名淳斋所作的跋，该文中略述《孙子兵法》的兵学理论价值和丁氏抄录此书的缘起。作者认为，好战不已必亡其国，所以"昔贤云，善战者服上刑，以为黩武者戒也"，而执迷不悟自取灭亡者，"古今中外不可胜数"。③ 尽管兵凶战危，然而古今"无百年不战之国"，因此治国保邦之道"不可一日无兵"，无兵即无国，务须"养之教之，以备不虞，期其人人为国家干城之器，人人有忘生争死之心"。④

以上这些文字或注或解均出自学者之手，这些学者多数对考订、音韵等小学均有造诣，所以方法娴熟，但亦有一些解释似有过度之嫌，反使原本清晰明白的文义不知所云。

晚清仍有一定数量的《孙子兵法》重刻本行世，或加序后重印《孙子兵法》原文，或重印《孙子十家注》本。重刊《孙子兵法》未必能解决当下的问题，但现实的指向性却是确定无疑的，这也是文人关注社会现实最熟悉和最可能的表达方式。此类作品有丁晏作抄前记的《孙子兵法十三篇》，前记评价《孙子兵法》，"比于六艺，可称'兵经'。文约辞醇，明白晓畅，其论至精，其说甚正"⑤。朱

---

① 《孙子兵学大典》第九册，第 152 页。
② 《孙子兵学大典》第九册，第 153 页。
③ 《孙子集成》第十六册，第 578 页。
④ 《孙子集成》第十六册，第 578 页。
⑤ 《孙子集成》第十六册，第 543 页。

煌漫的《武经七书择要·孙子》，该书以王阳明所编《新镌标题武经七书》为底本，择其"简明切要"者，辑为两卷，实为《孙子兵法》的精编本。有《兵书七种·孙子》，前序称："诚能取法乎上，神而明之，练其胆识，审其机宜，将请终军之缨，膺干城之选，收讨军实，安内攘外，于是乎在不禁拭目俟之。"① 还有陈任旸简注的《孙子十三篇直解》，每篇前有题解，概括全篇主旨，正文则有小字简注，方便理解，对文义无过多发挥。

二、甲午战后的主要著作

及至清末，由于甲午中日战争及八国联军侵华战争的刺激，促迫部分学者再次将目光投向了古老的《孙子兵法》，希图从中找到抵御外侮、克敌制胜之方。其中以顾福棠的《孙子集解》和黄巩的《孙子集注》为这一时期的代表作。

（一）《孙子集解》

该书刊于光绪二十六年（1900），作者顾福棠，原名成章，字咏植，武进（今江苏武进县）人。作者纂述初衷与其他文人言兵之书类似，是出于对时局的紧张感，想以自己的主动作为，为国家脱困寻找一条可能的道路。顾福棠在序言中说："今天下海氛厉矣。非挟船坚炮利不能擅大洋之长，非习风涛沙线不能捷大洋之战。立五大洲之上，抚掌以观，雄莫雄于今，精莫精于今，诚从古未有之创局，昔人所不能逆料于今者也。"② 他认为，尽管今昔不同，"原用兵之法与用兵之术，则无不同"③，所以作为历代兵学圭臬的《孙子兵法》，"悉举天下古今之兵说包括于其中，此诚千古兵家之祖、兵家之师也"④，在近代仍值得深入挖掘，有其指导现实的意义。《孙子集解》以孙星衍校订的《孙子十家注》为底本，删其繁杂不切现实

---

① 《孙子集成》第十九册，第 124 页。
② 《孙子集成》第十九册，第 157 页。
③ 《孙子集成》第十九册，第 157 页。
④ 《孙子集成》第十九册，第 157 页。

之文，配以大量的中国古代和西方近代战例，同时作者还"间附以鄙意，勒成一书（略宗颜氏师古注《汉书》之例），名曰《集解》"①。该书主要特点有以下几个方面：

其一，形式上虽沿袭前代《孙子兵法》注解的传统，但能够与同时代的兵学著作加以互证，且能引用中外历史上的经典战例加以参证，甚至为解一语而征引数例，做了融合中西兵学思想的初步尝试。如解《计篇》"天者，阴阳、寒暑、时制也"一句，《孙子集解》援引拿破仑出兵埃及、法国与奥地利之战与美国南北战争等三例进行例证，用以证明天候对作战的影响。引入近时战例，较之纯文本的解读更为鲜活，更有切近之感，理解与接受更为容易。除引用战例外，又借葛道殷《操练洋枪浅言》中关于射击时避免阳光直照造成射击误差，及风力对弹道的影响的相关论述，用以强化对于"寒暑、时制"的理解。又如在注解"其次伐兵"时，顾福棠的解释是"论昔日之事尚以伐兵为次，论今日之事则尤以伐兵为先。炮台、铁甲、枪炮、水雷日新月盛，精益求精，非一国所能悉造，亦非一时所能猝办。若非备之于先而一旦临险危之势，自造则无人无料，购办于局外之国，则或格于公法不能出售，或又为敌船守其海口，不能往来，势必至有备者猛厉无前，无备者血肉相抵矣"②，强调战前准备的重要。

其二，提出了一些新的见解。作者在编纂此书时对历代注疏在选编时做了取舍，舍弃了价值不大的注解，对于已收入的解释，有些也并不完全赞同，并在原有解释的基础上提出自己的看法。一是对《孙子兵法》原文本的质疑。如将"守其所不攻"校改为"守其所未攻"，即谓在敌人未发动攻击之前便设防固守。又如，将"地生度，度生量，量生数，数生称，称生胜"解释为"地"指用兵之地，即战场，"度"是丈尺之总称，认为，"惟有度以作之，然后进

----

① 《孙子集成》第十九册，第 158 页。
② 《孙子集成》第十九册，第 203 页。

可以战，退可以守，不虑人之乘我迫我也"。① "量"相当于测量，"数"为"算法之总名"，"称"为权锤之柄。所以该句应解为：度其战场之形势，修筑工事以便攻守，且测敌之远近，以求命中得失之数，以知敌我之轻重，以达独操胜算之目的。二是质疑旧注，另作新解。如对"少则能逃之"一句，曹操的注解为"高壁坚垒，勿与战也"，顾福棠认为，曹操对这一句的理解是错误的。他认为，"逃"与"避"存在较大差异，"逃"是己方实力大不如人，以致"不敢与人敌也"，而"避"是己方力量稍弱于敌，主动避免与敌交战。再如对"将听吾计，用之必胜，留之。将不听吾计，用之必败，去之"一句，认为陈皞将"吾"解释为孙武自己，"俱与上下文义不相类矣"，顾氏对此句的解释为，"将者，大将也；吾者，国君自称之辞也。此篇所论盖在未出师之前，君与臣计于庙堂之上，与别篇所云不同……君当断以己意，不可惑于人言也。总之，君为主谋，将为参谋，君臣意见相同，方可兴师"②。此类改动，只是作者根据个人认识倾向的一种弃取，缺乏严密的文献学和军事学上坚实的依据，并不足以使一直以来的争论尘埃落定，表现出一定的随意性。三是阐述自己对战争的认识。顾福棠认为应慎重地进行战争决策和实施作战行动。在战争决策问题上，认为民众的生死与国家的存亡"皆在于兵"，因此决策者要关注地势、战道等与战争胜败有直接关联的因素，即"地势当胜，则民生；地势当败，则民死。得战之道，则国存；失战之道，则国亡"③。顾氏还强调依法治军的重要性，认为，"法者，行军不易之成法也；令者，主将一时之号令也。两军相较，成法备、号令严者谓之行"④。总体而言，这些认识基本是在《孙子兵法》原书思想基础上的进一步发挥，虽有一定认识，但并未跳出原来思维体系，突破性看法或认识较少。

该书一大特色是引述史例以证思想，除引述中国历史上的战例

① 《孙子集成》第十九册，第230页。
② 《孙子集成》第十九册，第168页。
③ 《孙子集成》第十九册，第159页。
④ 《孙子集成》第十九册，第165页。

外，还数十次引述了近代西方战争战例，包括拿破仑战争、美国独立战争、美国南北战争、普法战争等，这对于破除西学的神秘感，重建国人对传统兵学的自信都有一定积极意义。

（二）《孙子集注》

作者黄巩（1856—?），字子固，室号存古堂，清末湖南善化人。曾为湖南船山学社重要成员，整理刊印过《船山礼记章句》《船山〈黄书·原极篇〉演义》等船山遗著。黄巩感于历代所传《孙子兵法》注本繁杂雷同，支离割裂，不可卒读，故"于每篇之文，先分章节，然后采辑诸家之言，申其文义，附以鄙按，务使旨趣淹通，作用晓畅"①，最终形成《孙子集注》。该书于清光绪三十年（1904）印行。卷首为《本传》和《例言》，正文分上下两卷，上卷自《始计》至《军争》，下卷自《九变》至《用间》。《本传》抄自《史记·孙子吴起列传》，并与《吴越春秋》相参证。

作者在例言中指出，"孙子论兵，全在精神气志上振作"，而"今日本传西法，但示中人以步伐之粗，其精神作用不使中人知之也。愚以为若进以《十三篇》之妙用，则神而明之，必更有出于西法之上者，故今日将弁，尤不可不亟读《孙子》"②。黄巩并不排斥西方军事理论，而是认为国人对西法的精神理解不够，所以虽习西法，仅得皮毛，而《孙子集注》所做的是将西法中未能明言的兵学内在精神，通过对《孙子兵法》精要的读解，使其彰显，以补国人对西学精神理解之不足。具体而言，该书有以下特点：

其一，注释形式上有变化。

该书正文以《武经七书》本为底本，仍采取传统的注疏格式，将论述同一问题的内容归为一段，历代注家的注疏被置于该段之后。书中汇聚注家共二十七人，除常见的十一家外，尚有汉代的王凌、张子尚，三国时期的萧吉、沈友，唐代的纪燮、朱服、宋奇，宋代的苏轼、吉天保、郑友贤、晁公武，明代的王凤洲、归有光及清代

①　《孙子集成》第二十册，第15页。
②　《孙子集成》第二十册，第13页。

的毕以珣、孙星衍等。注疏虽多采自《十一家注孙子》，但非原封不动地句句罗列，而是进行了取舍。如"将者，智、信、仁、勇、严也"一句，仅选杜牧和贾林二人所注，未收其他五人之注。即便杜牧注也未全选，而仅选了前半。这样做的好处是避免了注与注间重复过多，但因是整段出注，也有注释与原文贴合不紧之感，尤其是对部分注释文句的截取，易因文字不完整造成对全句文义的曲解。书中有因编者疏忽而造成的张冠李戴现象，如"地者，远近、险易、广狭、死生也"一句，下注"尧臣曰：知远近，则能为迂直之计；知险易，则能审步骑之利；知广狭，则能度众寡之用；知死生，则能识战散之势"①，但此句作者实为张预，而非梅尧臣。该书侧重文义的理解，所以注疏主要采自曹操、张预、杜牧、贾林等人，对某些解释有些作者并不赞同，常有自己的理解，如在注解"善用兵者，役不再籍，粮不三载，取用于国，因粮于敌……"一段时，认为何氏所注"钞聚掠野，至于克敌，拔城得其储积"，是把军队降低到"寇盗之师"的地位，是不足取的。②

其二，有简单的考证。

黄巩认为考证工作是必要的，但不能因专注考证而偏离探寻书中要旨这个目的，他说，"必斤斤于古本之异同，以矜考核，转令学者寻行数墨而遗旨义"③。为突出要旨的核心地位，他在对注解的处理上"于碻系鱼豕，则削膺存真，……皆因义改正，其余异同之无关于义类者，则概从略"④。如此，使研究者能够专注于《孙子兵法》要旨的把握，避免陷于字句考证不能自拔。书中对《孙子兵法》原作中的字词进行了训诂，并在《例言》中作了说明："如方马之为比方，与诗比物四骊同义，而训以缚；犯三军之众，与庄子犯人之形同，而训以动；励于廊庙之上而诛其事，与诛讨同，而训

① 《孙子集成》，第二十册，第 18 页。
② 《孙子集成》第二十册，第 23 页。
③ 《孙子集成》第二十册，第 15 页。
④ 《孙子集成》第二十册，第 15—16 页。

以治；践墨随敌，为践履幽险，与墨辟之墨同，而训以绳墨之墨。支离牵合，率多类此，皆推求古义，而转相自失者也，今悉为拨正，庶使本义显然。"[1] 此外，该书还对底本中的错讹作了改正："如以本待之本之伪卒；方马理轮，理之伪埋，夫人尽力，夫之伪士，皆因义改正。"[2] 该书字句诠释校勘，虽有新说，亦常拘于一己之偏见，有些过于牵强，所以有学者称，"（该书）最多也只能算是中上之作而已，尤其是他的校勘，更是难称尽善"[3]。

其三，对兵学有一些新的认识。

主要有两点，一是将《孙子兵法》与《管子·兵法篇》作对比。黄巩精研《管子》，这从书中按语中作者多次引用《管子》的话亦可看出。黄巩认为，"孙子之学出于管子"，即《孙子兵法》是吸收《管子》中的部分内容得以成形的。作者认为，"管子论兵，务在先立富强之本，然后以政加人"，而《孙子兵法》强调任势，"任势者，其战人也，如转木石"，"约束申令，妇人可教以战，马足等齐，胜负在我之自为。此皆临变制胜，运谋不测之道也"。[4] 所以黄巩认为："《孙子》十三篇，与《管子·兵法篇》相表里，《管子》论其正，《孙子》则兼极其变，故兵法唯孙子得其全。"[5]

二是作者在注解中常表露个人见解。如在解读《计》篇时认为，孙子论兵之法"本末完备"，但后世言兵者却未能领会其精髓，运用时往往本末倒置，"徒逞搏击之长，攻略之猛，不恤庙堂之上，供忆系索，竭脂尽膏"，结果是"主道先失，任用非人，冯河暴虎，将才又乖，驱而殉之，丧师辱国"。他认为，究其原因，不在于"兵之不强，技之不巧"，而在于"不得其道"。至于这里"道"所指的更具体的内涵，书中却未能言明，仅说："近者经籍道息，竞语富强，故

---

① 《孙子集成》第二十册，第 15 页。
② 《孙子集成》第二十册，第 15 页—16 页。
③ 宫玉振等：《书剑飘逸：中国的兵家与兵学》，解放军出版社，1999 年，第 137 页。
④ 《孙子集成》第二十册，第 14 页。
⑤ 《孙子集成》第二十册，第 13 页。

取管孙二编，实究其用，始知言富国者，非管氏不得其真；论强兵者，非孙子亦失其本也。"① 可以看出，黄巩的解读，未能跳出文人论兵的窠臼，停留于抽象的概念上，在抽象的概念中兜来转去，虽能够抓住矛盾或问题之所在，但给不出切实有效的指导性意见，书生言兵的意味较重。有学者指出，黄巩"所撰《孙子集注》注重探讨《孙子兵法》理论与近代西方战法的结合，为清末初具近代兵学观念的《孙子》研究者"②。但从总体上看，其书虽晚于顾福棠的《孙子集解》，然远不如顾福棠之思路开阔，开拓性不足。

晚清时期孙子学在总体上仍是中国古代孙子学的延续，研究的形式和方法均无重大的突破。这一时期的《孙子兵法》研究可概括为以下几个特点：一、数量少、热情低。《孙子兵法》虽时有重刻，品读者有之，但严肃的、有学术价值的研究性著作却很少。文人对于兵学的热情已大大不如前代。《孙子兵法》虽仍被奉为圭臬，但只是如书斋中的经书一样，束之高阁，远离实际。二、形式陈旧、方法落后。研究方式仍以传统的注疏形式，但在文献考订上的成就没有超过前代，文字解读上的成果更乏善可陈。这主要是由于乾嘉形成的朴学之风在近代已消散殆尽，而西方的科学方法在中国仍处于萌芽阶段，尚未在中国土地上扎根。这一时期的多数作品仍困守固有思维，无法突破旧有框架，只能在旧有研究之路上匍匐前行。特别是因研究者困守于书斋中，脱离时代，脱离社会，在极需切实可行的军事理论指导实践的大背景下，此类著作对实践的影响是微乎其微的。

---

① 《孙子集成》第二十册，第20页。
② 吴如嵩：《孙子兵法辞典》，白山出版社，1995年，第290页。

第十章　其他重要兵书举要

除前文已经提到的几部兵书以外，尚有一些兵书在晚清时期或以后有较大的影响，但由于内容不便置于前面章节之下进行讨论。此外，还有一些兵书的部分思想在前文略有提及，但这些兵书所论及的其他思想未充分反映。为更全面地展现晚清兵书的全貌，特设此章，对一些重要兵书的内容做简要介绍。

第一节　《练勇刍言》

《练勇刍言》，作者为王鑫，字璞山，湖南湘乡人。生员出身，曾随罗泽南从学。咸丰二年（1852），他与罗泽南一道成为湘军初创时的重要将领，所统老湘营后来发展成为湘军主力部队。咸丰三年（1853）冬，为镇压太平天国运动，他跟随曾国藩在湖南长沙训练乡勇。本书就是他训练乡勇的教材。王鑫治军以训练为急务，以忠义教育兵勇，所属乡兵于练习刀矛火器之暇，转相传诵《孝经》《四书》。他精通战略，作战善以少击众，被人赞为"王老虎"。因与曾国藩有隙，后别领一军，转战湖南境内，援助江西，多次获胜。他官至守巡道，后病死于军中，谥壮武。

王鑫具有较高的文化修养，善于将练兵中的心得记录并系统化，一生著有《练勇刍言》《阵法新编》《练勇臆说》《尺一偶存》等兵书多种，现仅存《练勇刍言》，共五篇，即《营制》《职司》《号令》《赏罚》《练法》。主要涉及部队编制、武器装备、赏罚制度、各级官兵的职责及军事训练等相关内容。

一、教育训练

王鑫注重战斗意志的培育，反对妄用精神，所以他严禁士兵嫖荡、酗酒、吸食鸦片，认为这些行为会导致精神涣散，是极恶之事。同时也认为优秀的意志品质需要从不断的磨炼中得来，且用之则强，废之则弱。王鑫总是告诫兵勇"庄敬日强，安肆日偷"，所以要时常有意提振精神。提振的办法，"勤习武艺，谨守营规，时时鼓舞，以打仗为事"[1]，以达到"神足而后气盛，精足而后力强"[2] 的目的。

王鑫重视身体机能训练，通过练手、练足、练身提高身体素质与耐力，此外，他还在训练中加入了练目、练耳、练口等内容，主要目的是使部队团结一致，不为谣言所惑，明晓"金鼓号炮之属"[3]，保证军队中肃静。除这些技能训练外，他还认为要加强意志和识见方面的训练，提出练心、练胆、练谋、练识，以强固精神。

关于练心，王鑫要求无论面对何种情况，心要极稳极静，不能有丝毫忙乱躁暴，训练时则要"刻刻作极忙极乱易躁暴时想，我总要稳定，总是静以待之"[4]，如此反复磨炼，最终便可达到"虽入百万贼中，此心也有把握"[5]。关于练胆，一方面他认为，"此心见得理明，则气自雄胆自壮"[6]，他说，只要有赴死之心，把性命抛在一边，自然无胆怯之心。他说，"死生自有命，在命该死，虽善逃生路，断不能延过一时半刻，命不该死，虽当万无生理之时，偏救出命来了"[7]。另一方面，他认为胆壮只在临场的一点儿坚持，只要临敌之际，稳住片刻不怕，便足以寒敌之胆而壮我之气。关于练谋，

---

① 《江忠源集·王鑫集》，第 1031 页。
② 《江忠源集·王鑫集》，第 1031 页。
③ 《江忠源集·王鑫集》，第 1026 页。
④ 《江忠源集·王鑫集》，第 1028 页。
⑤ 《江忠源集·王鑫集》，第 1028 页。
⑥ 《江忠源集·王鑫集》，第 1028 页。
⑦ 《江忠源集·王鑫集》，第 1029 页。

王鑫要求士兵时时想着御敌、诱敌、防敌、攻敌之法，日想日巧、日练日精。王鑫认为不仅将弁需要练谋，兵勇也要练谋，"练出一副名将本领"，为将官出谋划策。所谓练识，即通过练习使见识宏阔深远，而不局限于眼前。认为识见对士气亦有影响，"识益长则气益充，气益充则战益勇，可知圣人我战则克，端不外识一字"①。他还指出："有识自然有胆。人所见为可怕之事，我偏有道理处置，人所见为难能之事，我自有力量担当。"② 此外王鑫还提出练气和练精神之法。以上这些，虽都是精神层面上的问题，多指向个人修为，但可看出，行军作战与儒学强调的个人内在修养有一定的相关性，特别是对于作战指挥者，在战场上若能保持冷静、沉着，是夺取作战胜利的必要前提。而王鑫所提出的练心、练胆、练识、练谋、练气和练精神之法都归结为"气定神闲"，都是为此目的服务的。只在这几方面时时注意，时刻在头脑中加以训练，就能临机处置，应付裕如。

二、严明赏罚

王鑫虽自谦："古人用兵之要，尤以赏罚严明为最，窃勉行之而已，少获严之效，惜终不足于明耳"③，但他治军确以严明著称。在《练勇刍言》中，王鑫认为："凡赏罚务须严明，不可稍涉偏私。"偏私则达不到激励士兵的目的，而可能适得其反，要求赏罚务使人人知晓。为争取民心，王鑫特别强调群众纪律，规定："所过地方务须秋毫无犯，不得强买强卖，勒赊勒借，擅动民间一草一木，如违，立斩。"④ 此外，重视戒除恃胜骄傲情绪，他总结了胜兵易骄、骄兵必败的规律后，将"戒恃胜"作为一条纪律，要求士兵遵守，规定："打胜仗后，尤宜加意提防，如或松劲，重责不贷。恃胜者败，古今

---

① 《江忠源集·王鑫集》，第 1030 页。
② 《江忠源集·王鑫集》，第 1030 页。
③ 《江忠源集·王鑫集》，第 576 页。
④ 《江忠源集·王鑫集》，第 1022 页。

一辙。打胜仗后切勿稍怀骄心，如有以得胜二字傲人者，削功不录。"①

三、贵亲爱

朱孔彰对王鑫的评价是："驭众严而有恩。"② 这一点在《练勇刍言》中亦有充分体现。王鑫认为将领要与士卒"同甘苦，均劳逸，恤饥寒，问疾病"③。他提倡军人之间要相互关心，互相帮助，如"同队有受伤及疾病，能尽心扶持调养，不辞劳瘁者，查明记功"，再如"有能解释同队小忿使相亲爱者，记功"④。对于在作战中受伤或牺牲的士兵，则给予恤养。同时也规定士卒要尊敬长官，不仅要尊敬本营的长官，而且要尊敬他营的长官。

《练勇刍言》除以上兵学思想之外，很大篇幅讲的是营制，从一队到一哨，再到一营，都有规定，并对各级官员职掌进行了明确。书中关于作战的内容较少，仅有重侦探等几句不多的内容。从总体上看，该书文字浅显，颇近口语，内容明显是针对文化程度较低的低级官员。《练勇刍言》是王鑫个人带兵经验的总结，一些办法看似原始，但在实际中或许真的管用。左宗棠始终对王鑫评价极高，认为："璞山以治心之学治兵，克己之功克敌。"⑤

第二节　《平海心筹》

该书由林福祥撰。林福祥（1814—1864），字亮予，广东香山（今广东中山）人。鸦片战争爆发后，他于道光二十一年（1841）

---

① 《江忠源集·王鑫集》，第1026页。
② 《中兴将帅别传》，第96页。
③ 《江忠源集·王鑫集》，第1015页。
④ 《江忠源集·王鑫集》，第1021页。
⑤ 《左宗棠全集》第十册，第237页。

招募水勇，组成"平海营"，抗击英国侵略军。三元里人民抗击英军时，林福祥率水勇参加战斗。后历任南昌、抚州、饶州知府，吉安赣宁兵备道，浙江布政使等职。曾于安徽、江西等地参与镇压太平军。咸丰十一年（1861），于杭州被太平军俘虏。获释后，于同治三年（1864）被左宗棠捕杀于浙江衢州。所撰《平海心筹》是他参加抗击英军的记录和经验总结，成书于道光二十三年（1843）。

《平海心筹》分上下两卷，共一万余字，附图十四幅。上卷辑录有《火器十三种》《制药二十八方》《广东省河水路指掌握要图》等。下卷包括《防夷十八论》《三元里打仗日记》，另有《上制军祁宫保乞收复香港书》《谕林家义勇文》等书信数封，其中《防夷十八论》是林福祥个人对抗英作战的反思，其兵学思想主要体现在这十八篇短论中。

关于战和守的关系，林福祥认为实力是议和的基础，"必能战能守，而后可以言和"①，如果不能战不能守而言和，"是掩耳盗铃，自欺而并受欺于人也，是图苟安于目前而贻巨患于后日也"②。他反对拿钱财和土地去讨好侵略者，反对签订丧权辱国的卖国条约，认为，"与嘆夷以赀财码头，则开门揖盗之渐也"③。他主张要与侵略者展开针锋相对的斗争，"盖自嘆夷入寇以来，官兵望风披靡，其心已寒，而逆夷自恃累胜，其气正盛，所以必得奋勇之士决一死战，以折逆夷之气，以安我兵之心，然后守乃得而固"④，就是说防守亦需要昂扬的斗志，不能重建奋勇死战的气概，防守将会成为溃守。

在作战指导上，提出了"埋伏守险"和"防后路"的思想。建议从虎门到达广州沿途百里的地面，层层设防，于田茔地势较高处埋藏大炮，待夷船靠近时，随时攻击。林福祥认为："炮台是有形者也，夷人得聚力而攻之。至于田茔，处处皆是，搜之不尽，攻之不

---

① 林福祥：《平海心筹》卷下，页二，军事科学院图书馆手抄本。
② 《平海心筹》卷下，页二。
③ 《平海心筹》卷下，页四。
④ 《平海心筹》卷下，页二。

克，是田茔为无形之炮台，而为埋伏最得力之处也。"① 针对鸦片战争中清军屡屡被英军抄击后路，林福祥提出"以正兵敌其战船，而预伏奇兵于后路，以击其抄后之兵"②。

林福祥似乎没有亲见过英国的坚船利炮，想象的成分偏多，他试图以数量弥补舰船体量之不足，而创制了一种旧式蜂群战法，"他用大船，我用小船，他一只大船，我用一百只小船，如蜂如蚁，四面八方。我船上概不用炮，只用喷筒、火箭，一切神火器具，飞棹而进，使他应接不暇"③。在英舰两次轰击的间隙，以小船靠近英舰，或施放火器，或登其舰。这种战法，书生论兵的意味明显，在实战中无实施的可能。二是抢占上风口，利用风势，对敌进行火攻。三是"扎强营、打死仗"。作者认为，出洋作战，须用木排水寨，"其法，以厚木扎成一大排，四面有门户，而空其中。一出大洋，将小船尽藏在大排之内，而大排之上，风帆橹柁，色色具备，四面遮障，以罟网为主，棉胎牛皮次之，前后左右安放大炮。打仗时即以大排为炮台，为正兵，而小船四出，施放喷筒火箭，抄后旁击，为奇兵"④。

在炮台建造方面，根据海战与陆战的不同特点，分析了炮台修在低处的"四患"和修在高处的"五利"，大胆否定炮台不设于山顶的传统认识，提出把炮台建在山顶高处。修筑炮台的材料由石头改用三合土，以柔克刚，既能挡敌炮弹，又能避免因炮弹击石溅起的碎石伤人。

该书认为调客兵而不从当地招募乡勇，是鸦片战争中清军致败的一大原因，"（客兵）不谙边事之艰苦，不识山川之险易，守则不固，战则多败，其数虽多，未若土兵之少而精也"，又说，"徒用不识水性之客兵，不独不能取胜，适足以贻滋扰之患也"。⑤ 所以他反

① 《平海心筹》卷下，页十六。
② 《平海心筹》卷下，页十七。
③ 《平海心筹》卷下，页二十四。
④ 《平海心筹》卷下，页二十六。
⑤ 《平海心筹》卷下，页十一。

对调客兵，主张应从本地招募朴实、家室清白之人为乡勇，以乡绅兼领之，如训练得法，则"乡勇三千可当客兵三万之用"①。

《平海心筹》是鸦片战争后的一部重要兵书，尽管篇幅不长，但内容丰富，战略、作战指导、战术均有涉及，一些认识比较深刻，有一定的现实指导意义。

第三节　《火器略说》

该书由黄达权译，王韬编目次并加按语，同治二年（1863）成书，光绪七年（1881）刊印。前后可分两部分，前半为译著，主要介绍西洋的火炮形制、制造及火药用量等诸要素对射击的影响等问题，重在强调火器之重要，提醒当局予以重视，"倘留心军政者，由此而求之，安见火器之精不可与西国抗衡耶"②。后半则是王韬在吸收"近日各家之说"的基础上，阐发自己对于兵学的基本看法。计有《炮质铜铁论》《熟铁打造轻炮论》《初试炮用药法》《新法变通论》《仿制西洋船炮论》《短炮所用甚广论》《战攻守三等炮论》《参用西法以练兵论》《重险御炮论》《用利器在良将论》《火机制造用广论》《英国新铸巨炮》《普国巨炮》《普美两国之炮不同》《螺蚊新炮》《新制炮架》共 16 篇短论，虽主题仍围绕大炮展开，但对仿效西法练兵的重要性及人与武器的关系均有较为深刻的认识。

一、强调人的重要性

王韬认为人是武器作用得以发挥的基础和前提，他说："奏功者，器也；用器者，人也，而使能善用其器不至于败者，是在良

---

① 《平海心筹》卷下，页十。
② 《中国兵书集成》第四十八册，第 116 页。

将。"① 对于清军虽引进西洋火器，但在实战中未曾奏功，王韬认为，原因不在武器良窳，而是武器使用者未谙训练，对战阵之事缺乏认识，"动以虚声走敌"，"往往前队中伤，全师悉溃"，如此，虽有利器，"或委而去反以资贼"。所以他认为，"器利不如将良。良将驭兵，首在使之不轻走，不空发。盖自火器用而军多幸胜，亦多猝败"。②

二、主张练兵参用西法

王韬重视治军，他认为："今日急务在乎平贼，平贼在乎治兵，治兵必先习西人之所长，使之有恃无恐。兵治贼平，而已器精用审矣；威敌强国，而后有备无患矣。"③ 在他看来，西人所长，不仅在器，"尤善练兵。其步伐齐，号令肃，进无后列，退不狂奔，绝少跳荡拍张"，认为西人军队"实可谓纪律节制之师"，因此主张"平日练兵须参用西法，时加演习，以整列其行伍，严肃其心志"。④ 但在具体的训练主张上，仍坚持传统的练心与练胆，认为只要千万人一心一胆，则"步伐进如排墙，退如山立，胜无争功，败无乱次，行止悉在领队一言"，同时强调要恩威并行，甘苦与共，"以结其心，激励忠义，明定赏罚，以作其气"⑤。

三、仿行西法自仿制西洋船炮始

王韬推崇魏源思想中的"稔西情"和"师长技"，对于当时社会上存在的仿行西法的质疑之声，王韬予以批驳，认为欲自强必自仿效西法始，而要仿效西法，必先仿制西洋船炮，掌握其制造之法。他对未来作战趋势的判断是"船同以炮多者胜，炮同以获中者胜。

① 《中国兵书集成》第四十八册，第105—106页。
② 《中国兵书集成》第四十八册，第105页。
③ 《中国兵书集成》第四十八册，第95—96页。
④ 《中国兵书集成》第四十八册，第102页。
⑤ 《中国兵书集成》第四十八册，第102—103页。

炮巨而少与炮小而多，则巨者胜。……船大而高与船小而坚，则坚者胜"①。他主张"觅工、选材、设局、鼓铸，务令华匠精心讲习，能者破格加赏，先能仿制，继求变通，旋造旋试用之，必有成效，即欲驾乎其上，亦不难"②。王韬坚信"智巧心思，人所同具，天下岂有彼能而我不能者"③。

该书还比较了当时西方主要军事强国的装备，主要是大炮的优劣。通过比较再次强化了他将大炮优劣视为决定未来战争胜负关键的基本认识。

第四节　《兵法史略学》

作者陈庆年，字善余，清末丹徒（今江苏丹徒县）人，光绪十四年（1888）考取优贡生。曾应曾国藩之召，赴南京主持修纂《两淮盐法志》。后应张之洞之召，任江楚译书局总纂，主译西书。光绪二十三年（1897）以后，在两湖书院讲授《兵法史略学》。

《兵法史略学》为两湖书院教材中的一部，是军事历史著作，共二卷。卷一之《课程义例》是全书的总纲，其下又分"兵法必立史略学之意""兵史诸书之大略""外国兵史之大略""讲授兵史之例"等四个子目，用以说明学习军史之于兵法的意义。卷一与卷二依专题，对春秋时期外交、军事问题做了简略介绍。

该书的主要内容有以下几方面：

一是阐述建立兵法史略学课程的意义和学习时应掌握的重点。作者认为，"欲明兵法，先明方略，欲明方略，先明史事，取古今战

---

① 《中国兵书集成》第四十八册，第93页。
② 《中国兵书集成》第四十八册，第94页。
③ 《中国兵书集成》第四十八册，第94页。

争得失之数，设身处地以求之，博习其故，可以得实理"①，此为设立兵法史略学课程的意义之所在。强调学战史必须紧紧围绕方略这一中心，"兵史所重，重在即史事以专求方略，并非舍方略而广览史事。欲治此学，存乎精义穷理，不在记事少多"②。该书以中西两方面史例，相互印证，得出结论："兵法之必治史事，又何疑焉。"③

　　二是评述古今中外战史著作。作者认为，中国以往所编战史著作，虽然用意各不相同，但其体例不外两种："一则以兵法区别义类而分隶以史事；一则以己意论列得失而佐证以史事。"④ 这两种方式的弊端有二，一是"区别太繁，如检谱角觝，但讲呆法"；二是"论列过当，则凭臆腾说，不贵实形"。⑤ 作者比较推崇茅元仪的《战略考》，认为："惟明茅元仪《武备志》卷首有《战略》一门，自西汉迄元，皆有崖略，录自史书，但第时代，不分门类，使研究方略者优柔餍饫，自求之，自得之，最为可法。"⑥ 但是，茅氏的著述失之简略，不如胡林翼的《读史兵略》翔实。作者指出："文忠广之录，取《左传》《通鉴》兵谋兵事为《读史兵略》。其摘录程式视茅书为近，而详实过之。上自春秋，下迄五代，兵事方略灿然可详，所释今地，亦较他书为精，间论其事之得失，每下一语，深切著明，欲讲求此事，取资其中已足致用。"⑦ 作者还认为，《读史兵略》之所以与一般的史事诸书不同，在于"诸家或主兵法，或主论说，不过以史事证之耳。而其所证之史又皆事中之一节一目，其义甚细。文忠则以史事为经，而以地理纬之。……是知兵事地理，必相为经纬，而后可以言知略"⑧。

----

① 《兵法史略学》卷一，页一，清光绪二十五年（1899）两湖书院正学堂课程本。
② 《兵法史略学》卷一，页三。
③ 《兵法史略学》卷一，页四。
④ 《兵法史略学》卷一，页四。
⑤ 《兵法史略学》卷一，页四。
⑥ 《兵法史略学》卷一，页五。
⑦ 《兵法史略学》卷一，页五。
⑧ 《兵法史略学》卷一，页五、页六。

　　对于外国兵史著作，作者认为："欧人著战史最为注意，事变愈大，战域愈广，则其书亦愈繁。"① 概括起来欧洲战史有如下五种体裁："综叙一事，备其终始，谓之纪事战史，如《欧罗巴战纪》是也；统述历代，穷其事变，谓之世纪战史，如《近世战史略》是也；至如普人希理哈著《防海新论》，就所经历以造知识，谓之新理战史；普人斯拉弗司著《临阵管见》，摭其利病，以资修改，谓之评论战史；英人克利赖著《前敌须知》，广其事证，以备部署，谓之引证战史。"② 作者最推崇的外国战史著作是法国人维亚尔的《战史》，称其"条理分明，脉络贯通，得战史之要领"③。

　　三是论述编写和讲授战史的理论方法。作者通过对古今中外战史著作的研究，提出了自己对编写战史的看法：1. 先明时局，后记战事。提出"欲明一朝之战事，先明一朝之时局，遍知天下，兵主之事"④。作者认为："时局先明，始能外观内戒，深识祸原，疏通知远，以持世变。博求战术，犹是后事。若世界先不识，尚何言待敌乎？故凡授某朝兵史，必先讲某朝之时局，战事次之。"⑤ 2. 以地理为要。作者提出，今治兵史，以地理为首要，"凡所授课程，遇有地名，必注今释，复就今图一一注示，令形势方面皆能昭晰"⑥。并要附载古今对照的战史图。3. 先宏观再微观。"凡治兵事，宜先晓大战事，而后小战事得以比类旁求，有所依附。"⑦ 提出"每朝战事，取其有关于天下之故者讲之"⑧。4. 关注战争的萌发及战后的影响。作者认为，凡兵事先必有发端，后必有结局，"每一大战事，往往于未战之前数年，端绪先萌；既战之后数年局势大变，但考一

---

① 《兵法史略学》卷一，页七。
② 《兵法史略学》卷一，页八。
③ 《兵法史略学》卷一，页八。
④ 《兵法史略学》卷一，页十一。
⑤ 《兵法史略学》卷一，页十一。
⑥ 《兵法史略学》卷一，页十一、页十二。
⑦ 《兵法史略学》卷一，页十二。
⑧ 《兵法史略学》卷一，页十二。

端，必不能悉"。"今必参会前后，令人易晓。"① 5. 重视对战略战术的归纳和阐释。作者强调："凡谋略战术，事资惩毖，期于今日有所鉴戒，他年得所持循，或汇为总释，或显以细书，为之发明，不厌求详。"② 6. 主张广泛占有资料，并要文字晓畅，言简意赅。作者强调，要广收博采，参考各方面的资料，又不能照录原书，而要概括归纳，删繁就简，使战史具有可读性。

《兵法史略学》是一部古代兵略和关于兵略编纂方法的兵书。全书指导思想是"治兵讲学，道本一贯，内外相辅，兵所由立"③。作者充分肯定了战史对研究兵学理论的重要性，并以自己提出的编纂方法对春秋时期外交和军事斗争的历史分专题进行了叙述。从其思维方法可以明显看出作者虽深受西方军事理论影响，但亦能立足自身，从中国传统史例中获证。该书是近代兵学著作中为数不多的战史著作，学术意义较大。

第五节　《兵镜类编》

清末李蕊编撰。李蕊（1823—1886），字商舟，号奎楼，湖南祁阳人。曾以秀才的身份入左宗棠平江营襄办营务，同治九年（1870）考中举人，同治十三年（1874）中进士。后不愿蹭蹬官场，虚度光阴，遂闭门谢客，发愤著书立说，终成《兵镜类编》。该书先在广州锓版，后由宝庆务本书局印行④。

《兵镜类编》是一部军事类书籍，共40卷，约50万字。从上自春秋、下至明代的正史中撷拾史事，分置于68个类目之下，每类中的史例以朝代为序排列。全书共有史例1471条，涉及用人、选将、

---

① 《兵法史略学》卷一，页十二。
② 《兵法史略学》卷一，页十二。
③ 《兵法史略学》卷一，页三。
④ 见李蕊：《兵镜类编》，岳麓书社，2007年，前言第5页。

训练、战法等方面的内容。另附《臆说十种》和《续录臆说补遗》20 条，是作者自己的军事主张。

与一般的军事类书不同，编者在分类辑录军事史事的同时，对每条史事都做了评断。评论多有感而发，一些议论较有创见，如"战贵大胜，须防大败。败不可大，胜尤不易大。非大胜则大败，此固逞其血气。不大胜亦不大败，又未免过于谨慎。出奇制胜，乃名将之道。谋出万全，更名将之道也"①。也有借题发挥阐述自己观点的，如通过评吴璘用兵，阐述了所长与所短的辩证关系，"弱出强继，此法甚善。反我之短，制彼之长，此法更善。反字中有无穷妙用。必审实长短所在，有所长，必有所短，亦有所短，必有所长。善于反，即善于制。变化之妙，总在一心，岂可安于短而惟长是畏乎"②？

《臆说十种》按作者自己的说法："皆按切目前时势立论，有推衍于《兵镜》中者，有特创于《兵镜》外者。"③ 可以看出，该部分是作者基于前代史例和兵学思想推衍出的自己的兵学观点。《臆说十种》分为陪京说、守城说、扼要说、海防说、练兵说、用兵说、避炮说、用炮说、审长短说、杜乱源说。《续录臆说补遗》则是对以上十说的补充说明，也提出了一些不同的看法。主要观点如下：

一、兵事争短不如避长

作者认为："兵法知己知彼，百战百胜，非谓知即能胜，谓审于彼己之间而善用其长短也。"④ 作者比较了中国与列强间的敌长与我长。敌之五长在"一炮利，二船坚，三令严，四财足，五用汉奸，六联与国"⑤。我之所长在众怒难犯，众志成城；以主待客，以逸待

---

① 《兵镜类编》，第 9—10 页。
② 《兵镜类编》，第 67 页。
③ 《兵镜类编》，第 775 页。
④ 《兵镜类编》，第 773 页。
⑤ 《兵镜类编》，第 773 页。

劳；地广人众，招募便捷；表里山河，关津险阻；凭城固守，出奇无穷；诱用伏兵，追截归路；孤军无援，四面夹攻；坚壁清野，阻绝粮道；兵民相习，能聚能散；远近夷险，成竹在胸。① 作者认为，敌人的长处我虽不及，但是"我可御，可避，可学，可绝"②，如此就能变敌长为我长、变敌长为敌短。此类想法在文人中并不乏见，如袁保恒即曾上奏称，"若使就其所长，习而精之，因其已能推而广之，其必可战胜守固，不待临事而知也"③，这里所说的"长"与李蕊所讲无异。然而此类认识都是建立在对西洋坚船利炮缺乏直观感受和对清军陆军能力有夸张想象的基础之上的，持此类观点的人，往往对于新事物持怀疑态度，固执地认为老办法可以解决新问题。李鸿章对此类说法的评价是："袁保恒不一考究事实，乃谓十余年来，以全力注海防，度支经费不遑再顾陆路，又谓专用中国长技，制夷破夷确乎可恃，稍知时务者当能辨其欺妄也。"④

二、防水不如防陆

这是"争短不如避长"的推论。作者对于晚清发展海军的努力并不认同，认为这是"竭天下之精华，以防于海，是极力以争所短也"⑤，同时认为中国所短在于水，所长在于陆，所以主张"以陆处之众，当航海之师"，认为，"据海口以争之而寇盛，弃海口以避之则寇穷"⑥，主张完全放弃海口，应将设防的重点置于陆上，然后"据险塞，运以精兵，寇必危"⑦。

---

① 《兵镜类编》，第 773—774 页。
② 《兵镜类编》，第 774 页。
③ 《李鸿章全集》第七册，第 120 页。
④ 《李鸿章全集》第七册，第 127 页。
⑤ 《兵镜类编》，第 769 页。
⑥ 《兵镜类编》，第 769 页。
⑦ 《兵镜类编》，第 769 页。

三、主张严选和精练士兵

提出挑选 16—30 岁精壮男子 4000 人，试练五个月，每月汰出 500 人，最后留存下来 1500 人，优给口粮，勤加训练。训练内容包括：习走、习力、习腾空、习越限、习登山、习入水、习刀法、枪法、钯法、棍法、藤牌法、大小炮法。以此 1500 人为裨将训练被汰出的 5 营，计 2500 人，"结以恩义，束以纪律，运以奇谋，而保护之、鼓舞之，使皆得其死力"①。

四、提出了一些作战战法

如散队战术，以及空城、空寨、地孔（地道）、地雷诱歼等战术，这些想法多来源于戚继光的《纪效新书》。其他如以渔网兜裹炮弹，以铠甲、铜面抵御炮弹攻击，则完全出于想象，脱离实际。

总体而言，该书前半部分对于中国历史上的战例梳理较有价值，后半部分阐发自己兵学认识的价值较小。作者对西洋武器装备缺乏基本的认识，对清军的现实状况无充分了解，就其兵学思想而言，可取之处不多，所提出的方案及对策，基本无用于实战的可能。

第六节　《兵武闻见录》

作者壁昌（1795—1854），字东垣，额勒德特氏，蒙古镶黄旗人。曾率军镇压新疆浩罕叛乱，打退浩罕军的三次进犯。后任凉州副都统、察哈尔都统。道光二十二年（1842）任陕西巡抚，次年升两江总督。道光二十七年（1847）留京授内大臣，复出为福州将军。咸丰四年（1854）卒，追赠太子太保，谥勤襄。除《兵武闻见录》外，尚著有《叶尔羌守城纪略》和《守边辑要》。《兵武闻见录》分

---

① 《兵镜类编》，第 770 页。

择帅、选将、肃伍、整械、修守、安抚、行军、善后等八篇。

关于将帅选择，作者区分了对帅和将个人素质的不同要求。择帅优先看政治上是否可靠，认为取才"莫如天潢满汉世家之人"①，因为"世受国恩，自幼父兄之家传，目之所见，耳之所闻，身之所经，易开其眼界心胸，自然多公少私，众所易服，较之寒士新进为切近"②。若从寒微之士人中选拔统帅，则需层层考察，"阶梯用诸枢要，则缓急可得为帅之才也"③。关于统帅的基本素质，壁昌认为应当"平居不怒而威，使三军凛若秋霜；不慈而惠，使百姓爱如冬日精神也"④，还应熟悉地理形势，能谋善断，赏罚严明。在将领的选择上，最看重能否耐劳苦，能否冲锋奋勇，能否有服从恪敬之心，对部下是否能以礼相待，认为，"为将备者，果能不占私粮，不摊公费，兵心自服"⑤。若将领人选有才能但行事粗鲁，则应"教之以礼义，导之以忠爱，威之以军令"⑥，然后荐之提镇，庶能佐帅之指臂。

关于训练，分为技艺训练和阵法训练。技术训练主要练习护身刀法，认为士兵"自恃有刀防身，其胆自壮"⑦。刀法训练，摒弃一切套法花着，惟练"上下左右四手滚砍剪腕之法"⑧。待刀法纯熟后，再练习藤牌、长矛、枪、炮等四项长技。长矛和藤牌之法需与刀法相配合，做到长短互用，以短救长，以长护短。鸟枪和抬炮主要学习如何装药、如何瞄准，枪法需明晓进步十连环，抬炮需明了如何装药、如何取准。至于阵法，不练香山阵、速战阵、三叠枪式等花法，而教以更为实用的"层次进剿之法"，其训练要领是，"平

---

① 壁昌：《兵武闻见录》，页二，清咸丰三年（1853）刻本。
② 《兵武闻见录》，页二。
③ 《兵武闻见录》，页二。
④ 《兵武闻见录》，页三。
⑤ 《兵武闻见录》，页七。
⑥ 《兵武闻见录》，页五。
⑦ 《兵武闻见录》，页八。
⑧ 《兵武闻见录》，页八。

时于教场中，平拉更线九层，以抬炮队五炮一联平排在前为第一层，鸟枪队十杆一联平排为第二层，长矛队平排为第三层，藤牌平排为第四层，教以进步之法"①。根据敌人距我之远近，或炮击，或枪击，或长矛出动，或以藤牌护卫。

关于扎营、布防及简单的战术，主要讲了设防之法与基本战术。壁昌对于作战的基本认识在于"有备"，即指将功夫下在平时，"必须平日有备方能迅速，若临事现集兵将，各不相知，反成乌合之众，焉能得心应手"②。扎定营盘是有备的核心内容，所有士兵必须熟练掌握。一般营盘要扎三座，间隔一定距离，又要声气相通。营盘周围要挖五六尺深、一丈宽的壕沟，并安设大炮、鸟枪、鹿角栅以遮护营内。距营三里外安设黑卡，派兵日夜把守。无战之时，队伍需以战斗序列进行不间断的操练，"每日应令其出队，演练均照演阵一样，掌号催兵，起鼓出营，先抬炮，鸟枪，矛牌分两边，排对依次而行。语云，行如战，坐如守"③。遇敌时，领兵者要能身先士卒，激发士气，"要胆壮脚稳，即按照炮、枪、矛、牌远近次序而施，使有各自为战之心"④。得胜之后，"仍为齐队，听鸣金收兵，按队回营，就队记功"⑤。

关于城池防御，该书认为需做好以下五方面工作。一要使人心安定，不为浮言所惑；二要添募勇丁，以备征调；三要鼓励捐输，备足军饷；四要严密稽查，以防奸宄混入；五要积聚粮米。只要"大家同力，众志成城，万无一失，则人心皆定矣"⑥。

在《善后》篇中，壁昌还讨论了战后勇丁的遣散问题，基本点在"慎之于始"，即在招募之初就要想好遣散的问题，所以他主张

---

① 《兵武闻见录》，页十一。
② 《兵武闻见录》，页二十三。
③ 《兵武闻见录》，页二十四。
④ 《兵武闻见录》，页二十五。
⑤ 《兵武闻见录》，页二十五。
⑥ 《兵武闻见录》，页二十。

"尽招生监"，即有一定文化修养的人，这样，"贼平则自归乡里，何用遣散"①。此外，该书还在枪械的制造与存储、城池修造及部队驻防等问题上也有一些认识。

总体上看，《兵武闻见录》是一部军事意味较浓的兵书。壁昌有长期的领兵经历，对带兵与作战的理解透彻，尽管所论较为粗略，且较少涉及战略层面的问题，但所论贴近实际，有一定操作性，兵学价值较大。

第七节　《操练洋枪浅言》

作者为冯国士和葛道殷，生平不详。该书篇幅较小，主要讲解基本的射击原理及操枪要领。

射击前，士兵需学习掌握弹道运行轨迹，要懂得利用枪杆上的表尺，通过调节枪杆仰角，校准枪弹的飞行距离。为此，需要了解影响射击精度的"四差"。一是远近差，或称为直差，即仰角，"表尺数太高，子盖靶而差远，太低不及靶而差近"②。二是左右差，或称横差，即子弹在横向上的偏差，"子或向右斜走，或向左斜走"③。四差之外，又有三差，曰早晚差，曰阴晴差，曰风力差，即不同的天气情况对子弹飞行速度或瞄准的影响，这些士兵亦需了解掌握。

为提高射击精度，士兵还需练习身力、手力和眼力。所谓练身，即练习三种操枪姿势，一是立法，要领是"提气上升，枪则对正，身则偏向右足，斜退半步，两膝平直，着力稳立"④。二是跪法，要

---

① 《兵武闻见录》，页二十七。
② 茅海建：《清代兵事典籍档册汇览》第六十一册，学苑出版社，2005年，第182页。
③ 《清代兵事典籍档册汇览》第六十一册，第182页。
④ 《清代兵事典籍档册汇览》第六十一册，第184页。

领是"上身仍须挺直，左手托枪，置于左腿之上"①。三是卧法，又分"俯卧势放者，有作仰卧势放者"②。练手力主要是练习端架，习成后，要"前手稳，后手灵，举重若轻，毫不走偏"③。练眼即练习瞄准，要熟悉子弹飞行线路，要能做到"子未出膛口时，即历历如见其弹子速率至落角处"④。

该书最后对练气、练心和练神等传统兵书中常有的内容略有提及。所谓练气，即射击时要做到心平气和，避免心理波动；练心则要达到心细心沉；练神则要清心寡欲，不耽于酒色。

第八节 《地营图说》

《地营图说》，共一卷，是军事工程类兵书，主要讲述地营造法及运用。作者蔡标，曾参加过中法战争，后署理过云南提督。

全书由四篇短文构成，每篇均有配图。第一篇《论地营模式》，主要讲地营的构造。地营类似碉堡，底部四方，顶为穹顶，深四尺，宽一丈二尺，内部以大椽木加固。每个地营开三个枪眼，地营与地营之间有明槽或暗道相联络。地营建造贵坚固，要能抵御住炮火轰击，这是地营建造的主要目的。地营建造的要点作者归结为"三不可少"和"一不易得"。所谓"三不可少"即"审察地势之不可少""精简器料之不可少""工程着实之不可少"。"一不易得"即合适的统帅不易得。但若得人，则"安扎尽力，而临事无虞矣"⑤。

后三篇为《论海口长江地营》《论依山地营》《论攻贼城营》，主要讲述不同条件下的地营之法的运用。如在海口，地营应设在炮

---

① 《清代兵事典籍档册汇览》第六十一册，第 184 页。
② 《清代兵事典籍档册汇览》第六十一册，第 184 页。
③ 《清代兵事典籍档册汇览》第六十一册，第 185 页。
④ 《清代兵事典籍档册汇览》第六十一册，第 185 页。
⑤ 蔡标：《地营图说·书地营图说后》，清光绪十七年（1891）抄本。

台周围，挤扎百数十地营，使"以炮台为地营根本，以地营为炮台辅翼"①，如此则可同时发挥炮位的火力优势及地营的防御优势。在山地，需在郡县城堡周围，"四面环以地营，层层严密防守，更择于前后险要山隘，每路千人，密布地营，扼要驻扎，犄角遥应，一气联通"②，然后可以以逸待劳，以静制动。地营不仅可以用于防御作战，与地道之战相结合，亦可用于攻坚作战。在《论攻贼城营》一篇中即讲解了利用地营攻坚作战之法。作者认为若挟新胜之势以攻敌，敌若坚守，制之法，最切者仍为地营。具体而言，"众军各任道路，以地营数十余道，分路层层潜伏，逼近以达城垣"③，或以火药轰开城墙，地面部队由缺口攻入城中；或分三路掘地道深入敌城内，或由暗道猛攻轰击，或乘黑夜以火药焚轰，等等。

该书所述地营之法，看似笨拙，但在实战中确能发挥一定作用，是抵消西方火炮威力的一种行之有效的方法。在中法战争陆战中，地营发挥了一定作用。如作者在后序中所言，"越南之役，我军于蛮烟瘴雨中与法夷拼死角胜，全赖地营之力，使西人火器不能逞其精利，军事得以善全"④。即使在十年后的甲午战争期间，仍有文臣上奏建议采用地营之法，"前此法越之役，故督臣岑毓英等始皆败溃，其后能转败为胜者，开挖地营之效也"⑤。

第九节　《读史兵略》⑥

《读史兵略》是一部辑录体编年战争史，编者题为胡林翼，实则

---

①　《地营图说·论海口长江地营》。

②　《地营图说·论依山地营》。

③　《地营图说·论攻贼城营》。

④　《地营图说·地营图说总论》。

⑤　《中国近代史资料丛刊续编·中日战争》第一册，第670页。

⑥　参考许保林：《中国兵书通览》，解放军出版社，1990年，第223—227页。

为胡林翼召集幕僚汪士铎等人编纂而成。汪士铎为总编辑，分辑者有胡兆春、张裕钊、莫友芝等。胡林翼在序言中称："林翼遭时多故，过蒙殊恩，畀以疆事，与使相襄平官公同修兵戎于江汉。受任既重，深惟负乘之惧，顾才不副志，略不称心，私窃忧之。戎幕相与从容风议者，辄及二书（《左传》《资治通鉴》），因条取其言兵者汇编之，以朝夕循览，期牖顽钝。"[1]

该书分为《正编》与《续编》。《正编》于咸丰十一年（1861）由武昌官署刊行，所记史事止于五代。《续编》所辑为宋元明三代史事，咸丰十年（1860）已编成初稿，准备分卷删定后付梓，因胡林翼离世而未得刊行。直到光绪二十六年（1900），由俞樾作序，莫友芝作跋，将兵略内容进行详细校理分卷，编为十卷，由上海图书集成印书局刊行。

该书与其他兵略类兵书相比有其特点：一是以年系史。全书以所记战争的朝代及年号为标目，以时间先后排纂战争史料。以往兵略类兵书除茅元仪《战略考》外，多以类书体汇集战史资料，或以兵法区别意类，或以己意论列得失，而《战略考》虽按时间先后编纂史料，但不标具体年代，更不如《读史兵略》详实。二是以战史为经，以地理为纬。作者认为，以兵略为本，而兵略以地理为要，所以对战争发生的地点详加考订，引用前人如胡三省等人的研究成果进行注释，尤其对古今地名的对比注释较同时代他书为精。陈庆年称"自古史书，兵事地形之详未有过此者"[2]。三是评论得失，切中要害。该书对一般战例只注地理，不作评论，而对于远略奇谋，往往用一句简练的话进行评论，言简意赅，如卷一下"吴师在陈，楚大夫皆惧"条，记述子西分析两任国君，昔日阖庐食不二味，居不重席，室不崇坛，勤恤其民；今日夫差珍异是聚，观乐是务，视民如仇，因而得出吴必先自败的结论。《读史兵略》对这一段给出的

---

① 《胡林翼集》第三册，第1页。
② 《兵法史略学》卷一，页六。

评论是："远识可为国监。"①

《读史兵略》虽然系从史书中辑录有关战史资料而成，议论亦不很多，但该书以战争与地理互为经纬，颇具特色。中国古代像这样以年系史的专门战争编年史并不多见，所以该书在清末有一定影响。讲授战史的学者陈庆年给予该书以较高的评价："《读史兵略》，其摘录程式，视茅书（指茅元仪的《战略考》）为近，而详实过之。上自春秋下迄五代，兵事方略，灿然可详，所释今地，亦较他书为精，间论其事之得失，每下一语，深切著明，欲讲求此事，取资其中，已足致用。"②

第十节　《将略要论》

作者刘璞，生卒年不详，字连城，洵阳（今陕西省东南部）人，曾任金川镇总兵。虽为武将，但被称为"纯乎学问中人"③。书前有序言数篇，后有题跋数篇，均对此书评价极高，但有吹嘘之嫌。该书不分卷，正文仅约五百字。

首论为将之道，认为："为将之道，首在定，定则静，静则明，明则公，公而无私，克私不犯，则进道矣。能得人，能知人，能用人，能爱人，能制人，省天时之机，察地利之要，揽人和之济，详安危之变，知定乱之法，久而不倦，遇事不乱，始能受国家之重任，终能立绝代之功勋。"

次论行师之法，"安危定乱，良在守微，守微者，兴邦之基也。行师之道，忌在贪战，贪战者，丧军之根也。"要在审机的基础上，决定进击还是固守，"所贵乎守则有条，战则有节，战守合乎机宜，

---

① 《胡林翼集》第三册，第88页。
② 《兵法史略学》卷一，页六。
③ 《将略要论》，序一。

必能兴军固邦矣"。

三论文武关系，认为贵在将吏相应，如此则人和，"人和则察地利，省天时，战无不捷，攻无不克矣"。

四论兵民关系。认为，"民为兵之源，兵无民不坚，……兵为民之卫，民无兵不固"，所以"为吏者，必使民知兵之辛劳；为将者，必使兵知民之艰苦。如能将吏相应，兵民相洽，倚民养兵，倚兵护民，兵坚民固，和衷共济，不亦善乎"？

尽管序言中有人盛赞该书"实由身心性命而出，与纸上谈兵者奚啻霄壤"①，然而细读，所论较为空洞，缺乏实质性内容，认识仍停留于"道""机"这些抽象的概念上。谈为将之道，也没有超出《孙子兵法》所讲的"智、信、仁、勇、严"五字。对于兵民关系的认识，仅说明二者关系的重要，此外无更深入的探讨，仍犯文人论兵常有的直接推导、强行联系的毛病，如从"人和"直接导出"战无不捷"等。作者虽是武将出身，但此书却可归入纸上谈兵一类，兵学价值不大。

第十一节　《乡兵管见》和《团练事宜》

团练的特点在于聚则为勇，散则为民，是一种低限度的地方武装，组织较为松散。由于团练训练周期短，缺乏战术上的配合，因此仅适用于正规军作战之外的辅助训练工作。因团练比较契合文人对于"寓兵于农"的想象，因而被赋予了较多关注。晚清时期有关团练的论述很多，几部经世文编中，几乎每部均有多篇讨论团练战法与运用的文章。此外，以兵书形式出现的也有多部，比较重要的有《乡兵管见》和《团练事宜》。

---

① 《将略要论》，序一。

一、《乡兵管见》

《乡兵管见》是清代关于保甲团练的兵书。李柬撰。李柬，字敬之，生平未详。该书现存有清咸丰九年（1859）石印本、咸丰十年（1860）陕西布政使司刊本、《兵书七种》本等。

《乡兵管见》共三卷，卷一为《乡兵劝谕》，讲设立乡兵的必要性、可行性。"团练之设大半皆为富者设也"，"团练之设未尝不为贫者守也"①，因此要求富人出钱，穷人出力；卷二为《乡兵章程》，是具体的办团之法，记述保甲方法、乡兵的选拔、编制、赏罚、训练、经费来源、火药火器的制造、侦察、巡逻及作战要求等；卷三为《乡兵杂说》，主要是乡兵的纪律要求，如不可私斗，不可违令，不可虚发火器，不可偏徇赏罚，不可勒捐口粮，不可招募外勇，不可临阵退缩，官不可扰团，团不可抗官等。

全书核心内容可概括为以下三点：

（一）动员

乡兵之法的核心是"以民卫民"，"以民治民"，"要使人人皆兵，时时有备"。其作战指导是"处处有团，村村相应"，坚壁清野，以主待客，以饱待饥，以逸待劳，"四面围剿"，使敌人"八面受敌"。②乡兵的组织原则是由本乡自办，官府不干预；乡兵成员在本乡人中选拔，"本乡之人，有事则一呼立至，无事则各安生业，可以永久长行也"③。不招募外乡之人，原因一是"外方之人，家产不在本地，无保卫家产的迫切感；二是来历不明，恐有奸匪混入"；三是"聚则不能散，散则不能聚，长年养给，需用甚多"④。

（二）坚壁清野

---

① 李柬：《乡兵管见》卷一，页二，清咸丰十年（1860）陕西布政使司重刻本。

② 《乡兵管见》卷一，页一。

③ 《乡兵管见》卷三，页二。

④ 《乡兵管见》卷三，页二。

这是迫使敌人不战自溃的主要办法。首先要挖壕筑垒。于围村二三丈外挖壕，壕深七八尺，以修壕所挖之土用于修垒墙，垒墙亦高七八尺，壕与垒紧连，"使贼逾濠无驻足之地"①。垒墙内修筑鸟枪施放台，外壕设有吊桥，垒之周围派兵分守。一村团练无法保证一村之安危，必须村村有联络，当一村受困时，他村也要参与救应。其次是清野，即将一切可食之物尽数收藏或焚毁，使敌人无可掠食。

（三）作战

战时将团练分作四队，第一队为刀牌手，第二队为鸟枪队。其中，刀牌队以"右手执刀，临阵时左面向前，曲左膝而跪右膝，以左手持牌于地"，用以护卫身后的鸟枪队。第三队则为钩镰枪，用以就近冲杀或追击。此外还有第四队，类似于预备队。平时训练即以四队进行，队与队之间保持适当距离，做到"人间容人，队间容队"②。作战时以金鼓为号，轮番出战，前队战毕，另一队间行插入，名为插队进步法。

该书比较完整地反映了乡团的组织、器械筹备、训练与简单战术，有一定的史料价值，但兵学价值不高。

二、《团练事宜》

《团练事宜》，又名《广西团练事宜》。作者朱孙诒（？—1879），字石樵，江西清江人。道光三十年（1850）署湘乡知县。在湘乡期间，罗泽南被推为孝廉方正，县试拔刘蓉冠军，延王鑫襄理县事。咸丰二年（1852）倡议组织团练。咸丰三年（1853）曾国藩到长沙，调湘乡团练千名至长沙编练湘军。咸丰四年（1854）练成湘军水陆师，与太平军战于宁乡等地。不久朱孙诒临阵弃军出走，遂脱离湘军，继续任湖南地方官。因治团练有功，由知县晋升知府、道员，加按察使衔。

《团练事宜》有《会详文》《团练说》《实行团练告示》《遴选

---

① 《乡兵管见》卷二，页十。

② 《乡兵管见》卷二，页六。

团总》《条规》《旗式》《后详文》等篇。

尽管清廷每遇民间变乱，多兴团练，但当时人对于团练之弊已有认识，"困于贼者难堪，困于团练者亦甚。借团练以科敛钱谷者，无论已有名为团总，实通贼者，不惟乡间仰其鼻息以图保身家，即地方官亦听其指挥，以苟全性命"①。朱孙诒却认为，团练之弊并不在团练本身，而在于"未尝经官办理，亦办理不得其人"②。朱孙诒认为防团练之弊的办法，其一，专责成。"今每县团总不过数人，团长十余人，团正数十人，兼立百长什长，使其递相管束（以人制之），分路管领（以地限之），且悉听地方官指使。（团总听命于官，是官总其权也），可操纵自如也，无虑其横行矣。"③ 其二，勤训练。"间以暇时校其技艺，齐其队伍，逐层训诲，使之辑然和睦"④。具体而言，训练分为练技与练胆。练技主要以枪炮为主，练胆则在培养必死的决心。同时区分大团和小团，定期会操和演习阵法。其三，严管理。明确团规，禁斗殴、赌博，同时对团练中的选人才、重委任、明赏罚也做了规定。朱孙诒认为，如此则能解团练之弊，而实收团练之效。

总体上看，该书篇幅不大，虽涉及内容不少，但均不深入。本书对团练的功能和作用进行澄清，但对团练的作用似有夸大，对于团练的训练和管理之法，讲述笼统。

第十二节　《洋防说略》

作者徐稚荪，曾任湖北荆州知府。光绪九年（1883）服官到鄂，

---

① 《清代兵事典籍档册汇览》第五十册，第341—342 页。
② 《清代兵事典籍档册汇览》第五十册，第342 页。
③ 《清代兵事典籍档册汇览》第五十册，第344 页。
④ 《清代兵事典籍档册汇览》第五十册，第345 页。

当时正值中法战争，佐湖广总督卞宝第筹办江防，"乃取沿海沿江形势，详记道里，考校中西各图，附载岛屿沙线，分衍为说，并次古今兵防利钝，参以管见，而列于篇"①，遂成该书。该书分上下两卷，上卷主要记述沿海诸省各战略要口的形势、过往战事等情况，下卷有《防海说》《防江说》《地营图说》《润土炮台说》《开地隧伏炮说》《陆战宜先避敌枪说》诸篇，阐述了加强海防、江防建设和抵抗海上之敌的办法，主要反映的是作者本人对海防和江防的认识。

　　一、关于海防观念，作者认为，"外洋是其所长，海口亦非其所短"②，对于魏源提出的"御外洋不如御海口，御海口不如御内河"的主张，作者是基本认可的。他说，"徒角逐于外洋海口，无当也"③，所以他不主张购造铁甲巨舰，因为铁甲舰运棹不灵，且耗资巨大，一舰有失，即难为继，不如多备小型兵轮，分布海口，为炮台陆军之助。从当时国家的财政状况来看，这些主张不无积极合理的一面；但否定购造铁甲舰，将海防限制在近岸，认识则过于保守。作者坚持认为设防应集中于海岸，但当时的防御体系并不足以阻滞海上之敌的侵入，"官军驻重之处，或有战舰而不能必胜，有炮台而偶为所败"④，所以他进一步将魏源的海口设防向内退到陆地，提出"御内河不如御陆地"⑤，又说，"我惟专守陆地，而以兵轮相辅，即足立于不败"⑥。要确保海疆安全，"则惟择地利，守要害，坚炮台，修军械，养精卒，操陆战，备火攻，设奇伏。先为不可胜以待敌之可胜，则守可也，战可也，以守为战，以战为守，亦皆无不可也"⑦。作者还列举了诱敌深入、因险设伏、枪矛配合、接敌近战等

---

① 《中国兵书集成》第四十八册，第 751 页。
② 《中国兵书集成》第四十八册，第 687 页。
③ 《中国兵书集成》第四十八册，第 687 页。
④ 《中国兵书集成》第四十八册，第 687 页。
⑤ 《中国兵书集成》第四十八册，第 687 页。
⑥ 《中国兵书集成》第四十八册，第 728 页。
⑦ 《中国兵书集成》第四十八册，第 729—730 页。

多种"避其所长，攻其所短"的陆战方法，并以三元里人民抗英、刘永福援越抗法等例，证明御之陆地确为行之有效的良策。

二、关于海防布局，作者认为，海疆七省，以直隶、江苏为重，然奉天、山东、浙江、福建、广东诸省，亦不可不防。作者主张各海防省份应就所辖海防要口就地设防，反对调他省援兵，认为，"援东调西，顾此失彼，亦筹防之拙也"①。作者认为中国沿海万有余里，城镇林立，处处设防，既无可能，亦无必要。可行的办法是要点设防，即在最可能被敌人攻击的海口重点地区设防。他以人的躯体作比，指出"地之要害，犹人有六尺之躯，护风寒者只此数处"②，这些要口计有奉天之旅顺，直隶之天津、北塘，山东之登州，江苏之江防、龙华镇，浙江之定海，福建之福州、台湾，广东之广州、琼州。他认为，"要害之处是宜驻军严备，其余海口边境，可以略为布置，或即责成提镇派兵守御。倘有挫失，于大局究无甚碍"③，亦可借资民力，举办团练，"以济兵力之穷"④。

三、作者就长江防务问题发表了自己的见解，其中心思想是："惟取其江面之窄者，分布扼守，即足立于不败"⑤。对于防止法国侵略军沿江进犯，作者认为，如将湖北、江西、安徽、江苏四省之力"共置之鹅鼻嘴以守第一重门户，仍分设圌山、蒋山之防，以壮声势而严锁钥，敌即以铁甲船来，亦不能越门户而过"⑥。同时主张裁并水师，添设兵轮，平时沿江游巡，"讲求乘风打炮、避浅制敌诸法"⑦。

从整体上看，该书并无特异之处，对于海防要点的认识，在丁日昌、薛福成等人的书中亦有大体相同的论述，仍是岸防思维，对

---

① 《中国兵书集成》第四十八册，第 684 页。
② 《中国兵书集成》第四十八册，第 684 页。
③ 《中国兵书集成》第四十八册，第 684—685 页。
④ 《中国兵书集成》第四十八册，第 685 页。
⑤ 《中国兵书集成》第四十八册，第 733—734 页。
⑥ 《中国兵书集成》第四十八册，第 735 页。
⑦ 《中国兵书集成》第四十八册，第 737 页。

海防与海军的认识仍停留于相对原始的水平。

第十三节　《北洋海军章程》

第二次海防大讨论后，晚清海军建设的主导思想有较大调整，明确在经费有限的情况下，停止两洋并建的方针，转而集中财力精练一支海军，即优先发展北洋海军。在此之后，北洋海军的发展建设步伐明显加快，除继续关注舰船等装备建设外，开始着意进行制度及章程建设。光绪十二年（1886）夏，醇亲王奕𝗇巡视北洋海防后上奏称："将来船只成军，自应请专设提督等额缺，妥定章程，以专责成而固军志。"① 光绪十四年（1888）奕𝗇致电李鸿章，命其将北洋海军定额、兵制、驻扎、会哨等草拟章程，上奏总署。李鸿章受命后召集周馥、丁汝昌、刘步蟾、林泰曾、罗丰禄等着手章程的起草工作。实际上，在《北洋海军章程》之前，各地在加强海防建设过程中形成了多部海军训练和管理规范，如《轮船章程六条》《经费章程》《保护船只章程》《水师补缺章程》《雷营章程》《轮船出洋训练章程》《轮船营规》《预筹防范章程》等。但从总体而言，这些章程缺乏系统性，章程间的照应不够，甚至还有规定彼此抵触的情形存在。② 此外，还有丁日昌提出的《海洋水师章程》及薛福成的《北洋海防水师章程》，这两份文件虽名为章程，但更多的是在阐发海军建设思想，思想性强而操作性不足。所以此次《北洋海军章程》的制订除吸收以上各章程有益成分外，还特别借鉴了英、德海军章程的相关内容，突出了章程的完备性与系统性，如李鸿章所言，"所拟章程，大半采用英章，其力量未到之处，或参仿德国初

---

① 《清末海军史料》（上），第 252 页。
② 参见马骏杰：《论北洋海军章程》，《历史档案》2000 年第 4 期。

式，或仍遵中国旧例"①。

1888 年 7 月，《北洋海军章程》起草完毕，10 月初，经慈禧批准，由奕谭颁布实施，至此在近代海军建设史上有重大影响的第一部经朝廷批准的近代海军条例宣布诞生。该部法规的出现，代表了海军建设思想最高水平，一般将其视作北洋海军正式成军的标志之一。

《北洋海军章程》（以下简称《章程》）是北洋海军的管理和日常操练的准则，共分船制、官制、升擢、事故、考校、俸饷、恤赏、工需杂费、仪制、铃制、军规、简阅、武备、水师后路各局等 14 款，下面分十个方面对其主要内容加以简要介绍：

一、船制。《章程》将舰船分为四类：战船、守船、练船、运船。规定"镇远"和"定远"两艘铁甲舰由总兵管带，每舰各编 329 人；"致远""济远""靖远""经远""来远"等五舰由副将管带，每舰编 202 人；"超勇""扬威"两舰由参将管带，每舰各编 137 人；炮舰由都司管带，每舰各编 54～55 人；鱼雷艇由都司或者游击管带，每舰各编 28～29 人。舰船上的弁兵根据工作的不同各有名称：管驾、大副、二副、三副、炮弁、管轮、水手、升火、管油等。

二、官制。规定何官在何船任职。《章程》规定：整个北洋海军设立提督 1 员，总兵 2 员，副将 5 员，参将 4 员，游击 9 员，都司 27 员，守备 60 员，千总 65 员，把总 99 员，经制外委 43 员。此外，还保留了提标、中军左右翼、后军等称谓。尽管在结构上采用了英国海军的官制，但称谓上则保留了绿营兵的旧称。此外，规定提督统领全军操防事宜，归北洋大臣节制，选择于威海卫建衙署或建公馆办公；总兵以下各官终年住在船上，不建衙署，也不建公馆。但北洋海军似普遍缺乏这样的专业精神，兴建私宅者不乏其人。特别是在教习琅威理辞职后，"渐放渐松，将士纷纷移眷，晚间住岸者，

---

① 《李鸿章全集》第三十四册，第 386 页。

一船有半"①。

三、升擢。李鸿章上总理衙门的《议拟海军章程奏底》一文，说明了设立升擢一款的目的。认为海军作为新事物，若在管理上仍按老办法，趋新的动力则不能充分发挥出来，必须改变既往的办法，而采用新办法。按照李鸿章的认识："各国水师皆以学堂、练船为根本，按资推擢，材武辈兴，未有不学而能任海军者。中国风气未开，士绅争趋帖括，议论多不着痛痒，目前仅以公款设一二学堂，造就实虞不广，若升擢、保举两途仍如旧例，不能变通，实无以鼓励士心，启其观感"②。《章程》将海军军官分为三类：战官、艺官和弁目。战官由"水师学堂学生出身，能充任各船管带，及大二三副职事，其才艺兼备，博览天算、地舆、枪炮、鱼雷、水雷、帆缆、汽机诸学而精于战守机宜者"；艺官由"管船学堂学生出身，能充任各船管轮官，专司汽机者"；弁目由"练勇、水手出身，可充各船炮弁、水手总头目等"。不同军官薪俸亦有差异，但基本的思路是条件越艰苦，薪俸越高，如规定："凡在铁甲、快船、鱼雷艇当差者，其所历岁月为外海战船之资俸；在守口、练、运各船当差者，为外海常船之资俸；在内河驾驶各船或充当船坞、学堂、机器局等差者，为内河之资俸。"③ 内河俸两年只抵外海常船俸一年，不可以折抵外海战船俸。另规定"凡海战军官，自受职守备之日起，按资推升，无论在船、在岸当差供职，统以二十年为限"④。

四、考校。该部分涉及学堂学生和船上练勇的招募。《章程》认为："北洋战舰只有此数，而所调船政优等学生已不敷用。船可以随时购造，将材非可仓猝而得也。且每一学生髫年受学，计其在堂在船依次练习，非十年不能成就。中间除去事故应剔退者，或资性庸懦难当重任者，所得不过十之五耳。是宜宽立学额，优加奖励，庶

① 《盛宣怀档案资料选辑之三·甲午中日战争》（下），第 399 页。
② 《李鸿章全集》第三十四册，第 386 页。
③ 《清末海军史料》（下），第 481—482 页。
④ 《清末海军史料》（下），第 484 页。

多士奋兴，可以藉手利器，张威海上。"① 基于这样的认识，《章程》对海军招考学生的条件进行了详细规定，要求"身家清白，身无废疾，耳目聪明，口齿清爽，文字清顺，年在十四岁以上，十七岁以下，已读二三经，能作论文及小讲半篇者，准其父兄觅具保人，送堂考验。如其合选，留堂习英文三个月，由堂中总办大员甄别，择其聪俊者，留堂肄业，名为海军官学生"②。对在堂学生四年中应该学习的功课、在船应考学问、各科应得分数等也作了详细规定。至于练勇，规定"海军练勇，原为备补兵额。北洋练勇向养二百五十人，遇有各船水手告假、革退、病故等事，即在练勇内挑补，随招沿海船户、渔户年轻者，以补练勇之缺"③。这部分明显吸收了《法国海军职要》的相关内容。《章程》还对考校官弁、水手、炮目、兵匠、练勇制度等作了详细的规定。

五、俸饷。《章程》将海军人员的俸禄分为官俸和船俸。"其数划分十成，以四成为本官之俸，视官职大小而定；以六成为带船之俸，视船只大小而定。"④ 船俸需在船当差方能支给，不在船不准支给，由此鼓励官员住船。规定"所有旗、绿营例支养廉、薪蔬、烛炭、心红纸张、案衣什物、马乾等名目，一概删除，以归简易"⑤。实际上是将八旗、绿营俸饷中过细的且在实行中难于落实的薪俸名目进行了归并，使海军的薪俸更为明确，避免了麻烦。《章程》还对海军各级军官的薪俸数额进行了明确，如规定水手薪俸分为三等，月饷4~6两；升火分三等，月饷8~12两。总体上看，这些薪俸标准较八旗、绿营、淮军更高，因此上船当水兵较之陆军有更大的吸引力。

六、恤赏。之前的各类水师章程均缺乏恤赏的内容，这部分明显是受西洋海军章程启发的结果。《章程》规定："大副以下人等，

---

① 《中国兵书集成》第四十八册，第537—538页。
② 《中国兵书集成》第四十八册，第538—539页。
③ 《中国兵书集成》第四十八册，第557页。
④ 《清末海军史料》（下），第486页。
⑤ 《清末海军史料》（下），第486—487页。

遇有积劳在船身故者，按一月薪粮给发恤赏；其因病离船尚未开缺旋即身故者，减半给发；倘有在洋因风飘没及阵亡、伤亡者，加倍给予两月薪粮。"① 但似对士兵的优抚额度偏低。

七、钤制。《章程》对海军从提督一直到水手，每一层级的统属关系进行了明确，特别突出了海军提督的绝对权威地位。规定"提督在何海口，该口北洋兵船概听提督一人之令，总兵不得与提督平行。其中军、左、右翼及鱼雷艇、练、运各船管带官，皆不得自出号令"②。若提督无法行使其职权，则对何人代理职掌进行了明确，"提督他往，则听左翼总兵一人之令；如左翼总兵他往，则听右翼总兵一人之令；右翼总兵他往，则听副将之令；同为副将，则听资深副将之令；不分中军、左、右翼，以次递推"③。同时规定各船管带官有管理全船的职责。沿海陆路水师文武大员，如果没有明文规定节制北洋海军，兵船官一概不听调遣。如此则保持了海军的相对独立性，避免了过往水师被陆军大员征调而引发的指挥混乱局面。

八、军规。主要列举各类惩罚措施，不仅针对普通士兵，也有针对弁弁的内容。如规定：官员违反军规，视情节轻重分别给予停资、降级、革职、撤任等处分；弁兵违反军令，根据情节分别给予不准登岸、鞭、械击、革退等处分；若有水手逃亡，拿回后或鞭责，或监禁；临阵逃亡者，斩立决。尽管《章程》对各级官兵违规均有处罚措施，但规定过于笼统，未进行细化，可操作性并不强。

九、简阅。是有关训练的相关规定。各船逐日小操，每月大操，两个月全军会操，均由提督亲自校阅。每年北洋各船须与南洋各船会哨一次。具体办法是：提督在立冬和小雪期间，统率铁甲船和快船开赴南洋，会同南洋各师船巡阅江浙闽广沿海的要隘，熟悉洋情，以资历练；也可以巡阅新加坡以南各岛，直至春分前后，回归北洋。南洋每年在春分后北上，调归北洋合操，暂归北洋提督节制，在奉

① 《清末海军史料》（下），第495页。
② 《清末海军史料》（下），第499页。
③ 《清末海军史料》（下），第499页。

天、直隶、山东、朝鲜各洋面巡阅，也可以游历俄、日各岛。通过巡历，借以保护商民，练习技艺。《章程》规定每年由北洋大臣阅操一次，每三年由海军衙门请旨特派大臣，会同北洋大臣出海校阅。

十、武备。《章程》对各船军械的名目呈报方式进行了规定，每年由提督会同营务处造具表册呈报批准。兵船旗子的颜色形状改为黄色长方形，图案为青色飞龙；统领将旗的颜色为五色长方旗；其余将领用三色长方旗，上角饰以锚形。通语旗采用国际通行的式样，而兵船号令仍用传统的铜角。

海军是与旧式水师完全不同的新事物，但近代海军在发展过程中，很长一段时期多以长江水师章程作为主要参照，其制度多是在旧章基础上的修订或补充，这在一定程度上制约了海军近代化的步伐。《章程》的颁行，基本上扭转了这一局面，摆脱了原有认识的羁绊，使海军在制度层面能够与时代和北洋舰船的实际相适应。可以说《章程》是晚清学习西方、探索海军发展的具体成果，在我国海防和海军建设史上，具有重要的地位。《章程》所反映出来的军事学术思想虽然在实际运用中并没有完全体现出来，但其历史价值是不容置疑的。

尽管《章程》都是明确的规条，缺少实际思想论证，但从这些规条可以看出随着一次次讨论的深入，官方对于海军的认识是在不断深化的，对于西方军事理论的认识也是逐步推进的。但也必须看到，《章程》未言及作战，尽管文内提到了军令，但未对军令做更多解释。除《章程》以外，在北洋海军或海军衙门的相关文献中也未见论及作战的法规性文献，这在一定程度上可归因于北洋海军领导层的敌情观念淡薄，以及建军方针的模糊。对作战问题的漠视，势必严重影响到尔后北洋海军的训练，甚至可以说，后来北洋海军的覆没，与《章程》对作战问题未能给予足够重视有一定的相关性。无怪乎参加过甲午海战的将士事后检讨说：北洋海军平时操练，"徒求其演放整齐，所练仍属皮毛，毫无裨益。此中国水师操练之不及他国者，弊在奉行故事耳"①。又说："我军无事之秋，多尚虚文，未尝讲求战事。在防操练，不过故事虚行。故一旦军兴，同无把握。虽执事所司，未谙款窍，临敌贻误自多。平时操演炮靶、雷靶，惟船动而靶不动，兵勇练惯，及临敌时命中自难。"②

第十四节　《筹海军刍议》

作者姚锡光（1857—？），字石泉，江苏丹徒人，举人出身，曾任内阁中书。光绪十二年（1886）在天津武备学堂充任教习，光绪二十一年（1895）被张之洞调往湖北充武备学堂提调。宣统元年（1909）任陆军部左侍郎。民国以后亦有任职。姚锡光一生著述较多，比较著名的有《东方兵事纪略》，是晚清记述甲午战争全貌最为精详的一部著作。另有《筹藏刍议》《筹蒙刍议》，是其对于规划西藏、内蒙古的说帖，提出了一些较为贴近实际的对策建议。

光绪三十二年（1906）清末新政时期，重建海军被提上议事日程，光绪三十三年（1907）五大臣出洋考察回国后，清廷提出筹划规复海军，以五年为期，分年建设。当时身为练兵处提调的姚锡光奉命起草海军发展规划，遂有《拟就现有兵轮暂编江海经制舰队说帖》《拟兴办海军经费五千万两作十年计划说帖》《拟兴办海军经费一万二千万两作十二年计划说帖》，但均未获通过。后又仿照《北洋海军章程》拟制了《拟暂行海军章程》，但也未被认可。此四篇合编而为《筹海军刍议》，该书对编制、装备、人员构成及经费使用都有详明的解释，显示了他对于重振海军的信心和决心。其主要思想可概括如下：

---

① 《盛宣怀档案资料选辑之三·甲午中日战争》（下）第403页。
② 《盛宣怀档案资料选辑之三·甲午中日战争》（下）第398页。

一、以长江口为根据地，重建海军

因当时威海已租借给英国、旅顺租借给俄罗斯，中国已无军港，不得已以长江口为收宿地，姑作根据。以当时甲午战后存留下来海军舰船为基础，对舰队进行重新编程，并依建设目标，对未来海军舰船的购造进行了整体规划。对内江和外海水师的日常巡防地域、全年的巡护制度做了比较具体的规定。如对外海水师，规定："除翼长坐船一艘、每年轮入船坞一艘以外，其余八艘，随时分作四小舰队，每小舰队两舰，分起驶巡。周年恒有二起自北而南，二起自南而北。其练船、鱼雷艇等艘，应于所在附近洋面，分起、分段梭巡。"① 同时主张建立与舰队相配套的练勇营、鱼雷营、水雷营，并对其分布地域做了规定。

二、重视海权

在该书序言中，姚锡光说："方今天下，一海权争竞剧烈之场耳。古称有海防而无海战，今寰球既达，不能长驱远海，即无能控扼近洋。……盖海权者，我所固有之物也，彼虽觊我，焉能禁我之治海军？"又说："夫天下安有不能外战而能内守者哉？"② 认为没有进行远海作战的能力，就不可能有效地进行近海防御，这种认识显然要比李鸿章一直坚持的"我之造船，本无驰骋域外之意，不过以守疆土保和局而已"③ 的认识要前进一大步。他还说，"海军与陆军相表里，我国海疆袤延七省，苟无海军控制，则海权坐失，将陆军亦运掉不灵"④，可以看出，姚氏所提出的实际上是一种总体国防观，陆防与海防的建设要依总体思想进行整体设计，而不是将海防与陆防彼此对立起来。在此基础上，他制订了两个分年规划，将中

---

① 《清末海军史料》（下），第 804 页。
② 《清末海军史料》（下），第 798—799 页。
③ 《李鸿章全集》第五册，第 108 页。
④ 《清末海军史料》（下），第 800 页。

国海军装备建设重点集中在远洋作战能力上。对于甲午战前清廷的购舰之举，姚锡光也提出了批评，他说："巡洋舰者，长驱远海之具；而浅水炮舰，则不过行驶近洋，此固无能合编成队者也。然而，远人之来抵掌而作说客者，恒劝我多购浅水兵舰，……使我财力潜销于无用之地，而远洋可无中国只轮，于海权存亡，实无能系其毫末。"①

三、学堂建设

姚锡光特别重视海军人才的培养，所以认为教育"为开设海军根本"②，而基本的方法则是"设教于本国，遣学于外国，分途并进，浸淫既久，而人材出焉"③。鉴于当时海军人员培养数量过少的现实，他提出："兹拟就军港所在，设为初级、高级专门诸学堂，演习研究学营诸厂舍，而择其尤者，以留学监造于外国学堂、工厂，期以十年，则具海军知识之将士可增至千员以上，而足用之。"④ 并规划了两级三类学堂，有海军兵官学堂，用以培养初级指挥军官；有海军机轮堂，用以培养专业技术军官。另设有海军大学堂，用以培养高级指挥军官。他还建议设立研究所，用以研究海军学术，"期扩新知，不封故步"⑤，这一认识在当时也是相当超前的。

除军官学堂外，还应设有培养工程师的海军工科学堂，专门训练士兵的海军学兵营、海军水雷学兵营等。各类学堂应当覆盖海军所有层级的所有人员，"所有海军应设各项学堂，并练习所及练勇营、鱼雷营、水雷营，皆为海军各等官弁、目兵出身之地"⑥。

从总体上看，《筹海军刍议》的眼光和认识较为长远，一些方案也有可取之处，但由于当时清廷受困于政治内斗，已无力将目光聚

① 《清末海军史料》（下），第798—799页。
② 《清末海军史料》（下），第846页。
③ 《清末海军史料》（下），第812页。
④ 《清末海军史料》（下），第812页。
⑤ 《清末海军史料》（下），第813页。
⑥ 《清末海军史料》（下），第846页。

焦于海军建设上，且无富余经费来实施这个庞大的计划，因此所有建议均未被采纳，未见诸行动，这是颇为遗憾的。

第十五节　《中西兵法通义》

作者易熙，湖南湘乡人，生平不详。该书成于光绪三十三年（1907），共分二十四篇，分别为：审势、知变、教战、选将、征兵、练兵、兵德、军令、亲爱、赏罚、设备、制器、侦探、征候、连络、防守、攻击、疾战、持重、冲锋、迫击、退师、误敌、避敌。写法上尽管涉及当时国际形势的内容，且有现代的战例，但仍是传统兵书的写法，语言较为模棱抽象，缺乏明确的指向性和针对性。

一、关于兵谋

作者重视谋略的作用，认为，"凡有关于运筹决胜之机者，皆治兵者所有事也"①，所以主军者除关注国家治乱、人心向背与否、器械是否精良、交通是否便利等因素外，还要能洞悉国际形势的变化。并认为，"古之人所为战胜庙堂，不战而屈敌人之兵者，无他焉，善审天下之势而已矣"②，要能动乎微，见乎隐，掌握"微诸天地之动，验诸阴阳之变"，明晓事物间运行规律，方能奇正互用，穷兵事之变化，从而战而有捷。他反对盲目效法西方，认为这是"效东施之颦，学邯郸之步，未有能济者也"③。

二、关于治军

认为以忠君爱国、礼义廉耻为治军之本，"必先教之以知忠爱、

---

① 易熙：《中西兵法通义》，页一，清光绪三十三年（1907）铅印本。
② 《中西兵法通义》，页二。
③ 《中西兵法通义》，页四。

励廉耻、尚武勇、重信义，以及修身爱国之道，克敌保种之方"①，至于"止齐步伐、测绘地图乃军人勤务所当，尽为治兵之末，非治兵之本也"②，并以西方的军人荣誉感和西方的尚武精神作为此说的明证。关于将领的培养，作者不认同学堂教育，说"吾止见其损，而不见其益；止见其害，而不见其利"③，仍以选拔作为根本。推崇诸葛亮所讲的五强，即高节、孝悌、信义、沈虑、力行。训练则强调练心、练气、练胆、练识，而将技艺、分合之术归入末流。强调团结亲爱在军队固结中的重要性，为上者为下者都要以诚相待，由此才能形成"以其分言之，则上下也，将卒也；以其情言之，则师弟也，父子也"④ 的局面。

三、关于战法

防守注重时机选择，"设备之先后，务宜适合乎时机"⑤，过早则徒耗精力，过迟则受制于人，所以强调要提前侦察敌势。认为防守之道，要以战为守，毋以守待战。关于进攻则认为"先击其所不备，毋先击其所守"⑥，防止因进攻不利而挫伤士气。要随时根据形势的变化，转攻为守，或转守为攻。

总体而言，该书是典型的文人论兵之书，视野狭窄，思想保守。论治军以道德作为统括一切的标准，德为本，其他皆为末。论作战则不结合实际战例，尽管提及了冲锋、追击等战法，但仅做了文字上的解释，对于内在关系却没有论及，该书虽引用了一些近时事例，但因在认识上没有突破，所以仍是传统兵学框架内的旧说重复。

---

① 《中西兵法通义》，页四、页五。
② 《中西兵法通义》，页五。
③ 《中西兵法通义》，页七。
④ 《中西兵法通义》，页十五。
⑤ 《中西兵法通义》，页二十四。
⑥ 《中西兵法通义》，页二十五。

第十六节　《权制》

　　《权制》初名《富强述要》，后取"以权制变"之意，而改书名为《权制》。作者陈澹然，字静潭，桐城（今安徽桐城）人，后寓居金陵（今南京），专心研究天下山川形势，民俗政治，寻求经邦济世之策。光绪十年（1884）法国侵占越南，十一年（1885）英国侵占缅甸，陈澹然深以国家安全为忧，撰成《富强述要》前六卷。光绪二十年（1894）日本侵略朝鲜，挑起甲午战争，陈澹然感到国家安危迫在眉睫，遂放弃科举，专心著述，又撰成后二卷。光绪二十四年（1898）将两部分进行了增补删订，其中杂采新的资料，增补了制器、设险、考工等内容，改名为《权制》后刊行。

　　《权制》八卷，分别为军地述、军势述、军情述、军材述、军饷述、军政述、军谋述、军本述，约十万字。书中内容丰富，对各省军事地理、战略地位、布防态势、周边藩属、将帅选拔、士卒选练、军饷屯运、武器装备的购买和制造、海陆防御、御寇谋略，以及敌国的历史、政治、地理、兵额、风俗、优势与短处及敌国之间的利益冲突、西方先进的科学技术等都有所论述。

　　一、该书开篇即称，"谋天下大计者，必先静观天下大势而深入其细微，万变纷起而执一定之理以处之，然后可以制变"[1]，这是作者看待兵学问题的基本态度，即通览全局，细致分析。针对英、俄、法、日等国的挑衅，作者提出要加强和团结国内一切力量，一致对外。他说，"方今四夷蠢动，国家有孤立之忧，不早为之，所恐内外藩属终处散弱，而国势益孤"[2]，因而主张"简军实，亲屏藩，习雄

_____

[1]　陈澹然：《权制》卷一，页一，光绪二十六年（1900）徐崇立长沙刻本。
[2]　《权制》卷二，页一。

武，使内外上下皆有震动严肃之威，而后边尘不惊"①。面对列强的虎视眈眈，他提出要自强自立，反对把救国的希望寄托在某些国家的援助上，指出面对敌寇侵略，不抗击便没有出路，"诸夷已成附骨之势，不去则中国不安"②。为鼓舞抗击敌寇的信心，该书分析了列强的长处和短处，指出了其由强变弱的必然趋势，此外还提出了"本其术以治其人"的治夷方法。

二、该书重视人才，认为"国家治乱在人材，而兵材尤重……兵事变幻离奇，不可方物。非天性知兵而济之学养，小则败军杀将，大则有宗庙社稷之忧。是故兵家之材不一端，而处之亦不一其道"③，主张选将不拘一格。该书将人才分为帅才、将才、偏才和边才，强调在任用上要量才器使，要做到"先审其材，无过其量，有过以驾驭裁成之术处之，则兵材必振"④。凡有军事才能的，不问出身贵贱，都可破格任用。他说，"将不易得，必预；预不可滥，必严；严不易出，必广。将之途万变，任侠、刺客、盗贼、乞丐、屠沽皆可将"，但将读书人排除在为将行列之外，"惟吏才文士不得厕乎其间"⑤。对将领的使用，则认为，"在用其气、用其俗、用其心。气惰则将靡，俗变则将纷，心拘则将窘……宜令本省之将练本省之兵，驻本省之地，各因其俗，各习其地，即各当其才"⑥。该书还对武举制度的现状提出批评，认为"尤足以困真才"⑦，主张对科举制度进行改革，取消与现实需要无关的分科，而增加史鉴、舆图、外政、戎机、算术等科。反对武科比试弓箭，而主张"改试枪炮、技击、水战、火攻及制造枪炮、舢舰大端，乃为有济"⑧。

---

① 《权制》卷二，页一。
② 《权制》卷三，页一。
③ 《权制》卷四，页一。
④ 《权制》卷四，页一。
⑤ 《权制》卷四，页二。
⑥ 《权制》卷四，页四、页五。
⑦ 《权制》卷四，页三。
⑧ 《权制》卷四，页三。

三、该书提出要改革兵制和练兵方法。作者将清朝几个时期的兵额进行了对比，认为自军兴以来，兵勇不下百余万，却不能抵御外寇，其原因就是"军多饷薄，练不精也"①，所以提出要严汰冗兵，增加军饷，严格选练，革新陈旧的练兵方法。尽管该书未明确提出续备、后备等近代兵役制度，但已有初步的设想，即"更番选练"，"首选精壮三十万，练之一年，籍其名而归之田里，另练精壮者三十万如之，则四年之间，以三十万人之饷可得籍兵百二十万"②。对于因战争而致残的士兵，提出以军饷三分之一终其身，死后养其妻、子，如此则"敌国虽大，复何畏哉"③。

四、在训练方面，该书主张学习西方练兵之法，但亦提出"参其法而变通之，斯为善学者"④，即要根据中国的实际对西法加以变通。训练方法上，除训练枪炮使用外，还应练习技击。作者还主张恢复清初的围猎制，认为这一制度可"以刚果之风振文弱之俗。刚柔相济，则人才自兴，防兵日强，则国本益固"⑤。

五、在作战上，针对当时"重水轻山，重外轻内"的倾向，在提出要加强海防的同时，还强调要加强陆防，要水陆结合，而后策应呼吸无罅漏之虞。还提出全国要一盘棋，同心协力，动作要协调一致，"一镇有警，数镇会剿，一省有警，数省环攻，无奏调之烦，无分疆之别"⑥。

六、该书对于军需保障的重要性也有一些新的认识，认为："饷者，军家之大命。用不足而言军，则外强中干，必有鱼溃土崩之患。"⑦ 此处的饷，不单指一般的军饷，更类似现代军需的概念。该书还指出为保证军需充足，除进行传统的屯田等增饷的措施外，还

---

① 《权制》卷六，页四。
② 《权制》卷六，页四。
③ 《权制》卷六，页四。
④ 《权制》卷六，页四。
⑤ 《权制》卷六，页六、页七。
⑥ 《权制》卷一，页二十一。
⑦ 《权制》卷五，页一。

应畅通运饷的途径，如兴漕运、兴铁路等。作者主张建立通达全国的铁路网，兼有军事与民事双重价值，这一认识是比较有见地的。

从全篇内容上看，《权制》尽管对西方的军事观念有所借鉴，但总的写法未跳出传统兵学范畴，且新旧杂陈，内容庞杂，一些思想缺少实践的基础，仅具有纸面上的意义。

第十七节　《曾胡治兵语录》

《曾胡治兵语录》是语录体兵书，由民国时期著名军事理论家蔡锷辑录。蔡锷（1882—1916），字松坡，湖南邵阳人，1895 年考中秀才，1897 年入湖南时务学堂，受时任教习梁启超的影响很大。1899 年在梁启超的帮助下，东渡日本求学，其间回国参加唐才常起义，失败后再赴日本，入日本陆军成城学校学习军事。1903 年考入日本陆军士官学校第三期。1904 年回国后先后在江西、湖南、广西训练新军。1911 年，蔡锷受云贵总督李经羲之召赴云南，感于“滇中军事较桂省尤难，基础已坏”①，故从曾国藩、胡林翼文集中搜寻治军言论，并加上自己的按语，编成《曾胡治兵语录》，作为“精神谈话”材料。武昌起义爆发后，蔡锷被推举为军都督。1915 年组织护国军起兵讨伐袁世凯。1916 年因病去世。除《曾胡治兵语录》外，蔡锷还著有《军事计划》一书。

《曾胡治兵语录》在蔡锷生前未正式出版。1917 年由上海振武书局印行，梁启超为之作序。1924 年蒋介石以该书作为黄埔军校教材，并增辑《治心》一章，作为该书第十三章，并作序，改称《增补曾胡治兵语录》。

《曾胡治兵语录》一般被认为是中国最后一部传统兵学著作。蔡锷在该书序言中阐述编纂原委时说：“窃意论今不如述古。然古代渺

---

① 《蔡松坡集》，第 52 页。

矣，述之或不适于今。曾、胡两公，中兴名臣中铮皎者也。其人其事，距今仅半世纪，遗型不远，口碑犹存，景仰想象，尚属匪难。"① 该书的价值一方面来自曾国藩、胡林翼的兵学思想，另一方面则是蔡锷自己的兵学认识。蔡锷在日本的军事教育经历，使其对于西方军事理论有比较深入的理解，又能以较为客观的眼光看待传统兵学的价值，能够将西方军事理论与传统兵学相对照，在此基础上提出自己对于中国军事问题的见解。在《兵机》和《战守》两章中，他根据新的时代特点，在战略战术方面提出一些新认识，军事价值是很高的。其个人见解主要反映在每章文末的按语中，全书按语总字数约 4500 字。

一、关于用人

蔡锷认为，曾、胡对于为将之道的阐释，以良心血性为前提，"尤为扼要探本之论，亦即现身之说法"②，是对传统为将五德，即智、信、仁、勇、严的进一步发挥，是"取义至精，责望至严"，与西方军事家所说的"天所持赋之智与勇"基本精神类似。关于"勇"，蔡锷区分了大勇与小勇。他认为，"临难不苟，义不反顾"，此仅为狭义上的勇，谓之小勇；"成败利钝，非所逆睹；鞠躬尽瘁，死而后已，此广义的"勇毅，是为大勇。孟子所讲的浩然之气者，即指大勇而言，所以优秀的将领除了一般小勇之外，尤须在"毅"之一字上痛下功夫，"挟一往无前之志，具百折不回之气，毁誉荣辱死生，皆可不必计较，惟求吾良知之所安。以吾之大勇，表率无数之小勇，则其为力也厚，为效也广。至于级居下僚（将校以至目兵），则应以勇为惟一之天性，以各尽其所职"③。在当时内外交困的局面下，更需要有存大勇的优秀人士，能够抛下个人安危，从国家和民族的命运考虑问题，所以他说，"吾侪身膺军职，非大发志

① 《蔡松坡集》，第 1243 页。
② 《蔡松坡集》，第 1244 页。
③ 《蔡松坡集》，第 1246 页。

愿，以救国为目的，以死为归属，不足渡同胞于苦海，置国家于坦途。须以耿耿精忠之寸衷，献之骨岳血渊之间，毫不返顾，始能有济"①。

蔡锷认为选人要贵得用，而"用人之当否，视乎知人之明昧。办事之才不才，视乎晓事之透不透。不知人则不能用人，不晓事则何能办事？君子小人之别，以能否利人济物为断。苟所用之人，不能称职，所办之事，措置乖方，以致贻误大局，纵曰其心无他，究难为之宽恕者也"②。对于曾、胡所提出的造就人才的陶熔之法，蔡锷大为赞赏，并说："曾谓人才以陶冶而成，胡亦曰人才由用才者之分量而出，可知用人不必拘定一格。而熏陶裁成之术，尤在用人者运之以精心，使人人各得显其所长，去其所短而已。"③ 在此认识的基础上，蔡锷认为，能否形成重视人才的良好风气，归根到底是"居上位者有转移风气之责"④。这里的居上位者，并非专指一二最高领导人，而是各级负有领导职责的当事者，凡"居目兵之上位"者，都要从自己做起，"因势而利导，对病而下药，风气虽败劣，自有挽回之一日"⑤。他还认为："惟在多数同心共德之君子，相与提挈维系，激荡挑拨，障狂澜使西倒，俾善者日趋于善，不善者亦潜移默化，则人皆可用矣。"⑥

二、关于治军

蔡锷极推重曾、胡治军思想中的"诚"，认为军队能够万众一心，"尤在有一诚字为之贯串，为之维系。否则，如一盘散沙，必将不戢自焚"⑦。不仅待下以诚，同侪之间也不容丝毫芥蒂，"诚"是

---

① 《蔡松坡集》，第 1245 页。
② 《蔡松坡集》，第 1247 页。
③ 《蔡松坡集》，第 1244 页。
④ 《蔡松坡集》，第 1244 页。
⑤ 《蔡松坡集》，第 1244 页。
⑥ 《蔡松坡集》，第 1244 页。
⑦ 《蔡松坡集》，第 1245 页。

一切治军手段的总枢纽，"无论为宽为严，为爱为憎，为好为恶，为赏为罚，均出之以至诚无伪，行之以至公无私。如此则弁兵爱戴长上，亦必如子弟之爱其父兄矣"①。

军人以军营为第二家庭，所以更要亲睦和辑，"长上之教育部下也，如师友，其约束督责爱护之也，如父兄；部下之对长上也，其恪恭将事，与子弟之对于师友父兄，殆无以异耳"②。一旦建立了这样的关系，"及其同莅战役也，同患难，共生死，休戚无不相关，利害靡不与共"③。蔡锷对于曾国藩所说的"带兵如父兄之带子弟"一语极为欣赏，"能以此存心，则古今带兵格言，千言万语，皆可付之一炬"④。

至于当时军队赏罚中的宽严问题，蔡锷有自己的体会，他说，"近年军队风气纪纲大弛，赏罚之宽严，每不中程，或姑息以图见好，或故为苛罚以示威，以爱憎为喜怒，凭喜怒以决赏罚"⑤。蔡锷认为，"煦煦为仁，足以隳军纪而误国事"⑥。针对当时军队中赏不知感、罚不知畏的状况，蔡锷提出"与其失之宽，不如失之严。法立然后知恩，威立然后知感，以菩萨心肠，行霹雳手段"，如此则"军事其有豸乎"⑦。

蔡锷认为，练兵当以能效命于疆场为旨归。要使士兵在战场上能耐劳苦，就必须"以修养其精神，锻炼其体魄，娴熟其技艺，临事之际，乃能有恃以不恐"，所以他说，"故习劳忍苦，为治军之第一要义"⑧。

蔡锷谨守曾、胡所说的"爱民为治兵第一要义"，认为："盖用

---

① 《蔡松坡集》，第 1248 页。
② 《蔡松坡集》，第 1248 页。
③ 《蔡松坡集》，第 1248 页。
④ 《蔡松坡集》，第 1247—1248 页。
⑤ 《蔡松坡集》，第 1246 页。
⑥ 《蔡松坡集》，第 1246 页。
⑦ 《蔡松坡集》，第 1246 页。
⑧ 《蔡松坡集》，第 1249 页。

兵原为安民，若扰之害之，是悖用兵之本旨也。兵者民之所出，饷亦出之自民，索本探源，何忍加以扰害？行师地方，抑给于民者岂止一端？休养军队，采办粮秣，征发夫役，探访敌情，带引道路，何一非借重民力？若修怨于民而招其反抗，是自困也。至于兴师外国，亦不可以无端之祸乱，加之无辜之民，致上干天和，下招怨仇，仁师义旅，决不出此。此海陆战条约所以严掳掠之禁也。"①

三、关于作战

对于曾、胡论兵，蔡锷认为："皆从实行后经验中得来，与近世各国兵家所论，若合符节。"② 对于曾、胡所论及的诸多作战原则，对照西方军事理论，蔡锷给予了充分肯定。如曾、胡反对攻坚作战，蔡锷认为："其说与普法战争前法国兵学家所主张者殆同（其时俄、土两国亦盛行此说）。"③ 曾、胡极重视战前准备，谓"一械不精，不可轻出，势力不厚，不可成行"，这与近今之动员准备，用意相合。曾、胡所提出的"以全军破敌为上，不得以土地城池为意"，所见尤为精到卓越，与东西各国兵学家所倡导者，如出一辙。此外，"临阵分枝宜散，先期合力宜厚"二语，尤足以概括战略战术之精妙。"临阵分枝者，即分主攻助攻之军，及散兵、援兵、预备队之配置等是也。先期合力者，即战略上之聚中、展开，及战术上之开进等是也。"④

对于主客的关系，蔡锷认为，曾、胡虽极重主客关系之论，但"只知守则为主之利，不知守反为客之害"⑤，原因在于他们所面对的太平军，并非节制之师、精练之卒，"且其人数常倍于我，其兵器未如今日之发达，又无骑、炮两兵之编制，耳目不灵，攻击力复甚

---

① 《蔡松坡集》，第 1248 页。
② 《蔡松坡集》，第 1250 页。
③ 《蔡松坡集》，第 1250 页。
④ 《蔡松坡集》，第 1250 页。
⑤ 《蔡松坡集》，第 1250 页。

薄弱。故每拘泥于地形地物，攻击精神，末由奋兴。故战术偏重于攻势防御"①。所以曾国藩的主客之法，实际上只是一种因时制宜之法，并不具有普遍的适用性。

对于当时世界上极端地主张进攻作战的思潮，蔡锷始终保持了冷静的态度，他认为："战略战术，须因时以制宜，审势以求当，未可稍事拘滞。若不揣其本，徒思仿效于人，势将如跛者之竞走，鲜不蹶矣。"② 战略上要取攻势，必须满足兵力雄厚、士马精练、军资完善和交通便利四个条件，"四者均有可恃，乃足以操胜算"，否则贸然以取攻势，即为所谓"徒先发而不能制人者也"。③ 以此标准来看当时的中国，虽然有号称20余镇的兵力，但每镇临战最多可资调动的部队不超过5000人，仅兵员数量就难居绝对优势。至于军资、交通更瞠乎人后，因此蔡锷不认为应当把西方的"极端地主张攻击"搬入中国。如果数年之内与近邻兵戎相见，最佳的战略当"采用波亚战术，据险以守，节节为防，以全军而老敌师为主。俟其深入无继，乃一举而歼除之"④。这实际上就是持久作战的思想，是以空间换时间，以收缩来应对敌人的扩张，最终使敌人师老兵疲，自己取得最终的胜利。尽管蔡锷的这段表述相对简略，但可以看出，蔡锷对解决中国问题是有过深入思考的，对于未来可能的冲突的预见也是相当精准的。

---

① 《蔡松坡集》，第1250—1251页。
② 《蔡松坡集》，第1251页。
③ 《蔡松坡集》，第1251页。
④ 《蔡松坡集》，第1251页。

主要参考文献

一、史料

筹办夷务始末（同治朝）［M］. 北京：中华书局，2008.

筹办夷务始末（咸丰朝）［M］. 北京：中华书局，1979.

清史稿［M］. 北京：中华书局，1976.

清实录［M］. 北京：中华书局，1985.

刘锦藻. 清朝续文献通考［M］. 北京：商务印书馆，1936.

曾国藩全集［M］. 长沙：岳麓书社，1985—1994.

左宗棠全集［M］. 长沙：岳麓书社，2009.

李鸿章全集［M］. 合肥：安徽教育出版社，2008.

胡林翼集［M］. 长沙：岳麓书社，1999.

林则徐全集［M］. 福州：海峡文艺出版社，2002.

魏源全集［M］. 长沙：岳麓书社，2011.

丁日昌集［M］. 上海：上海古籍出版社，2010.

张之洞全集［M］. 武汉：武汉出版社，2008.

袁世凯全集［M］. 郑州：河南大学出版社，2013.

江忠源集·王鑫集［M］. 长沙：岳麓书社，2013.

刘长佑集［M］. 长沙：岳麓书社，2011.

彭玉麟集［M］. 长沙：岳麓书社，2008.

罗泽南集［M］. 长沙：岳麓书社，2010.

刘坤一遗集［M］. 北京：中华书局，1959.

许景澄集［M］. 杭州：浙江古籍出版社，2015.

郭嵩焘全集［M］. 长沙：岳麓书社，2012.

国家清史编纂委员会文献丛刊·湘军［M］．北京：社会科学文献出版社，2013．

茅海建，主编．清代兵事典籍档册汇览［M］．北京：学苑出版社，2005．

中国近代史资料丛刊·洋务运动［M］．上海：上海人民出版社，1961．

中国近代史资料丛刊·太平天国［M］．上海：上海人民出版社，1957．

中国近代史资料丛刊·中日战争［M］．上海：上海人民出版社，1957．

中国近代史资料丛刊·戊戌变法［M］．上海：上海人民出版社，1957．

中国近代史资料丛刊·捻军［M］．上海：上海人民出版社，1957．

中国近代史资料丛刊·中法战争［M］．上海：上海人民出版社，1957．

戚其章．中国近代史资料丛刊续编·中日战争［M］．北京：中华书局，1996．

光绪宣统两朝上谕档［M］．桂林：广西师范大学出版社，1996．

光绪朝朱批奏折［M］．北京：中华书局，1995．

张侠，杨志本，主编．清末海军史料［M］．北京：海洋出版社，1982．

王韬．弢园尺牍［M］．北京：中华书局，1959．

马建忠集［M］．北京：中华书局，2013．

周武壮公遗书［M］．台北：文海出版社，1969．

盛康．皇朝经世文编续编［M］．台北：文海出版社，1972．

葛士濬．皇朝经世文续编［M］．台北：文海出版社，1972．

邵之棠．皇朝经世文统编［M］．台北：文海出版社，1980．

陈忠倚．皇朝经世文三编［M］．台北：文海出版社，1972．

何良栋. 皇朝经世文四编［M］. 台北：文海出版社，1972.

于宝轩. 皇朝蓄艾文编［M］. 台北：学生书局，1956.

杨凤藻. 皇朝经世文新编续集［M］. 台北：文海出版社，1972.

求是斋，校辑. 皇朝经世文编五集［M］. 台北：文海出版社，1987.

王韬. 弢园文录外编［M］. 北京：中华书局，1959.

上海商务印书馆编译所，编纂. 大清新法令［M］. 北京：商务印书馆，2011.

曾国荃全集［M］. 长沙：岳麓书社，2006.

薛福成日记［M］. 长春：吉林文史出版社，2004.

赵烈文. 能静居日记［M］. 长沙：岳麓书社，2013.

刘铭传文集［M］. 合肥：黄山书社，2014.

丁汝昌集［M］. 济南：山东画报出版社，2017.

《中国兵书集成》编委会，编. 中国兵书集成［M］. 北京：解放军出版社，沈阳：辽沈书社，1987—1998.

陈昌. 霆军纪略［M］. 台北：文海出版社，1967.

欧阳利见. 金鸡谈荟［M］. 台北：文海出版社，1968.

张佩纶. 涧于集［M］. 台北：文海出版社，1967.

朱采. 清芬阁集［M］. 台北：文海出版社，1968.

筹洋刍议［M］. 清光绪十一年刻本.

兵部公牍［M］. 台北：文海出版社，1970.

薛福成. 浙东筹防录［M］. 台北：文海出版社，1973.

庸庵文编［M］. 台北：文海出版社，1973.

蔡松坡集［M］. 上海：上海人民出版社，1984.

梁启超全集［M］. 北京：中国人民大学出版社，2018.

丁凤麟，王欣之，编. 薛福成选集［M］. 上海：上海人民出版社，1987.

夏东元，编. 郑观应集［M］. 上海：上海人民出版社，1982.

太平天国历史博物馆，编. 太平天国印书［M］. 南京：江苏人民出版社，1979.

朱寿朋. 光绪朝东华录 [M]. 北京：中华书局，1958.

冯煦. 蒿庵类稿 [M]. 台北：文海出版社，1969.

清末新军编练沿革 [M]. 北京：中华书局，1978.

中国第一历史档案馆，编. 清代档案史料丛编 [M]. 北京：中华书局，1984.

太平天国历史博物馆，编. 太平天国史料丛编简辑 [M]. 北京：中华书局，1963.

欧阳兆熊，金安清. 水窗春呓 [M]. 北京：中华书局，1984.

张集馨. 道咸宦海见闻录 [M]. 北京：中华书局，1981.

欧阳昱. 见闻琐录 [M]. 长沙：岳麓书社，1986.

杨奕青，唐增烈，等编. 湖南地方志中的太平天国史料 [M]. 长沙：岳麓书社，1983.

吴永，刘治襄. 庚子西狩丛谈 [M]. 长沙：岳麓书社，1985.

王闿运，郭振墉，朱德裳，等. 湘军史料四种 [M]. 长沙：岳麓书社，2008.

黎庶昌. 曾国藩年谱 [M]. 长沙：岳麓书社，2017.

罗正钧. 左宗棠年谱 [M]. 长沙：岳麓书社，1982.

湘军人物年谱 [M]. 长沙：岳麓书社，1987.

昭梿. 啸亭杂录 [M]. 北京：中华书局，1980.

梁章钜. 浪迹丛谈续谈三谈 [M]. 北京：中华书局，1981.

朱一新. 佩弦斋文存 [M]. 台北：文海出版社，1967.

冯桂芬. 校邠庐抗议 [M]. 台北：文海出版社，1971.

朱有瓛，主编. 中国近代学制史料 [M]. 上海：华东师范大学出版社，1983.

荣孟源，章伯锋，主编. 近代稗海 [M]. 成都：四川人民出版社，1987.

中国第一历史档案馆，编. 清政府镇压太平天国档案史料 [M]. 北京：社会科学文献出版社，1992.

上海图书馆，编. 江南制造局译书丛编·兵制兵学类 [M]. 上海：上海科学技术文献出版社，2014.

孙子集成［M］. 济南：齐鲁书社，1993.

戚继光. 纪效新书（十八卷本）［M］. 北京：中华书局，2001.

戚继光. 纪效新书（十四卷本）［M］. 北京：中华书局，2001.

戚继光. 练兵实纪［M］. 北京：中华书局，2001.

中国军实论［M］. 清宣统元年抄本.

工兵暂行操法［M］. 南洋军事书报社1904年铅印本.

自强军西法类编［M］. 光绪二十四年四月上海顺成书局石印本.

聂士成. 淮军武毅各军课程［M］. 军事科学院馆藏石印本.

壁昌. 兵武闻见录［M］. 清咸丰三年刻本.

陆操新义［M］. 清光绪十年天津机器局铅印本.

宜今室主人. 皇朝经济文新编［M］. 清光绪二十七年宜今室石印本.

皇朝经济文编［M］. 光绪二十七年刊本.

冯桂芬. 显志堂稿［M］. 光绪二年校邠庐刊本.

江南陆师学堂课程［M］. 江南陆师学堂选刻本.

兵法史略学［M］. 清光绪二十五年两湖书院正学堂课程本.

洋务用军必读［M］. 清光绪十年刻本五湖草庐藏版.

饶大容. 兵略丛言提纲［M］. 清光绪三十四年本.

易熙. 中西兵法通义［M］. 清光绪三十三年铅印本.

步兵暂行操法［M］. 北洋陆军学堂木活字本.

马兵暂行操法［M］. 南洋军事书报社铅印本.

炮兵暂行操法［M］. 南洋军事书报社宣统元年铅印本.

辎重兵暂行操法［M］. 清光绪三十三年刻本.

沈桐生，辑. 光绪政要［M］. 清宣统元年上海崇义堂石印本.

袁世凯，辑. 新建陆军兵略录存［M］. 光绪二十四年排印本.

段祺瑞，等纂. 训练操法详晰图说［M］. 文海出版社，1966年.

徐建寅. 兵学新书［M］. 清光绪二十四年刊本.

李汝魁. 精神谈［M］. 清宣统元年刻本.

陈凤翔. 军制学［M］. 高等学堂铅印本.

陈凤翔. 战法学［M］. 高等学堂铅印本.

步兵操法［M］. 军事科学院藏本.

陈澹然. 权制［M］. 清光绪二十六年徐崇立长沙刻本.

陈龙昌. 中西兵略指掌［M］. 清光绪二十八年秦中官书石印本.

朱孙诒. 团练事宜［M］. 南省文蔚堂刊本.

冯桂芬. 显志堂集［M］. 光绪二年校邠庐刊本.

蔡标. 地营图说［M］. 清光绪十七年抄本.

李枨. 乡兵管见［M］. 清咸丰十年陕西布政使司重刻本.

林福祥. 平海心筹［M］. 军事科学院图书馆手抄本.

新订步兵操法［M］. 宣统二年陆军部印行本.

二、著作

马克思恩格斯选集［M］. 北京：人民出版社，1995.

费正清，主编. 剑桥中国晚清史［M］. 北京：中国社会科学出版社，1985.

中国军事通史［M］. 北京：军事科学出版社，1998.

中国近代战争史［M］. 北京：军事科学出版社，1985.

罗尔纲. 晚清兵志·海军志、甲癸练兵志、陆军志［M］. 北京：中华书局，1997.

罗尔纲. 晚清兵志·淮军志［M］. 北京：中华书局，1997.

罗尔纲. 晚清兵志·军事教育志、兵工厂志［M］. 北京：中华书局，1999.

罗尔纲. 湘军新志［M］. 北京：商务印书馆，1939.

罗尔纲. 绿营兵志［M］. 北京：中华书局，1984.

杨金森，范中义. 中国海防史［M］. 北京：海洋出版社，2005.

崔之清，主编. 太平天国战争全史［M］. 南京：南京大学出版社，2002.

朱东安. 曾国藩集团与晚清政局 [M]. 北京：华文出版社，2003.

王天奖. 左宗棠评传 [M]. 郑州：河南教育出版社，1990.

杨东梁. 左宗棠评传 [M]. 长沙：湖南人民出版社，1985.

董蔡时. 左宗棠评传 [M]. 北京：中国社会科学出版社，1984.

薛学共，吴晓斌. 胡林翼军事思想研究 [M]. 长沙：湖南大学出版社，2013.

萧一山. 清代通史 [M]. 北京：商务印书馆，2019.

萧一山. 曾国藩传 [M]. 南京：江苏人民出版社，2015.

何贻焜. 曾国藩评传 [M]. 上海：上海书店出版社，1989.

郭豫明. 捻军史 [M]. 上海：上海人民出版社，2001.

徐松荣. 捻军史稿 [M]. 合肥：黄山书社，1996.

龙盛运. 湘军史稿 [M]. 成都：四川人民出版社，1990.

王盾. 湘军史 [M]. 长沙：湖南大学出版社，2007.

赵春晨. 晚清洋务巨擘——丁日昌 [M]. 广州：广东人民出版社，2001.

张志春，编. 王韬年谱 [M]. 石家庄：河北教育出版社，1994.

常熟市人民政府，中国史学会，合编. 甲午战争与翁同龢 [M]. 北京：中国人民大学出版社，1995.

刘伟. 晚清督抚政治：中央与地方关系研究 [M]. 武汉：湖北教育出版社，2003.

刘中民. 中国近代海防思想史论 [M]. 青岛：中国海洋大学出版社，2006.

王宏斌. 晚清海防：思想与制度研究 [M]. 北京：商务印书馆，2005.

黄顺力. 中国近代思想文化史探论 [M]. 长沙：岳麓书社，2005.

孙占元. 左宗棠评传［M］. 南京：南京大学出版社，1995.

冯兆基. 军事近代化与中国革命［M］. 郭太风，译. 上海：上海人民出版社，1994.

T. N. 杜普伊. 武器和战争的演变［M］. 严瑞池，李志兴，等译. 北京：军事科学出版社，1985.

查尔斯·H·科茨，罗兰·J·佩里格林. 军事社会学［M］. 北京大学国防学会，译. 北京：国防大学出版社，1986.

陈志让. 军绅政权——近代中国的军阀时期［M］. 北京：生活·读书·新知三联书店，1989.

T. L. 康念德. 李鸿章与中国军事工业近代化［M］. 杨天宏，陈力，等译. 成都：四川大学出版社，1992.

史全生，主编. 中国近代军事教育史［M］. 南京：东南大学出版社，1996.

王建飞. 半世雄图：晚清军事教育现代化的历史进程［M］. 南京：东南大学出版社，2004.

李瑚. 魏源研究［M］. 北京：朝华出版社，2002.

刘庆，皮明勇. 中华文化通志·军事学志［M］. 上海：上海人民出版社，1998.

龚书铎，主编. 清代理学史［M］. 广州：广东教育出版社，2007.

樊百川. 清季的洋务新政［M］. 上海：上海书店出版社，2009.

樊百川. 淮军史［M］. 成都：四川人民出版社，1994.

王尔敏. 淮军志［M］. 北京：中华书局，1987.

王尔敏. 清季军事史论集［M］. 桂林：广西师范大学出版社，2008.

张华腾. 清末新军［M］. 北京：人民出版社，2018.

彭贺超. 新军会操：中国近代军演早期形态研究［M］. 北京：中华书局，2018.

夏东元. 洋务运动史［M］. 上海：华东师范大学出版社，

1992.

夏东元. 晚清洋务运动研究［M］. 成都：四川人民出版社，1985.

施渡桥. 晚清军事变革研究［M］. 北京：军事科学出版社，2003.

施渡桥. 中国近代军事思想史［M］. 北京：国防大学出版社，2000.

张一文. 太平天国军事史［M］. 桂林：广西人民出版社，1994.

海军司令部《近代中国海军》编辑部. 近代中国海军［M］. 北京：海潮出版社，1994.

刘申宁，编. 中国兵书总目［M］. 北京：国防大学出版社，1990.

王兆春. 中国历代兵书［M］. 北京：商务印书馆，1996.

许保林，编. 中国兵书通览［M］. 北京：解放军出版社，1990.

吕实强. 丁日昌与自强运动［M］. 台北："中央研究院"近代史研究所，1972.

南京大学历史系太平国史研究室，编. 太平天国史论考［M］. 南京：江苏古籍出版社，1985.

姜鸣. 龙旗飘扬的舰队：中国近代海军兴衰史［M］. 上海：上海交通大学出版社，1991.

赵冬梅. 武道彷徨：历史上的武举和武学［M］. 北京：解放军出版社，2000.

茅海建. 天朝的崩溃［M］. 北京：生活・读书・新知三联书店，2017.

茅海建. 近代的尺度：两次鸦片战争军事与外交［M］. 北京：生活・读书・新知三联书店，2018.

简又文. 太平天国全史［M］. 香港：香港简氏猛进书屋，1962.

简又文. 太平天国典制通考 [M]. 香港：香港简氏猛进书屋，1958.

戚其章. 甲午战争史 [M]. 北京：人民出版社，1990.

孙克复，关捷. 甲午中日陆战史 [M]. 哈尔滨：黑龙江人民出版社，1984.

陈悦. 船政史 [M]. 福州：福建人民出版社，2016.

王家俭. 李鸿章与北洋舰队 [M]. 北京：生活·读书·新知三联书店，2008.

邱涛. 咸同年间清廷与湘淮集团权力格局之变迁 [M]. 北京：北京师范大学出版社，2010.

邱涛. 同光年间湘淮分野与晚清权力格局变迁 [M]. 北京：社会科学文献出版社，2018.

李细珠. 张之洞与清末新政研究 [M]. 上海：上海书店出版社，2003.

李细珠. 地方督抚与清末新政：晚清权力格局再研究 [M]. 北京：社会科学文献出版社，2012.

白钢，主编. 中国政治制度通史·清代卷 [M]. 北京：社会科学文献出版社，2011.

太平天国学刊：第三辑 [M]. 北京：中华书局，1987.

章继光. 曾国藩思想简论 [M]. 长沙：湖南人民出版社，1988.

钱基博，李肖聃. 近百年湖南学风·湘学略 [M]. 长沙：岳麓书社，1985.

冯天瑜，黄长义. 晚清经世实学 [M]. 上海：上海社会科学院出版社，2002.

熊月之. 西学东渐与晚清社会 [M]. 上海：上海人民出版社，1994.

王承仁，刘铁君. 李鸿章思想体系研究 [M]. 武汉：武汉大学出版社，1998.

蒋廷黻. 中国近代史 [M]. 上海：上海古籍出版社，1999.

陈旭麓. 近代中国社会的新陈代谢［M］. 北京：中国人民大学出版社，2015.

来新夏. 北洋军阀史［M］. 天津：南开大学出版社，2000.

皮明勇. 中国近代军事改革［M］. 北京：解放军出版社，2008.

黄顺力. 海洋迷思：中国海洋的传统与变迁［M］. 南昌：江西高校出版社，1999.

陈胜粦. 林则徐与鸦片战争论稿［M］. 广州：中山大学出版社，1985.

徐泰来. 洋务运动新论［M］. 长沙：湖南人民出版社，1986.

杨国荣. 科学的形上之维：中国近代科学主义的形成与衍化［M］. 上海：上海人民出版社，1999.

赵枫. 中国军事伦理思想史［M］. 北京：军事科学出版社，1996.

列文森. 儒教中国及其现代命运［M］. 郑大华，任菁，译. 北京：中国社会科学出版社，2000.

余英时. 士与中国文化［M］. 上海：上海人民出版社，1987.

余英时. 中国思想传统的现代诠释［M］. 南京：江苏人民出版社，1995.

庞百腾. 沈葆桢评传：中国近代化的尝试［M］. 陈俱，译. 上海：上海古籍出版社，2000.

胡逢祥. 社会变革与文化传统：中国近代文化保守主义思潮研究［M］. 上海：上海人民出版社，2000.

王继平. 湘军集团与晚清湖南［M］. 北京：中国社会科学出版社，2002.

周妤. 中国近代经世派与经世思潮［M］. 广州：广东人民出版社，1999.

周辉湘. 洋务思潮史论［M］. 长沙：湖南师范大学出版社，1996.

朱建新，编. 中国近代军事学校［M］. 郑州：河南教育出版社，1992.

戚其章. 晚清海军兴衰史 [M]. 北京：人民出版社，1998.

高纪朝，曹胜高. 作战指挥思想研究 [M]. 北京：军事科学出版社，1997.

胡伟希. 辛亥革命与中国近代思想 [M]. 北京：中国人民大学出版社，1991.

刘绪义. 曾国藩与晚清大变局 [M]. 北京：九州出版社，2015.

虞和平，主编. 中国现代化历程 [M]. 南京：江苏人民出版社，2007.

袁伟时. 晚清大变局中的思潮与人物 [M]. 深圳：海天出版社，1992.

吴雁南，冯祖贻，等主编. 中国近代社会思潮（1840—1949）[M]. 长沙：湖南教育出版社，1998.

喻大华. 晚清文化保守思潮研究 [M]. 北京：人民出版社，2001.

苑书义. 李鸿章传 [M]. 北京：人民出版社，1991.

王兆春. 中国火器史 [M]. 北京：军事科学出版社，1991.

王兆春. 中国科学技术史·军事技术卷 [M]. 北京：科学出版社，1998.

庄练. 中国近代史上的关键人物 [M]. 北京：中华书局，1988.

林明德. 袁世凯与朝鲜 [M]. 台北："中央研究院"近代史研究所，1984.

刘凤翰. 新建陆军 [M]. 台北："中央研究院"近代史研究所，1967.

刘凤翰. 武卫军 [M]. 台北："中央研究院"近代史研究所，1978.

孔飞力. 中华帝国晚期的叛乱及其敌人 [M]. 谢亮生，等译. 北京：中国社会科学出版社，1990.

魏斐德. 大门口的陌生人［M］. 王小荷，译. 北京：中国社会科学出版社，1988.

拉尔夫·尔·鲍威尔. 1895—1912 年中国军事力量的兴起［M］. 陈泽宪，陈霞飞，译. 北京：中国社会科学出版社，1979.

乔伟，李喜所，刘晓琴. 德国克房伯与中国的近代化［M］. 天津：天津古籍出版社，2001.

张静庐，辑注. 中国近代出版史料初编［M］. 北京：中华书局，1957.

陈高华，钱海皓，主编. 中国军事制度史·军事教育训练制度卷［M］. 郑州：大象出版社，1997.

林增平，郭汉民，主编. 清代人物传稿［M］. 沈阳：辽宁人民出版社，1990.

石泉. 甲午战争前后之晚清政局［M］. 北京：生活·读书·新知三联书店，1997.

胡绳. 从鸦片战争到五四运动［M］. 北京：人民出版社，1981.

郭廷以. 近代中国史事日志［M］. 北京：中华书局，1987.

郭廷以. 太平天国史事日志［M］. 上海：上海书店出版社，1986.

张德泽. 清代国家机关考略［M］. 北京：学苑出版社，2001.

侯昂妤. 中国近代军事学的兴起（1840—1949）：学科史的几个重要问题研究［M］. 北京：军事科学出版社，2007.

赵国华. 中国兵学史［M］. 福州：福建人民出版社，2004.

谢祥皓，主编. 中国兵学·宋元明清卷［M］. 济南：山东人民出版社，1998.

黄朴民，魏鸿，熊剑平. 中国兵学思想史［M］. 南京：南京大学出版社，2018.

张文儒. 中国兵学文化［M］. 北京：北京大学出版社，1997.

赵海军. 孙子学通论［M］. 北京：国防大学出版社，2000.

邱复兴，主编. 孙子兵学大典［M］. 北京：北京大学出版社，

2004.

　　吴如嵩. 徜徉兵学长河 [M]. 北京：解放军出版社，2002.

　　熊志勇. 从边缘走向中心：晚清社会变迁中的军人集团 [M]. 天津：天津人民出版社，1998.

　　魏鸿. 宋代孙子兵学研究 [M]. 北京：军事科学出版社，2011.

三、论文集

　　戚其章，主编. 甲午战争九十周年纪念论文集 [C]. 济南：齐鲁书社，1986.

　　刘泱泱，郭汉民，等主编. 魏源与近代中国改革开放 [C]. 长沙：湖南师范大学出版社，1995.

　　吴信忠，张云，主编. 中国近代军事思想和军队建设 [C]. 北京：军事科学出版社，1990.

　　甲午海战与中国海防·纪念甲午海战 100 周年学术研讨会论文集 [C]. 北京：解放军出版社，1995.

　　戚俊杰，刘玉明，主编. 北洋海军研究 [C]. 天津：天津古籍出版社，1999.

　　吴信忠，张云，主编.《军事历史研究》十年论文精选（1986—1996）[C]. 北京：军事科学出版社，1996.

　　梁巨祥，主编. 中国近代军事史论文集 [C]. 北京：军事科学出版社，1987.

　　戚其章，王如桧，主编. 甲午战争与近代中国和世界：甲午战争 100 周年国际学术讨论会文集 [C]. 北京：人民出版社，1995.

　　福建省社会科学联合会. 林则徐研究论文集 [C]. 福州：福建教育出版社，1992.

　　王承仁，主编. 太平天国研究论文集 [C]. 武汉：武汉大学出版社，1994.

　　杨慎之，主编. 左宗棠研究论文集 [C]. 长沙：岳麓书社，1986.

中华文化复兴运动推行委员会，主编．中国近代现代史论文集 [C]．台北：商务印书馆，1986.

张磊，主编．丁日昌研究 [C]．广州：广东人民出版社，1988.

张炜，主编．甲午海战与中国近代海军 [C]．北京：中国社会科学出版社，1990.

四、期刊论文

姜鸣．北洋舰队训练述论 [J]．东岳论丛，1986（6）.

张家瑞．李鸿章与晚清海军舰船装备建设的买与造 [J]．军事历史研究，1998（3）.

刘庆．文人论兵与宋代兵学的发展 [J]．社会科学家，1994（5）.

王宏斌．《防海新论》与同光之际海防大讨论 [J]．史学月刊，2002（8）.

成赛军．曾国藩海防思想简论 [J]．军事历史研究，2010（3）.

杨东梁．晚清海权观的萌发与滞后 [J]．社会科学战线，2010（10）.

马骏杰．姚锡光在甲午战争前后的军事思想及活动 [J]．军事历史研究，2007（1）.

张一文．《北洋海军章程》及其军事学术价值 [J]．军事历史研究，1999（4）.

毛振发．清末军事刊物述论 [J]．军事史林，1987（1）.

李陵．论唐鉴的义理经世思想 [J]．求索，2008（6）.

皮明勇．中国传统军事文化观念与军事近代化刍论 [J]．齐鲁学刊，1995（2）.

杨国荣．技与道之间——近代科学观念的早期变迁 [J]．中国哲学史，1998（2）.

张建堂．左宗棠收复新疆时期的治军思想 [J]．军事历史研究，2000（2）.

曾祥健．湘军水师与太平军水师之比较研究 [J]．安徽史学，

1998（1）.

　　管仕福. 太平军的训练——中国军训近代化的开端［J］. 江西社会科学，2004（2）.

　　董蔡时. 略论曾国藩进攻太平天国与捻军的战略战术［J］. 苏州大学学报，1996（2）.

　　李成甲，魏均. 论曾国藩的战术思想［J］. 近代史研究，1995（4）.

　　翁飞. 李鸿章的海防思想与海防建设——两次海防大筹议过程探讨［J］. 学术界，2014（10）.